www.bragelonne.fr

Antoine Rouaud

La Voie de la colère

Le Livre et l'Épée – tome 1

Bragelonne

Collection dirigée par Stéphane Marsan et Alain Névant

© Bragelonne 2013

ISBN : 978-2-35294-700-4

Bragelonne
60-62, rue d'Hauteville – 75010 Paris

E-mail : info@bragelonne.fr
Site Internet : www.bragelonne.fr

À Greg, mon ami, mon frère, dont le soutien sans faille et l'amitié malgré les distances m'ont permis de ne jamais cesser d'écrire.

PARTIE 1

1

Un parfum de lavande

Vient un jour dans notre vie,
Le croisement de ce que nous étions,
De ce que nous sommes et de ce que nous serons.
C'est à ce moment, au terme de toute chose,
Que nous décidons quelle sera notre fin.
Fier ou honteux du parcours accompli.

E^{s it allae, Es it alle en, Es it allarae.}

Es it allae, Es it alle en, Es it allarae.
« Ce que vous étiez, ce que vous êtes, ce que vous serez. »
Telle était la devise de la cité portuaire. Quel qu'ait été son véritable sens, cela importait peu ; le voyageur le plus humble en avait connaissance sans même s'y être jamais rendu. Ici, au sud des anciens royaumes, Masalia avait toujours été la ville de tous les possibles.

Par sa position géographique tout d'abord. Loin de la cité impériale, au bout du monde, elle représentait la dernière trace de civilisation avant l'océan de l'Ouest jusqu'alors inexploré. Et de son port s'élançait un grand nombre de navires marchands, filant vers les îles Sudies ou remontant les côtes jusqu'aux cités du Nord. Par son Histoire ensuite. Elle avait été assiégée de si nombreuses fois, par de si nombreux royaumes qu'elle ne possédait même plus d'architecture propre. Chaque quartier portait la trace de ses gouvernances successives, des hautes tours carrées de la période Aztène caractérisées par leurs sommets ornés de cornes de dragons, aux fières maisons de la dynastie Cagliere et leurs balcons fleuris, sans oublier les trois cathédrales de l'ordre de Fangol, dont deux avaient été érigées sur les restes encore fumants de temples païens. Peu importait d'où vous veniez, peu importait qui vous étiez, peu importait qui vous pouviez devenir... Masalia était faite de l'Histoire de tous les anciens royaumes.

Certains disaient : « Riches ou pauvres, faibles ou puissants, vous qui fuyez le reste du monde, soyez certains qu'ici, au carrefour des peuples, vous trouverez votre compte. »

Rien ne pouvait ôter la part de rêve que la simple évocation de Masalia procurait. Pas même la pluie drue qui s'abattait sur les tuiles rouges des toits. Pas même la boue qu'elle charriait au creux des ruelles étroites. Encore moins la façade de pierre usée de l'étrange bâtisse dont les fenêtres ouvertes laissaient parvenir le bruit sourd d'ivrognes enjoués.

—Tu es certaine que c'est ici ? demanda une voix rauque.

Sous son ample capuche, Viola releva légèrement la tête pour aviser la porte de la taverne. Des gouttes de pluie glissèrent lentement sur les verres de ses lunettes rondes, voilant les fenêtres éclairées. Elle acquiesça d'un bref signe de tête et avança. Ses bottes s'enfoncèrent dans la boue avec un chuintement désagréable. Son ombre svelte qui glissait sur la porte de bois fut soudain recouverte par celle de l'homme dans son dos. Elle marqua un temps d'hésitation, la main au-dessus de la lourde poignée de fer. Des filets de pluie s'écoulaient sur le métal noir piqué de rouille...

Vous qui fuyez le reste du monde...

Elle ne pouvait plus reculer. Sa bouche était terriblement sèche, mais elle ne pouvait plus reculer. Elle savait que dans cette taverne se trouvait celui qu'elle cherchait. Le raclement de gorge de son compagnon la sortit de sa rêverie. D'un geste brusque, elle saisit la poignée et l'abaissa.

Soyez certains qu'ici vous trouverez votre compte.

La fraîcheur se dissipa dans les volutes de fumée âcre qui tournoyaient jusqu'au plafond. La cadence des gouttes frappant la terre disparut sous les variations d'éclats de voix et de rires. Un éclair jeta un fugace voile sur les épaules massives et le crâne chauve de l'homme. Il ferma la porte derrière lui avant de s'engager dans les pas de Viola. Enfin, il apparut à la lumière des lampes à huile. Une servante s'arrêta net à sa hauteur, manquant de lâcher son plateau. Elle découvrait avec stupeur les tatouages recouvrant sa peau mate. Ils serpentaient avec grâce sur les moindres saillies de son visage. Un court moment, il soutint son regard, avant qu'elle ne décide de servir une table proche. Les vieux marchands aux costumes ternes applaudirent son arrivée.

Les temps avaient changé. Les Nâagas n'effrayaient guère plus. Qu'est-ce qu'un *Sauvage* avait de si surprenant, ici, dans cette ville et encore plus dans les bas-fonds? Si l'Empire n'avait été fait que d'hommes civilisés, la République se targuait désormais d'ouvrir ses portes à n'importe qui... ou quoi.

Il parcourut la salle d'un œil méfiant. Bien que la plupart fussent des marchands de petites cités de l'Ouest venus faire affaire à Masalia, il y avait également des voyageurs d'un tout autre acabit. Lorsqu'il aperçut Viola se frayer un passage parmi la clientèle sans même l'attendre, il laissa échapper un grognement. Il connaissait ce genre d'endroit, les brigands qui s'y terraient, le danger qu'un simple regard mal perçu était susceptible d'attirer.

Elle avait déjà atteint le comptoir lorsqu'il la rejoignit, et tendait un morceau de papier chiffonné à un homme au visage rond. Tout en le posant pour mieux le lire, le tavernier passa une main sur son front dégarni, perlé de sueur, et ouvrit la bouche en une grimace perplexe, découvrant ainsi les trois dents qui lui restaient.

—Dun... Dun..., réfléchit-il à voix haute. Ah, mais oui, c'est Deune que ça se prononce! C'est un type de l'Ouest, oui, oui. J'comprenais pas, c'est pour ça... ça s'écrit Dun mais ça se dit Deune. Typique des gens de l'Ouest, ça. Allez savoir, sont pas comme nous.

—Ce Dun... il est ici? demanda Viola.

Le tavernier haussa un sourcil et jaugea tour à tour la jeune femme et, à sa droite, le Nâaga qui s'accoudait au comptoir. Cette face si sombre, les serpents noirs semblant danser sur sa peau lisse le mettaient mal à l'aise. Il ne s'y faisait guère, mais à quoi bon refuser la nouvelle clientèle ou risquer un esclandre? D'un geste nerveux, il tenta de recoiffer une touffe de cheveux poivre et sel emmêlés au-dessus de son oreille. La femme avait gardé son ample capuche, une ombre masquant le haut de son visage. C'est à peine s'il perçut le reflet d'une lampe dans une paire de lunettes.

—Z'êtes qui exactement? grommela-t-il en fixant le manche de la masse d'armes qui saillait du dos du géant. Je ne veux pas de problèmes ici, moi.

—Nous ne sommes pas là pour vous en causer, assura Viola. Rogant n'est que mon… protecteur, ajouta-t-elle en abaissant sa capuche d'un geste lent, esquissant un sourire.

La méfiance du tavernier disparut à la vue de son visage délicatement dessiné. Derrière les verres de petites lunettes rondes, s'ouvraient des yeux en amande d'un vert profond. Au-dessus des joues, des taches de rousseur constellaient la peau d'un blanc laiteux. Une blancheur que magnifiaient des cheveux rouge vif attachés en chignon, deux mèches rebelles ondulant devant ses oreilles.

—Vous comprendrez aisément que sans lui, dans ces quartiers, c'est moi qui risquerais quelques… problèmes.

Elle était belle, tout juste une vingtaine d'années. Une proie facile pour n'importe quelle canaille tapie dans l'ombre des ruelles. Sur les bords de sa capeline, de fines vagues d'or brodées avec soin. Si elle n'était pas une rescapée de la purge ayant suivi la chute de l'Empire, elle devait appartenir à ces parvenus républicains.

—Dun, c'est rien qu'un vieil homme, expliqua le tavernier en essuyant ses mains moites à l'aide d'un torchon couvert de crasse. Il est un peu toqué, mais il a jamais fait de mal à personne…

—Je vous l'ai dit, nous ne sommes pas là pour causer des problèmes…

—D'accord, c'était un soldat à ce qu'il raconte mais l'est pas dangereux, vous savez.

—Je veux juste lui parler, insista Viola en séparant bien chaque mot d'une voix douce.

—Je me souviens, y a cinq ans, on voulait aussi « juste » parler à un gars du genre de Dun, rétorqua le tavernier le regard dur. Et vous savez quoi ? Ben, on l'a retrouvé pendu le lendemain en place publique sous les vivats de la foule.

—La purge est terminée, assura la jeune femme d'un air gêné.

Le regard du tavernier croisa celui du Nâaga. Mais rien dans ses yeux noirs n'indiquait une quelconque fourberie.

—À ce qu'il paraît, murmura l'homme.

Il s'épongea le front, marquant un temps, comme s'il mesurait les conséquences d'une possible délation. Comme s'il se demandait si mentir arrangerait son sort. C'est attristé qu'il releva la tête. Il avait de lui-même vendu la mèche en évoquant le passé du vieil homme.

—Vous venez d'Éméris, j'en mettrais ma tête à couper.

—Nous ne coupons pas les têtes, certifia Viola, retenant un étrange sourire. Comme nous ne pendons plus les gens sans procès.

—Mais… il y a encore des impériaux recherchés…, se crispa le tavernier.

—Oui, reconnut-elle d'une voix qui se voulait apaisante. Certains. Mais, en l'occurrence, ce n'est pas ce qui m'amène, car je ne crois pas que Dun ait commis d'autres crimes que de suivre les ordres. Je veux juste lui parler. Alors dites-nous simplement s'il est ici… et vous ne serez pas dérangé outre mesure, je vous le jure.

—Pas de problèmes, hein…, dit le tavernier en jetant un bref coup d'œil vers Rogant.

—Juste lui parler, répéta Viola.

Il jeta son torchon sur son épaule et chercha parmi la foule une silhouette familière. Quand il l'aperçut, assise à une table, il la désigna d'un bref signe de tête. Viola se retourna et mit quelques secondes avant d'être certaine que c'était bien lui que le tavernier indiquait. Elle croisa le regard du Nâaga, mais il ne lui fut d'aucun secours. Rogant se contentait de surveiller les faits et gestes de la clientèle avec une certaine appréhension. Elle prit congé de leur hôte d'un geste de la main et plongea dans la foule. Des hommes goguenards la suivaient des yeux en sifflant. Tout autour, des serveuses filaient, un pichet dans chaque main. Les rires gras des marchands résonnaient. Et cette odeur de sueur mélangée à l'âcreté de la fumée qui s'étalait dans toute la salle… Elle s'accrut lorsque Viola arriva à la table de Dun.

—Juste quelques piécettes, Dun… Je te rendrai le double, suppliait un petit homme, un chapeau retourné entre ses deux mains.

—Je t'ai dit que je voulais plus voir ta sale face, maugréa l'homme.

Ses cheveux gris étaient parsemés de saletés ; sur sa nuque, une trace noire. Si sa chemise avait été blanche, les manches n'en gardaient plus la preuve que çà et là, sous une couche grise perlée de brun. Le dos de son gilet de cuir se craquelait de part et d'autre.

—Je peux me refaire, ils sont quatre à venir de Serray, ils y connaissent rien à la crapette, Dun. Tu me connais, je peux les battre à deux cents pour cent.

—T'avais pas à me parler comme ça et je t'aurais avancé pour jouer. Jamais. Jamais, il ne faut me parler comme ça.

Il pointait un doigt accusateur vers le petit homme et, d'un mouvement de bras qui le fit chanceler, lui indiqua une table plus loin où quatre gaillards vêtus de larges manteaux pourpres chantaient à tue-tête.

—Va leur parler à tes gars de Serray comme tu m'as parlé, grogna-t-il. Et ta p'tite tête va vite se retrouver dans ton cul. Tu verras peut-être que, finalement, je suis bon prince. File.

Tête basse, le petit homme tourna les talons pour disparaître parmi les clients. Viola sentit la présence de Rogant dans son dos. Elle tourna légèrement la tête et, par-dessus son épaule, croisa son regard. Le Nâaga acquiesça. Elle n'en attendit pas plus pour contourner la table et se présenter face au vieil homme. Les mains serrées sur une large chope, il leva un sourcil vers elle. Son visage était buriné, une barbe naissante encadrait ses lèvres gercées, une cicatrice bombée dessinait une courbe sous l'œil droit. Il correspondait tout à fait à la description. Celle d'un homme fruste dont la vie s'était résumée à une longue succession de batailles.

—Dun?

Il ne répondit pas.

—Vous permettez? demanda-t-elle, une main sur le dossier de la chaise.

Il ne bougea pas.

—Je ne prendrai pas trop de votre temps.

Il but une gorgée alors qu'elle s'asseyait et manqua de s'étouffer en découvrant le Nâaga s'attabler à sa droite.

—Que fait ce *Sauvage* à ma table? grommela-t-il en dardant un regard noir vers Viola.

—Rogant est un Nâaga, précisa-t-elle sèchement. Pas un *Sauvage*. La plupart sont sédentaires maintenant, vous savez? Ce sont des êtres comme vous et moi.

Elle remonta ses lunettes du bout de l'index avant d'ajouter:

—Et il m'accompagne.

—Un tatoué sédentaire maintenant? soupira-t-il. En quoi est-ce une excuse pour s'asseoir à ma table sans y être invité?

Elle soutint son regard, si décidée qu'il détourna les yeux vers le Nâaga. Il les avait combattus tant de fois qu'il trouvait insupportable que la République les tolère. Ces barbares incultes avaient brûlé des cités… À présent, ils venaient s'y installer sans que personne s'en émeuve. Ils s'insinuaient comme les serpents qu'ils vénéraient. Et l'un d'eux se tenait à côté de lui. Sa main se mit à trembler. Il ferma le poing.

— Il se dit ici et là que vous avez servi dans l'armée à l'époque de l'Empire.

— Il se dit plein de choses à Masalia, lâcha Dun avant de vider sa chope.

— Je ne suis pas de Masalia, sourit Viola.

Une serveuse vint remplacer le pichet vide, déposant deux nouvelles chopes à l'intention de Rogant et de Viola, puis s'évanouit dans la foule.

— Non… bien sûr, murmura Dun en la fixant d'un œil noir. Vos habits sont fins, travaillés, couverts d'une légère couche de poussière… Vous avez voyagé… et vous êtes bien née.

— Il n'y a plus de *bonne* naissance depuis la fin de l'Empire, rectifia sèchement Viola.

— Ah oui ! railla-t-il en se servant du vin. Peu importe le sang dans la République. Quiconque fait preuve de volonté se hisse au firmament. J'ai entendu parler de ces…

Il but une gorgée.

— … foutaises…, finit-il dans un grognement.

Viola échangea un regard désabusé avec son acolyte. Un léger sourire fila sous les tatouages de Rogant.

— Je m'appelle Viola. Je suis historienne au Grand Collège d'Éméris.

— Et quoi ? se moqua Dun tout en penchant la tête vers elle, un rictus aux lèvres. Vous pourriez attendre que je sois enterré avant de vouloir m'étudier comme une relique. De mon temps, on était moins impatient.

— Ce n'est pas *vous* que je suis venue étudier, rétorqua Viola en grimaçant de dégoût.

Il dodelinait de la tête, les sourcils relevés. Elle était jolie, bien qu'un peu trop jeune. Ses lunettes d'intellectuelle, ses cheveux d'un rouge sang dont deux mèches glissaient sur une peau d'ivoire ne le laissaient pas de marbre. Plus encore, il émanait d'elle un délicieux parfum de lavande qui ravivait en lui de tendres souvenirs. L'ivresse émoussait son jugement et il s'imagina un instant assez séduisant pour la charmer. Il en oubliait d'être soupçonneux.

—Je suis à la recherche de quelque chose et je crois que vous pouvez m'aider à le retrouver, expliqua Viola. J'ai traversé les anciens royaumes, discuté avec bon nombre de marchands, de voyageurs… jusqu'à ce que l'un d'eux évoque un ancien soldat rencontré à Masalia.

Il poussa un soupir, les deux mains autour de sa chope, le regard vitreux. Lorsqu'il tourna la tête vers le Nâaga, son visage se tendit aussitôt. Rogant était si discret qu'il en avait presque oublié sa présence.

—Et ? siffla Dun.

—Et il aurait entendu de la bouche de cet ancien soldat une histoire très étonnante, continua-t-elle. Vous lui auriez raconté la chute de l'Empire, lorsqu'en poste à Éméris vous avez fui la cité impériale…

Elle inspira, baissant les yeux, comme cherchant ses mots. Dun la dévisageait en avalant une gorgée.

—… emportant avec vous l'Épée de l'Empereur.

Il resta ainsi, la chope masquant le bas de son visage, le vin coulant doucement sur ses lèvres. Il y eut comme une lumière triste, un éclat fugace au coin de ses yeux. Le brouhaha de la taverne sembla s'estomper et le tumulte d'une bataille résonna dans sa tête. Très vite, l'agitation ambiante le ramena à la réalité, mais son cœur battait plus vite. Une pointe dans la poitrine, dure et sèche. Il respira profondément en reposant sa chope sur la table, son regard dérivant sur les veines du bois.

—Vous cherchez Éraëd…

—Nous cherchons Éraëd, acquiesça Viola.

—Et vous pensez que je l'ai, sourit Dun.

—Non.

Elle hocha la tête, relevant l'une de ses mèches d'une main gantée. Puis elle s'empara du pichet et commença à remplir les chopes que la serveuse avait apportées. Le rouge du vin tomba dans l'ocre des chopes… comme le sang sur la terre. Dun-Cadal passa une main sur sa barbe, le regard éteint.

—Mais vous savez où vous l'avez cachée…

—Et si j'avais menti ce soir-là… pour me rendre intéressant, supposa Dun en se grattant le menton.

—Je ne le crois pas, sourit Viola.

—Vous n'en savez rien.

—J'en suis certaine. On m'a dit que vous aviez parlé des territoires de l'Est, bien après le Vershan. C'est là que vous l'avez cachée, n'est-ce pas ?

—Admettons que j'aie eu Éraëd en ma possession, pourquoi cela intéresserait la République ?

—Cette épée a servi la famille impériale pendant des années, et la famille royale des Cagliere bien avant, celle des Perthuis, des Majorane… Je peux remonter plus loin si vous le souhaitez.

—Je ne suis pas très friand des cours d'Histoire, avoua-t-il.

—Je m'en doutais.

Dun détourna les yeux, perplexe.

—Cette épée représente tout ce que votre République hait, dit-il en replongeant son regard dans celui de Viola.

—Cette épée est prétendument magique. Elle a été sortie du fourreau de bien des héros… Elle a combattu des dragons. Elle fait partie de l'Histoire de ce monde, que sa destinée soit menée par l'Empire ou la République.

Les yeux de Dun se plissèrent, ses lèvres frémirent… Il partit en arrière dans un éclat de rire tonitruant, attirant l'attention des tables voisines. Assise sur les genoux d'un vieux marchand à l'apparence aussi fragile qu'un morceau de bois sec, une femme forte tendit l'oreille. Le regard torve que le Nâaga lui adressa l'en dissuada aussitôt.

—Des héros ? riait Dun. Des dragons ? Vous vous entendez ? Il n'y a rien de plus facile que d'être un héros. Que de tuer des dragons. Vous savez ce que c'est qu'un dragon ? Vous en avez déjà rencontré ?

Viola hésita avant de secouer la tête, légèrement nerveuse. La moquerie du vieux soldat ne lui plaisait guère. Mais elle devait faire avec. Elle avait été prévenue.

—Tout juste des lézards, continua Dun. De gros lézards imbéciles… comme ceux que vénère votre chien de chasse…

Il inclina la tête vers Rogant.

—Laissez-moi deviner. Vous et votre *Sauvage* allez me demander de vous accompagner dans les territoires de l'Est pour chercher Éraëd. Et sur le chemin, quels dangers affronterons-nous ?

Son ton oscillait entre moquerie et mépris.

—Combattre des monstres dont personne n'a jamais entendu parler, sauver des châteaux assiégés, tuer des dragons, hé hé… Vous êtes jeune. Vous me rappelez quelqu'un. Toujours à rêver, toujours à croire aux hauts faits, à s'imaginer une *destinée à écrire*. D'ailleurs, c'est ce que vous faites avec votre… République. Le monde vous appartient, vous n'avez peur de rien, vous foncez tête baissée. Alors qu'en définitive… vous ne savez pas grand-chose du monde qui vous entoure… et quand la réalité survient…

Il claqua des mains, serrant les dents.

—Elle vous écrase comme de petits insectes trop téméraires. Vous croyez aux légendes et vous vous épuisez à écrire la vôtre. Vous pensez pouvoir tout réussir, à l'aube de votre vie, parce que vous possédez LA vérité. En voilà une, de vérité…

D'un geste de la main, il invita Viola à se rapprocher. Et se penchant vers elle, il murmura :

—Ce n'est pas vous qui choisissez, non. C'est vous donner bien trop d'importance. Vous êtes persuadée que votre destin vous appartient, qu'il ne tient qu'à vous d'en inventer les plus beaux moments. Sachez une chose : la destinée des hommes n'a jamais été que le murmure des dieux.

Sans quitter Viola des yeux, il se redressa en hochant la tête.

—Rien de plus qu'un murmure… Les dieux ont scellé nos destins à la création de ce monde. Mais vous, avec toutes vos grandes idées, vous avez oublié cela, n'est-ce pas ? Vous ne croyez plus en rien. Cela m'étonne même que vous n'ayez pas brûlé les églises.

—L'ordre de Fangol est respecté, quoi que vous en pensiez.

—Vous ne connaissez pas le sens du mot respect, persifla Dun en secouant lentement la tête d'un air méprisant. Vous avez oublié le Livre. Vous l'avez renié.

—Chacun choisit de croire ou non. C'est un nouveau monde.

—Ce n'est pas le mien, avoua-t-il dans une grimace, un coup d'œil lancé vers le Nâaga.

Elle ne doutait pas un seul instant que c'était l'homme qu'elle cherchait. Peut-être fallait-il revoir sa stratégie et le piquer au vif pour qu'il se découvre.

—Qui parle ? Le simple soldat loin derrière les lignes ou l'ivrogne ? demanda-t-elle. Les deux peut-être ? J'ai du mal à les discerner. Ils sont si semblables dans leur lâcheté.

Le visage du vieil homme se raidit.

—Vous m'insultez…, murmura-t-il.

—Vraiment, Dun? Que sais-je de vous à part que vous avez fui Éméris en volant Éraël, l'Épée de l'Empereur?

Il n'était pas assez soûl pour succomber à la colère, et trop peu lucide pour penser aux conséquences de son geste. Dun tendit une main vers le pichet et, sans que ses doigts le touchent, celui-ci glissa sur la table. Viola en resta muette, les yeux grands ouverts. Elle remonta très lentement ses lunettes du bout de l'index, comme pour s'assurer qu'elle y voyait clair. Les bras croisés, Rogant s'immobilisa.

Le *Souffle*. Seuls de grands chevaliers de l'Empire avaient su user du *Souffle*. Et, depuis sa chute, peu pouvaient encore en faire la démonstration. Le don s'était perdu.

Les rires qui roulaient dans la taverne n'étaient plus que des échos lointains; les gens, des silhouettes fantomatiques. Seul le pichet concentrait l'attention de Rogant et de Viola. Il avait bel et bien bougé. Enfin, Dun se rendit compte à quel point ce geste l'avait desservi. Lui qui ici contait sa vie de soldat découvrait son vrai visage à une jeune femme sortie tout droit du Grand Collège d'Éméris. C'est à peine si elle avait connu l'Empire. Comment le jugerait-elle? Comme un boucher des anciens royaumes, un ennemi de la République qu'elle servait? Elle qui venait en ces lieux escortée d'un barbare, d'un ennemi de son ancienne vie, saurait-elle faire preuve de discernement?

—Vous n'êtes pas un simple soldat, balbutia Viola. Vous êtes un chevalier.

—Bah, fit Dun en détournant les yeux. La chevalerie est morte avec l'Empire…

Dun. Elle se répétait le nom en pensée, se remémorant autant que possible ses cours d'Histoire. Dun… ce nom lui était familier.

—Dun-Cadal, souffla-t-elle.

Les yeux du vieil homme brillèrent d'une lueur triste.

—Vous êtes Dun-Cadal, le général Dun-Cadal de la maison Daermon, continua Viola. Dun-Cadal, général de la bataille des Salines, vous…

—Étais-je derrière les lignes comme un lâche? l'interrompit-il aussitôt.

Viola ne sut que répondre. La bataille des Salines était entrée dans l'Histoire non seulement à cause de ses conséquences mais aussi, et peut-être surtout, de sa terrible violence. Peu en étaient revenus.

Lui avait erré en territoire ennemi des mois durant avant de passer seul les lignes et de rejoindre Éméris. Des hauts faits, il en avait accompli, mais, entre tous, cet acte était resté gravé dans les mémoires.

— L'Épée est dans les territoires de l'Est. Allez la chercher et cessez de m'importuner. Allez prendre ce qui reste de l'Empire et l'exposer à la vue de tous.

— Vous admettez donc l'avoir ceinte…

Il paraissait absent, le regard dans le vide, les paupières lourdes.

— J'admets beaucoup de choses quand j'ai bu. Je dis beaucoup de choses quand j'ai bu, pesta-t-il. Vous déverserez votre fiel sur sa lame, et sa garde paraîtra bien terne comparée à votre arrogance, murmura-t-il comme pour lui-même.

Il n'avait que faire d'elle, que faire du Nâaga, que faire de ce qu'il avait été. Ici, il n'était plus que Dun et cela était déjà bien assez. Viola l'observait avec attention, notant chaque détail de son visage creusé par le temps, les rides brunes qui parcouraient ses joues. Lui, le général couvert de gloire, se cachait dans les bas-fonds de Masalia. Il n'était pas venu ici dans l'espoir d'une renaissance mais bien pour y chercher la mort. Elle remarqua alors qu'il était assis dos à la porte. N'importe qui pouvait le surprendre. En racontant soir après soir qu'il avait été un simple soldat de l'Empire, peut-être espérait-il que quelqu'un veuille se venger et mette ainsi un terme à son supplice.

— Vous attendez la mort ici, dit Viola.

— Je n'attends rien qu'on ne puisse me donner. Comme un nouveau pichet, par exemple?

Un sourire triste aux lèvres, il retourna le récipient vide sur la table d'une main tremblante. Et adressa une grimace étrange au géant à sa droite. Comme à son habitude, Rogant ne réagit pas.

— Aidez-nous, supplia Viola. Cette épée est bien plus importante que vous ne l'imaginez. Je dois la retrouver.

Mais, dans le brouhaha de la taverne, sa demande ne sembla guère être entendue. De la fumée, qu'exhalait la pipe d'un homme gras à une table voisine, passa entre elle et le vieil homme.

— Je vous en prie, Dun-Cadal…

D'une main leste, il balaya lentement l'épais nuage, l'air absent. C'était peine perdue. Il n'écoutait plus. Rogant se pencha vers elle, et le regard qu'il lui lança fut assez éloquent pour qu'il n'ait nul besoin de prononcer un seul mot. Elle ravala sa salive, passant ses mains gantées sur sa capeline à peine sèche. Et se leva.

—Bien, lâcha-t-elle. Je suppose qu'il est inutile de vous implorer.

Lentement, elle rabattit sa capuche. Seul l'éclat de ses yeux perça l'ombre sur son visage.

—J'ai cru parler au grand général Dun-Cadal mais il faut croire que je me suis trompée. Regardez-vous… vous n'êtes même pas l'ombre de ce que vous avez été. Juste une écorce vide, sans aucune dignité, qui ne sait que lever son verre avec amertume. J'ai peine à croire que ce que vous avez fait lors de la bataille des Salines soit vrai. À vous voir, comme ça, je ne peux que douter que vous ayez été autrefois un grand homme.

Pas un seul moment il ne leva les yeux vers elle.

—Oui… vous êtes venu ici pour attendre la mort. Seulement, vous n'avez pas compris ceci. Vous êtes *déjà* mort. Vous avez beau cacher votre identité dans l'espoir de ne pas ternir votre ancienne image, c'est peine perdue. Quand le monde saura ce qu'il est advenu de Dun-Cadal Daermon… la seule larme versée ne sera pas une larme de tristesse mais bien de pitié.

Elle n'attendit aucune réponse et disparut dans la foule, suivie du Nâaga. Quand l'air frais de la ruelle estompa les odeurs de sueur et d'alcool, elle se demandait encore si elle avait su le piquer au vif. Sous la pluie, elle ralentit le pas.

—Aie confiance, conseilla Rogant.

Avoir confiance ? On n'avait pas jugé bon de la prévenir qu'il s'agissait de Dun-Cadal Daermon et non d'un simple soldat.

—Je *le* connais depuis plus longtemps que toi, continua Rogant. *Il* sait ce qu'il fait.

Et, comme pour conforter ses dires, une voix retentit dans leur dos.

—Hé !

Viola se retourna lentement. Debout sur le perron de la taverne, Dun-Cadal était plus pitoyable encore qu'assis à sa table. La pluie glissait sur son visage et nul n'aurait su dire si quelques larmes ne s'y mêlaient pas.

—Qu'est-ce que vous connaissez de Dun-Cadal ? gronda-t-il, des trémolos dans la voix. Vous venez *ici*, vous vous asseyez à ma table et vous crachez sur ce que j'ai été. Ce que je suis… ce que je serai…

Il serrait les poings, chancelant.

— Mais qu'en savez-vous ? s'emporta-t-il. Ce que vous a appris la République ?!

Il avança de quelques pas et se laissa aller contre un mur. La lueur d'un éclair illumina son visage ridé. Il paraissait si… détruit.

— Que savez-vous de mon histoire… ? dit-il en levant les yeux au ciel. De ce que j'ai vu, de ce que j'ai fait… ? Que savez-vous de la bataille des Salines… ?

Viola ne bougea pas. Elle se contentait de le regarder, appuyé contre la façade d'une maison, les bottes couvertes de boue, la veste de cuir craquelée, les manches de sa chemise tachées de vin.

— Alors, racontez-moi.

2

LA BATAILLE DES SALINES

Mon enfance s'est terminée
Le jour, où, pour la première fois,
J'ai hésité...

L'air était frais malgré le ciel plombé. Pourtant, quelque chose grondait. Un roulement sourd qui ne cessait de croître, survolant les hautes herbes des marais. Il n'y avait pas d'orage, juste de lourds nuages d'un blanc étincelant, bordés de quelques touches de gris comme pour mieux en accentuer les contours. Nul besoin de soleil pour aveugler les hommes en poste dans la tranchée. L'éclat des nuages suffisait à leur peine.

Il n'y avait pas d'orage ni même de colère, il n'y avait que le sentiment d'accomplir son devoir.

C'était il y a quinze ans.

— Tu devrais reculer, Dun-Cadal, conseilla une voix.

Une forme noire traversa le ciel dans un parfait arc de cercle, accompagnée d'un sifflement strident. Et, avant même que le son ne vire au grave, le boulet de roche et d'étoupe, couvert d'une graisse sombre, s'écrasa aux pieds du chevalier sans qu'il esquisse le moindre mouvement de recul.

— Vraiment ? murmura Dun-Cadal en fixant l'horizon d'un œil brillant.

Devant lui s'étendaient marais salants et marécages, si larges et longs que le lointain se troublait sous un voile de chaleur.

23

C'était à peine s'il discernait les reliefs du campement ennemi. Baissant les yeux sur le cratère bouillonnant à ses pieds, il observa les filets de fumée s'échapper du boulet encore chaud. D'un coup de botte, il le retourna.

— Négus, dit-il, pensif, j'ai comme l'impression qu'ils s'impatientent, en face.

Il fit volte-face, un sourire moqueur aux lèvres.

— Nous montrerons-nous discourtois ?

Le petit homme rond, engoncé dans son armure, leva les yeux au ciel avant de répondre :

— Si tu cherches à te faire tuer avant même d'avoir croisé le fer, ce serait faire preuve d'une grande impolitesse, en effet.

Depuis deux semaines, ils patientaient ici, aux abords des Salines, sans qu'aucun coup soit porté. Tout juste quelques tirs de balistes mais qui ne touchaient jamais au but. L'armée de l'Empire, quant à elle, n'avait pas encore fait parler l'artillerie. La révolte des Salines devait, si cela était possible, être matée sans verser la moindre goutte de sang. Bien au chaud, dans son palais d'Éméris, l'Empereur croyait que la peur engendrée par ses régiments suffirait pour faire déposer leurs armes aux insurgés. Si en deux semaines aucune épée n'avait été sortie du fourreau, aucune non plus n'avait été abandonnée sur le champ de bataille…

Dun-Cadal rejoignit son compagnon d'armes et lui flatta l'épaule d'une main ferme.

— N'aie crainte, Négus, je sens l'odeur de la mort, toujours. Et là, à part le sel, rien ne m'a piqué les narines.

Il avait les cheveux bruns, courts, que le vent soulevait sans peine. Un fin bouc entourait ses lèvres fines, et son visage, bien qu'encore assez jeune, portait déjà les stigmates de nombreuses batailles. Et il comptait que ce ne soit pas, ici, la dernière qu'il livrerait. Il arrivait tout juste et avait tenu à apprécier la situation avant que d'autres généraux ne la lui présentent sous des abords plus flatteurs. Il sauta dans la tranchée et attendit que son ami ait fait de même avant de continuer sa marche.

Il n'aurait su compter le nombre de combats qu'ils avaient vécus ensemble, des simples escarmouches aux grands champs de bataille. De tous les généraux de l'Empire, Négus avait toujours été son plus proche ami, son semblable, celui qui faisait fi des rumeurs à son encontre comme de son caractère brut. Lui venait de la maison Daermon, une maison dont la noblesse ne remontait qu'à un siècle. Celle de Négus avait suivi tous les grands de ce monde, des premiers royaumes jusqu'à l'Empire. Pour autant, affable de naissance, Anselme Nagolé Egos dit Négus n'y avait jamais vu là une raison de mépriser celui qui, bien des fois, avait protégé sa vie au milieu du chaos. Leur amitié connue de tous était sans faille, profonde comme les rifts des territoires sauvages, aussi résistante que les pierres des mines de Kapernevic. Le danger l'avait affirmée. Elle confinait désormais à une réelle fraternité.

Tout le long du sillon, des soldats épiaient l'horizon, leur lance au côté. Au passage des chevaliers, ils tinrent à faire bonne figure malgré la tension et les saluèrent d'un poing sur la poitrine. Tous connaissaient Dun-Cadal et sa hardiesse au combat. Tous lui vouaient une estime sincère. Le voir ainsi marcher aux côtés de Négus aurait pu les réconforter. Mais leur seule présence, si elle mettait du baume au cœur, ne suffisait pas. Ils désespéraient de la situation, si pénible qu'elle en devenait une torture. Comme en témoignait l'odeur d'excréments stagnant au fond de la tranchée. Deux semaines qu'ils étaient là et déjà le camp souffrait des mauvaises conditions des Salines. Marais et boue empêchaient les hommes d'évacuer leurs ordures.

— Ils sont terrifiés, fit remarquer Négus.

— Ils ne le montrent pas tant que ça.

— C'est préférable. Ils font partie de l'unité du capitaine Azdeki.

— Le neveu d'Azinn ? Ce vaurien ? s'étonna Dun-Cadal.

— Ne t'a-t-on pas prévenu, à la frontière ? C'est lui qui s'occupe de la région depuis deux ans maintenant. Et c'est lui qui l'a tenue depuis le début de la révolte.

— Tenue, railla Dun-Cadal. Cet idiot ne se tient pas lui-même.

— Il n'y a pas encore eu de bataille, rétorqua Négus tout en gravissant le petit escalier creusé dans la terre pour arriver au bord du camp. On peut considérer qu'il l'a tenue.

Vraiment ? Étienne Azdeki, neveu du baron Azinn Azdeki des baronnies de l'Est du Vershan, n'était pas réputé pour sa sagesse et encore moins pour ses qualités de stratège. Que l'Empereur l'ait chargé de la région des Salines pouvait passer pour une simple erreur, mais quand une guerre se glissait sur les terres dont il avait la charge, cela avait tout d'une gageure. Étienne Azdeki avait été nommé capitaine sans avoir aucune expérience de la guerre. Agir comme il le *fallait* n'avait jamais été dans ses prérogatives. Agir comme il le *voulait*, en revanche, était sa seule ligne de conduite.

— Peu importe, lâcha Dun-Cadal. L'Empereur m'a envoyé ici pour coordonner les troupes. Cet Azdeki se contentera de faire ce que je lui ordonnerai.

— Toujours aussi sûr de toi, hein, Daermon? sourit Négus.

— Ici, je me sens comme dans les bras d'une courtisane! répondit-il, un large sourire aux lèvres. À la guerre comme à l'amour, à l'amour comme à la guerre!

Des dizaines de milliers de tentes vert foncé s'étendaient sur les marais, dressées parmi les roseaux et hautes herbes. Ici et là, des chevaliers en armure s'entraînaient en combat singulier au centre d'un cercle de spectateurs attentifs. L'attente était plus dangereuse encore qu'une bataille. L'ennui endormait les soldats. Ils avaient tout le temps pour réfléchir au danger qui menaçait. Cela risquait de leur ôter toute spontanéité lors de l'affrontement. Deux semaines, c'était peu dans une guerre, mais déjà trop long quand aucune escarmouche ne rompait l'inactivité. Dun-Cadal craignait que les révoltés des Salines ne comptent sur cette léthargie pour imposer leur rythme.

Quand il écarta les rideaux pourpres de la tente d'état-major au cœur du camp, il sut qu'il était déjà trop tard pour régler cette révolte dans les plus brefs délais.

— Ils se massent principalement ici…

Penché au-dessus d'une large maquette représentant les Salines, un chevalier à l'armure noire désignait une ligne longeant une petite forêt. Face à lui, un homme d'une trentaine d'années, le visage émacié, le nez aquilin surplombant de fines lèvres pincées, écoutait avec attention, les mains jointes dans le dos. Sur son plastron argenté, un aigle fier maintenait un serpent entre ses serres. L'emblème de la famille Azdeki, l'héritage de sa consécration lors des grandes batailles opposant la civilisation de l'Empire aux nomades Nâagas jusqu'à leur asservissement.

— Nos éclaireurs ont essayé de s'approcher pour établir précisément le nombre de leurs balistes, mais ils ont chaque fois été repérés. Deux d'entre eux ne sont pas revenus.

Ils étaient cinq, cinq chevaliers entourant la représentation sommaire du territoire, tous vêtus d'armures aux couleurs de leur maison, une noblesse de région jurant allégeance à la famille impériale, envoyant ses fils à l'académie militaire pour qu'ils servent avec honneur la grande armée. Seuls les plus expérimentés atteignaient le rang de général. Mais, de par sa nomination en tant que capitaine du comté d'Uster, Étienne Azdeki avait tout pouvoir sur ceux présents. Ils n'étaient qu'un renfort, tous se pliaient à son commandement et ce, bien qu'ils lui soient supérieurs en grade. Tous, sauf Dun-Cadal. À sa vue, le jeune noble se raidit.

— Comptez deux fois plus de balistes que vous avez pu en voir du temps où vous contrôliez la situation, Azdeki, déclara Dun-Cadal en avançant vers eux, sans même accorder un regard aux soldats qui le saluèrent.

— Général Daermon, salua Azdeki d'un ton sec.

Il s'inclina très légèrement. Ce simple geste semblait lui coûter.

— Azdeki, répondit-il en souriant avant de s'adresser à tous. Quel plaisir de vous revoir, si prompts à botter le cul de paysans !

— Vous n'avez pas perdu de temps, nota avec joie l'homme à l'armure noire.

— J'ai fait aussi vite que possible, Tomlinn, et j'ai peine à croire que la situation n'a pas évolué depuis le soulèvement.

D'un bref coup d'œil, Dun-Cadal aperçut le coin des lèvres d'Azdeki se soulever en un rictus amer. L'Empereur respectait le général plus que quiconque. Des rumeurs couraient sur les raisons d'un tel soutien, mais peu pouvaient se targuer de les connaître vraiment. L'idée même d'une amitié entre Sa Seigneurie et un parvenu, fût-il général, n'effleurait pas l'esprit de la plupart des nobles, tant elle était inimaginable. À défaut de s'en attrister, Dun-Cadal se vengeait de leur mépris retenu en ne se privant pas de remarques acerbes. Personne ne se plaindrait.

Car il était là à la demande de Sa Majesté impériale pour rétablir une situation excessivement… embarrassante.

— Maintenant, expliquez-moi clairement ce qui se passe, demanda Dun-Cadal.

Son ton s'était adouci. Si les généraux ne l'appréciaient guère, Dun-Cadal leur vouait néanmoins une admiration sans faille. Deux d'entre eux avaient même effectué leurs classes en sa compagnie, si bien qu'il en éprouvait une forme d'affection. Quand bien même ce sentiment n'était pas réciproque, Dun-Cadal s'en accommodait fort bien. Il les savait doués sur un champ de bataille. Seul cela lui importait. Tomlinn, l'armure noire, le crâne dégarni et une grande balafre lui barrant le visage, prit la parole en longeant la maquette. Il était l'un des rares à éprouver de l'amitié pour Daermon.

— Le comté d'Uster réclame son indépendance. Et le reste de la région des Salines s'est associé à sa requête.

— J'ai fait ce que j'avais à faire, intervint aussitôt Azdeki.

Il y eut un lourd silence que sa voix chevrotante s'efforça de briser.

— Depuis deux ans, j'essaie de tenir la région, mais ces paysans n'acceptent pas l'idée que le comte d'Uster ait pu les trahir. Je n'ai fait qu'appliquer la loi !

Qu'il ait agi sur ordre de l'Empereur, Daermon n'en avait cure et ce n'étaient pas les raisons ni la façon dont l'affaire avait été réglée qui l'intéressaient. Seules les conséquences méritaient son attention.

— Ces paysans ont levé une armée qui vous tient tête et n'est pas effrayée par la force de l'Empire, trancha Dun-Cadal.

— Il m'a paru préférable de ne pas attaquer, soutint Azdeki. Et l'Empereur s'est fié à mon jugement. Je ne suis pas un va-t-en-guerre.

— Ça, je n'en doute pas un seul instant, railla le général.

— Daermon, soupira Négus derrière lui.

Droit comme un I, les mains jointes dans le dos, Azdeki paraissait bouillonner. L'espace d'un instant, le général crut qu'il se risquerait à répondre à la moquerie, mais il encaissa en inspirant.

— C'est une stratégie qui peut encore marcher, concéda Négus. Quand ils se rendront compte que nous n'avons pas moins de cent mille soldats, mille chevaliers capables d'user du *Souffle*… sûrement comprendront-ils que tout combat est vain. Et nous garderons l'Empire intact sans verser la moindre goutte de sang.

— Le comte d'Uster était apprécié. Certains doutent qu'il ait trahi l'Empire, ajouta Tomlinn en s'approchant de Dun-Cadal.

— Ils n'ont plus confiance en nous, renchérit un homme massif, vêtu d'une armure rouge sang.

Debout aux côtés d'Azdeki, il fit avancer un bloc de bois représentant une légion de l'Empire.

—Le sentiment de révolte les enhardit, mais, quand ils verront exactement notre nombre, ils reconnaîtront leur erreur et tout rentrera dans l'ordre.

—Vous espérez, c'est là votre erreur. Vous auriez dû attaquer dès le début, lâcha Dun-Cadal en balayant les blocs de bois d'un geste de la main. Vous auriez dû leur montrer votre force plutôt que d'attendre qu'ils la *voient*, général Kay. Tout ça n'est rien. Ils vous endorment. Croyez-moi, je sens ce genre de choses.

Kay recula d'un pas, tête baissée. S'il connaissait Dun-Cadal depuis un certain temps, il était l'un de ceux qui toujours avaient critiqué son comportement. Trop sûr de lui... trop arrogant. Et, bien que plus d'une fois il ait eu raison, cela n'excusait pas son manque de tact. Le monde changeait et il semblait seul à ne pas suivre le courant, trop enraciné dans ses certitudes, trop confiant dans ce qui, jusqu'ici, avait fait sa force et sa renommée. Tous ici étaient de hautes lignées, au contraire de celle de Daermon. Un parvenu, un fat... mais qu'il valait mieux avoir à ses côtés que contre soi.

—Le problème aurait été réglé. Vous avez hésité à agir. Vous avez hésité et vous compliquez les choses... alors que tout aurait été si simple en attaquant les premiers. Un jeu d'enfants.

—Et s'il y avait un autre moyen que..., tenta Kay.

—Vous vous posez trop de questions ! rugit Dun-Cadal.

Un sifflement alla *crescendo*, fort, strident, jusqu'à leur vriller les oreilles.

—Ne vous en posez plus, conseilla-t-il les dents serrées avant de hurler : À terre !

Le toit de la tente se déchira. Tous se jetèrent au sol, mains sur la tête, le cœur battant à tout rompre. Un boulet de feu s'écrasa sur la maquette, dispersant ses flammes voraces sur les parois de l'abri. Il ne fallut pas plus de quelques secondes pour que l'endroit devienne une véritable fournaise, les flammes pareilles à des vagues vacillantes, courant sur les poteaux de bois. Allongé sur le ventre, Dun-Cadal s'efforça de recracher la terre avalée dans sa chute. D'un coup de reins, il se retourna, constatant, impassible, le piège qui se refermait sur eux. À sa droite, il reconnut l'armure rouge de Kay se redresser, chancelante.

—Kay ! Avec moi ! ordonna-t-il alors que dehors le tonnerre grondait.

Derrière la fumée noire qui se propageait, la silhouette ronde de Négus aidait Tomlinn et Azdeki à se relever. Dun-Cadal cracha avant de réitérer son appel, plus autoritaire.

— KAY !

— Je suis là, répondit enfin Kay, la gorge prise.

Tout comme lui, le général joignit ses mains avant de les ramener vers l'aine droite, inspirant profondément. Une brûlure terrible s'étendit dans leurs poumons. Passant outre la douleur, ils projetèrent les bras devant eux en relâchant tout l'air possible. Un vent violent écarta les flammes, déchirant les pans de la tente encore debout, fracassant les poteaux en deux. Le feu continua de se propager sur les restes de leur abri mais, déjà, l'air piquant des Salines dispersait la fumée. Le campement tout entier sembla pris d'un soubresaut. Les soldats couraient jusqu'aux tranchées en criant, des chevaliers, épée au clair, leur indiquant le chemin. Et du ciel tombaient des boulets enflammés. Cette fois, les révoltés des Salines visaient juste.

Alors que Négus soutenait un Azdeki encore sonné, Dun-Cadal passa devant eux, une main sur le pommeau de son épée.

— Vous auriez dû attaquer les premiers, gronda-t-il.

— Ils… Ils ne sont pas nombreux, balbutia Azdeki, les yeux rougis.

Et, parmi les cris des soldats, un bruit sourd, semblable au pas d'un géant, se fit entendre.

— Un Rouarg…, souffla Kay tout en tirant son épée du fourreau.

Non, pas un Rouarg. Une vingtaine de Rouargs, aux poils pareils à des piques sombres dressés sur leur dos bombé, la gueule baignée d'une bave blanche, leurs longues et puissantes pattes avant frappant les marécages dans leur course folle. Derrière les bêtes furieuses, un mur de flammes s'élevait. Les révoltés des Salines les avaient fait sortir de leur tanière en les enfumant, les plongeant ainsi dans une rage destructrice. Les paysans n'étaient certes pas nombreux… mais c'était *toute* la région qui se soulevait.

— Trois bons mètres au garrot, constata Négus en s'écartant d'Azdeki. Six tonnes de colère.

Il dégaina son épée à son tour et posa une main ferme sur l'épaule de Dun-Cadal.

—Ah, mon ami, nous avons une belle vie!

Ils échangèrent un sourire avant de rejoindre les tranchées en bordure du camp. De là, ils s'efforcèrent d'organiser les lignes de défense. Les Rouargs n'étaient qu'un avant-goût. Derrière suivaient les troupes ennemies. Quelques chevaliers restèrent en retrait pour coordonner les hommes chargés d'éteindre les incendies. Les boulets couverts d'étoupe enflammée chutaient à un rythme soutenu. Puis, brusquement, il n'y eut plus que le silence. Sous les nuages blancs se glissait un voile sombre, des nappes de fumée ondulant au gré du vent, que creusèrent bientôt une nuée de flèches. Perchés au bord des tranchées, les archers en encochèrent de nouvelles.

—Levez! ordonna Tomlinn en marchant derrière eux, l'épée brandie. Tirez!

Des sifflements, des grondements, des crépitements… aucun son n'arrivait à couvrir les battements de cœur de chaque soldat en poste, voyant avec horreur les silhouettes de Rouargs foncer vers eux. Ils étaient désormais trop proches pour que les archers aient le temps d'encocher de nouveau une flèche. Et quand bien même auraient-ils fait preuve d'assez de célérité pour armer leurs arcs, la peau des bêtes était si épaisse qu'il fallait plus qu'un petit bout de métal pour la percer. Des sifflements, des grondements, des crépitements… et les hurlements qui accompagnèrent le bruit assourdissant des bêtes lorsqu'elles bondirent dans les tranchées, leur gueule écrasée tordue par la rage. La fumée noire se dispersait en filets ondulés. Entre eux se mêlaient le blanc des nuages au gris de la ferraille, les cuirasses scintillantes au brun des surcots. Jusqu'à ce que le rouge du sang vienne souiller la terre.

Au loin, les tambours des révoltés qui approchaient…

Quelques Rouargs ne purent passer la ligne de soldats, leur ventre imberbe criblé de lances. Mais ceux qui réussirent à franchir les tranchées s'en donnèrent à cœur joie, bêtes sauvages assoiffées de sang, mordant, broyant, arrachant ce qui passait à portée de leurs mâchoires. Ballotté dans la gueule d'un des monstres, un soldat hurla à s'en rompre les cordes vocales. Projeté en l'air, il retomba lourdement quelques mètres plus loin. Plus aucun son ne s'échappait de son corps brisé. Et à la pâleur de son visage s'ajouta un filet de sang d'un rouge vif, coulant au bord de ses lèvres.

Si les Rouargs semèrent le chaos dans les rangs, ils n'étaient mus que par la terreur des flammes. Des bêtes aussi effrayées qu'effrayantes.

La majorité d'entre elles réussit à s'enfuir dans les marais, emportant, accrochés à leurs pattes arrière, des pans de tentes, des carrioles brisées... et parfois quelques cadavres disloqués.

—Écartez-vous! Écartez-vous de lui! ordonna Dun-Cadal alors qu'un Rouarg esseulé se retrouvait encerclé.

Il montrait les crocs, ses larges et hautes narines retroussées frémissaient, ses poils noirs se hérissaient sur son dos courbé. Ses yeux se plissèrent un court instant. Puis la bête chargea. Dun-Cadal eut juste le temps de l'éviter d'un pas de côté. Les trois soldats encore sur sa route n'eurent pas la même vivacité. Un violent coup de patte les balaya comme des fétus de paille.

Le cercle se reforma aussitôt autour de l'animal et Dun-Cadal choisit le flanc pour porter l'estocade. Pas même une écorchure sur sa cuirasse. Le Rouarg poussa un hurlement, s'appuyant sur ses griffes pour faire volte-face. Le général recula d'un bond. Des lances vinrent se briser sur l'épaisse fourrure du monstre. Il n'en fut que plus enragé. Il rua, tout autour de lui, brisant l'encerclement. Certains soldats furent piétinés, d'autres déchirés par de brusques coups de gueule, jusqu'à ce que la bête se dresse sur ses pattes arrière d'un air de défi. Dans la fumée, Dun-Cadal l'aperçut. Le point faible. Le ventre. La seule solution qui s'offrait à lui. Un coup bien placé sous la bête, où la peau plus fine laissait transparaître de larges veines violettes. Il avala un bol d'air, retint sa respiration et s'élança vers la créature.

Sens le Souffle, *sois le* Souffle. *Grenouille, sens-le!*

Son cœur battait si lentement qu'il l'entendait à peine. Chaque geste, chaque événement autour de lui devint aussi lent que le cheminement d'un escargot sur une feuille.

Elle est là, la magie. Dans ce souffle que tu exhales.

Le Rouarg se cabra de nouveau, la gueule béante.

C'est comme une musique qui se joue, Grenouille... Il ne suffit pas de l'écouter. Ressens-la... legato...

Il se jeta à genoux, glissant sur la terre humide, courbant les hautes herbes. Le temps se figea. Des braises stagnaient dans les airs, leur rouge vibrant sur le blanc immaculé des nuages.

Staccato...

Les braises tourbillonnèrent, les herbes se redressèrent, le cœur du général s'emballa. Il ressentait tout, percevait chaque mouvement, anticipait chaque action. À la renverse, le bas de son dos joignant presque les talons de ses bottes, il avisa le ventre offert de la bête. Il expulsa l'air de ses poumons, pointant son épée vers la peau brune striée de veines.

Sens le souffle, *Grenouille. Respire comme la vie. Respire à son rythme… Et frappe!*

Le Rouarg leva la gueule au ciel, hurlant de douleur lorsque la lame perfora son corps. Dun-Cadal roula sur le côté pour ne pas être écrasé. Le monstre s'écroula dans un râle déchirant.

— Ils arrivent!

— Reprenez vos positions! Hallebardiers! Je veux des hallebardiers!

— Tenez vos positions!

Les ordres couvraient à peine les roulements de tambours. À genoux dans la boue, Dun-Cadal fixait le cadavre encore chaud du Rouarg. Il n'eut pas le temps de se redresser qu'une flèche se planta à quelques centimètres seulement de son pied droit.

— Dun-Cadal! héla Négus dans son dos. Dun-Cadal!

Le général rejoignit son ami au bord des tranchées. Face à eux, des milliers de soldats dépareillés avançaient au rythme d'un jeune tambour. Derrière eux, le claquement sec des cordes d'arc résonna. Une nuée de flèches s'éleva, tranchant les nuages de fumée dans un sifflement strident. La première vague s'abattit sur les soldats, perforant les armures, criblant les boucliers, se fichant dans la terre humide.

Ce fut là le baptême de la bataille des Salines. La première confrontation entre les deux armées. Elle fut brève. Mais sanglante. L'Empire avait l'avantage du nombre, les révoltés celui de la surprise. La fuite des Rouargs avait ouvert de nombreuses brèches dans les lignes; le pilonnage de l'artillerie, causé des incendies au cœur du campement. Les révoltés profitaient d'un chaos savamment orchestré. Il fallut tout le sang-froid des chevaliers pour réorganiser leurs troupes. Fracas, tonnerre, chocs des épées, des corps qui se ruent les uns sur les autres, cris… fracas… tonnerre… Et le *Souffle*… C'est ce qui manquait aux révoltés et ils le savaient. Dès lors que les généraux usèrent du *Souffle*, ils battirent en retraite.

En tout et pour tout, la première bataille des Salines ne dura que dix minutes. Dix simples minutes durant lesquelles deux mille soldats périrent. Debout sur le bord d'une tranchée, observant la lumière du soleil décliner sur les corps immobiles entre de hautes herbes brisées, Dun-Cadal maudissait l'hésitation d'Azdeki. Toutes les conditions avaient été réunies pour que l'Empire subisse un tel camouflet. D'ici une semaine, la moitié des royaumes auraient vent de la révolte des Salines. Des paysans tenant tête à la plus grande armée… Le peuple raffolait toujours de ce genre d'histoires. Pourvu qu'il ne prenne pas fait et cause pour les Salines. Contenir cette région semblait déjà mal engagé, si d'autres comtés ou baronnies révélaient des velléités d'indépendance, cela deviendrait vite ingérable. Il ne s'agirait plus là d'une simple révolte mais bien d'une révolution. Posé sur l'armure brisée d'un cadavre, un énorme corbeau noir battit des ailes en plongeant son bec dans une blessure qui suintait.

— Le ciel est rouge…

Dun-Cadal acquiesça, laissant son regard dériver sur les marais salants. Sous des nuages gris, la lueur du soleil couchant tissait un curieux voile cuivré, tout juste au-dessus des hautes herbes. Négus s'arrêta au côté du général, les pouces passés dans son ceinturon, une large estafilade encore rouge sur une joue.

— … comme souvent les soirs suivant une bataille, continua-t-il en soupirant.

— Que veulent-ils ? lâcha soudain Dun-Cadal. Que cherchent-ils ? La guerre ? Parce que ce n'est plus une simple rébellion.

— Nous avons été soumis à plus difficile combat que celui-ci. Ils ont battu en retraite. Dans deux mois, nous n'en parlerons plus.

— Non, Négus, mon ami, rétorqua-t-il en secouant la tête, un air de dégoût aux lèvres. Ils ont gagné.

Il croisa le regard perplexe du petit homme raide dans son armure salie par la boue.

— Ils savent ce qu'ils font. Crois-moi. Ça n'est que le début. Tout le monde se souviendra de la bataille des Salines parce qu'ils auront réussi à mettre l'Empire à genoux.

Derrière eux, le campement fumait encore, tentes déchirées et soldats claudiquants… Tout n'était plus que désordre.

Les jours suivants, Dun-Cadal tenta de reprendre la situation en main, récoltant toutes les informations disponibles sur les forces adverses : Qui ? Quoi ? Comment ? Après la condamnation du comte d'Uster, Étienne Azdeki avait ordonné la dissolution du corps de garde du comté des Salines. À ce titre, et vu la stratégie employée par leurs ennemis, il supposait que l'ancien capitaine Meurnau avait pris la tête de la révolte. Cependant, rien ne l'attestait. Deux mois durant, ils subirent des assauts rapides, des escarmouches les empêchant d'avancer dans les marais. Plusieurs fois, leurs ennemis usèrent de la même tactique, enfumant les terriers géants des Rouargs, rabattant les bêtes effrayées sur les avant-postes avant de donner le coup de grâce. Perdue dans les hautes herbes, l'armée impériale essayait tant bien que mal, si ce n'était de progresser, de ne pas reculer. Entre les marais profonds que les soldats ne connaissaient pas et dans lesquels se noyaient bon nombre d'hommes lestés par leurs armures, les Rouargs qui se délectaient de leurs chairs et le harcèlement des troupes adverses, la bataille des Salines gagna vite une triste notoriété.

L'enfer était sur terre… et brûlait dans les marais.

Le général Kay perdit la vie avec cinquante de ses hommes en essayant d'établir un pont sur la rivière Seyman. Il ne fut que l'un des premiers généraux à tomber. Outre les combats, il fallait compter avec les maladies portées par les moustiques des Salines et les eaux putrides des marécages. Qu'importaient la sueur perlant sur les visages des soldats, leur regard fixe et fiévreux, il était nécessaire de se tenir prêt.

—Je veux que ces catapultes soient réparées au plus vite! ordonna le capitaine Azdeki.

Face à lui, trois soldats malades accusaient le coup. Ils n'avaient pas dormi depuis deux jours et c'est dans un état fébrile qu'ils réparaient les deux catapultes mises à mal lors du précédent assaut. Depuis l'arrivée du général Daermon, Azdeki cherchait par tous les moyens à asseoir son autorité. Les soldats n'étaient pas dupes.

—Elles doivent être opérationnelles ce soir, continuait Azdeki, l'air crispé.

—Bien, mon capitaine, répondit un soldat d'une voix faible.

—Pas de repos avant d'avoir…

—Prenez trois heures!

Azdeki tourna brusquement la tête. Accompagné de Négus, Dun-Cadal passa derrière lui sans même lui adresser un regard. Il préférait accorder toute son attention aux soldats chancelants.

—Vous arrivez à peine à tenir debout, constata Dun-Cadal. Allez vous reposer. Azdeki, les catapultes attendront, les hommes prévalent.

Ils ne purent retenir un sourire de soulagement et c'est à peine s'ils s'en départirent lorsque Azdeki leur adressa un regard noir.

—Général Daermon, appela-t-il.

Mais ni Dun-Cadal ni Négus qui suivait n'arrêtèrent leur marche.

—Général Daermon! répéta Azdeki alors que les deux hommes pénétraient dans une grande tente violette, ornée des symboles dorés de l'état-major, une fine épée cerclée d'une couronne de laurier.

Les poings serrés, il s'y engouffra lui aussi. Assis sur un petit fauteuil, Dun-Cadal ôtait ses bottes crottées en jurant. Dans le coin, Négus servait deux chopes de vin.

—Général Daermon! rugit Azdeki. De quel droit vous…

—Soufflez un coup, Azdeki, l'interrompit Dun-Cadal d'un ton terriblement calme. Vous êtes tellement rouge que votre tête va exploser.

—Exploser? Exploser?! s'indigna-t-il en écartant les bras. Vous dépassez les bornes!

—Vous êtes sous mon commandement. Vous aussi, allez vous reposer trois heures.

Dans l'ombre, Négus esquissa un sourire en portant une chope à sa bouche.

—Je n'ai pas le temps de me reposer! Personne ici… n'a le temps… de se reposer, Dun-Cadal. Et j'exige que devant mes hommes vous m'appeliez par mon grade. C'est *capitaine* Azdeki.

Il fulminait. Lui non plus n'avait pas dormi, ou si peu, depuis des jours.

—Vous arrivez sur ordre de l'Empereur, fier et arrogant. Vous me rabaissez devant mes hommes, contestez mes ordres pour je ne sais quelle raison…

—Peut-être parce qu'ils sont mauvais, proposa Dun-Cadal en décrottant une de ses bottes.

—Oh, épargnez-moi ça, je vous en prie, s'emporta le capitaine en pointant un doigt accusateur vers lui. Ma famille est proche de l'Empereur également, et je sais pourquoi et comment vous avez si rapidement gravi les échelons ! Ne l'oubliez jamais, Dun-Cadal ! N'oubliez jamais d'où vous venez et ce qui vous a permis d'être général. Ce n'est en aucune façon votre sens de l'honneur.

Dun-Cadal ne haussa pas un sourcil, ne leva pas la tête, ne parut pas même affecté. Il se contentait d'ôter le surplus de crasse sur le cuir de sa botte du plat de la main. Et c'est tout à sa tâche qu'il dit d'un ton effroyablement sec :

— N'oubliez pas non plus que vous n'êtes qu'un capitaine… Azdeki. Et que si nous sommes dans cette situation, si tant d'hommes ont péri, c'est par votre faute. N'oubliez pas que si vous n'aviez pas sauté sur les genoux de votre oncle tout petit, vous ne seriez même pas dans cette tente à me parler.

Il s'arrêta de frotter sa botte lorsque les pans de la tente volèrent derrière Azdeki.

— Tu n'aurais pas dû, dit Négus en lui apportant une chope de vin.

— Sa colère passera bien, bougonna Dun-Cadal.

— Il ne s'agit pas de colère, mon ami…

Négus se pencha vers lui, l'air triste.

— Tu l'as humilié…

C'était bien pire encore. Ils avaient fort à faire avec les révoltés, et ajouter des tensions au cœur de leurs troupes, encore plus au sein même de l'état-major, se résumait à un suicide en bonne et due forme. Autant accepter la défaite.

— Il est trop susceptible, minimisa Dun-Cadal. La consanguinité, sans doute.

Négus préféra ne pas relever et, d'un pas lent, vint s'asseoir sur un vieux coffre, le regard perdu dans sa chope. Les querelles entre anciennes familles de l'Est et celles de l'Ouest, nouvellement anoblies, étaient monnaie courante. Mais, entre Daermon et le dernier Azdeki, il s'agissait de bien plus que cela. Un jour ou l'autre, le sang serait versé.

— Ça te reste tant que ça en travers de la gorge qu'il ait été adoubé par l'Empereur lui-même ? demanda Négus d'une voix sourde.

Dun-Cadal resta un moment sans répondre, ôtant précautionneusement ses gants de fer. Lorsqu'il l'eut fait, il laissa échapper un soupir avant de se tourner vers son ami, l'air affecté.

—Mon grand-père a commencé capitaine, tu le savais? Contre le royaume de Toule.

Un étrange sourire étira la commissure de ses lèvres alors que son regard voguait à l'intérieur de la tente.

—Le premier de la maison Daermon… Ah, ces Toules. Ils ont été durs au mal. Les incroyants…

Une mission divine, voilà ce qu'avait été la prise du royaume de Toule. Leur apporter la lumière des dieux et du Livre Sacré. L'émotion le gagnait alors qu'il imaginait son ancêtre prendre les armes et guerroyer pour une juste cause. Les Daermon avaient acquis leur noblesse par le sacrifice.

—Il a trouvé une gigantesque bibliothèque lors de la prise de Toule, continua Dun-Cadal. Ils écrivaient eux-mêmes leurs livres, tu te rends compte? Ils s'octroyaient ce droit! Quelle…

Sa voix s'étrangla.

—Il a brûlé les livres, reprit-il en hochant la tête. Il les a brûlés. Et des soldats de Toule leur sont tombés dessus, sur lui et ses hommes. Il a perdu son bras là-bas.

—Je sais à quel point ton grand-père a donné à l'Empire, Dun-Cadal, ça n'est pas le…

—Si! l'interrompit-il sèchement. Si, justement, c'est là le problème. Les Azdeki ont eu de grands chevaliers dans leur famille, comme de grands hommes d'État, mais Étienne n'est aucun de ceux-là. A-t-il sorti son épée avant de se voir confier les Salines? A-t-il montré son courage? Sa famille a combattu les grandes invasions nâagas, mais lui, il fuit devant eux. C'est ce genre d'homme qui va perdre l'Empire un jour, Négus. Tous les nobles ne sont pas chevaliers… tous les chevaliers doivent mériter ce titre.

—Il a fait l'académie, rétorqua Négus en gardant son calme. Comme nous tous.

Il but une gorgée de vin en fixant Dun-Cadal. Ce dernier restait tête basse, mâchoires serrées.

—Il a mérité son adoubement.

—Des hommes meurent sous ses ordres.

—Sous les tiens aussi, beaucoup sont morts.

—Pas inutilement, assura Dun-Cadal avec force. Mettrais-tu ta vie entre les mains d'Étienne Azdeki? Au cœur de la bataille, la mettrais-tu? Dis-moi Négus…

Enfin, il plongea son regard dans celui de son ami. Enfin, sa colère s'atténuait sous un air confiant. Enfin, il était certain de dominer la discussion.

—Non…, avoua Négus faiblement.

—Aucun homme ne le ferait, conclut-il. Aucun. Il n'a pas assez de charisme pour que les hommes le suivent. Et il se trompera toujours sur les choix à faire en cas de danger.

Ce n'est que quelques semaines plus tard que Dun-Cadal comprit à quel point il se trompait sur Étienne Azdeki. Avant qu'il ne rencontre le garçon.

Même si Kay n'avait pu construire un pont leur permettant de passer la rivière Seyman et d'avancer dans les terres des Salines, l'idée n'avait pas été abandonnée pour autant. Une nouvelle expédition fut envoyée et, à sa tête, Tomlinn, Azdeki et Dun-Cadal. S'ils souhaitaient mettre un terme au conflit, il leur fallait prendre la ville du Guet d'Aëd. Et elle se trouvait de l'autre côté de la rivière.

Se mouvant avec précaution dans les marais, ils étaient une bonne soixantaine dont la moitié au moins tirait à bout de bras les morceaux du pont. À cheval, les trois généraux allaient et venaient, motivant leurs hommes. Peu de fois, ils se laissèrent aller aux invectives, conscients qu'il s'agissait là d'une dure tâche. Alourdis par leurs armures et armes, les soldats supportaient également le poids du bois. Et à l'effort s'ajoutait l'odeur pestilentielle de la vase. Ici, les marais salants se mêlaient aux marécages.

Ils n'étaient qu'à une petite heure de marche de la rivière quand quelque chose parmi les joncs attira l'attention de Dun-Cadal, parti en éclaireur. Tirant sur les rênes de sa monture pour qu'elle rebrousse chemin, il trotta jusqu'à Tomlinn en tête du cortège.

—Nous sommes épiés.

—Je le sens aussi, acquiesça Tomlinn, le visage grave. Combien à ton avis ?

—Qu'en sais-je… une dizaine peut-être. Des éclaireurs, suggéra Dun-Cadal à mi-voix.

Vers l'ouest, sous les rayons écarlates du soleil couchant, des joncs oscillaient étrangement au milieu des hautes herbes, comme si quelqu'un les écartait avec une infinie précaution. Il n'y avait qu'une seule façon de vérifier. Dun-Cadal jeta un regard amusé vers Tomlinn avant de donner quelques coups de talon sur les côtes de son cheval. Il galopa jusqu'au capitaine Azdeki à l'autre bout de la file et, à peine arrivé à sa hauteur, le prévint :

— Des mouvements à l'ouest. Gardez la formation serrée mais préparez-les à riposter.

— Nous les contournons, général Daermon… Sûrement quelques bêtes sauvages. Ce serait perdre du temps, protesta Azdeki.

— C'est un ordre, murmura Dun-Cadal, les mâchoires serrées avant d'ajouter dans un sifflement : Capitaine Azdeki.

Bien qu'il soit certain d'avoir raison, le jeune capitaine se contenta d'obéir et, alors que le général s'élançait vers Tomlinn, il alerta les soldats, avançant au pas.

— Soyez sur vos gardes. À l'ouest, il y a du danger, dit-il. Soyez prompts le moment venu.

Bêtes sauvages… ou révoltés. L'hypothèse qu'Azdeki ait vu juste ne vint même pas à l'esprit du général. Ce jeune présomptueux avait toujours fait les mauvais choix. Comment aurait-il pu en être autrement ? Secondé par Tomlinn, il s'écarta du convoi. Son cheval broncha, comme conscient d'un danger proche. Une claque rassurante sur l'encolure lui fit reprendre sa marche. Dans les hautes herbes, rien ne semblait menacer. Quelques moustiques vrombirent à leurs oreilles, l'odeur de la vase devenait presque insupportable. Mais aucune trace d'ennemis.

Les sabots des chevaux s'enlisèrent, rendant leur progression chancelante. Encore quelques mètres et ils ne pourraient plus s'extirper du piège naturel du bourbier. Ils s'enfoncèrent dans les marécages, les hautes herbes se repliant derrière eux dans un léger bruissement. Bientôt, les soldats au loin ne furent plus que des silhouettes au-delà des joncs que la chaleur déformait.

Le vent se leva, courbant les herbes folles, dessinant des sillons sur l'eau stagnante. Et avec la brise courut un long feulement.

— Dun-Ca…

Une forme noire surgit des marais, emportant Tomlinn sans qu'il ait eu le temps d'agir. Privé de son cavalier, le cheval se cabra en hennissant avant de fuir vers l'ouest. Un grognement, puis un autre, et un troisième, serpentant entre les joncs. Extirpant son épée du fourreau d'un coup sec, tenant les rênes d'une main ferme,

Dun-Cadal sentait ses tempes battre comme des tambours. Il vit les ombres rouler des épaules entre les herbes.

—Azdeki! hurla-t-il. Azdeki!

Mais son appel resta sans réponse. D'un geste sec, il força sa monture à effectuer un demi-tour hasardeux. Ses sabots s'enfonçaient plus encore dans la vase.

—Azdeki! rugit-il.

Au loin, le capitaine ordonnait à ses hommes d'avancer.

—Foutreciel, pesta Dun-Cadal.

Il les vit enfin plus clairement. Trois Rouargs à la fourrure verte tachetée de noir poussèrent un râle semblable à une bravade.

—Tomlinn! appela-t-il, balayant l'air de son épée. Tomlinn!

Un cri de douleur éclata à quelques mètres, sous le dos rond agité de soubresauts d'une des bêtes.

—Azdeki!

L'impact fut d'une telle violence qu'il entendit presque ses côtes craquer. Les mâchoires du Rouarg se fermèrent sur son canon d'avant-bras, ses crocs manquant de percer le métal avant d'entraîner le général dans sa chute. Et, avec eux, le cheval hennissant de terreur, les yeux exorbités, deux billes de jais cerclées de blanc.

Il y eut un choc suivi d'un bruit semblable au tissu qu'on déchire lorsque le Rouarg éventra le cheval à terre. Un craquement sec et Dun-Cadal sentit sa jambe se briser sous le poids de sa monture. Coincé, la tête plongée dans la vase puante, il apercevait la cime des herbes danser lentement au gré du vent.

—Azdeki!

C'était si calme, loin des grognements du Rouarg qui commençait son repas. Tout aussi doux que le filet de sang creusant un sillon dans la boue, se mélangeant à l'eau crasse des marais pour lui donner l'apparence du vin…

Grenouille… je vais t'appeler Grenouille…

Un vin amer et piquant, au clapot si tranquille dans la chope d'un vieux chevalier perdu à Masalia. Bien loin des marais des Salines. Pourtant, le goût de la vase remontait dans sa bouche. Il but une gorgée afin que les souvenirs se dissolvent dans le breuvage.

Grenouille…

—Grenouille ? demanda Viola.

Les yeux vagues, Dun-Cadal dodelina de la tête, sans trop savoir où regarder. Il n'y avait plus grand monde dans la taverne. Depuis combien de temps parlait-il ? Trop à son goût. Une fois de plus, il avait été emporté par l'ivresse. À leur table, les marchands de Serray chantonnaient, proches de l'abîme, les paupières lourdes, les pichets vides. Le petit homme qui avait supplié Dun-Cadal profitait de leur inattention pour leur faire les poches.

—Hein ?

—Vous avez dit : « J'ai appelé Azdeki de toutes mes forces, Azdeki, Azdeki », raconta Viola, et puis, comme si ça venait de nulle part, vous avez dit « Grenouille ».

Si la taverne s'était vidée, un épais nuage de fumée y flottait encore.

—Ah, soupira Dun-Cadal.

Et il ajouta d'une voix pâteuse, un sourire triste tirant péniblement le coin de ses lèvres.

—Grenouille, c'est le gamin. Le gamin qui m'a sauvé la vie.

Était-ce la fumée qui lui irritait les yeux au point de les rougir ? Son expression se durcit aussitôt. Oui, il avait trop parlé, trop dit, trop raconté.

—C'est rien… Faut oublier ça, lâcha-t-il, un trop-plein de salive dans la bouche.

—Il a trop bu, déclara le tavernier qui ramassait les pichets vides sur la table d'à côté. Vous devriez le ramener.

Surprise, Viola haussa les sourcils.

—Chez Mildrel, la courtisane. C'est à deux rues d'ici. C'est là qu'on le dépose quand il n'est plus qu'une barrique sur pattes, expliqua-t-il avant de retourner derrière son comptoir d'un pas lourd et fatigué.

Dun-Cadal penchait dangereusement en avant, le nez tombant dans sa chope, les yeux mi-clos.

—Le gamin…, dit Viola, pensive.

Et, comme s'il n'avait rien perdu de sa vigueur, le chevalier redressa la tête, une lueur étrange passant dans ses yeux grands ouverts, pareille à l'éclat d'une larme.

—Le plus grand chevalier que ce monde ait jamais connu.

3

Blessure

Toutes les plaies se referment.
Ce sont les cicatrices qui nous les rappellent.
Et si la douleur est moins vive,
Elle n'en demeure pas moins profonde.

Il avait sûrement dormi longtemps, mais peu importait la durée du sommeil quand la tête croulait sous le poids des chopes. C'est avec un mal de crâne lancinant qu'il se redressa sur le lit défait, et cette douloureuse impression qu'une lame lui perforait la nuque. Les rayons du soleil à son zénith perçaient les rideaux bruns, formant des colonnes lumineuses sur le parquet ciré, bien trop vives pour ses yeux endormis. Il leva une main devant son visage pour masquer la lumière, marmonnant des mots qu'il ne comprit pas lui-même. C'était une chose d'essayer d'oublier qui on était en se noyant dans l'alcool. C'en était une autre de se le rappeler, la tête cognée comme une enclume. S'il n'avait plus ni bottes ni gilet, il fut rassuré d'être toujours vêtu avant d'en être finalement quelque peu déçu en reconnaissant l'endroit. À quelques mètres de lui, une vasque côtoyait une longue psyché. Légèrement incliné sur ses pivots, le miroir reflétait une pâle image du chevalier qu'il avait été.

La porte de la chambre s'ouvrit lentement sur une dame, fort belle malgré son âge, ses cheveux bouclés tombant sur ses épaules dénudées. Une robe verte serrait sa taille, un corset soulevant délicatement sa poitrine sur laquelle reposait un pendentif en forme d'épée.

Les quelques rides qui creusaient doucement son visage jusqu'aux coins de ses yeux d'un bleu océan n'altéraient en rien sa beauté. Elle avança jusqu'à la fenêtre, un plateau dans les mains qu'elle déposa sur la table baignée de lumière. La gorge sèche, Dun-Cadal s'assit au bord du lit et se massa la nuque d'une main engourdie, espérant que le mal disparaisse. Le parfum de lavande qui glissa jusqu'à lui lui fit oublier la douleur un court instant.

—Je suppose que tu ne te souviens de rien, dit-elle tout en retirant du plateau une corbeille de pain, des pommes, un pichet et un verre.

Au ton de sa voix, ce n'était certainement pas par timidité qu'elle restait dos au chevalier, la tête baissée sur le plateau. Ce n'était pas la première fois qu'il se réveillait ici sans aucun souvenir de la manière dont il avait rejoint le lit.

—C'est la jeune femme aux cheveux rouges qui t'a ramené, expliqua-t-elle en remplissant le verre d'un jus de fruits. Enfin, pas elle, plutôt le Nâaga. Il t'a porté jusqu'ici tellement tes jambes semblaient déjà endormies.

Le Nâaga… Viola… peu à peu, la mémoire lui revenait. Et avec elle un terrible goût de remords dans la bouche.

—J'ai parlé…, souffla-t-il.

—Trop?

Elle leva la tête, l'inclinant légèrement de côté si bien que le soleil sembla déposer un baiser doré sur sa joue. Ainsi, elle paraissait vingt ans de moins. Le cœur fatigué de Dun-Cadal s'emballa et il sut qu'avec elle il ne se sentirait jamais aussi vivant.

—Les Salines, répondit-il.

—Je sais.

Elle se retourna, le visage figé dans une colère contenue. Un simple mot mal placé, une simple erreur et elle la laisserait éclater. Depuis le temps, Dun-Cadal savait qu'il valait mieux éviter de se confronter à son courroux.

—Elle t'a posé des questions sur *Grenouille*, dit-elle d'un ton cinglant. Mais rassure-toi, tu n'étais plus en état de raconter quoi que ce soit.

—Mildrel, souffla-t-il comme cherchant une excuse à lui présenter.

Elle lui apporta le verre et le lui tendit sans ménagement.

—Bois. C'est du jus de baies d'Amauris.

Sans se faire prier, il avala une gorgée et, malgré l'âpreté de la boisson, se résigna à vider le verre cul sec.

—Je sais, ce n'est pas bon, mais, au moins, cela t'évitera des maux d'estomac. Il y a du pain et quelques pommes également.

—Mildrel, dit-il en lui agrippant la main.

Il leva les yeux vers elle et ce fut pire qu'un coup d'épée dans le cœur. Elle restait immobile, le regard rivé sur le mur, les lèvres pincées. Elle n'avait pas besoin d'exprimer de reproches, tout comme lui n'avait pas grand-chose à y répondre. Ils se connaissaient depuis si longtemps que leurs gestes les plus simples voulaient tout dire. Humant l'air, Dun-Cadal esquissa un sourire fatigué.

—La lavande, rit-il. Elle sentait comme toi la lavande…

—Elle est de la République. Et tu sais ce que la République a fait des généraux qui ne se sont pas rangés à ses côtés, dit-elle tristement. Pourquoi lui as-tu parlé ? Qu'est-ce qui t'a pris ? Jusqu'à présent, tu te contentais de mentir. Cette fois, tu t'es dénoncé !

—Qu'est-ce que j'en ai à faire, de la République… Elle ne m'intéresse pas.

Elle retira sa main d'un coup sec et baissa vers lui un regard noir, comme s'il n'était qu'un enfant turbulent ayant commis une bêtise.

—Elle peut te faire arrêter à tout moment…

—Qu'importe, soupira-t-il en se levant.

Il marcha péniblement jusqu'à la vasque de l'autre côté de la pièce et fut satisfait de la voir déjà remplie d'eau chaude. Il défit délicatement les premiers boutons de sa chemise puis, sentant l'énervement poindre, il la retira en passant la tête par le col.

—Cela m'importe, avoua Mildrel.

Elle n'avait pas quitté sa place, à côté du lit défait, les mains jointes. En jetant un regard par-dessus son épaule, il la vit, auréolée de la lumière du soleil, si belle, si digne dans sa colère maîtrisée.

—Je ne suis plus rien pour personne ici, rétorqua-t-il. Cela fait bien trop longtemps… Quel danger représenterais-je pour eux ? Cette fille le sait bien.

Il se pencha au-dessus de la vasque, y plongea les mains et s'aspergea la tête. La chaleur de l'eau détendit la peau marquée de son visage, caressant ses paupières endolories par l'alcool et le soleil de midi. Les souvenirs de la purge suivant la chute de l'Empire lui parurent aussi flous que la vapeur s'élevant au-dessus de l'eau. Tant de chevaliers avaient été jugés par la République, tant d'hommes droits et fiers avaient été condamnés, tant d'honneur bafoué par des procès publics soumis à la pression populaire. Lui avait survécu à tout cela, en fuyant comme un chien les hérauts d'une république naissante, allant même jusqu'à se terrer dans les bois du nord pendant deux ans. Puis on oublia Dun-Cadal Daermon et tous ceux qui avaient servi le maudit Empereur...

— C'est vrai. Tu n'es plus un danger pour quiconque à part toi-même. Et ce depuis plus longtemps que tu ne l'imagines. Ce n'est pas la chute de l'Empire qui a mis à terre le grand Dun-Cadal Daermon.

Il s'arrêta net, les bras posés sur le rebord de la vasque, des gouttes coulant sur son visage. L'image du jeune garçon le hantait et, chaque fois qu'il y pensait, c'était le même sentiment de chute et de douleur. Les souvenirs du vieux guerrier n'étaient plus qu'une plaie béante et putride.

— C'est la perte de Grenouille qui a eu raison de toi.

— Tu ne sais pas ce que tu dis, murmura-t-il.

— Vraiment ?

Elle riait presque, mais ce rire était moqueur, perfide... méprisant.

— Et toi, sais-tu ce que tu dis à des inconnus ? T'es-tu demandé ce que voulait cette femme ?

Mildrel marcha d'un pas lent vers la porte, ne quittant pas des yeux le dos nu du vieux guerrier. Une large cicatrice barrait l'une de ses omoplates. Le souvenir d'une bataille ancienne, le baiser d'une hache, à l'époque où il défendait, corps et âme, l'idée qu'il se faisait d'une glorieuse civilisation. Comme elle avait aimé sentir cette cicatrice sous ses doigts...

— C'est une historienne d'Éméris, expliqua Dun-Cadal en reprenant sa toilette. Elle voulait parler à un soldat de l'Empire.

— Et elle est tombée sur toi par un pur hasard, persifla Mildrel en ouvrant la porte. Au cas où tu l'aurais oublié, il n'est pas bon d'afficher sa nostalgie des temps anciens à Masalia. De nombreux conseillers sont invités à la Nuit des Masques.

Elle attendit une réaction, mais Dun-Cadal resta muet, le regard perdu au-dessus de la vasque. La République, la Nuit des Masques, le monde entier lui était désormais inconnu. Depuis son arrivée à Masalia, il ne se préoccupait de rien d'autre que de remplir sa chope. Mildrel ne pouvait en supporter plus. Quand elle eut enfin refermé la porte derrière elle et que le bruit de ses pas ne fut plus qu'un écho, il se redressa.

Il ne pouvait lui en vouloir, elle s'inquiétait pour lui. Elle s'était toujours inquiétée. Et, pire que tout, elle avait également toujours raison. Il en avait trop dit à cette Viola, sans rien savoir d'elle ni de ses réelles intentions, si tant est qu'elle les ait cachées. C'était bien la première fois que, dans ses délires alcooliques, il avait dit vrai. Dans l'hypothèse qu'elle soit à la recherche d'Éraëd, se contenterait-elle d'un refus de sa part ou menacerait-elle de le dénoncer ? Et bien qu'il fût Dun-Cadal Daermon, son nom intéressait-il encore les augustes conseillers de la jeune République ?

Il n'était même plus l'ombre de ce qu'il avait été… La chevalerie s'était dissoute avec l'Empire. Le *Souffle* avait été oublié. Plus funeste pour Dun-Cadal, il lui semblait que personne n'avait encore la foi dans le Livre du Destin et que les dieux étaient peu à peu reniés. Les temps changeaient, oui, et son corps douloureux le lui rappelait constamment. Plus encore, le supplice qui courait le long de sa jambe droite. Il y posa une main tremblante comme pour espérer la calmer mais rien n'y fit. Il croisa son propre regard dans la psyché.

Azdeki ! Souillure ! Reviens !

La douleur n'était pas que physique, non, la vraie blessure se trouvait ailleurs, au plus profond de lui.

Azdeki !

Il y avait une cicatrice, la pire de toutes, celle qui ne se voit pas mais qui se ressent, vive, brûlante, jusqu'au dernier battement de cœur.

Azdeki ! Tomlinn !

—Azdeki ! hurlait-il, allongé dans les marais.

À ce moment-là, l'idée que le capitaine ait pu l'abandonner à son sort n'était qu'une étrange et fantomatique hypothèse. Sonné par sa chute comme par la masse du cheval écrasant sa jambe, il ne raisonnait plus, perdu là, le corps pesant dans la boue épaisse des Salines. Attiré par ses cris, le Rouarg apparut au-dessus de la carcasse du cheval, la gueule couverte de sang, ses larges narines se soulevant au rythme d'une respiration lourde.

—Viens…, murmura Dun-Cadal.

Pour le moment, l'adrénaline anesthésiait toute douleur… l'adrénaline et la fièvre subite. Dressé sur la dépouille du cheval, le Rouarg surplombait le chevalier blessé, les muscles saillant sous sa peau parsemée de longs poils verts et noirs. Sans quitter la bête des yeux, Dun-Cadal fouilla la boue d'une main nerveuse, à la recherche de son épée. Le Rouarg plissa les yeux, ouvrant lentement sa gueule pour exhaler une haleine putride, avant de pousser un râle. Dans les hautes herbes, le chevalier perçut le bruit des deux autres monstres qui avançaient vers lui lentement, attirés par l'odeur de sa sueur. Sa main frappait la boue sans y trouver trace de sa lame.

—Foutreciel…, pestait-il entre ses dents.

La douleur montait le long de sa jambe brisée, écrasée de plus en plus sous le poids combiné du cheval et du Rouarg. La bête rugit, tendant le cou d'un air de défi vers sa proie prisonnière. Espérer atteindre l'épée pour lui entailler la gueule était peine perdue. Il ne lui restait plus qu'une solution avant que la souffrance ne soit insurmontable et qu'il ne s'évanouisse. Inspirant profondément, il rabattit les mains vers lui, une grimace de douleur tordant son visage constellé de sueur et de boue. Il devait être tout entier à l'écoute du monde, ressentir chaque vibration, se fondre dans l'air et lire tout autour de lui… lire et voir ce qui ne pouvait être visible. Il sentait le *Souffle*, il devenait le *Souffle*. Sa jambe se réveillait, ses os brisés fendaient ses chairs comme des lames de rasoir.

Le Rouarg se pencha sur lui de telle façon que, d'un bref coup de mâchoires, il lui arracherait la tête. Pourtant, quelque chose sembla l'en empêcher. Incrédule, le monstre observait cet homme piégé, les cheveux noyés dans une eau croupie, les yeux mi-clos, les traits tirés par la douleur. Au moment où ce dernier tendit les mains en avant, la bête furieuse ouvrit enfin la gueule sur des crocs acérés. Il ne pouvait l'atteindre, pas plus qu'espérer la blesser de ses mains nues. Pourtant… une force magistrale la propulsa, elle comme la carcasse évidée du cheval, loin dans les airs.

À cet instant seulement, Dun-Cadal eut l'impression que son corps entier était arraché à un sommeil profond, chaque membre, chaque partie de lui se rappelant la violence de sa chute. À cet unique instant, Dun-Cadal hurla à s'en décrocher la mâchoire, jusqu'à ce que son cri se meure et qu'il perde connaissance.

Au loin, résonna un étrange feulement.

Quand il ouvrit les yeux la première fois, il aperçut une grenouille qui l'épiait, clignant des yeux à un rythme rapide, sa gorge se gonflant par à-coups.

La deuxième fois, plus aucune grenouille, juste les herbes hautes qui semblaient avancer dans les marais, si lentement. Des gouttes de pluie creusaient des cratères dans la boue noire. Tout était si sombre désormais. Moins que le noir qui l'envahit de nouveau.

Ses paupières cillèrent, au ralenti. Et l'image des herbes hautes lui parut plus scintillante, baignée d'un soleil éclatant. Étrangement, il se sentait... sec?

—Foutre..., marmonna-t-il d'une voix terriblement rauque, la gorge en feu.

Il grimaça en redressant la tête autant qu'il le put. Son cou était raide comme un vieux morceau de bois, mais ça n'était rien comparé au reste de son corps. Il se découvrit allongé sur une vieille couverture trouée tapissant un pan de terre craquelée. Au bord des marais, à l'abri sous une vieille charrette penchée que retenaient deux gros rondins de bois. Une éclisse de fortune faite de branches et d'herbe, maintenant sa jambe brisée, laissait apparaître un tissu maculé de sang séché. Comment avait-il pu se retrouver ici? Qui l'y avait amené? Et depuis combien de temps?

—Bougez pas trop vite, fit une voix enfantine. Votre jambe, elle est loin d'être remise. J'ai fait ce que j'ai pu, mais maintenant il y a que le temps qui peut la guérir.

Assis sous un coin de la carriole, les jambes repliées contre lui, il y avait un garçon. Les bras croisés sur ses genoux, il fixait le chevalier de ses yeux gris, l'air grave.

—Votre jambe, elle était moche à voir, continua-t-il.

—Tant que ça, souffla Dun-Cadal.

—Y avait des os qui sortaient par endroits, avoua-t-il très calmement.

—C'est toi...

Sa tête le lançait, il bougeait difficilement, engourdi par des jours d'inactivité. Mais, peu à peu, il reprenait ses esprits.

—... c'est toi qui m'as amené là...

L'enfant acquiesça, sans pour autant laisser apparaître le bas de son visage, masqué derrière ses bras.

— Le cheval, dit-il. Avec un cheval.

Il avait un visage rond, tout juste sorti de l'enfance, les cheveux en bataille et le teint pâle. Dun-Cadal se laissa retomber, le souffle court, la tête lourde et la vue constellée de petites étoiles éphémères. Le ciel bleu azur parut trouble l'espace d'un instant puis se figea enfin.

— Faut y aller doucement, je vous ai dit, reprit le garçon. Ça fait huit jours que vous vous êtes pas levé.

— Huit… huit jours, bredouilla le chevalier.

Il essaya d'avaler sa salive mais sa gorge restait terriblement sèche. En le voyant ainsi, la tête en arrière, tel un poisson tentant de respirer hors de l'eau, le garçon fut amusé. Il se leva et s'approcha de Dun-Cadal d'un pas lent.

— Je vous ai mis à boire, là, dit-il en désignant une petite gourde en panse de mouton posée aux côtés du chevalier. C'est tout ce que j'ai trouvé. Ici y a plus d'eau salée que d'eau douce.

Jaugeant le garçon, Dun-Cadal s'assit difficilement sur sa couche, portant une main à ses côtes blessées. Il ne savait quel âge lui donner. Douze, treize… peut-être quatorze ans, pas plus. Il était vêtu d'une simple chemise beige, ouverte au col, d'un pantalon noir élimé et de bottes consolidées par des morceaux de corde. Des mèches brunes flottaient sur son front, de la crasse tachetant son visage comme s'il avait plongé tête la première dans la boue.

— Merci…, marmonna Dun-Cadal en prenant la gourde d'une main fébrile.

Il but une gorgée et faillit la recracher aussitôt. L'eau avait un goût de pourriture, mais sa soif était telle qu'il se força à avaler, grimaçant. Du coin de l'œil, il aperçut son épée plantée dans le sol non loin d'un amas de caisses en piteux état et recouvertes à moitié d'un vieux tissu vert foncé.

— Vous êtes un chevalier, n'est-ce pas ? Un chevalier de l'Empire, dit le garçon en perdant son sourire.

Dun-Cadal acquiesça brièvement. Son cou était encore trop raide pour qu'il puisse bouger comme à son habitude.

— Tu es ? demanda-t-il.

Mais le garçon ne répondit pas. Il baissait les yeux sur la terre sèche qu'un vent léger caressait en faisant rouler des petits cailloux entre ses bottes. Dun-Cadal patienta, mais rien ne vint couper le silence. Il en profita pour parcourir du regard le paysage en quête d'un quelconque indice sur sa position. Visiblement, le gamin l'avait traîné sur plusieurs mètres pour le sortir des marais dans lesquels il s'était embourbé. Au loin se dessinaient les chênes de la forêt bordant la rivière Seyman. De l'autre côté, ce n'étaient que marécages hérissés d'herbes vertes et de joncs mouvant au gré du vent. Et au-dessus de leurs pointes dansait une étrange et fine brume de chaleur. Il se demanda si Azdeki avait réussi à installer le pont et à passer la rivière... puis lui vint alors le souvenir de son abandon et la colère monta.

—L'Empire a passé Seyman, il y a quatre jours, annonça le gamin en allant fouiner dans les caisses au fond de la charrette.

Ainsi Azdeki avait réussi à monter le pont.

—Alors nous avons pris le Guet d'Aëd, soupira Dun-Cadal.

La révolte était matée et le capitaine Azdeki devenait ainsi le héros de la bataille des Salines. Un rictus se dessina sur ses lèvres gercées. Quelle ironie...

—Non, rétorqua sèchement le garçon en revenant vers lui une étrange boîte dans les mains.

Il s'assit en tailleur à côté du chevalier, la boîte posée entre ses jambes.

—Ils ont essayé mais ils n'ont pas réussi, dit-il, évasif, avant de prendre un ton autoritaire qui ne lui convenait pas du tout. Maintenant, donnez-moi la gourde.

—Comment ça, ils ont essayé?

Comprenant que Dun-Cadal ne consentirait pas à la lui donner sans réponse de sa part, le jeune garçon la lui arracha d'une main, excédé.

—Qu'est-ce que tu vas faire...

—Je vais pas vous empoisonner, le rassura-t-il d'un ton bougon. C'est qu'il faut que vous buviez quelque chose pour aller mieux sinon vous serez jamais sur pied à temps.

Bien sûr qu'il ne l'empoisonnerait pas. Dun-Cadal avait vu son épée plantée plus loin. En huit jours, le gamin avait eu tout le temps de le tuer. Mais autant d'attention pour un ennemi probable l'intriguait. Cette région était en guerre... Il n'avait pas le luxe de l'oublier et d'offrir sa confiance à n'importe qui ; seule prévalait la méfiance dans sa situation.

— Tu es des Salines ? demanda-t-il.

— Oui.

Il fit coulisser le couvercle de la boîte et y plongea une main vive. Il en ressortit un poing serré sur une étrange forme verte qui remuait. Et, tout en le plaçant au-dessus de la gourde, il coupa court à toute remarque.

— Mais je vous ai sauvé des Rouargs.

— Comment ? s'enquit le chevalier, intrigué.

— C'est un secret.

De son poing fermé ressortaient deux longues pattes qui ne cessaient de gigoter. Il pressa un coup et un liquide jaune, fumant, coula jusque dans le goulot. Dun-Cadal comprit ce qu'il tenait ainsi dans sa main et, pris de dégoût, il détourna les yeux avant de lâcher :

— Foutreciel… c'est une grenouille… Tu fais pisser une grenouille dans la gourde…

— C'est une Ashala Machal, une grenouille des Joncs, expliqua le garçon comme s'il récitait une leçon. Quand elles ont peur comme ça, elles urinent. C'est très bon quand on est malade.

— C'est infâme.

— Peut-être, sourit-il en reposant la grenouille dans la boîte. Mais, pendant tout le temps où vous avez été inconscient, je vous en ai fait boire, et si la fièvre est tombée c'est grâce à ça. Avec le mucus de leur peau, j'ai fait un onguent pour votre jambe. Le sel des marais avait commencé à creuser la plaie. Mais, avec l'onguent, ça a calmé les douleurs. Et puis l'urine, c'est comme un fortifiant pour que vous alliez mieux.

Dun-Cadal ravala sa salive. Il avait eu l'occasion de boire des choses infâmes dans sa carrière, mais de là à se résigner à ingurgiter de la *pisse*… c'était trop demander.

— Et tu veux que je boive ça…

— Vous voulez mourir ici ?

Ils se défièrent du regard alors que le garçon lui tendait la gourde. Non, bien entendu qu'il ne souhaitait pas mourir ici. Pas plus qu'il ne désirait s'y éterniser. Dans les yeux gris du gamin, il lut une détermination qui lui arracha un sourire. Le garçon était prêt à tout pour qu'il boive cette concoction, et s'y soustraire, dans son état, n'était pas une très bonne idée. Certes, il aurait pu se défendre, voire tuer le gamin malgré sa blessure. C'était un général de l'Empire, pas du menu fretin…

Mais il y avait quelque chose dans le regard de l'enfant, une envie, une colère, qui le rendait curieux.

Il but une gorgée et comprit alors d'où venait l'étrange goût de pourriture de l'eau.

—Sérieusement, souffla-t-il en plissant les yeux. Qui es-tu ?

Le gamin laissa son regard se perdre dans la brume au loin, ramassant quelques cailloux devant ses pieds pour les jeter dans les herbes sans grande conviction.

—Tu dois bien avoir un nom. Comment on t'appelle par ici ?

—J'ai pas de nom.

—Pas de nom ? s'étonna Dun-Cadal.

—J'en ai plus. Je l'ai perdu, s'énerva le garçon.

Ses jets devenaient plus vifs.

—Tes parents ?

—Morts. C'est la guerre ici, au cas où vous seriez pas au courant, ironisa-t-il en lui adressant un rictus. J'ai fui le Guet d'Aëd il y a longtemps…

—Pourquoi ?

Il parut réfléchir un instant. Se souvenait-il d'événements douloureux ? Ou cherchait-il une réponse à donner qui paraisse crédible ? Le général gardait à l'esprit que son jeune sauveur était un enfant des Salines, un probable révolté, un possible traître à l'Empire. Qu'il ne l'ait pas tué était une chose, qu'il cherche à gagner sa confiance dans un but précis en était une autre.

—Parce que c'est la guerre… et que j'avais peur.

Dun-Cadal le jaugea et se força à boire une nouvelle gorgée.

—Et la charrette ? C'était à toi ?

—Non… elle est vieille, dit-il. Je m'en sers comme cabane. J'étais venu me cacher là. Et puis un jour, je vous ai vus passer. Et vous avez été attaqués par les Rouargs… et vous voilà.

Il cessa de jeter des cailloux mais resta les yeux rivés vers le lointain, comme ailleurs.

—Ils étaient trois, se souvint Dun-Cadal. Tu as combattu les trois Rouargs… tout seul ?

—Je vous l'ai dit, j'ai un secret.

Il se redressa d'un bond.

—Faut que vous vous reposiez. Je vais essayer de trouver à manger pour ce soir. Il y a des grenouilles grosses comme le poing, des grenouilles Ruches, on les appelle. Leur chair est tendre comme du poulet.

Et alors qu'il partait vers le fond de la charrette pour y chercher une besace, Dun-Cadal l'interpella :

—Petit ! J'apprécie ton aide, vraiment, mais il faut que je retrouve mes troupes, elles ont…

Le garçon fit volte-face, passant la bandoulière de la besace sur son épaule.

—Pas encore. Vous êtes trop faible.

Et il disparut derrière la charrette.

—Petit ! Hé ! Petit ! Reviens ! appela le chevalier.

Mais il eut beau s'égosiller, il n'eut aucune réponse. Las, il se laissa retomber sur sa couche et ferma peu à peu les paupières, la tête terriblement lourde. Il essaya bien de réfléchir à ce qu'il devait ou pouvait faire pour retrouver le camp de l'Empire, mais la fatigue l'emporta et il dormit plusieurs heures. Quand il ouvrit les yeux, le soleil se couchait derrière la charrette penchée et le gamin allumait un feu de camp. Dun-Cadal s'appuya difficilement sur un coude. Il avait l'impression que son corps tout entier avait été martelé par les sabots d'un cheval furieux. Sa jambe blessée se rappelait à lui, écrasée dans un pansement qui commençait à puer la viande pourrie. Le garçon le vit éveillé mais ne lui adressa pas un mot. D'ailleurs, ils n'échangèrent aucune parole jusqu'à ce qu'il lui apporte une petite écuelle de bois remplie de cuisses de grenouilles grillées. À l'air écœuré du chevalier, il réprima un petit rire.

—Ça t'amuse, hein, petit ? soupira le chevalier. Qu'un envahisseur soit soumis à tes… goûts culinaires…

—Les Salines ont toujours fait partie de l'Empire, rétorqua le garçon en se rasseyant près du feu.

Il fut surpris par cette réponse, manquant de lâcher la cuisse qu'il portait à sa bouche.

—Heureux de te l'entendre dire, dit Dun-Cadal avant de croquer un morceau de viande.

Cela avait effectivement un goût comparable à celui du poulet. S'il faisait abstraction de l'aspect peu ragoûtant du batracien, ça n'était pas mauvais. La nuit était tombée et seule la lueur des flammes vacillantes éclairait le visage du garçon. Son regard d'habitude si sévère semblait s'être adouci.

—C'est grâce à ça que j'ai survécu ici, expliqua-t-il en levant un doigt vers le plat de grenouilles. Il y en a quatorze espèces rien que dans l'ouest des Salines. Sur toute la région, ça doit faire dans les… trente, quarante grenouilles différentes. Elles ont toutes leur utilité. Certaines aident à faire des poisons, d'autres des remèdes… Par leur peau, leur bave, leur urine…

Une fois encore, il tendit l'index vers l'écuelle de Dun-Cadal.

—Et certaines se mangent…

—C'est ça qu'on apprend dans les écoles du Guet d'Aëd ? ironisa Dun-Cadal en mâchonnant.

Le gamin baissa la tête, pensif, avec dans la main une branche qu'il plongea lentement au cœur du feu.

—Alors, petit… dis-moi ce qui se passe après.

—Après ?

—Oui, après. Tu m'as sauvé des Rouargs, tu m'as soigné comme tu le pouvais. Et bien que tu penses que les Salines ont toujours fait partie de l'Empire, tu es et tu restes un gamin des Salines. Alors que comptes-tu faire après ? Je suis ton prisonnier, il me semble…

Il lâcha le bout de bois enflammé et détourna les yeux.

—Il y a le cheval de votre ami. Il est derrière la charrette.

Dun-Cadal se redressa, s'appuyant sur les coudes pour ménager sa jambe brisée, et aperçut les deux oreilles de la monture de Tomlinn qui dépassaient de la charrette.

—C'est vrai… C'est comme ça que tu m'as tiré ici…, se rappela-t-il.

—Je vous ai enroulé une corde autour de la taille, expliqua le garçon en mimant la façon dont il l'avait harnaché. Puis sous les bras. J'ai tout attaché au cheval… et vous voilà…

—Et me voilà, répéta Dun-Cadal.

Il dévisagea le garçon tout en terminant ses cuisses de grenouille. Il n'avait pas véritablement faim, malgré ses huit jours passés ici sans manger, sans doute à cause de la douleur. Mais, à force d'avaler cette chair tendre, il recouvrait l'appétit.

—Tu es un sacré gamin, lâcha-t-il.

Le reste de la soirée, Dun-Cadal essaya bien de le faire parler, mais il eut l'impression de s'adresser à un mur. Quand il sombra dans le sommeil, sa dernière pensée fut terrible…

Et si, le lendemain, le gamin le livrait aux révoltés ?

Cette pensée le tenailla les jours suivants. Sa jambe n'était pas totalement rétablie, ses côtes le brûlaient et chaque respiration était une torture. Chaque fois qu'il essaya de se relever, il crut défaillir. Le gamin lui changea trois fois son pansement, et, les trois fois, il constata l'ampleur des dégâts. Des plaies larges et suintantes avaient été recousues à la hâte en divers endroits, là où les os avaient déchiré la peau en se brisant. Ce n'était pas l'œuvre d'un grand chirurgien de l'Empire, le garçon avait fait ce qu'il avait pu.

Plusieurs fois, le chevalier chercha à en savoir plus sur lui, mais sans grand succès. Il était plus habile à l'épée qu'à la question. Et, plusieurs fois, le gamin quitta leur campement de fortune, chevauchant la monture de Tomlinn vers quelque village des Salines.

Durant son absence, Dun-Cadal prenait son mal en patience, ressassant toutes les stratégies qui s'offraient à lui si, d'aventure, le gamin le trahissait. Mais pourquoi alors se donnerait-il tant de mal à le soigner ? Ce paradoxe lui vrillait le crâne. Il essaya d'y remédier, d'élaborer une suite logique pour deviner le but du garçon. Jusqu'à ce qu'il consente à laisser faire les choses, le destin étant écrit, il n'avait pas grande prise sur l'avenir. Les dieux avaient mis cet enfant sur sa route, c'était ainsi. Aucun fatalisme dans cette idée, ni renoncement, juste une forme… d'acceptation des événements.

Les jours passèrent. Et aucun révolté ne surgit pour arrêter le général blessé. Si le garçon parlait peu, il s'efforçait de le soigner au mieux. Dun-Cadal s'en contentait. Lorsqu'il fut assez fort pour se remettre d'aplomb, une planche de la carriole en guise de béquille, le chevalier se dit qu'il avait passé assez de temps dans les marais.

— On dirait un échassier…, se moqua une voix derrière lui.

Dun-Cadal tentait de rester en équilibre sur sa jambe valide.

— Vous ne devriez pas, conseilla le garçon alors que le chevalier peinait à harnacher le cheval.

Chaque fois qu'il posait à terre sa jambe convalescente, une flèche de feu remontait jusqu'à son cœur, et son front lui paraissait s'enflammer. Le cheval paissait tranquillement derrière la charrette et ne semblait guère apprécier qu'un boiteux cherche à sangler une selle sur son dos.

— La guerre continue sans moi. Je suis assez remis pour retrouver les miens, petit, assura Dun-Cadal.

Mais son visage perlé de sueur et ses traits tirés par la douleur laissaient supposer le contraire.

—Vous n'allez pas pouvoir monter avec votre jambe, prévint le garçon. Un échassier, ça monte pas à cheval. Vous êtes drôle comme ça, en équilibre. Mais vous allez tomber.

—Ah, tu crois ça? railla le chevalier en serrant le dernier cran de la sangle sous le ventre du cheval.

Il manqua de choir en reculant, la planche comprimant son aisselle malgré sa cotte de mailles. Qu'il était pressé de s'en débarrasser! Une main sur le pommeau de la selle, l'autre sur l'arrière, il se délesta de sa béquille pour se hisser douloureusement sur la monture. Il s'y reprit à plusieurs fois avant de réussir à soulever sa jambe blessée jusqu'à la croupe du cheval. Puis il la laissa glisser le long de la selle, en gémissant. Le fourreau de son épée claqua contre son armure dépolie. Il crut sombrer lorsque sa jambe, maintenue droite par l'armature de bois, heurta l'étrier laissé vide. Mais une fois calé sur la selle, les mains agrippant les rênes, il put reprendre son souffle et calmer peu à peu la douleur.

—Tu crois ça, répéta-t-il dans un murmure, le regard fixant le lointain.

Une brume de chaleur couvrait les marais, et le ciel était masqué par les mêmes nuages blancs qui l'avaient accueilli dans cette région.

—Je dois retrouver les miens.

D'un coup sur les rênes, il força la monture à avancer au pas. Ce simple geste lui tira une grimace de douleur, l'éclisse tapant le cuir de la selle. S'il devait chevaucher ainsi durant des heures, avec une seule jambe valide, cela n'était qu'un avant-goût de ce qu'il allait endurer.

—Et moi? s'inquiéta le garçon derrière lui.

—Toi? Eh bien, vis ici longtemps et heureux parmi les grenouilles et évite autant que possible les hommes armés. Cela risque de chauffer… J'ai une ville à prendre.

—Vous parlez du Guet d'Aëd?

Le gamin marchait désormais aux côtés du cheval, cherchant à agripper les brides.

—Vous ne savez pas ce qui s'est passé au Guet d'Aëd…

S'il continuait ainsi, il risquait fort de stopper le cheval. Dun-Cadal serra les dents et imprima deux nouveaux coups de talon pour le faire trotter. Le garçon dut s'écarter d'un pas pour ne pas être bousculé. À sa mine renfrognée, le chevalier répondit par un sourire moqueur.

— Je me doute que cet idiot d'Azdeki n'a pas su prendre la ville et a dû rebrousser chemin.

Il retint un rire, tant ses côtes lui tiraient la peau à chaque soubresaut. La douleur lui donnait envie de vomir ses tripes, mais sa volonté prit le dessus. Il devait retrouver ses troupes, il devait mener le combat à son terme et mater cette révolte.

— Ils ont perdu. Vous l'avez dit vous-même, la guerre a continué sans vous.

Dun-Cadal tira légèrement sur les rênes. Le cheval ralentit.

— L'Empire a perdu les Salines, il y a quatre jours.

D'une main, il fit tourner le cheval sur lui-même. À quelques pas de lui, le gamin restait droit, les poings fermés près des cuisses. Son visage avait recouvré l'expression de colère des premiers jours. Il y avait un côté encore enfantin dans sa façon de froncer les sourcils, comme si on venait de le punir et qu'il était prêt à défendre sa cause bec et ongles. Dun-Cadal devait-il le croire ? Qu'Azdeki n'ait pas réussi à prendre une ville, c'était une chose. Mais que lui, les cent mille soldats et les mille chevaliers usant du *Souffle* aient été défaits, c'était tout simplement impensable.

— Le Guet d'Aëd était un piège. Ils ont vaincu vos compagnons… et puis après ils ont lancé une grande attaque, expliqua le garçon d'un ton morne. Votre armée a été tellement surprise qu'elle n'a pas réagi à temps… Elle a battu en retraite.

— Comment ça… ? souffla Dun-Cadal, le visage tendu.

Dun-Cadal se sentait dépassé, lui, l'homme d'armes si fier et arrogant, chancelant sur une monture famélique.

— Avant de rejoindre les vôtres, il vous faudra passer les lignes ennemies, avoua le garçon. Vous êtes perdu derrière les révoltés qui tiennent les frontières des Salines.

Dun-Cadal se pencha sur l'encolure du cheval, un bras posé sur le pommeau de la selle. Il était bel et bien coincé, seul, sans que personne sache qu'il était encore vivant.

— Tu aurais pu me le dire plus tôt, cracha Dun-Cadal. Foutreciel, tu aurais dû me le dire plus tôt !

— Et ça aurait changé quoi ?

L'insolent lui adressait un étrange sourire qui contrastait avec son regard sévère.

—Vous allez avoir besoin de moi, ajouta-t-il.

—Et quoi ? Tu veux m'aider à quitter les Salines en plus de m'avoir sauvé la vie ?

Dun-Cadal avait haussé la voix, entre colère et désespoir. Il cherchait à réfléchir convenablement, à trouver une solution, une échappatoire. Mais sa jambe le brûlait atrocement et la douleur remontait jusqu'à sa cuisse, vrillait ses intestins pour frapper son cœur avec ardeur. Le gamin avait raison, il n'était pas assez remis pour chevaucher.

—Vous êtes un chevalier.

Il dardait un regard décidé vers Dun-Cadal.

—Apprenez-moi à me battre.

—Quoi ? sursauta le général.

—Apprenez-moi à me battre et je vous aiderai à vous enfuir des Salines et à retrouver vos troupes.

—Parce que tu crois qu'à nous deux nous passerons les lignes ennemies comme ça ? railla Dun-Cadal.

Il porta une main fébrile à ses côtes endolories. S'il restait plus longtemps dans cette position, il allait s'évanouir.

—C'est possible, répondit le garçon. Vous ne savez pas de quoi je suis capable.

—Je ne sais rien de toi ! Je ne sais même pas comment tu t'appelles !

—Vous n'avez qu'à me donner le nom que vous voulez, éluda le garçon. Apprenez-moi à me battre. Vous ne le regretterez pas.

Il ne bougeait pas d'un pouce, il restait là, le visage légèrement baissé, le regard sombre levé vers ce chevalier à qui il tenait tête sans nulle crainte.

—Te battre ? À ton âge, prendre les armes ?

—Je serai chevalier avant que vous vous en rendiez compte.

—Quelle confiance ! Il faut du temps pour devenir chevalier, gamin.

—Je peux le faire.

—Tu ne me seras d'aucune utilité pour passer les lignes ennemies.

—Je peux le faire, insistait-il entre ses dents.

À chaque haussement de ton du chevalier, le garçon répondait d'une voix faible mais ferme.

— Gamin, tu commences à me courir! vociféra Dun-Cadal en tirant sur les rênes. Tu n'es qu'un enfant! Alors reste à ta place et évite de te rêver plus grand que tu ne l'es. La situation est trop compliquée pour que je m'occupe de toi.

— Je ne suis plus un enfant!

Il pointa un index accusateur vers lui.

— Et vous, vous n'irez pas loin comme ça et vous le savez, et vous préférez tenter les démons plutôt que de rester ici, à soigner votre blessure… Tout ce temps, vous pourriez m'apprendre à combattre, mais non, vous préférez vous jeter vers la mort, seul, alors que je sais, moi, où sont les révoltés, combien ils sont et par où il faut passer! Et à deux, on peut le faire…

Le souffle court, il abaissa le bras, la bouche tordue par la colère. Il était au bord des larmes, tremblant.

— … et je ne suis plus un enfant, répéta-t-il.

Le cheval s'ébroua. Lui aussi paraissait fatigué. À regret, Dun-Cadal accepta l'idée qu'il ne pourrait effectuer le voyage seul.

— Tu sais manier l'épée? demanda-t-il.

Le gamin acquiesça timidement. Et ils retournèrent près de la charrette. Dun-Cadal dut se faire aider pour descendre de la monture et, un bras sur les épaules de son jeune sauveur, il rejoignit sa couche en boitant. Lorsqu'il fut enfin allongé, la douleur de sa jambe s'estompa… pour le moment. Il rehaussa celle-ci à l'aide d'une vieille caisse pour que le sang puisse mieux circuler et que son pied n'enfle pas.

— Aide-moi à ôter ma botte, soupira-t-il.

Il le regarda obéir, tentant de déceler sur son visage un quelconque indice qui lui permettrait d'en savoir plus. Une cicatrice, une expression, un détail qu'il n'avait jusqu'alors pas remarqué… La moindre petite chose, qui donnerait à ce gamin l'ombre d'un passé. Tout, plutôt que ce vide absolu. Quand il eut retiré la botte, il vint au côté du chevalier et sortit la grenouille de sa boîte pour en extraire l'urine.

— Je dois te donner un nom, hein, annonça Dun-Cadal en levant le menton vers lui.

— Si vous voulez, répondit-il en secouant la gourde pour mélanger l'urine à l'eau.

— Voyons… tu me surnommes Échassier, hein? Rendons la pareille. Comme tu as l'air d'aimer ces bestioles… Ce sera… Grenouille… Je vais t'appeler Grenouille…

Il s'attendait à ce que le gamin s'en offusque, mais il se contenta de hocher la tête tout en ouvrant la gourde avant de la lui tendre.

— Ça me va…, sourit-il tristement. Échassier.

Il était donc prêt à n'importe quoi pour arriver à ses fins, même à accepter un ridicule surnom.

— Le chevalier Grenouille… Tu veux être le chevalier Grenouille ? ironisa Dun-Cadal en prenant la gourde.

Et le regard qu'il croisa lui fit perdre toute assurance. Dans ces yeux gris brillait la lueur d'une volonté impossible à briser. Les mots qu'il prononça furent aussi doux que secs, un murmure qui pourtant resta à jamais dans sa mémoire, aussi puissant qu'un cri.

— Un jour, vous comprendrez. Soyez-en certain. Je serai le plus grand chevalier que ce monde ait jamais connu.

4

L'ASSASSIN

—Attaquer quelqu'un par-derrière ?
C'est se battre sans honneur !
—Il n'y a aucun honneur à tuer quelqu'un, petit.
Aucun.
Peu importe de quelle façon tu frappes.
Il n'y a aucune gloire dans le fait de prendre une vie.

Elle ne connaissait du monde que ce qu'elle en avait appris dans les livres. Des années d'études au Grand Collège d'Éméris l'avaient aidée à se forger une culture impressionnante, mais cela n'était jamais resté que de simples mots. Ici, elle leur découvrait un sens. Devant elle, prenaient enfin corps les ouvrages écrits, copiés et recopiés depuis des centaines d'années par l'ordre des moines de Fangol. Ces serviteurs des dieux qui avaient été, jusqu'alors, les seuls maîtres de l'écriture. L'écriture… la voix des dieux, qui, des siècles auparavant, avait été apposée sur le Livre Sacré. Le *Liaber Dest* disparu, l'Empire déchu, la donne changeait. Le savoir ne devait plus être l'attribut d'une élite. Avec la République, une jeune paysanne telle que Viola avait pu être éduquée à l'Histoire de son monde et au moyen de la relater à l'aide d'une plume trempée dans l'encre. Qu'avait-elle vraiment vu ? De ses yeux vu ? Les chemins feuillus de son hameau natal avaient laissé place aux larges et longues avenues de la cité impériale d'Éméris. Et quoi d'autre ? Rien que des mots dans des livres, décrivant de façon poétique les anciens royaumes.

Ainsi, le simple fait de fouler les rues pavées de Masalia lui paraissait une nouvelle étape dans sa vie. Enfin, Viola avait pu parcourir les terres, voyager jusqu'à la ville du bout du monde. Et, marchant parmi une foule hétéroclite, elle prenait conscience de la richesse de la République. Tout au long de la rue, des marchands exhortaient les passants à découvrir leurs magnifiques articles : légumes, épices piquant les narines à leur approche, colliers tressés, tissus dentelés, jusqu'à la viande séchée ou encore sanguinolente d'un porc abattu au bord même des étals…

Le soleil à son zénith baignait la cité d'une lumière ocré et une odeur lourde de musc et d'agrumes flottait dans l'air. Du temps de l'Empire, Masalia avait été l'unique cité où celui qui rêvait d'autre chose pouvait atteindre son but. Maintenant que la République présidait aux destinées des peuples, l'atout de cette cité s'était répandu tel un vent d'espoir et d'inattendu sur les anciens royaumes. Viola en était l'exemple même, elle, la jeune fille de forgeron, qui avait brillamment étudié au Grand Collège, jadis réservé à la noblesse. Quel avenir s'offrait à elle désormais ? Celui d'une historienne assise dans une bibliothèque devant d'anciens ouvrages ? Ou bien celui d'une archéologue parcourant le monde à la recherche d'antiques artefacts et autres idoles ? Et qui aimerait-elle ? Avec qui fonderait-elle une famille ? Quelle place prendrait-elle dans ce nouveau chapitre du monde, maintenant que le peuple avait la chance de se choisir un avenir… ?

Elle se posait toutes ces questions sans réellement espérer une quelconque réponse. La possibilité qu'il puisse y en avoir plusieurs était si agréable. Ses parents n'avaient eu, à aucun moment, l'occasion de réfléchir à leur avenir. Son père avait été forgeron, tout comme le père de son père, et ainsi de suite. Quant à sa mère, c'est à peine si elle avait su écrire son nom. Quand bien même les moines fangolins apprenaient l'écriture à certains, ils veillaient à en conserver la maîtrise.

— Ma damoiselle, venez goûter les arômes des îles Sudies ! De bonnes épices comme jamais vous n'en avez goûté, héla un homme au visage glabre, le teint mat, dont le ventre rond reposait presque sur son étal couvert de sacs d'épices.

Elle esquissa un sourire en hochant la tête d'un air peu intéressé avant de dépasser deux hommes qui se molestaient au milieu de la rue sans que personne s'en inquiète. Elle avait autre chose à faire que de flâner dans la ville. On lui avait confié une mission et elle tenait à la mener à son terme. Retrouver Éraëd, l'Épée des Empereurs, n'était pas une lubie mais bien la volonté pour certains de ne pas dénigrer le passé. Éraëd… C'était bien plus qu'un symbole ; c'était une épée légendaire, forgée au début des temps.

Au sortir de la rue marchande, elle avisa la fontaine asséchée qui s'élevait au centre d'une petite place pavée de rouge et de blanc. Là, parmi les hautes maisons bourgeoises aux balcons fleuris et aux larges fenêtres, se trouvait l'hôtel particulier où elle avait déposé Dun-Cadal. Il n'était guère difficile de le reconnaître en plein jour. C'était la seule bâtisse dont les rideaux restaient tirés et devant sa porte déambulaient de jeunes femmes aux épaules dénudées. De longues robes descendaient jusqu'à leurs pieds nus, de fines étoffes colorées épousaient parfaitement les courbes de leur corps. Elles vendaient leurs charmes aux plus offrants. Et se trouvaient à bonne école. Il se murmurait, ici et là, que Mildrel avait été l'une des courtisanes les plus en vue du temps de l'Empire, partageant les secrets d'alcôve, distillant baisers et conseils dans la pénombre de salons privés.

Viola ajusta ses lunettes avant de s'asseoir sur le rebord de la fontaine. Au milieu s'élevait un angelot de pierre les ailes grandes ouvertes, un genou plié, comme prêt à s'envoler. Elle observa les passants : marchands en affaires à Masalia, voyageurs crottés qui allaient d'un pas fatigué en tirant leur monture derrière eux, ou encore quelques Nâagas qui bombaient fièrement le torse en devisant. Et, du coin de l'œil, elle aperçut enfin la silhouette familière d'un vieux chevalier mal rasé.

Dun-Cadal sortait de la maison de Mildrel, la main droite levée devant son visage pour masquer le soleil. Dans sa main gauche, une pomme qu'il porta à sa bouche pour en croquer un bout. Deux filles faisant les cent pas devant la porte le saluèrent d'un grand sourire, l'une d'elles déposant même un baiser sur sa joue avant qu'il ne les quitte en plissant les yeux. La lumière vive du jour se reflétant sur les pavés l'aveuglait. Pour quelqu'un dont les paupières portaient le poids de l'alcool, l'éclat du soleil était difficilement supportable.

—J'ai craint que vous ne sortiez jamais de cette bâtisse, dit une voix dans son dos.

Il jeta un coup d'œil par-dessus son épaule, mâchonnant un morceau de pomme. Derrière lui, Viola marchait d'un pas léger, les mains dans le dos, deux mèches rebelles tournoyant devant ses petites oreilles. Donc, la jeune femme aux cheveux rouges n'allait pas le laisser tranquille. Il la toisa, des pieds à la tête, grimaçant.

—… vous, souffla-t-il d'une voix rauque.

—Je vous ai manqué ? sourit-elle en se balançant comme l'aurait fait une enfant. Pourtant, côté compagnie féminine, je pense que vous avez été servi, cette nuit.

Dun-Cadal reprit sa marche en bougonnant. Viola lui emboîta le pas.

—Vous m'avez l'air aussi agréable qu'hier, nota-t-elle d'un air moqueur.

—Votre *Sauvage* ne vous accompagne pas ? maugréa le chevalier. Trop occupé à se dessiner des mochetés sur le visage ?

—Oh, s'il vous manque, soyez rassuré, vous aurez bien tôt fait de le revoir.

—Je m'en passerais volontiers…

Il accéléra le pas, mordant la pomme avec une certaine nervosité. Être ainsi dérangé, à peine réveillé, c'était insupportable. Comme le marteau qui frappait l'enclume dans sa tête. À cela s'ajoutaient les bruits de Masalia, ses camelots, ses crieurs… ses mouettes qui planaient dans le ciel sans nuages. Dun-Cadal joua des épaules pour se frayer un passage dans la foule. Et Viola ne le quittait pas d'une semelle.

—Vous êtes revenue pour me menacer ? ironisa Dun-Cadal.

—Vous menacer ? De quoi ?

—Maintenant que vous savez qui je suis…

—Cela m'importe peu de faire votre procès, l'interrompit net Viola en arrivant à sa hauteur.

Un marchand allant dans l'autre sens, une barrique dans les bras, faillit lui rentrer dedans. Elle l'évita d'un pas de côté et reprit sa marche derrière le chevalier. L'homme continua sa route comme si de rien n'était en sifflotant.

—Je recherche autre chose que la vengeance, ajouta-t-elle.

—Je ne vous aiderai pas à retrouver la rapière.

—Cette épée appartient à l'Histoire !

—Et cette Histoire est révolue…

Au bout de la rue dansaient les mâts des navires ancrés au port. Une foule compacte semblait s'y rendre. Pressé de quitter cette agitation et de se retrouver au calme devant une chope pleine, Dun-Cadal bifurqua sur sa droite. Mais à l'entrée de la ruelle se dressait un colosse tatoué, les bras croisés, un coin de sa bouche relevé en un étrange sourire. Leurs regards se croisèrent et, au froncement de sourcils du vieux général, ils n'avaient rien d'amicaux.

—Je vous avais dit que vous reverriez Rogant, souffla Viola dans son dos.

Dun-Cadal tourna les talons et se résolut à descendre vers le port. Viola s'empressa de le rejoindre avant qu'il ne disparaisse parmi la foule.

—Dun! Dun! héla-t-elle. Mais attendez-moi!

—Et pourquoi vous attendrais-je? s'enquit-il d'un ton ferme. La seule chose que j'attends, c'est le moment où vous mènerez les gardes de la République jusqu'à moi.

—La guerre civile est terminée, général, rétorqua Viola. Mettez-vous ça dans le crâne. Vous croyez que je vais vous dénoncer dans le simple espoir qu'en geôle vous parliez enfin?

—C'est possible.

—Voyons, je serais idiote d'agir ainsi.

—Ça aussi c'est possible, ironisa le chevalier.

Dans la rade, de grands et fiers bateaux mouillaient, oscillant légèrement sur l'eau. De l'un d'eux descendait une étrange escorte de gardes bardés de cuirasses rouge et bleu ciel, hallebarde en main, épée au flanc. À l'avant du cortège, deux soldats plus légèrement armés portaient les étendards aux couleurs des arrivants. Les conseillers… Et ce qu'il en avait entendu se vérifiait. Plusieurs d'entre eux ne lui étaient pas inconnus. Il s'arrêta et sentit derrière lui le corps frêle de Viola se coller au sien.

—Pourquoi je vous dénoncerais, lui murmura-t-elle, alors que ceux qui ont profité de l'Empire, plus que vous, sans même le défendre, sont désormais des élus du peuple?

Ils étaient quatre, pour la plupart vieux et ridés, vêtus d'amples manteaux rouges parsemés de lys d'or et bordés de fourrure crème. Et sur les quatre Dun-Cadal en reconnut trois. Le duc d'Azbourt, un homme cruel au visage strié de rides, massif malgré son âge avancé, qui s'était longtemps retranché dans son duché du Nord, sans plus prêter attention aux faveurs de l'Empereur. Le marquis d'Enain-Cassart, petit homme à la voix fluette, une perruque poudrée coiffant une tête souriante, et qui marchait à l'aide d'une canne. Il avait longtemps erré dans les couloirs du palais d'Éméris, assurant de sa fidélité à l'Empire jusqu'à sa chute. Par quelle négociation avait-il réussi à s'imposer comme un candidat au poste de conseiller de sa région ? Sa fortune en était sûrement l'une des principales raisons. Suivait un inconnu, beaucoup plus jeune, une fine cicatrice sous l'œil droit, mais dont Dun-Cadal ne doutait pas un seul instant qu'il ait pu avoir quelques accointances avec les deux premiers. Quant au dernier… Dun-Cadal hocha la tête, les mâchoires serrées.

— Je ne sais si vous vous êtes revus après qu'il vous a abandonné dans les Salines, dit Viola. Mais toujours est-il qu'Étienne Azdeki est désormais l'un des conseillers les plus en vue. D'autres vont venir pour la Nuit des Masques. Si le peuple a tiré un trait sur leur passé, pourquoi ne le ferait-il pas pour vous ?

Elle avança à son côté et laissa son regard dériver sur la foule qui s'amassait autour du cortège. Il s'était désintéressé de la République, il avait souhaité oublier le monde, espérant que ce dernier fasse de même à son sujet. Alors qu'il avait connu l'Empereur lui-même, ceux qui dirigeaient désormais n'avaient que peu d'importance tant il lui semblait vivre dans une autre réalité. Des restes de l'Empire, certains s'étaient relevés.

— Félicitations, général, vous prenez conscience que ce monde n'est ni blanc ni noir, bien loin de ce que vous pensiez du temps de l'Empire…

Quelque chose n'allait pas. Une impression, vague… trop pour qu'il puisse comprendre la crainte qui montait peu à peu. Cela pesa sûrement sur la réponse qu'il infligea à la jeune femme comme une menace.

— Ne jouez pas à ce petit jeu avec moi, conseilla-t-il d'un ton grinçant.

— Moi aussi je peux être ironique. Seulement, j'ai deux atouts.

— Lesquels ?

— Non seulement je ne sens pas la transpiration, mais en plus je suis… mignonne.

Dun-Cadal ne put retenir un sourire, bien que l'air lui paraisse plus lourd, annonciateur d'un drame. Non, vraiment, quelque chose n'allait pas. Seulement, cette odeur de lavande l'avait un bref instant apaisé. D'autant plus qu'elle ne mentait nullement sur son joli minois.

—Je ne vous veux pas de mal, général, soyez-en certain.

Elle pointait ses yeux vers lui, si beaux, si verts, bordés de fins et longs cils. Leur lumière était à peine troublée par les verres de ses lunettes. Comment résister à ce doux charme qui émanait d'elle, cette volonté toute retenue dans un gant de velours ? Il avait l'impression qu'elle le caressait comme un vieux loup qu'on tente d'amadouer. Finalement, ce n'était pas pour lui déplaire. Il en vint même à imaginer qu'elle ait pu être la fille de Mildrel. Ce parfum de lavande épousait délicieusement leur cou à toutes les deux. Sans mot dire, il mordit la pomme avec force, arrachant un morceau comme si c'était de la viande collée à un os et détourna les yeux.

Il le sentait plus précisément désormais. C'était si évident pour lui. Ses sens de guerrier lui intimaient de rester sur ses gardes.

—Ne bougez pas d'ici, lâcha-t-il en suivant du regard le cortège qui quittait le quai et traversait la grande place.

Devant un large bâtiment au perron orné de hautes colonnes de marbre blanc, quatre carrosses attendaient les nouveaux venus.

Et la foule se pressait autour des conseillers, hétéroclite, amusée, curieuse... oppressante. Seule la haie d'honneur que composaient les hallebardiers empêchait les plus décidés de saluer leur représentant au Conseil. Si Azdeki, Azbourt et l'inconnu accordaient un intérêt tout relatif au peuple venu les accueillir, Enain-Cassart se délectait de l'accueil chaleureux. Le marquis n'hésitait pas à s'en approcher, passant une main rachitique entre les soldats pour la refermer sur les poignes affectueuses des gens de Masalia. Un sourire illuminait son visage raviné. Et, si l'éclat du soleil sur le dallage de la grande place faisait plisser ses yeux, quiconque le dévisageait devinait une lueur de joie dans la fente que formaient ses paupières.

—Général ? osa Viola dans un chuchotement gêné.

Il leva la main vers elle pour lui intimer le silence et marcha vers la grande place, cherchant du regard quelque chose d'inhabituel dans la foule. Il la sentait, il la devinait... la mort, tapie quelque part, prête à fondre. Sur qui ? Sur quoi ? Il n'était pas encore en mesure de le dire mais il la sentait. Et quand il remarqua la silhouette courbée, couverte d'un vieux manteau rapiécé et d'une capuche aux plis ondulant comme des vagues, il sut. Elle n'avait que l'apparence d'un vieillard boitant au milieu des badauds, son attention tout entière dirigée vers le marquis.

Il atteignit enfin la foule, les applaudissements vrillant son crâne encore fatigué. Il croqua une dernière fois dans la pomme et la laissa tomber à terre. Le trognon se retrouva vite écrasé sous les pas. La silhouette avançait. Des cris de joie. Des rires. Un brouhaha quelques mètres plus loin. Des jurons et invectives échangés. Des hallebardiers quittèrent leur formation pour prêter main-forte à leurs compagnons. Une rixe éclatait en bordure du cortège, légère mais suffisante pour qu'elle accapare une partie de l'attention. Plus il s'approchait, plus ses sens s'alarmaient. C'était pour bientôt.

La silhouette en manteau trébucha sur un garde. Ce dernier s'excusa presque auprès du vieillard, mais son sourire s'assombrit quand ses jambes cédèrent sous son poids.

Très bientôt…

Le vieillard retint le corps du soldat quelques secondes avant de le laisser choir sans un bruit et d'avancer dans le dos du marquis. À quelques pas de là, les hallebardiers séparaient trois marins de ce qui ressemblait à un Nâaga furieux.

Maintenant.

La silhouette du vieillard se redressa d'un coup, mais cela lui parut étrangement lent. D'un mouvement d'épaules, elle fit glisser le manteau rapiécé dans son dos, découvrant un homme habillé d'une cape verte, une fine capuche masquant d'ombre son visage. À sa ceinture, deux dagues côtoyaient le pommeau terne d'une épée. À ses poignets, des bracelets de cuir. Et, dans son aisance, la preuve indiscutable d'un sang-froid exemplaire.

Dun-Cadal s'arrêta net, le souffle coupé. Il avait appris à observer, reconnaître, déceler les approches d'assassins. Il avait protégé l'Empereur en devenant son ombre, guettant le moindre mouvement parmi la cour. Lorsque le marquis d'Enain-Cassart se retourna lentement, il sut que c'était déjà trop tard.

—Eh bien, jeune homme, vous…

Le sourire ravi du conseiller disparut lorsque la lame troua sa gorge. Il n'y eut pas un cri, pas un mot, juste des bulles de sang qui remontèrent dans sa bouche pour éclater aux commissures de ses lèvres.

Vite. Précis. Rapide. Et sans aucun remords ni regret, pas même le sentiment du devoir accompli. Ce que ressentait l'homme, Dun-Cadal le devinait. Lui-même avait œuvré ainsi pendant des années. Pour défendre l'Empereur, parfois, il était nécessaire d'attaquer le premier…

Enain-Cassart s'écroula de côté sans avoir eu le temps de comprendre que sa vie le quittait. Et les applaudissements moururent sous l'étonnement. Durant un bref instant, pas plus long qu'une respiration, il n'y eut que le bruit lointain du clapot. Et le battement de la cape verte contre les bottes de l'assassin qui hypnotisait le général, au même rythme que le sang dans ses tempes.

Tuer. Il l'avait fait de nombreuses fois de cette façon.

Vous avez été un assassin?

Avant que l'Empereur ne lui permette de former son successeur et d'être nommé général en récompense de ses services. Il avait confié sa tunique à son élève…

À la droite de Dun-Cadal, une femme aux cheveux sales attachés en arrière, les joues roses parsemées de petites veines rouges, restait bouche bée. Lorsqu'elle réussit enfin à prononcer un mot, sa voix porta sur la place muette.

—À… L'ASSASSIN! hurla-t-elle.

Et la foule s'agita, des gens affolés fuyant la place alors que des hallebardiers escortaient en hâte les trois conseillers vers leurs carrosses. Seul, debout au-dessus du cadavre du marquis, l'assassin semblait prendre un malin plaisir à assister à la débandade. Il bougea à peine lorsque des gardes l'encerclèrent, lances et hallebardes pointées vers lui.

Dun-Cadal avait oublié cette tunique au moment même où un autre l'avait revêtue. Il l'avait laissée, tel un legs. Une simple cape verte… un fantôme surgi du passé. Le général respirait lourdement, jetant de brefs coups d'œil vers les badauds restés à quelques pas de la scène, aussi curieux qu'apeurés. Il avait espéré noyer ses souvenirs dans l'alcool des années durant, mais en quelques heures c'était toute son histoire qui refaisait surface. D'Éraëd à Grenouille… d'Azdeki à celui qui lui avait succédé auprès de l'Empereur.

—Dépose les armes!

— À genoux ! Agenouille-toi !

— Dépose les armes !

Les voix autoritaires des soldats surmontaient à peine le brouhaha. Les lances pointaient vers l'assassin. Il s'en accommodait parfaitement, dévisageant tour à tour chaque homme le menaçant. Ses lèvres fermées ne frémirent pas. Il était terriblement calme. Pourquoi ? Pourquoi agissait-il ainsi ? N'importe quel assassin aurait commis son crime le plus furtivement possible, profitant du mouvement de foule pour s'éclipser.

Lorsqu'un soldat osa s'avancer, il réagit enfin, attrapant la lance d'une main ferme, tirant un coup sec pour l'attirer vers lui. Le pauvre homme n'eut pas le temps d'agir que déjà l'assassin plongeait une dague dans la cotte de mailles avec une puissance telle qu'elle la perfora pour fouiller l'abdomen.

C'était un message. Une mise en garde. Une menace à l'encontre de tous les conseillers. Grimpant dans son carrosse, Azdeki suivait la scène du regard. Le cercle que formaient les soldats autour de l'assassin se referma. En son centre, deux dagues fendirent les airs. Le cliquetis des lames et des armures résonna. Et, sous le regard médusé du vieux général à quelques mètres de là, émergea la silhouette du meurtrier. Une dague dans chaque main, il écarta deux soldats et s'élança sur la place avec souplesse.

Lui… le protecteur de Reyes, l'assassin… la Main de l'Empereur… Mais pourquoi ? Comment ? C'était un flot tumultueux qui emportait Dun-Cadal. Sentiments, questions… aucune réponse valable, aucun réconfort. Il devait savoir, il devait l'arrêter. Il courut à la suite des gardes. Et, devant le fugitif, la foule se dispersa en criant. Aucun homme, même le plus fort, n'osa s'interposer. Dans une rue partant de la place du port, une escouade de soldats s'apprêtait à arrêter le criminel, confiante. Il n'avait aucune échappatoire possible, se répétait le vieil homme.

L'assassin ne réduisit en rien l'allure à la vue du mur de lances en haut de la rue. Pas plus qu'il ne parut s'inquiéter des soldats qui gagnaient du terrain dans son dos. D'un coup de hanche, il partit sur sa droite, s'appuya sur un tonneau au bas d'une gouttière rouillée et bondit jusqu'au balcon fleuri d'une maison de l'autre côté de la rue. Les soldats médusés stoppèrent net leur course. Derrière eux, Dun-Cadal avisa une ruelle à sa gauche et y pénétra en crachant ses poumons. Cela faisait bien longtemps qu'il n'avait pas couru aussi vite, mais peu importait la douleur à chaque inspiration, peu importait sa tête alourdie par les vapeurs d'alcool. Les yeux levés vers les toits, il aperçut la silhouette de l'assassin y grimper avec aisance.

—Arrêtez-le! Mais arrêtez-le!

—Il est parti par là!

—Il ne faut pas le perdre!

Une ruelle, une rue puis une autre… Dun-Cadal manqua plusieurs fois de percuter des passants étonnés. Il cherchait du regard l'assassin qui sautait de toit en toit. Son épaule heurta une femme portant un panier de linge. Grimaçant, il tenta de garder l'équilibre, ignorant les insultes, et continua sa course. Au bout de cinq minutes, un vif point de côté ralentit ses pas. La main près du cœur, il s'adossa à un mur, entendant les cris lointains des gardes. Le souffle lourd, le visage en feu, il inspira profondément pour reprendre ses esprits. Tout tournait autour de lui. La rue elle-même se troublait. Il ferma les yeux et soupira lentement. Qu'il était loin le temps où lui aussi fuyait par les toits, bondissant avec vigueur, usant du *Souffle.* Il avait été l'un des plus grands chevaliers. Et maintenant?

Il n'était qu'un vieux fou, perdu à Masalia, espérant une mort violente dans un tripot de la ville basse. Mais ce n'était pas la mort qui était venue à sa rencontre, non. Une jeune femme rousse l'avait trouvé et, avec elle, tout son passé resurgissait… Les yeux clos, il entendit une voix, un murmure…

Je suis prêt…

Il se laissa aller, glissant le long du mur, le front en sueur…

—*Je suis prêt!*

—*Non. Je ne reviendrai pas là-dessus, Grenouille.*

C'est ce qu'avait juré le gamin il y avait si longtemps, peu avant qu'ils ne lient leurs destinées. Avec un aplomb inattendu, il lui avait certifié être prêt à quitter les Salines, à passer les lignes des révoltés, à combattre et à tuer des hommes. Bien loin d'un simple jeu d'enfants avec des bâtons, Grenouille se croyait prêt à commettre l'irréparable. Car une vie prise ne peut être rendue…

—Vous avez dit hier que j'avais fait d'énormes progrès!

—Pour un manchot, apprendre à manier une épée avec ses pieds, c'est un énorme progrès, rétorqua Dun-Cadal, un sourire en coin. Ça ne veut pas dire qu'il est capable de battre une armée.

Appuyé sur une béquille de fortune, il rejoignit la charrette penchée en boitant. Depuis deux mois qu'il était là, c'était le premier jour où il arrivait enfin à tenir debout plus de deux heures sans souffrir.

—Vous êtes… nul, cracha Grenouille en serrant les poings, sourcils froncés.

Las, le général s'assit lentement sur une caisse et posa sa béquille contre le bois vermoulu de la charrette. Le soleil se couchait au loin, baignant les hautes herbes des Salines d'une lueur sanguine. Il s'était habitué à l'insolence du jeune garçon et s'en amusait presque. Il acceptait même que ce dernier le surnomme Échassier. Personne n'avait jamais osé l'affubler d'un quelconque sobriquet. Qu'il s'en accommode ne tenait pas au fait qu'il était loin de l'armée… Le gamin était ce qui, sans aucun doute, pouvait lui survivre, une part de lui, de son savoir et… Non, plus encore, il était ce dont il avait rêvé tant de fois et qu'il n'avait su offrir à Mildrel. En le regardant ainsi dressé à quelques pas du feu de camp, les poings fermés contre ses cuisses dans une attitude de colère renfrognée, il ne regrettait pas d'avoir accepté de lui enseigner l'art de la guerre. Le gamin se débrouillait bien et, plus que tout, une rage d'apprendre brûlait en lui, au risque de le consumer. Il avait connu ça, plus jeune, mais jamais à ce point. Il lui fallait juste éteindre ce feu de temps en temps. Grenouille devait apprendre encore bien des choses. Et parmi elles, la patience.

—Nul de vouloir te garder en vie? Alors oui, j'accepte la remarque.

—Vous comprenez rien…, soupira le jeune garçon avant de s'asseoir.

—Je comprends que tu as hâte de partir d'ici. Et moi donc! Tu me nourris avec ce que tu chapardes au Guet d'Aëd. De la merde, oui… quoiqu'un peu plus goûtue que ce que tu chasses ici… À ce propos…

Il pointa l'index vers lui, grimaçant de dégoût.

—… tes grenouilles Ruches, elles me restent de plus en plus sur l'estomac. Essaie de trouver autre chose.

—Justement! C'est le moment d'y aller! affirma Grenouille en levant les yeux au ciel.

—Non. Tu n'es pas prêt et moi non plus, assura Dun-Cadal en baissant l'index vers sa jambe tendue.

Elle lui paraissait plus solide désormais, si bien qu'il avait ôté l'attelle, mais il lui fallait la remuscler avant de tenter quoi que ce soit. Un mois encore devait passer avant qu'il ne se lance dans une fuite éperdue au travers des lignes ennemies. Il s'était fait à cette idée. Il n'avait guère le choix. Et ce qui l'avait convaincu que c'était un moindre mal, c'était bien la volonté de Grenouille. Il avait commencé à l'entraîner sans grande conviction. Jusqu'à ce qu'il remarque, la nuit tombée, le jeune garçon s'entraîner encore et encore, pensant son professeur endormi. Il avait vu sa silhouette brandir le bout de bois qui lui servait d'épée d'entraînement, puis les jours et les nuits passant, l'épée du chevalier. Grenouille ne s'autorisait que quelques heures de sommeil mais jamais ne s'en plaignait. Non, il gardait cela secret. Chaque nuit, il répétait ses enchaînements.

—Demain... demain, nous verrons une autre leçon, dit Dun-Cadal.

Il prit la gourde à ses pieds et l'ouvrit lentement. Grenouille vint s'asseoir dans le coin de la charrette en pestant.

—Tu sais parer, tu as appris quelques bottes d'attaque. Demain, nous verrons comment attaquer quelqu'un par-derrière.

—Attaquer quelqu'un par-derrière ? s'étonna Grenouille en ramenant les genoux vers lui.

Il reprenait sa position préférée, la tête masquée derrière ses jambes. Tel que Dun-Cadal l'avait vu pour la première fois.

—C'est se battre sans honneur ! maugréa-t-il.

Dun-Cadal se força à boire une gorgée. L'étrange remède de Grenouille avait fait ses preuves, mais il se retenait de vomir chaque fois qu'il en avalait, ne serait-ce qu'une goutte. Il déglutit avant de se pencher vers le gamin.

—Il n'y a aucun honneur à tuer quelqu'un, petit. Aucun.

Sa voix était soudain grave, posée.

—Peu importe de quelle façon tu frappes. Il n'y a aucune gloire dans le fait de prendre une vie.

Il n'y eut que le crépitement du feu dans le crépuscule et leurs regards qui ne se quittaient pas. Enfin, Grenouille baissa les yeux vers ses genoux.

—Vous n'avez pas toujours été un chevalier, pas vrai ?

Dun-Cadal reposa la gourde à ses pieds et fit craquer ses doigts en bâillant.

—Non.

De son pied convalescent, il frotta la terre devant lui, pensif. Le gamin ne méritait pas d'en savoir plus à son sujet. S'il s'ouvrait à lui, cela changerait bien des choses. Lui ferait-il confiance à ce point ? C'était un enfant des Salines... un ennemi qui lui avait sauvé la vie et qui, au lieu de se terrer au Guet d'Aëd, se rebellait contre les siens. Il n'aurait pu comprendre le parcours de son mentor.

—Vous avez été un assassin ? demanda Grenouille sans aucune gêne.

Surpris, Dun-Cadal leva les yeux vers lui.

—Quelle est la différence entre un assassin et un chevalier selon toi ?

Perplexe, Grenouille raviva le feu.

—L'un tue pour l'argent, l'autre par devoir, dit-il enfin, sans être certain d'avoir la bonne réponse.

—Tu as une vision bien simpliste de tout ça, soupira Dun-Cadal. Crois-moi gamin, un jour tu comprendras.

Ils dînèrent peu de temps après, savourant un lapin que Grenouille avait chapardé la veille au marché du Guet d'Aëd. Quel plaisir d'oublier la chair des grenouilles Ruches ! Ce soir-là, ils échangèrent des mots simples, s'amusèrent presque l'un de l'autre, et s'endormirent l'esprit calme et serein, loin du tumulte de la révolte.

Le mois qui suivit fut, à peu de chose près, semblable aux précédents. Grenouille apprenait le maniement de l'épée, les attaques furtives, les parades. Et chaque nuit, lorsqu'il pensait son mentor endormi, répétait les mouvements étudiés le jour. Tandis que la jambe de Dun-Cadal se renforçait, les yeux du gamin se cernaient de noir. Mais pas une fois le général ne lui en fit la remarque. Il le voyait souffrir, endurer, s'essouffler jusqu'à tomber à genoux, le visage marqué par l'épreuve. Chaque fois, Grenouille se relevait sans que son mentor le lui ordonne. Jusqu'où pouvait-il aller ? Pas plus qu'il ne le critiquait, Dun-Cadal ne le complimentait. Il se contentait de lui apprendre, gardant muette son admiration lorsque le gamin enchaînait les mouvements en grimaçant, les muscles endoloris.

Le général avait croisé des élèves plus doués que lui, mais aucun n'avait eu cette envie, proche de la folie. Il compensait ses défauts par cette volonté inaltérable. Grenouille était certain de devenir le plus grand chevalier que ce monde ait connu. Au bout de trois mois, Dun-Cadal se prit à penser qu'il avait tous les moyens d'y parvenir.

— Bras tendu. Tends ton bras, je te dis.

Au milieu des hautes herbes, le garçon pointait l'épée du général devant lui, le visage fermé. Le soleil jouait à cache-cache avec de lourds nuages blancs bordés de gris. La veille, une patrouille venue du Guet d'Aëd était passée tout près de leur campement. L'étau se resserrait.

— Plus droit, fit Dun-Cadal en relevant le bras de son apprenti d'un coup de bâton.

Du coin de l'œil, Grenouille lui adressa un regard noir mais, très vite, reporta son attention droit devant lui.

— Parade !

D'un mouvement brusque, il allongea une jambe derrière lui, pliant l'autre et rabattit l'épée vers sa tête.

— Taille !

Il la fit tourner pour frapper un ennemi imaginaire sur son flanc.

— Tes pieds, gamin, fais attention à la position de tes pieds.

— Je fais attention, objecta-t-il en quittant sa posture pour détendre ses muscles souffrants.

Cela faisait cinq heures qu'il fendait l'air de sa lame, sans prendre une seule pause, et il se plaignait pour la première fois. Dun-Cadal avait attendu ce moment où il ferait montre de son impatience. Il le savait trop confiant, trop sûr de lui, prêt à se jeter dans la gueule du loup. Les lignes n'avaient pas avancé. L'Empire ne reculait plus. Et eux, ils survivaient ici, au cœur des marais.

— Vraiment ? sourit Dun-Cadal en se servant du bâton comme d'une épée.

Il le fit tournoyer dans l'air en marchant lentement pour se placer en face du garçon.

— Alors, reprends ta position, lui dit-il.

Lâchant un soupir, Grenouille obéit.

— Parade ! cria le général alors qu'il brandissait son bâton vers lui.

Grenouille para le coup mais sentit une violente pointe au niveau de sa main, à l'endroit même où le général avait frappé.

—Estoc!

Il n'eut pas le temps de finir son geste que déjà Dun-Cadal avait fait un pas de côté, plongeant vers lui pour donner un coup de bâton sur sa jambe tendue. Grenouille plia le genou en retenant un cri. Le bâton fouetta l'arrière de sa tête puis, frappant sur son épaule, le fit tomber de côté.

La moitié du visage dans la boue, le garçon pesta, le souffle lourd.

—Ta jambe était trop tendue. Si une lame ne te la coupe pas, un gourdin te la brise, dit Dun-Cadal d'une voix calme. Relève-toi.

Grenouille se redressa en grimaçant. La colère montait. Pour la première fois, elle fut si forte qu'elle ruina sa patience.

—Mets ton bras bien droit…

—À quoi ça sert? fulmina le garçon. Que mon bras soit droit? Que j'aie les pieds ici ou là? Hein? Vous ne faites ça que pour retarder notre départ. Parce que vous avez peur. Vous n'êtes pas un grand chevalier. Je vous ai sauvé la vie pour rien.

Il jeta l'épée à ses pieds, d'un air de dégoût.

—J'aurais mieux fait de laisser les Rouargs vous dévorer, cracha-t-il en détournant les yeux.

—Alors c'est pour ça…

Le visage de Dun-Cadal parut se décomposer, un maigre sourire ourlant ses lèvres. Le gamin était un mystère pour lui et il lui tardait d'en découvrir plus sur son compte. Un pan se dévoilait enfin. Étrangement, il se rendit compte que cela ne le laissait pas insensible.

—Tu m'as sauvé uniquement pour ça.

Grenouille lui tournait désormais le dos, les mains sur les hanches, contemplant les marais au loin.

—T'apprendre à combattre, fuir les Salines… et après?

Il parlait si calmement, le regard rivé sur ce gamin qui lui avait sauvé la vie par intérêt. Il était resté sur ses gardes tant de temps, il avait tout fait pour ne pas s'attacher mais, les jours passant, il avait appris à l'apprécier. Que fuyait-il pour espérer autant devenir chevalier de l'Empire?

—Que feras-tu, Grenouille… après?

—Après quoi? s'emporta le garçon.

—Après que nous aurons passé les lignes et rejoint mon armée…

Grenouille se retourna lentement, le regard toujours aussi noir, mais son visage se détendant peu à peu.

—Je vous ai dit que je vous aiderai à passer les lignes.

—Ce n'est pas que pour ça que tu m'as demandé de t'entraîner.

Il parut troublé.

—Pourquoi? demanda le général. Tu fuis quoi ici…?

Le gamin ne savait plus où regarder, l'air subitement triste.

—Grenouille…

—Je n'ai plus rien ici…, lâcha-t-il. Plus rien.

Dun-Cadal laissa s'étirer le silence, espérant que le garçon le rompe d'un aveu. Mais rien ne vint d'autre que le bruit du vent dans les hautes herbes.

—Tu veux combattre pour tuer des gens, c'est ça?

Il ne réagit pas.

—Alors que moi je t'apprends à rester en vie. Tu fais une différence entre assassin et chevalier, petit. Mais finalement, ce que tu veux, c'est être un assassin en agissant ainsi.

—Non… C'est pas ça, Échassier, c'est…

—Depuis le début, je t'apprends à rester en vie parce que demain, quand nous essaierons de passer les lignes, je ne veux pas te perdre.

—… vous comprenez pas, c'est…

Il s'arrêta, surpris.

—Qu'est-ce que vous venez de dire? s'emballa-t-il. Vous avez dit que…

—Tu m'as sauvé la vie. Et tu t'es rarement plaint, endurant les exercices comme peu de chevaliers ont pu le faire avant toi.

—Vous venez de dire que…

—J'ai du respect pour tout ça, gamin. Mais, si tu ne m'écoutes pas, tu vas mourir au combat. Et ça, je ne me le pardonnerais jamais.

Grenouille resta coi. Il avait bien entendu. En le voyant ainsi, Dun-Cadal sut qu'il avait sûrement trouvé les mots pour le faire réfléchir un peu.

—Demain. Tu es prêt, dit-il simplement avant de tourner les talons.

Mais la voix de Grenouille l'arrêta.

—Non.

Il fit volte-face et découvrit avec surprise le jeune garçon, l'épée en main, le bras tendu.

—Apprenez-moi encore.

Le vent dans les hautes herbes, le soleil glissant derrière les nuages, le coassement d'une grenouille au loin... Les Salines vivaient, calmes, sans se soucier des deux hommes perdus en leur sein. Sans plus remarquer qu'une relation venait de naître et qu'elle allait changer l'Histoire du monde.

—Apprenez-moi... Je ne suis pas prêt.

5

Des gants de sang

S'il y eut un seul héros
Dans les Salines
Ne retenez qu'un nom
Dun-Cadal Daermon.

La main enserrait le bâton pour en vérifier l'accroche. Le bois ne devait ni glisser du poing fermé ni se briser en frappant. D'un mouvement de poignet, il le fit tournoyer dans les airs avant de l'arrêter d'un coup sec. Le bois vibra comme s'il avait cogné quelque chose. Satisfait, le chevalier ramena le bâton vers son armure usée et posa sa paume sur la pointe taillée. L'arme était assez travaillée pour percer le cuir d'un bœuf. Satisfait, il ôta sa main de la pointe et son regard croisa le reflet d'un homme fatigué dans l'eau croupie. Ses traits étaient creusés par le sel, son visage bruni par le soleil. Sa barbe trahissait les mois passés au cœur des Salines. Assis au bord des marais, il ne se reconnaissait presque plus.

—Ça ne pourra même pas traverser une armure, geignit Grenouille dans son dos.

—Là n'est pas le but, répondit calmement Dun-Cadal.

Il se releva, réprimant un grognement lorsque sa jambe à peine remise fut parcourue d'une douleur semblable à celle d'un poignard grattant son fémur. Ses os tiendraient. Il n'était pas encore vieux. C'était un général, il avait vécu d'autres batailles, d'autres guerres. Ses os ne rompraient pas.

Debout auprès du cheval, Grenouille baissait les yeux, nerveux. Il tenait les rênes sans grande conviction et donnait l'impression de vouloir être n'importe où sauf là. Quelques heures auparavant, il s'était pourtant montré plus enthousiaste en quittant leur campement. Dun-Cadal déduisit de ce changement d'humeur qu'il souhaitait rapidement en découdre. Le gamin bouillonnait d'impatience et, à la moindre contrariété, se refermait comme une huître. Encore qu'une huître ne se plaignait pas.

— Il faut se presser, on va pas rester là toute la journée.

— Nous attendrons la nuit tombée avant de tenter quoi que ce soit, rétorqua Dun-Cadal en le rejoignant.

Il lui jeta l'épée de bois d'un coup sec. Sans aucun mal, Grenouille l'attrapa au vol. Il était vif. Anxieux, mais vif. C'était une bonne chose.

— Le bois n'est qu'à une heure de marche ! supplia Grenouille. Dans deux, nous pourrons quitter la région ! Il y a peu de soldats dans ce coin, je vous l'ai dit, ça va être un jeu d'enfants.

Dun-Cadal avança pour lui faire face. Il s'attendait à ce qu'il baisse de nouveau les yeux, mais le garçon était bien décidé à se faire entendre. Un mince sourire aux lèvres, le général parla d'une voix douce.

— Lors d'un jeu d'enfants, on plante rarement une lance dans la nuque d'un homme.

— Mais…

— La nuit tombée, insista Dun-Cadal en se hissant sur le cheval.

L'animal avait perdu de sa superbe, ses os saillant sous sa robe brune, les pattes aussi sèches que de vieux morceaux de bois. Pour autant, il avait tenu le coup durant ces quelques mois dans les Salines, transportant Grenouille jusqu'au Guet d'Aëd de nombreuses fois. Lors de ses voyages, le gamin ne s'était pas contenté de voler de quoi manger, il avait également glané des informations capitales sur l'évolution de la révolte. Jusqu'à découvrir l'emplacement exact des forces ennemies. Et, une fois qu'il eut représenté les lignes à l'aide de brindilles et de cailloux à l'abri de la charrette, il s'en remit au jugement du chevalier.

Dun-Cadal apprécia la situation et sut tout de suite où frapper. Mais cela nécessitait, pour qu'ils aient toutes les chances de leur côté, d'agir dans l'obscurité. Après avoir repoussé Azdeki et ses hommes, les révoltés avaient étiré leurs forces sur tout le nord des Salines, formant un mur de campements sur des kilomètres. Si, dans toute l'armée de fortune, seuls quelques milliers étaient des soldats aguerris, le peuple qui avait pris les armes n'en était pas moins redoutable. Leur nombre empêchait Dun-Cadal d'espérer une percée discrète. Et c'est avec un soulagement certain qu'il vit la brèche possible dans l'alignement de bois et de roche représentant la ligne de front. Elle était là, si évidente! À l'endroit même où ils gardaient leurs catapultes. Sans grande protection, quelque peu éloignées des campements, elles offraient un point de passage idéal.

—Arrêtons-nous là, ordonna Dun-Cadal.

Ils avaient enfin atteint l'orée du bois. Au-dessus des cimes s'élevaient des volutes de fumée grise. Les camps des révoltés attisaient leur feu à mesure que le bleu du ciel s'assombrissait. Dans le crépuscule, quelques étoiles scintillaient, à peine gênées par les nuages fins qui glissaient lentement devant elles. Aux chants des chouettes qui s'éveillaient s'ajoutait le bruissement doux des feuilles qu'un vent du soir venait soulever.

Dun-Cadal mit pied à terre et commença à desseller la monture.

—Ils sont juste derrière ces bois, affirma Grenouille en jetant de petits coups d'œil inquiets.

Il craignait qu'une patrouille ne les découvre. Dun-Cadal s'en amusa. Le petit devait apprendre la patience et se servir du peu de quiétude qui leur restait pour calmer son angoisse. À l'heure du combat, elle risquerait de le paralyser.

—Je sais, murmura le chevalier.

Il jeta la selle au pied d'un arbre, ôta les sangles du cheval et lui frappa la croupe du plat de la main. Quand l'animal ne fut plus qu'une silhouette galopant vers l'obscurité des marais, Grenouille s'approcha de son mentor.

—Vous l'aimiez bien?

—Ce n'était qu'un canasson, sourit Dun-Cadal.

—Non… pas lui.

Son sourire s'effaça lorsque lui revint l'image de Tomlinn happé par un Rouarg. Il parcourut le lointain d'un regard aussi sombre que ses pensées.

— C'était un bon général, un noble chevalier…

Il se retourna d'un mouvement brusque puis, posant une main lourde sur l'épaule du jeune garçon, il ajouta :

— C'était avant tout mon ami…

Et, d'un pas lent, il gravit la petite butte qui s'enfonçait dans les bois. Grenouille le suivit.

— Mais nous connaissions les risques. Je croyais simplement qu'il mourrait sous une pluie de flèches et non entre de vulgaires crocs.

Lorsqu'il s'adossa à un arbre pour souffler, il nota l'air préoccupé de son élève. Accroché à sa ceinture, le bout de bois taillé pendait comme une épée. Un simple bout de bois… contre des armures. Du coin de l'œil, il avisa sa propre arme, le pommeau luisant contre sa taille. Était-il possible qu'ils quittent les Salines ainsi ? Le croyait-il vraiment ? Un chevalier encore claudiquant et un… gosse des marais avec pour seule arme une épée de bois.

— Tu sais ce qui t'attend là-bas ? demanda-t-il d'une voix rauque.

— Je… Oui, on va se battre pour…

— Non, l'interrompit le chevalier en hochant la tête. Es-tu prêt à donner la mort ?

Il y eut un lourd silence, si pesant que Grenouille détourna le regard.

— Il n'y a rien de pire que de voir partir quelqu'un, Grenouille, rien de pire. Son dernier souffle, la dernière lueur dans son regard qui te fixe. Ça n'a rien d'un jeu. Rien d'anodin.

— Je suis prêt.

— Ce n'est pas seulement eux que tu vas tuer. Quelle que soit la raison de tes actes, que tu les justifies ou non, il n'y aura jamais aucune excuse à ôter la vie à qui que ce soit.

— Je suis prêt, répéta Grenouille, insistant.

— Écoute-moi ! gronda Dun-Cadal en s'écartant de l'arbre contre lequel il s'était appuyé.

Le garçon eut un brusque mouvement de recul, surpris par l'éclat de colère dans le regard du chevalier.

— Tu n'es encore qu'un gamin. Quand tu auras plongé ce bois dans la chair d'un homme, qu'est-ce qui se passera ? Tu vas t'effondrer comme une fillette ?

— Jamais, lâcha Grenouille entre ses dents.

— C'est ton innocence que tu vas tuer là-bas, mon garçon. Et crois-moi, j'en suis le premier désolé.

Le regard fuyant, il acquiesça.

— Mais tu l'as dit, on peut le faire et je suis assez fou pour te croire.

D'un poing ferme, il frappa l'écorce d'un jeune frêne. Non que le doute l'assaillît avant leur folle attaque, mais la peur serrait peu à peu ses tripes. Il en avait vu, à peine plus âgés que lui, partir fièrement à la bataille et s'agenouiller au milieu des combats, en pleurs. Qu'allait-il en être de son élève? Ce n'était qu'un gosse... juste un gosse.

— Je n'ai plus rien à faire ici, annonça Grenouille.

Sa voix était faible, mais son ton restait ferme.

— Je ne suis plus rien... ici.

Dun-Cadal se retourna vers lui, pensif. L'occasion était trop belle.

— Et qui étais-tu avant?

Grenouille jeta un bref coup d'œil vers les marais baignés par la nuit tombante.

— Pas grand-chose d'intéressant, se confia-t-il comme s'il évoquait le temps qu'il faisait. Un enfant... qui ne réussissait pas grand-chose. Je n'ai jamais été très doué.

— Et maintenant? L'es-tu?

Le garçon lui lança un regard à faire frémir le plus brave des hommes. Décidé, brûlant, fiévreux... personne ne l'arrêterait.

— Au moins, j'essaie de faire de mon mieux.

Comment lui en demander plus? pensa le chevalier. Une chouette plana au-dessus d'eux. Le vent forcit, pliant les herbes courtes à leurs pieds. Le clapotis de l'eau des marais ne paraissait plus qu'un murmure lointain. Les terres des anciens royaumes s'étendaient derrière la forêt. Seule la ligne de front des insurgés les en séparait. Dun-Cadal s'assit au pied du frêne le plus proche et leva les yeux vers le ciel.

— Nous attendrons ici. Nous attaquerons au milieu de la nuit, quand leur vigilance se sera quelque peu... endormie.

Il esquissa un maigre sourire alors que Grenouille s'avançait jusqu'à lui. Le garçon hésita comme s'il attendait l'autorisation de son maître pour s'asseoir. Mais ce dernier détourna les yeux, arrachant une brindille d'un geste sec pour la porter à sa bouche. Tout en la mâchouillant, il laissa son regard dériver sur les ombres croissantes en bordure de forêt. Grenouille s'installa à sa droite, l'air absent. Le ululement de la chouette brisa le silence.

— Tu te souviens de ce que je t'ai appris ? demanda soudain Dun-Cadal sans lui adresser un seul regard.

— Oui, répondit mollement Grenouille.

— De ce que je t'ai demandé de faire ?

— Oui.

Et de son bras gauche il fit semblant d'attraper quelque chose, avant de mimer un coup donné de la main droite.

— Dès que j'attaque un garde, par-derrière, je le bloque et un coup, un seul, sous l'omoplate.

— La main ?

— La main sur la bouche pour étouffer le cri. Les mêmes gestes, au même moment.

— Bien, soupira Dun-Cadal. Pas plus que ça, jamais de confrontation directe…

Du coin de l'œil, il observa le garçon, tête basse, tirant nonchalamment des brins d'herbe entre ses jambes écartées.

— Ça ne te plaît guère, n'est-ce pas ?

Il attendit une réponse un court instant. Comme rien ne vint, le chevalier continua :

— Tu aurais préféré une attaque plus grandiose. Leur faire face. C'est l'idée que tu te fais des chevaliers, je me trompe ? Courageux, braves… c'est cela ? Leur faire face comme à la mort…

— Je ferai ce que vous me direz de faire, murmura le garçon.

— Bien, souffla Dun-Cadal, satisfait.

Il contempla les étoiles qui s'allumaient une à une dans le ciel de plus en plus sombre.

— Tu vois ces gants ?

Et sans détourner les yeux du spectacle céleste, il tendit ses mains gantées de fer vers Grenouille, certain que la curiosité le pousserait à les regarder.

— Ils n'ont pas l'air comme ça mais ils sont couverts de sang. Des batailles, des combats, mais pas seulement.

— Il n'y a pas de sang, nota Grenouille d'une faible voix.

—Ah, non ? C'est qu'il ne se voit plus. Mais je le sens, moi. Et c'est finalement ça le plus important. Ne jamais se défausser, assumer ce qu'on a fait.

—Vous n'étiez pas chevalier, hein ?

Le garçon lui avait déjà posé la question une fois. À vrai dire, c'était plus une affirmation qu'une réelle question.

—Non. Avant d'être chevalier, j'ai été ce que tu ne voudrais pas être.

Il tourna la tête vers le gamin, curieux d'assister à sa réaction.

—Un assassin, avoua-t-il.

Mais Grenouille ne cilla pas. Il soutint son regard, les sourcils légèrement froncés, attendant la suite.

—Je n'ai pas vu de grandes différences entre les actes commis en tant qu'assassin… et ceux perpétrés comme chevalier de l'Empire. La victoire ou la réussite, appelle ça comme tu veux, nécessitait chaque fois la mort de quelques-uns. Des gens qui avaient sûrement une famille, des amis… des devoirs.

Sa voix se faisait rauque, son ton plus grave et son regard, fuyant.

—Alors tuer des gens de face ou dans leur dos, quelle différence ? Du moment que c'est fait vite et bien, sans qu'ils souffrent avant de rejoindre les cieux… Frappe vite et bien, Grenouille.

Il le fixa longuement.

—Frappe vite et bien, répéta-t-il.

—Je le ferai, promit le garçon.

Et, sans quitter des yeux son mentor, il enfila des gants de laine rapiécés, dérobés à un marchand du Guet d'Aëd quelques jours plus tôt.

Son calme feint ne trompait pas un homme aussi habitué à la guerre que Dun-Cadal. Combien de fois avait-il vu de jeunes soldats – pourtant plus âgés que Grenouille – afficher une telle raideur, espérant masquer la peur qui secouait tout leur être. Non, il n'était pas dupe, encore moins en baissant les yeux sur ses mains gantées de laine qu'il ne cessait de frotter l'une contre l'autre. Le froid n'y était pour rien. Grenouille se rassurait comme il pouvait, le général le savait. Comme il avait deviné la vraie raison de ce vol. Des gants empêcheraient sûrement les mains du garçon d'être tachées de sang.

Quel espoir vain.

Les heures qui suivirent parurent des jours. Quand enfin Dun-Cadal se releva, une voie brillante traversait le ciel, comme pour mener les hommes d'un bout à l'autre de la terre. Pas un nuage ne troublait le scintillement des étoiles. Le vent soulevait lentement les frondaisons. Il y eut un craquement sec. Dun-Cadal jeta un œil par-dessus son épaule, apercevant Grenouille immobile, un pied encore posé sur une branche cassée.

— Fais bien attention où tu marches. Nous n'aurons pas droit à l'erreur.

Il tourna la tête, le menton effleurant son épaule, l'œil mi-clos.

— Je ne t'attendrai pas, souffla-t-il avant de tirer son épée au clair.

Il s'enfonça dans la forêt en silence. Il sonnait le départ sans l'avoir clairement annoncé. Seule cette recommandation importait : « Fais bien attention où tu marches. » Un seul faux pas et c'était la mort assurée. Il avait insisté sur ce point. Le plan avait été appris, répété, mémorisé ces dernières semaines et plus encore en cette dernière journée. Grenouille lui avait donné toutes les indications possibles sur le nombre de soldats en poste, leur position, la relève de la garde. Trop d'hommes de passage au Guet d'Aëd s'étaient montrés bavards à la table d'une taverne. Pourquoi lester ce moment de paroles inutiles ? L'anxiété était déjà bien lourde. Il avait vu Grenouille s'entraîner durement, il l'avait observé grandir en bien peu de temps. L'encourager aurait été superflu, son orgueil suffirait. Bien qu'il continue à l'appeler affectueusement « gamin », il le considérait comme un soldat. Un homme de guerre n'avait pas besoin d'autant d'attention.

Il n'y avait plus que le vent dans les ramures, et le frottement de ses vêtements contre les branches s'y mêlait sans mal. Personne n'aurait pu les entendre arriver. Une chouette battit des ailes nerveusement avant de s'envoler. Au bout d'une bonne demi-heure à se faufiler dans les bois à pas feutrés, ils en atteignirent la lisière. Dun-Cadal s'agenouilla et, d'un vif signe de la main, intima l'ordre à Grenouille de se baisser. Quelques pas plus loin, au pied d'un dernier hêtre, commençait une rangée de tentes grises rapiécées. À droite comme à gauche, le campement s'étendait, long et large, parsemé de mille feux. Des silhouettes armées de lances marchaient lentement dans les allées. Ils étaient si nombreux ? Comment cela était-il possible ? Tous ne pouvaient venir des Salines… Ou alors c'était bel et bien tous les habitants, enfants, adultes, vieillards, qui se levaient contre leur Empire. Du bout des doigts, Dun-Cadal effleura l'herbe. C'était le dernier moment pour reculer, changer d'avis, remettre au lendemain cette folie… Ici, à cet instant, se décidait son avenir.

Devant lui s'élevait une cinquantaine de catapultes. Seuls quatre hommes paraissaient les garder, armés de lances fabriquées à la hâte. Mais à quelques mètres seulement s'étendait le gros du campement. À l'abri des tentes éclairées, d'autres hommes veillaient. Par chance, les soldats de carrière, ceux qui avaient une réelle connaissance du combat, se trouvaient plus loin. Les servants des catapultes étaient des novices. Et des idiots. Les catapultes. Dun-Cadal s'étonna de voir leur bras replié, sous la lumière de hautes torches. Les cosses étaient armées d'une boule de pierre maculée de graisse. Tout son corps se tendit en avisant la torche qui surplombait le tout. Les bougres… ils se tenaient prêts ! Chaque catapulte était prête à tirer ! Plus qu'une sortie possible, il trouvait là un moyen d'assurer leur fuite.

Très lentement, le général avança, le dos courbé. Le premier garde ne vit rien venir. C'est à peine s'il sentit la lame lui perforer le muscle, remontant derrière l'omoplate, lorsqu'une main lourde s'abattit sur sa bouche pour retenir son cri de surprise. Le chevalier accompagna le corps jusqu'au sol avec précaution et, le regard rivé sur les deux autres soldats au pied d'une catapulte, il fit signe à Grenouille de le rejoindre. Lorsqu'il fut à sa hauteur, il lui désigna le dernier soldat qui urinait contre le poteau d'une haute torche, puis indiqua d'un index autoritaire l'enclos en bordure de camp. Dans la nuit claire, les courbes des chevaux qui y paissaient se distinguaient nettement. Tout se passait encore mieux que prévu. À Dun-Cadal les deux gardes près de la catapulte, au petit le dernier qui s'évertuait à boucler sa ceinture en sifflotant.

Tel un prédateur approchant de sa proie avec précaution, il marcha lentement, le dos courbé, les genoux pliés. Derrière lui, Grenouille adopta la même position et se dirigea vers le garde au pied de la torche. Plus que quelques pas. Du coin de l'œil, Dun-Cadal aperçut le gamin serrer le bois de toutes ses forces. Son autre main tremblait. Il espéra qu'il se souvienne des gestes répétés, encore et encore, dans les moindres détails. Le bras au niveau du cou pour étouffer l'ennemi puis un coup rapide, juste sous l'omoplate, remontant vers le cœur. Rapide. Précis. Discret. Ne pas flancher. Ne pas reculer. Ne pas hésiter. Il ne serait pas là pour le protéger. Peu à peu, il s'éloigna de Grenouille.

La silhouette du chevalier glissait contre les hautes roues des catapultes. Son ombre se brisait sur le bois massif de leur embase. La lueur des torches fit naître un éclat fugace au bout de sa lame. Dun-Cadal baissa aussitôt les yeux. Les roues avaient creusé la terre en virage. Qu'ils aient armés les catapultes, pour s'en servir au plus vite, était une chose, mais qu'ils les aient positionnées ainsi, sans prendre conscience qu'aucune d'elles n'était orientée vers le front, était une erreur grossière.

Il s'arrêta un instant, parcourut le camp d'un œil habitué à guetter le moindre mouvement suspect, puis s'arrêta sur son apprenti.

Grenouille manqua de trébucher sur une racine.

Concentré, reste concentré et regarde devant toi, foutreciel ! pesta intérieurement Dun-Cadal. À quelques pas du garçon, le garde reprenait sa lance posée contre le poteau sur lequel il venait d'uriner.

Ne flanche pas gamin. Ne recule pas, se répétait le général, comme s'il espérait que ses pensées puissent influer sur le comportement de Grenouille. C'était maintenant qu'il prouverait ce dont il était capable. Sa valeur serait jugée au moment même où il plongerait le bois taillé dans…

— Hé !

Dun-Cadal s'arrêta contre une large roue de bois, dans l'ombre de la catapulte. À peine eut-il esquissé un mouvement, prêt à se ruer sur les soldats, que Grenouille se laissa tomber sur le côté, enfouissant sa tête dans l'herbe. Le général se retint d'intervenir, la main crispée sur la poignée de son épée.

— Est-ce ainsi qu'on vous a appris à monter la garde ? rugit une voix.

Le gamin avait disparu dans l'herbe, une bonne chose tant les deux révoltés étaient désormais proches de lui.

— Quoi ? Je faisais juste qu'à pisser…

Proches, si proches de lui. Ils ne discernaient pourtant pas les contours de son corps allongé dans l'obscurité. Dun-Cadal les devinaient, lui, considérant toutes les possibilités, de l'assaut inconscient de son apprenti pris au piège à l'éventualité qu'il reste pétrifié par la peur. Quoi qu'il advienne, Dun-Cadal se préparait à agir, la main comprimant la poignée de son épée si fort qu'il ne sentait plus le bout de ses doigts.

— Ne quitte jamais ton poste sans en avertir les autres ! gronda l'homme.

— On est arrivés hier, capitaine, expliqua le soldat avec morgue. Nous, on sait pas comment faire, hein. On nous a dit, z'allez aligner les catapultes.

— D'où venez-vous ?

— De Bois d'Avrai, capitaine. On est quinze.

Même de loin, Dun-Cadal pouvait voir le brillant de bottes propres mais élimées. Il devait faire partie de la garde du défunt comte d'Uster. Dun-Cadal en avait la certitude. Il s'appuya contre la catapulte et détailla l'homme robuste, une large épée à sa ceinture de cuir, qui tançait le garde dilettante. Fomenter une révolte en s'appuyant sur la populace était une chose. Maintenir l'ordre avec des gens dont ce n'était ni la vocation ni le devoir en était une autre.

À vue d'œil, il imagina la trajectoire qu'aurait le boulet, et son sourire revint, teinté d'une étrange animosité. Le campement…

— Vous devez toujours être…, voulut continuer le gradé avant que sa voix ne s'étrangle en constatant l'invraisemblable alignement des catapultes. Mais qu'est-ce que vous avez fait ?

— On a aligné les catapultes, hein.

Le gradé avança d'un pas. Un seul pas. Et, dans la pénombre, son œil aguerri discerna le contour d'un corps étendu. Au bruit de l'épée sortie de son fourreau, l'apprenti de Dun-Cadal réagit. Peur ou courage ? Peu importait, il roula de côté, attrapa quelque chose, puis se redressa. Le cœur battant à tout rompre, Dun-Cadal attendit.

Allez gamin… allez…

— Toi… ? hoqueta l'homme. Comment ?

Il avait son épée en main, prêt à se fendre pour attaquer l'intrus mais restait là, étonné. Il était large d'épaules, le crâne chauve, la lèvre fendue. Sur son visage, une balafre qui partait de l'œil droit et terminait sa course sur la lèvre supérieure.

Maintenant, priait Dun-Cadal en longeant la catapulte sans quitter Grenouille des yeux, *maintenant ou fuis.*

— Qu'est-ce que tu… ?

Le bois perfora la gorge avec une telle violence que ni la victime ni son compère n'eurent le temps de réagir. Grenouille hurlait et, mu par une rage folle, il lâcha prise avant de repousser le blessé d'un coup de pied. Agitant frénétiquement les mains, le gradé cherchait à arracher le bout de bois planté dans son cou. Il éructait du sang, la tête en arrière, grimaçant. Et tomba sur le sol en convulsant, aux pieds du soldat hébété. Ce dernier réagit maladroitement, pointant sa lance vers le garçon, les mains tremblantes. Son regard paraissait perdu. De la sueur glissait sous son casque cabossé, traçant des lignes imparfaites sur la peau mate de son front. La sueur… pareille à ses larmes qui coulaient en méandres de ses yeux embués.

Dun-Cadal ne devait plus attendre. Il inspira profondément, grimaçant sous la douleur lui cisaillant la poitrine, et imagina la torche se briser en deux. Les flammes vinrent lécher la boule de graisse au cœur de la cosse.

Dans l'enclos, les chevaux s'agitèrent. Au sol, le capitaine s'était immobilisé, le regard vitreux.

—Sonnez l'a…, commença une voix au loin.

Le reste de la phrase fut couvert par un claquement sec, suivi d'un sifflement. Une boule de feu monta dans les airs dans un parfait arc de cercle avant de fuser vers les tentes des centaines de mètres plus loin. Des flammes s'élevèrent et avec elles des hurlements. Une ombre courait derrière les catapultes, précédée par la chute des hautes torches. En retombant, leur feu embrasait les boulets au creux des cosses.

Les chevaux hennirent.

Dun-Cadal gérait au mieux sa respiration, tirant un fil invisible devant lui comme s'il s'accrochait aux torches. Il usait du *Souffle* pour les plier, disparaître comme un fantôme dans l'obscurité et, sans coup férir, actionner le bras armé de chaque baliste. Quand il eut l'impression d'avoir assez semé le chaos au cœur du campement, il bondit sur la roue de l'une des catapultes. Sous lui, les deux gardes regardaient, stupéfaits, le gamin faire face à l'un des leurs à la lumière des flammes qui gagnaient le camp. Ils n'eurent pas le temps de comprendre ce qui leur tomba dessus. Une épée perça l'aisselle de l'un, dans l'espace entre son armure légère et son bras, avant de décrire un arc de cercle rougi par le sang et de creuser une entaille profonde dans la gorge de l'autre.

—Gamin! hurla le général.

Quelques mètres plus loin, en bordure du camp, Grenouille était désemparé. Face à lui, le soldat n'avait guère plus d'allure, la lance tremblant dans ses mains, hésitant. Il voulut piquer un coup. Grenouille recula aussi fait et chut sur les fesses. Sur la teinte sombre des tentes que léchaient des flammes jaunes couronnées d'un rouge sang, se dessinèrent les silhouettes floues de soldats accourant. La surprise était passée.

—Gamin! gronda Dun-Cadal en s'élançant vers lui.

Le garde aperçut une masse sombre dans la nuit qui fonçait vers lui.

—On… on…, balbutia-t-il. On nous attaque!

Il n'en fallut pas plus pour que la peur le pousse à fuir. Il lâcha la lance sans se préoccuper du garçon et disparut entre les tentes. Des voix affluèrent au loin. Des hommes approchaient et le cliquetis des épées contre leurs armures sonnait comme des carillons. Lorsqu'il atteignit son élève, Dun-Cadal réprima un râle, une main sur sa jambe. Il avait trop forcé, ses os comme ses muscles lui rappelaient à quel point ils n'étaient pas encore remis. Tout en s'agenouillant, il agrippa le bras du garçon et ils se relevèrent tous deux, chancelants.

—Allez, intima le général. Allez, viens!

En quelques pas, ils atteignirent l'enclos. Une flèche fila près de leurs oreilles.

—Monte! Vite, gamin!

Il ouvrit la barrière et poussa Grenouille vers les chevaux. Une flèche vint se planter aux pieds du chevalier. D'un bref coup d'œil, il aperçut un archer qui en encochait une autre près des tentes, sa silhouette fine nimbée du halo des flammes. Et d'autres soldats arrivaient, réduits à des silhouettes, des ombres se détachant du campement embrasé. Grenouille agrippa l'encolure d'un des chevaux puis s'y hissa, manquant de chuter lorsque l'animal se cabra en hennissant.

—File! ordonna Dun-Cadal, l'air mauvais.

—Mais vous…, bredouilla le garçon.

—File! hurla le général, plein de rage.

Il y a une légende qui raconte…

D'une main ferme, il claqua la croupe du cheval que montait Grenouille, et la bête s'élança au galop.

Ce n'est pas une légende, j'y étais, moi, aux Salines, je l'ai vu !

Dans la nuit, le cavalier ne fut bientôt plus qu'une forme confuse. Et Dun-Cadal fit volte-face.

J'y étais aussi, il était là, seul.

Ils étaient une bonne vingtaine à courir, alors qu'il boitait vers les catapultes. D'un coup d'épée, il para une flèche en grognant.

— Des mois… des mois que je suis ici et vous voudriez que là, maintenant, je cède…, marmonnait-il.

Il y a une légende qui raconte qu'un seul homme fit face aux Salines et embrasa notre armée.

Il s'arrêta devant les catapultes, inspirant, expirant, la jambe écrasée par la douleur.

— Je suis Dun-Cadal Daermon, de la maison des Daermon ! Retenez bien ce nom ! clama-t-il alors que les ombres se jetaient sur lui.

Sans bouger d'un pas, il para un coup à gauche, puis un coup à droite. Sa respiration se faisait lente, douce, aussi fraîche que le vent caressant l'herbe. Il ressentait la vie tout autour, chaque brin, chaque arbre, chaque cœur animant ce qui l'entourait. Il repoussa les estocades, frappant à son tour, coupant, tranchant de sa lame effilée, cognant du pommeau de son épée. Toujours plus, il en venait toujours plus, et au loin, l'ombre des archers levant leur arc vers lui.

Son cœur ralentit, sa vue devint plus claire et ce fut comme s'il était partout à la fois, devinant chaque mouvement, entendant chacune de leur respiration, jusqu'à sentir le sang s'écouler des plaies. Il était prêt.

Ce n'était pas une légende, je l'ai combattu… et j'ai fui comme les autres.

Il s'agenouilla et frappa le sol du pommeau de son épée, un coup, un seul. Et un souffle puissant s'étendit, comme l'onde provoquée par un caillou jeté dans une rivière. Ses assaillants furent projetés sur une dizaine de mètres. Les flèches se retournèrent contre leurs archers, les flammes grandirent, les tentes vacillèrent, les catapultes se couchèrent sur le flanc.

Il nous fit plus de dégâts que lors de l'assaut du Guet d'Aëd par dix mille de ses hommes ! Parce que lui, nous l'avons craint… Ce n'était pas un simple général…

Plus loin dans l'herbe, des soldats gémissaient. Certains n'étaient que sonnés ; le général prit sur ses dernières forces pour rejoindre l'enclos à son tour.

S'il y eut un seul héros dans les Salines, ne retenez qu'un nom...
Il s'élança au galop, filant dans la nuit tel un fantôme, laissant derrière lui un paysage de flammes dévorantes et de corps étourdis. Lorsque les renforts eurent rejoint cette partie du campement, les survivants n'avaient qu'un seul nom à la bouche, le visage blême, les mains tremblantes.
Dun-Cadal Daermon.

6

UN FILS

Quelle ironie...
J'ai toujours su donner la mort.
Je n'ai jamais su donner la vie...

—Les mots sont comme des nœuds autour d'un paquet, vous savez...

Ses vieilles mains usées entouraient une chope remplie de vin. Son regard se perdait dans le liquide rouge sang dans l'espoir d'y noyer ses souvenirs, ces images furtives mais tranchantes, ces silhouettes qu'il avait haïes, aimées, détestées, protégées...

—On dit beaucoup de choses, on raconte beaucoup de choses. Les mots sont bien loin de la vérité.

Il y eut un grincement lorsque Viola tira une chaise vers elle avant de s'y asseoir. Elle l'avait retrouvé si facilement, là, dans cette taverne où ils s'étaient parlé la veille. Après avoir pourchassé l'assassin, Dun-Cadal s'y était rendu, frissonnant. Ici même se trouvait ce qui pouvait tuer ses douleurs aussi morales que physiques... ou tout du moins les endormir. Il en était déjà à son deuxième pichet de vin. À part la jeune femme et lui, il n'y avait qu'un pauvre vieillard attablé près de la grande fenêtre, qui posait, en silence, des cartes de tarot.

—Les mots enrobent tout.

Le dos voûté, il leva les yeux et son visage s'adoucit lorsqu'ils rencontrèrent ceux, verts et sereins, de la jeune femme. Elle était si calme, belle et douce, de fines taches de rousseur constellant ses pommettes. Si ses lèvres roses s'entrouvrirent, pas un mot ne sortit. Elle l'écoutait, tout simplement, lui, le reliquat d'une période glorieuse, aussi inutile qu'une épée émoussée.

—J'ai entendu dire, dit-il dans un étrange rire gêné, que j'ai affronté pas moins de trois cents hommes quand je me suis enfui des Salines.

Il baissa les yeux, pensif, tout en hochant la tête.

—Je les ai comptés, vous savez. J'ai toujours su compter rapidement…

Sa voix était sourde, comme s'il ne s'adressait plus qu'à lui-même.

—Ils étaient quinze. Quinze gosses, à peine vingt ans. Sans aucun entraînement au combat. Quinze gosses dont deux restaient en arrière pour tirer des flèches sur moi.

De nouveau, ses yeux rencontrèrent ceux, imperturbables, de Viola.

—Et c'est comme ça que je suis devenu une légende… Sans gagner de bataille. Juste en leur fichant une frousse de tous les diables. Cette histoire est passée de bouche en bouche, de village en village. Comme une coulée de neige qui finit en avalanche. Les mots enrobent tout. Un rien prend une ampleur… titanesque…

Il marqua un temps et porta la chope à sa bouche. Le bord du récipient posé sur ses lèvres gercées, il grimaça.

—Voilà votre figure historique, Viola je-ne-sais-qui de la cité républicaine d'Éméris…

Il vida sa chope d'un trait et la reposa d'un coup sec sur la table. Tout, en lui, semblait s'écrouler et son corps était si sec qu'il ne pouvait même plus pleurer sur son sort.

Apprenez-moi… je ne suis pas prêt.

Ses pensées se perdaient dans un passé morcelé, déchiré… encore saignant.

—Un conseiller a été tué. En plein jour, dit enfin Viola. Masalia est en panique. Un homme de la République a été assassiné.

—Et ce n'est pas le dernier, grommela Dun-Cadal.

—La garde républicaine poursuit l'assassin.

—Et elle continuera à le chercher demain…

Délicatement, elle posa ses mains sur la table et cligna des yeux comme si elle cherchait à calmer un quelconque agacement.

—Vous savez qui c'est, n'est-ce pas ? supposa-t-elle.

—Le conseiller ?

—Le tueur…

Il recula contre le dossier de sa chaise, perplexe. C'était bien loin des prérogatives d'une historienne. Se découvrait-elle une passion pour la justice ?

—Et si c'était le cas, qu'est-ce que cela changerait ?

—Ça a un rapport avec votre histoire, non ?

Elle avait les lèvres pincées, une lueur malicieuse dans le regard.

—Je suis… historienne, ajouta-t-elle.

—Et la rapière ?

—Vous me la donnerez, je sais être persuasive, affirma-t-elle en se penchant légèrement sur la table. Mais votre histoire m'intéresse.

Il prit le pichet et remplit sa chope en soupirant.

—Et pourquoi pensez-vous que j'aurais envie de vous la raconter ?

—Parce que vous avez déjà commencé à le faire…

Il reposa le pichet, les yeux dans le vague. Elle avait raison. Terriblement raison. Son parfum de lavande l'envoûtait. Il éprouvait l'envie de se confier à elle sans s'inquiéter des conséquences. Mildrel l'avait mis en garde mais il ne s'en souciait pas. Quelque chose en elle le mettait en confiance. Ou alors avait-il vraiment envie de tout avouer, d'évacuer un trop-plein qui l'alourdissait, l'empêchait d'avancer. Elle baissa les yeux sur ses mains jointes, pensive. Elle prenait son temps, mesurait chacune de ses paroles à venir. Dun-Cadal l'observait hésiter, curieux. Enfin, elle dit :

—Les gens croient encore au *Liaber Dest*. Moi, je n'ai jamais trop su si je devais y croire ou non. Une enfant de la République, n'est-ce pas ?

Puis elle lui adressa un sourire gêné.

—Mais je sais que depuis que j'ai quitté mon village, continua-t-elle, j'ai rencontré des gens qui se référaient au Livre Sacré. Ça m'a toujours paru étrange… qu'ils croient en quelque chose dont ils n'ont jamais eu la preuve de l'existence. Et puis c'est encore plus… compliqué pour moi, maintenant que je suis historienne. L'ordre de Fangol n'aime pas cette idée que nous puissions… réétudier l'Histoire qu'eux seuls avaient le droit jusqu'ici de raconter. Ils ont même dit qu'on voulait… Comment ont-ils dit ? Oui, qu'on voulait « réécrire l'Histoire »…

Elle retint un petit rire nerveux. Dun-Cadal l'écoutait patiemment, sans savoir où elle souhaitait en venir. Il l'observait chercher ses mots. Et n'en ressentait aucun plaisir. Il patientait, simplement, amorphe.

—Bref... tout ça pour dire que je n'ai pas réellement d'avis sur le *Liaber Dest*, comme sur vos croyances, continua-t-elle. Même si je sais pertinemment que quelqu'un comme vous a toujours eu la foi. Alors si ce qu'on dit sur le *Liaber Dest* est vrai, si le destin des hommes y est inscrit, tout est déjà joué d'avance, non ? C'était écrit que le grand Dun-Cadal Daermon finirait ici, aux portes de la mort.

—Vous pensez que je suis aux portes de la mort ? railla-t-il.

Un bref coup d'œil à son verre plein annonça la réponse. Ce qui suivit acheva ses réticences.

—Vous en avez les clés, tout du moins, dit-elle simplement. Depuis toutes ces années, depuis la chute de l'Empereur et votre errance, n'avez-vous jamais rêvé de quelqu'un comme moi ? N'avez-vous jamais espéré qu'on puisse s'intéresser à vous ? À ce que vous avez fait ? Parce que vous avez été important. Si ce moment arrivait, où quelqu'un serait prêt à tout écouter, vous le laisseriez passer ? Ne pensez-vous pas qu'il était écrit qu'un jour le général Daermon dirait sa vérité ?

Il détourna les yeux. Elle avait réponse à tout. Que pouvait-il lui rétorquer ? Depuis des années, il essayait d'oublier ce qu'il avait été et ce qu'il devenait aujourd'hui. Elle exigeait qu'il l'amène à cette antique épée, emblème d'un empire détruit. Pour autant, si elle gardait la rapière comme objectif, elle s'intéressait aussi à l'homme. Il l'aurait nié sans nul doute si on l'avait questionné à ce sujet, mais cet intérêt le touchait. Personne, à part Mildrel, ne s'inquiétait de son sort et, pire encore, personne ici à Masalia ne se souciait des épreuves qu'il avait franchies au cours de sa longue vie.

—Que je vous raconte mon histoire, hein, soupira-t-il. Par où commencer...

—Et si vous commenciez par Grenouille ?

Ses yeux verts le happèrent, et il eut l'impression de ne plus rien voir qu'eux. La taverne avait disparu, son sang coulait, chaud, dans ses veines, son corps tout entier reposait dans du coton. Seul ce regard brillant semblait le maintenir à flot, tel un phare guidant le marin perdu.

—Grenouille, acquiesça-t-il lentement.

Et il lui raconta.

Il lui raconta sa rencontre avec le garçon dans les marais, les mois passés dans les Salines à guérir sa jambe blessée, jusqu'à leur folle échappée une nuit étoilée. Il évoqua sa fuite, sans l'alourdir des détails qu'il jugeait inutiles, narrant comment il rejoignit Grenouille dans la plaine s'étendant après la forêt. Tout lui revenait en mémoire comme si cela s'était déroulé la veille. Il revoyait clairement le visage de son jeune apprenti, tordu par la douleur. Ce n'était pas une souffrance physique, non. Le gamin avait tué un homme et n'arrivait pas à oublier son expression de stupeur, figée à jamais, la pointe d'une épée de bois plantée dans le cou. Elle avait déchiré la chair pour que jaillisse un flot rouge ininterrompu, un liquide fumant et poisseux. Le général savait à quel point l'image de ce sang fuyant le corps, et avec lui la vie d'un homme, tachait à jamais l'esprit. Il usa de peu de mots pour retracer leur voyage jusqu'à Éméris, passant rapidement sur leur étape à Garmaret où avait pris position l'armée impériale une fois boutée hors des Salines.

Non, seule importait leur arrivée à Éméris…

—C'est grand comment ? demanda Grenouille.

—Grand comment ? rit son mentor.

Cela faisait tout juste un an qu'ils s'étaient rencontrés. Chevauchant sur un sentier bordé de chênes, ils ressemblaient à deux voyageurs usés, leurs grandes capes noires tachées de boue. La silhouette frêle du jeune garçon s'était étoffée et d'aucuns y voyaient les prémices d'un homme ; l'enfant était resté aux Salines, près du corps d'un capitaine chauve. Sous la capuche, le regard restait sombre, mais les traits de son visage s'étaient délicatement adoucis.

Dun-Cadal, lui aussi, avait changé. Ses joues creusées par des mois de disette dans les marais avaient recouvré leur forme brute. Sa barbe naissante témoignait de leur récent départ sur la route, après une halte au cours de laquelle il put à loisir bénéficier d'un minimum de confort, bain chaud, nourriture, lit douillet…

Deux mois s'étaient écoulés depuis leur fuite, un mois depuis leur halte au fort de Garmaret. Ces dernières semaines, ils avaient remonté les anciens royaumes, découvrant que la révolte se propageait telle la gangrène, dévorant les quatre coins d'un empire ébranlé.

Ils avaient combattu. Ils avaient affronté bien des dangers… mais seule comptait leur arrivée à Éméris. Durant leur périple, le garçon et lui avaient appris à s'apprécier.

Jour après jour, ce dernier progressait. Jour après jour, il s'approchait de ce qu'il avait promis de devenir. Et, jour après jour, Dun-Cadal éprouvait une fierté qu'il masquait sous un visage dur et autoritaire. Pas un compliment ni un encouragement, juste quelques hochements de tête satisfaits. Le garçon ne s'en montrait pas fâché.

—C'est grand comme deux fois le Guet d'Aëd ? demanda Grenouille.

Par-dessus son épaule, Dun-Cadal lui adressa un sourire moqueur.

—Trois ? Dix fois ? proposa le garçon, de plus en plus stupéfait.

—À toi d'en juger, gamin.

Entre les arbres, pareils à une haie d'honneur, le chemin disparaissait devant eux. À mesure qu'ils avançaient, le sentier sinueux réapparut, descendant le long d'une colline boisée tel un serpent ondulant entre les chênes. En contrebas, bordant une falaise d'où s'écoulait un torrent brumeux, une immense cité s'élevait, fière et brillante, de hautes tours argentées surplombant des cercles et des cercles de hautes bâtisses. Sur le pic du plus haut édifice vibrait l'éclat du soleil de midi. Grenouille en resta coi. Depuis leur fuite des Salines, il avait eu l'occasion de voir des cités de l'Ouest deux fois plus grandes que le Guet d'Aëd, sa ville natale restant son seul point de repère. Mais là… là, cela dépassait sans nul doute tout ce qu'il avait pu imaginer. Des chutes bouillonnaient au pied de la capitale, des nuées d'oiseaux aux larges ailes suivaient le cours de la rivière avant de plonger le long de l'eau. Puis ils remontaient pour survoler la grande forêt qui s'étendait sur des kilomètres jusqu'aux montagnes.

—Eh bien ? s'étonna Dun-Cadal, gausseur. As-tu perdu ta langue, Grenouille ? Ou cherches-tu le nombre de Guet d'Aëd que pourrait contenir cette cité-là ?

Et, tout en riant, il fit trotter son cheval d'un bref coup des talons, s'engageant dans le sentier. Lorsque Grenouille détacha les yeux d'Éméris, le chevalier descendait déjà la colline en zigzaguant entre les arbres. Comme Dun-Cadal s'y attendait, le garçon le rejoignit, le souffle court.

—C'est… Elle est… C'est immense, balbutia-t-il en arrivant à hauteur de son maître.

—Il y a un autre mot pour la définir, répondit Dun-Cadal.

Il se souvenait de la première fois qu'il avait passé le pont traversant le torrent. Jamais il ne pourrait oublier le vertige qui l'avait étreint lorsqu'il s'était avancé sous la grande porte des murailles blanches entourant la cité. Il avait à peu près l'âge de Grenouille… et avait quitté la maison Daermon dans les territoires de l'Ouest, pour ne jamais y revenir.

—Quel mot ? s'enquit aussitôt son élève.

—Impériale…, murmura-t-il d'une voix étonnamment grave et respectueuse.

Oui, il comprenait sans peine ce que ressentait le garçon, car lui-même avait découvert la cité dans des circonstances quelque peu similaires. Son oncle l'avait envoyé à l'académie militaire, exauçant son souhait de quitter l'Ouest. Tout comme Grenouille, il avait fui une vie qui ne lui convenait pas, celle d'un châtelain sans gloire, régnant sur un territoire sans envergure, parmi des gens sans ambition. La maison Daermon était assez récente, son histoire ne remontait qu'à son grand-père, et l'un de ses intérêts résidait dans une forme d'humilité que Dun-Cadal associait plus à de la veulerie. Moins la maison Daermon faisait parler d'elle, moins elle risquait de s'attirer les foudres de la famille impériale. Enfant, il avait écumé ses rêves de gloire jusqu'à n'en plus pouvoir et, lorsque l'occasion se présenta enfin de servir dignement l'Empire, il œuvra pour que son oncle l'envoie à bonne école. Et s'ouvrit alors à lui un chemin glorieux qu'il décida d'emprunter avec assurance et ostentation, faisant fi des habituelles réticences des membres de sa maison. Il avait commencé sa destinée à Éméris, le symbole de la réussite, car c'était ici que le sort du monde se jouait… Le cœur et la tête d'un empire immortel.

Ils trottèrent dans les rues boueuses des quartiers pauvres formant une couronne de maisons aux toits de chaume. Quand les sabots frappèrent les pavés, les bâtisses se firent plus arrogantes, aux fenêtres larges. Grenouille resta muet. Quoique… s'il ne dit mot, son attitude parlait. Quand ils entrèrent au palais, il parut moins serein. Là, dans les grandes salles aux larges fenêtres, parmi les généraux qu'ils saluèrent, il se raidit, baissant la tête, le regard fuyant mais toujours en mouvement comme s'il cherchait quelqu'un.

Dun-Cadal le présenta sommairement, éludant ainsi toutes les questions de ses frères d'armes.

Son épopée dans les Salines avait fait grand bruit. La chevalerie en éprouvait un mélange de fierté et de jalousie. On racontait partout qu'à lui seul il avait défait l'armée des révoltés. Bien qu'il ne semblât aucunement lui prêter attention, le chevalier gardait un œil sur son apprenti. Ce n'était pas tant son attitude qui lui importait, mais bien ce qu'il ressentait. Que se disait-il en serrant autant de mains, en croisant autant de gens, en marchant dans des couloirs larges comme jamais il n'avait pu en voir ?

Juste du vertige…

Pour un enfant de province, arriver ici parmi tous ces hommes d'armes aux armures colorées, arborant les symboles anciens de leur maison, c'était déjà intimidant. Pénétrer dans l'antre de la chevalerie, découvrir les armoiries comme les armures, les anciennes lames accrochées au mur comme autant de souvenirs respectueux, c'était grisant. Ici s'étaient réunis les plus grands défenseurs de la famille Reyes, les plus valeureux combattants dont les heaumes trônaient sur des pyrées. Les armures s'étaient allégées avec les siècles, les épées, affinées. Que Grenouille puisse suivre les traces de leurs glorieux aînés ne faisait aucun doute pour Daermon. Mais une fois qu'il aurait surmonté son anxiété.

Des murs d'un blanc laiteux du palais, aux vitraux gigantesques ornant les salles, des gardes casqués d'or, les pointes de leur lance luisant au soleil, jusqu'au silence respectueux de ces dames habillées de robes satinées, tout était nouveau pour quiconque avait vécu dans les marais. Ici, les odeurs de rose et d'herbe fraîchement coupée se mêlaient aux parfums les plus ensorcelants.

—C'est la première fois que tu viens ici, n'est-ce pas ? lui demanda un homme vêtu d'une robe blanche, un tissu rouge drapé sur l'épaule.

Ils le suivaient dans un long couloir bordé de miroirs. Dun-Cadal l'avait présenté comme un intendant de l'Empereur. Ce dernier, à l'annonce de leur arrivée, les avait fait mander au plus vite. Entre tous ces généraux, ces capitaines, ces comtes et barons entrevus lors de leur entrée au palais, Grenouille s'y perdait. Lui qui avait été plus d'une fois insolent se montrait timide et réservé. À cela s'ajoutait une nervosité palpable. Son maître en constatait les effets alors qu'ils s'approchaient d'une large double porte vernie aux huisseries dorées. La peau du jeune garçon se perlait de sueur, ses gestes se faisaient plus saccadés et sa respiration plus sourde.

—Serais-tu donc muet pour n'avoir rien dit jusqu'alors? demanda l'intendant. J'ai entendu parler de toi, tu sais. Grenouille, c'est bien ça?

—Oui…

—Grenouille…, dit Dun-Cadal d'un ton de reproche.

—Oui, monseigneur, reprit le garçon.

—Ta dévotion pour l'Empire a toute notre attention… ainsi que notre respect, jeune homme.

—Merci, monseigneur, répondit-il d'un ton subitement sec.

Dun-Cadal comprenait fort bien l'inquiétude de son apprenti. Comment s'était-il comporté à son arrivée ici en rencontrant le père d'Asham sinon en masquant son appréhension par une fausse assurance? Grenouille était encore bien jeune pour jouer les fats. Lorsque l'intendant poussa les deux grandes portes, un lent grincement retentit. Et dans une large salle au sol marbré strié de noir s'élevaient des dizaines de colonnes lisses, brillantes. Pas un meuble, pas un siège ni même un trône. Juste un fin rideau rouge tendu près d'un balcon sous lequel bruissaient les cimes des arbres. Derrière l'étoffe, une ombre étrange, imposante, semblait assise dans un large bac duquel s'élevaient des volutes de vapeur. Des silhouettes féminines versaient des seaux d'eau dans le bain.

Grenouille se raidit.

—Avance, ordonna Dun-Cadal en le poussant dans le dos. Et ne parle que lorsqu'il t'adressera la parole.

L'ombre se courba, comme un enfant malade. D'un signe de la main, l'intendant les invita à le suivre.

—Votre Majesté impériale, annonça-t-il d'une voix forte. Le général Daermon revenu des Salines et son jeune… protégé.

—M'avez-vous ramené un fils? railla une voix. Est-ce cela qui vous a tant retardé?

À mesure qu'ils approchaient, Dun-Cadal remarqua le pas plus décidé du jeune garçon. Il était encore plus anxieux qu'avant. Les sourcils froncés, le visage crispé, il avait pressé le pas et marchait à hauteur de l'intendant. Quelques pas de plus au même rythme et il serait le premier à se présenter devant l'Empereur.

À coup sûr, au dernier moment, il ralentirait. Le général esquissa un sourire. Il s'apprêtait à répondre quand un bruit singulier lui fit porter la main à la poignée de l'épée. Une lame siffla dans l'air pour s'arrêter net contre la gorge du garçon. L'intendant s'écarta d'un pas, surpris.

— Paix, Daermon, ronronna une étrange voix grave.

Dun-Cadal se raidit. Le brillant de son épée apparaissait entre le fourreau et la garde. Il hésita à la sortir d'un coup sec. Mais il reconnaissait l'homme et le savait bien trop vif. Car sous le menton relevé de Grenouille, la Main de l'Empereur apposait le tranchant de son arme.

— Ce n'est pas un ennemi, tonna Dun-Cadal.

— Il vient des Salines…

Son timbre était par trop désagréable : un mélange de rauque et de sifflements, comme si roulaient dans sa gorge des cailloux obstruant sa respiration.

— Prompt sois-tu à me défendre, Logrid, reconnut l'ombre derrière le rideau alors qu'une servante versait de nouveau de l'eau dans son bain.

Des volutes de fumée glissèrent le long du drap tendu.

— Mais je ne crois pas qu'un simple enfant ayant quitté sa région en guerre fasse autant de chemin pour tuer l'Empereur.

L'assassin inclina légèrement la tête sur son épaule tel un fauve scrutant les moindres détails de sa proie. Il baissa les yeux vers la main du jeune garçon qui, ostensiblement, se dirigeait vers la poignée de son épée. Il y avait comme une larme au bord de son œil droit, gonflant le long de sa paupière, prête à couler sur son visage crispé par la peur. Sous l'ample capuche de l'assassin, pas un trait de son visage ne saillait de l'obscurité. Pour autant, il le toisait et aurait pu jurer que le gamin défiait son regard.

— Logrid…, gronda Dun-Cadal. Laisse-le.

Logrid abaissa sa lame. Tout en avançant vers le général, il glissa son épée dans le fourreau pendant à sa ceinture.

— C'est ainsi que l'on nous accueille, murmura Dun-Cadal alors qu'il le contournait.

— Je ne fais que suivre votre enseignement… Daermon, lui répondit à voix basse l'assassin.

— Ce gamin ne menace pas l'Empereur, Logrid…

Ce dernier lui adressa un étrange sourire par-dessus son épaule et, d'un pas discret, traversa la salle pour disparaître derrière une colonne. Il laissait derrière lui un jeune garçon paralysé par la peur... ou l'humiliation.

—Grenouille...

—Peut-être est-il préférable que vous vous entreteniez en privé avec Sa Majesté impériale, proposa l'intendant à l'oreille du général.

Dun-Cadal acquiesça. Quelle mouche avait donc piqué Logrid pour qu'il s'attaque à un enfant? Il savait la rébellion des Salines encore loin d'être matée, mais de là à suspecter un simple gamin de... Il soupira alors que l'intendant emmenait Grenouille vers la porte. Le garçon ne lui adressa pas même un regard, l'air renfrogné. Lui qui était si fier... avait eu si peur devant la plus importante personne du monde. Pire encore, on l'avait humilié sans qu'il puisse faire montre de ses talents supposés. Cela lui apprendrait à faire preuve de patience, jugea le général; cela lui apprendrait à faire preuve d'humilité. Viendrait forcément un jour où, dominant sa colère, il se dévoilerait au monde dans toute sa splendeur. Pour l'heure, l'important était la guerre, et l'idée que le gamin puisse influer sur son cours devait être semée dans l'esprit de l'Empereur. Dans le chaos avait germé l'espoir. Lorsque les deux panneaux de la porte se furent refermés derrière eux, Dun-Cadal s'avança vers le rideau rouge, sûr d'avoir ramené des Salines une véritable pierre précieuse. L'ombre sortait du bain dans un étrange clapotis et les fines silhouettes la couvrirent aussitôt. On eût dit qu'un ange repliait ses ailes aidé de vestales. Ou bien un démon. La forme d'un crâne se redressa lentement et les dames s'écartèrent. Elles apparurent enfin, passant le rideau, belles et jeunes, vêtues de longues robes vertes brodées d'or. Quatre d'entre elles portaient le bain encore fumant. Du coin de l'œil, elles adressèrent un regard curieux au général avant de s'évanouir derrière les colonnes. Une porte claqua puis il n'y eut plus que le bruit sifflant d'une respiration. Masquée par le rideau, une silhouette restait immobile.

—Il m'a sauvé la vie, dit soudain Dun-Cadal.

—Je le sais, répondit l'Empereur. Pardonnez Logrid. La révolte sème le trouble jusqu'à Éméris. Qui sont nos amis? Qui sont nos ennemis? Il est difficile de le savoir.

Il marqua une pause, bougeant légèrement de côté.

—Logrid… ne fait que me défendre. Comme vous-même il y a bien longtemps.

Il sembla chercher quelque chose à ses pieds, s'abaissa et tira ce qui, dans l'ombre, parut être un tabouret.

—Qu'il fut bon d'apprendre que vous étiez en vie, Dun-Cadal! Comme il m'est agréable de vous avoir ici, avoua-t-il en s'asseyant.

—Il m'est encore plus agréable qu'à vous d'être vivant, Votre Majesté impériale. Je ne suis pas certain que le capitaine Azdeki soit du même avis.

L'Empereur retint un rire.

—J'ai entendu, oui, des choses. Ne vous en faites pas. Malgré les suppliques de son oncle, je l'ai envoyé sur un autre front que celui des Salines. Je ne pouvais guère faire plus. Il prétend vous avoir cru mort. Et qui peut prouver le contraire? Nous y avons tous cru. Approchez, demanda-t-il. Venez près de moi…

Le général obéit sans mot dire, son épée claquant contre sa cuisse. Dehors, les oiseaux chantaient.

—C'est beau, n'est-ce pas? Les chants de mon Empire…, dit l'Empereur, rêveur. Que se passe-t-il quand certains deviennent discordants?

Sa voix se fit brusquement plus rauque.

—Vous avez vu Garmaret, n'est-ce pas?

—J'y ai retrouvé Négus après notre fuite des Salines. Il m'a dit.

—Ah? Vraiment? Quoi donc?

—Que la révolte avait atteint d'autres régions, Votre Majesté impériale.

Derrière le rideau, l'ombre hocha la tête.

—Comme une traînée de poudre.

—Négus m'a informé que les soupçons pesaient sur le cadet de d'Uster…

—Oui, admit l'Empereur. Oui, c'est ce que je pense. Laerte d'Uster, le second fils d'Oratio d'Uster… Son père a été jugé et pendu pour acte de trahison. Il dénigrait mon pouvoir par ses écrits, le fourbe! Il dénigrait le *Liaber Dest*, il dénigrait l'ordre de Fangol… Tout ce en quoi nous croyons, il souhaitait le fouler du pied. Je suppose que son fils est prêt à tout pour se venger… y compris dresser tout un peuple contre moi. Ce peuple, pour qui je donne ma vie, ce peuple-là… Ce ne sont que des enfants ingrats! Je suis leur père et ils se rebellent contre moi sans réfléchir. Ce Laerte, tout comme Oratio, doit être jugé ! Il pousse mon peuple à se déchirer ! Et tous sont complices en faisant couler le sang.

—Votre Majesté impériale…, murmura Dun-Cadal.

Il y avait de la colère dans la voix de l'Empereur. Mais également une étrange résignation. Comme si, finalement, tout cela n'était pas inattendu.

—Je peux aussi faire couler le sang s'il le faut. Je peux me montrer intraitable, vous savez ? Je ne suis plus l'enfant que vous protégiez, j'ai beaucoup appris. Oratio d'Uster pensait que l'Empire ne pouvait perdurer, qu'il fallait changer, que je n'étais pas digne ! Mais c'est bien par le *Liaber Dest* que ma famille est devenue impériale ! Je suis et resterai un Reyes, par les dieux. Malgré ce qu'ils peuvent en dire, tous autant qu'ils sont. Moi, pas digne ? Et digne de quoi ? De gouverner une cour de langues vipérines, de flatteurs cherchant ma protection en échange de leurs compliments mensongers…

L'ombre d'une épée se dressa, parfaite, fine et droite, dont la garde semblait s'enrouler autour du poing fermé. Le rideau ondula légèrement.

—Ils sont ici, Dun-Cadal mon ami, affirma-t-il en brandissant Éraëd. Ils sont ici, les vrais révoltés. Ceux qui sont à l'origine de tout ça. Ils fraient comme des serpents autour de mes jambes. Ils me flattent, ils me séduisent, pensant que je ne vois rien.

Du dégoût, maintenant, accompagnait ses mots. Cela le touchait plus profondément qu'il ne voulait bien l'avouer. Derrière ses paroles pointait une détresse que seul le général pouvait percevoir. Il connaissait Asham Ivani Reyes depuis si longtemps. Celui-ci abaissa l'épée et l'ombre disparut dans celle d'un fourreau qu'il tenait d'une main tremblante.

—Comment était-ce, les Salines ? demanda-t-il subitement comme si le général revenait d'un quelconque voyage d'agrément.

Décontenancé, Dun-Cadal prit son temps avant de répondre :

—Humide…

—Un an, souffla l'Empereur.

—J'aurais préféré y rester beaucoup moins longtemps, concéda-t-il avant de changer de ton. Ne vous laissez pas abattre, Votre Majesté impériale. Cette révolte ne rime à rien. Si vous craignez de perdre, alors autant vous livrer à eux tout de suite.

—J'aime…, répondit l'Empereur. Vous êtes le seul à me parler ainsi.

Il y eut un silence avant que la voix étouffée de l'Empereur ne se fasse entendre.

—Mais ce n'est pas auprès de moi que j'ai le plus besoin de vous. C'est sur le front. Vous avez fait forte impression aux Salines. Ils ont mis des jours à se remettre de votre fuite. Pensez-vous… un seul chevalier…

—Et un enfant, Votre Majesté impériale.

—Pire encore, rit l'Empereur. Un simple enfant…

—Il est doué. Il fera un grand chevalier, j'en suis certain. J'aurais aimé vous le présenter plus longuement. Il était très inquiet à l'idée de vous rencontrer.

—Je le féliciterai quand vous reviendrez…, soupira l'Empereur. Tous deux…

Par cette seule phrase, Dun-Cadal sut que son apprenti avait été reconnu et placé sous sa seule protection. L'enfant l'accompagnerait si, lui, le décidait. Reyes se releva lentement, et l'ombre de sa tête se réduisit, comme s'il tournait les yeux vers le balcon.

—Je suis désolé, mon ami, de vous renvoyer si tôt à la guerre.

Un bruissement d'ailes résonna dans la salle. Derrière le balcon, les cimes des arbres se murent sous l'envol d'une nuée de moineaux.

L'Empire tremblait sur ses fondations, les régions s'embrasaient les unes après les autres, ce n'était plus une simple révolte. Jamais auparavant le pouvoir n'avait été ainsi menacé. Car qui pouvait-on condamner? C'était le peuple qui peu à peu se dressait contre son maître. «Des enfants», avait dit l'Empereur, des enfants en colère. Tout en marchant dans les longs couloirs du palais impérial, Dun-Cadal essayait de comprendre. La plupart mangeaient à leur faim, les taxes n'étaient pas insurmontables et les paysans ne dépendaient pas simplement d'un noble arrogant : c'était à l'Empire qu'ils devaient allégeance, non à un comte de pacotille. L'Empereur veillait à ce que tout le monde soit considéré et que la justice soit assurée. Les dieux avaient choisi sa famille et lui avaient écrit un destin hors du commun : émettre un quelconque doute sur le bien-fondé de leurs actes, l'intelligence de leur décision, c'était insulter le choix divin.

Quand il poussa la porte en bois qu'il avait rêvé de passer depuis si longtemps, il ne cherchait déjà plus de réponses à ses questions. Seule lui importait une simple odeur de lavande.

—On m'a dit que tu étais revenu. Mais je n'y croyais pas, déclara une voix sèche.

Il traversa la chambre d'un pas décidé, enserrant la femme près de la fenêtre pour l'embrasser. Elle le repoussa aussitôt en jurant. S'il essaya de la garder tout contre lui un instant, la claque qui rougit sa joue l'en dissuada.

—L'accueil n'est plus ce qu'il était, à Éméris, grogna-t-il en se massant la joue.

—Espèce de fils de chien ! s'emporta-t-elle en marchant d'un pas rapide vers la porte pour la fermer d'un geste de colère. Tu n'as pas même songé à m'envoyer une lettre pour me rassurer !

—De quoi ? À ce que je vois, tu t'es bien occupée sans moi.

Il découvrait enfin la chambre dans laquelle il était rentré sans ménagement. Un large lit à baldaquin était flanqué de deux tables de nuit finement sculptées ; des pans de tapisserie d'un rouge vif, et dont les bords se couvraient d'or, coulaient le long des murs. Lorsqu'il avait quitté Mildrel, elle n'était qu'une courtisane parmi tant d'autres, sans grands revenus ni apparats. En son absence, elle était devenue la plus prisée des nobles, la plus haïe de ses semblables. Mais restait aux yeux de Dun-Cadal la seule qui ait jamais existé.

Elle longeait le bord du lit, glissant ses doigts sur la couverture d'un vert éclatant.

—Je ne t'appartiens pas, Dun-Cadal. Tu sais depuis le début quelle est ma nature…

—Tu ne m'appartiens pas… et pourtant je t'ai manqué, sourit le général tout en s'approchant d'elle.

—Ce n'est pas ça, dit-elle, grinçante.

Ses mains d'habitude si fortes effleurèrent les poignets de la femme, avant que ses doigts ne se referment tendrement sur la peau délicate. Elle n'esquissa pas un seul geste. Ses cheveux bruns bouclés tombaient sur ses épaules nues, ses lèvres pleines se teintaient d'un rouge léger. Ses yeux soulignés de noir le fixaient sans ciller.

—Un an sans nouvelles, une année où tout le monde te croyait mort… espèce de…

— Espèce de quoi ? souffla-t-il en s'inclinant lentement vers elle.

Elle ne put terminer sa phrase tant l'attente avait été longue. Leurs lèvres s'épousèrent longuement… avant que leur étreinte ne leur fasse tout oublier et ne les emporte loin, si loin de la guerre qui grondait, de la mort qui rôdait. Ils avaient été privés l'un de l'autre si longtemps. Il n'y avait plus que leur cœur l'un contre l'autre battant si vite, si fort, à la même cadence.

Le soleil déclinait lorsque Dun-Cadal s'approcha de la fenêtre. Sous les draps, une jambe nue s'en échappant, Mildrel l'observait, pensive. Puis, elle inspira profondément, masquant à peine sa déception.

— Tu vas déjà repartir, n'est-ce pas ?

Dun-Cadal ne répondit pas. Toute son attention se portait sur la partie du palais que surplombaient les appartements de son amante. Du vert-de-gris gagnait sur le doré des toits et, plus loin, en contrebas, s'élevaient les hautes maisons blanches de la cité.

— Comment est-il… ?

Il tourna la tête vers elle, le regard absent.

— L'enfant des Salines… On parle beaucoup ici, tu sais, continua-t-elle d'un ton moqueur. Ton exploit ne cesse d'être conté. Dun-Cadal, le général, est devenu un véritable mythe. Il ne te suffisait pas de combattre pour l'Empire… il fallait que tu marques les esprits…

— Les choses ne sont pas ce qu'elles semblent.

— Était-ce écrit que tu ramènes un gamin ?

— Mildrel…

— … écrit dans un livre dont personne n'a jamais lu la moindre page, lâcha-t-elle sèchement.

Il marqua un temps. Le *Liaber Dest* avait toujours été la source de leur plus grand désaccord. Elle n'avait jamais cru au Livre Sacré et ne se privait pas de critiquer sa foi dès qu'elle le pouvait. Car, à chaque crainte dont elle lui avait fait part la veille d'un combat, il justifiait les risques qu'il prenait par la simple fatalité. Que des croyances s'appuient sur un livre perdu était une preuve d'ignorance, pour la courtisane. Terre à terre, elle s'accommodait suffisamment des rumeurs et murmures de la cour pour ne pas daigner s'intéresser aux origines du monde. Le divin, elle en goûtait la douceur au cœur d'un lit de satin. Les idées, les rêves, elle les laissait à ceux qui ne se sentaient pas aimés. Cette différence de point de vue entre elle et le général affectait leur amour, mais ce dernier était bien trop profond pour mourir sous les disputes.

—C'est ainsi. Ils ont décidé de notre vie. Que le Livre Sacré ait été perdu, c'est une chose qui ne doit pas te permettre d'en nier l'existence. Que tu le veuilles ou non.

—Et pour lui ? C'était écrit que tu le recueilles dans un marais ?

Il haussa un sourcil. Mildrel se redressa sur sa couche.

—Il me tarde de le voir, sourit-elle.

Mais il y avait de la tristesse dans ses yeux. Il savait ce qui la peinait mais ne pouvait en parler. Cela ne l'intéressait pas.

—Ce n'est que mon élève.

—Je ne te savais pas aussi… compatissant. Recueillir un orphelin des Salines pour lui apprendre ce que tu sais, t'en occuper, veiller à son bien-être comme un pè…

—Je dois y aller, l'interrompit-il d'un ton terriblement neutre. Je resterai à Éméris quelques jours avant de prendre la route pour le Vershan. Je te reverrai.

Il attrapa sa chemise sur le bord du lit et l'enfila.

—Qu'a-t-il de plus que les autres, dis-moi, Dun-Cadal ?

—Il a besoin de moi…

—Moi aussi, j'ai besoin de toi. Je ne veux pas être courtisane toute ma vie…, murmura Mildrel.

—Tu ne m'appartiens pas.

—Je pourrais.

Le plastron de son armure entre les mains, il s'immobilisa avant de lever un étrange regard. Elle baissa les yeux aussitôt, repliant les jambes vers elle comme une enfant prise en faute. Sans mot dire, Dun-Cadal harnacha les parties de son armure. Une fois qu'il fut présentable, il se dirigea vers la porte et, la main sur la poignée, il jeta un dernier regard vers elle.

—Je te reverrai…

Il attendit un bref instant dans l'espoir qu'elle confirme leur entrevue prochaine ou qu'elle le supplie de rester plus longtemps auprès d'elle, mais rien ne vint. Cela avait toujours été comme ça et le resterait sûrement. Ils ne pouvaient se passer l'un de l'autre, mais tout moment partagé devait se terminer. Il allait repartir au combat et elle n'y pouvait rien. Elle prierait pour son salut. Et, de nombreuses fois après son départ, elle poserait les mains sur son ventre en espérant y sentir la vie pousser lentement pour qu'elle puisse garder à jamais une partie de lui…

Dun-Cadal erra quelque temps dans les couloirs du palais, profitant d'un calme qu'il n'avait pas connu depuis deux ans, jusqu'à ce que ses pas le mènent dans une grande cour intérieure, qu'entouraient des couloirs ouverts bordés de colonnes. Il marqua un temps, se remémorant son arrivée ici, encore tout jeune homme. Il y avait fait ses classes, appris l'art de la guerre avant d'être jugé inapte au commandement. Un sourire ourla ses lèvres. Comme son parcours avait été atypique! Quel chemin avait-il dû emprunter pour atteindre le plus haut rang militaire…

Quelques élèves devisaient près d'une fontaine, vêtus de leur pourpoint rouge et blanc. Et sur leur torse, dessinée dans un écu d'argent, une rapière fine et fière, à la garde torsadée. La mythique Éraëd, l'Épée des Empereurs.

Dun-Cadal avisa un jeune garçon, assis sur le rebord de la fontaine, et qui avec fébrilité s'essuyait le nez d'où coulait du sang. Une de ses pommettes était enflée, sa lèvre inférieure coupée. Une rixe avait éclaté peu de temps auparavant. Le général le rejoignit d'un pas lent, certain que tous l'observaient avec une certaine déférence. Lorsque les élèves le reconnurent, il n'y eut plus un seul mot de prononcé. Excepté ceux du général, à peine audibles.

—Tu t'es déjà fait des amis…, murmura-t-il à l'intention du garçon.

—C'est rien, grogna Grenouille.

L'intendant l'avait amené ici et confié au maître d'armes en place pour qu'il se voie attribuer une chambre. Durant leur bref séjour à Éméris, il n'allait être qu'un écuyer comme un autre. Et ici, plus qu'ailleurs, il était nécessaire pour chaque nouveau venu de se faire respecter dès le premier jour. Grenouille en faisait l'amère expérience.

Il est toujours dur de trouver sa place…

Dun-Cadal laissa traîner son regard sur les groupes d'élèves. Leur visage avait blêmi. Le général Daermon en personne venait ici et le jeune garçon que certains avaient rossé sans vergogne était son protégé. Dun-Cadal n'eut nul besoin de dire un mot pour que les fautifs détournent les yeux. Il hésita un long moment. Devait-il les punir ?

Il est toujours difficile de savoir de quoi l'on est capable, alors... le montrer aux autres... Et puis la violence n'est guère une solution. Du vin ! Tavernier ! D'autres vins !

Dun-Cadal se contenta de les fixer d'un œil torve.

—Allez, viens, fit-il dans un soupir. Qu'on soigne ça. Et enlève la main de ton nez, ce n'est pas quelques coups qui vont le faire tomber.

— *Vous avez assez bu, Dun-Cadal.*

Grenouille se leva en reniflant, les yeux baissés, la mâchoire crispée. Il le suivit d'un pas rapide, passant entre les élèves sans même leur adresser un regard. À quelques pas de là, un jeune Nâaga les observait entrer dans l'académie.

— *Et ma chope ! J'ai pas fini ma... ma chope ! Voleur !*

—Dun-Cadal ! Arrêtez !

—Ma chopeeee !

—Général !

Elle avait haussé la voix comme jamais. Elle en fut aussi surprise que le vieil homme tambourinant à la porte de la taverne. Force était de constater que son autorité soudaine fonctionnait à merveille. D'un soiffard beuglant, Dun-Cadal était passé à un petit garçon surpris en pleine faute.

—Il ne veut plus vous servir. La nuit est tombée, vous devriez vous coucher.

Elle l'aida à s'écarter de la porte. Dans la taverne, la fête battait son plein, et, bien que la porte les étouffât, Dun-Cadal entendait les rires comme les mélodies de fifres et de pipeaux. À regret, il détourna les yeux, titubant aux côtés de la jeune femme. La journée avait passé si vite, au fil de son histoire, accompagnée de chopes remplies à ras bord. Il ne s'était pas plongé que dans son passé...

—Venez, Dun-Cadal, je vous ramène.

—Me ramener, railla-t-il, hoquetant. Mais je suis un héros ! Qui êtes-vous ? Une nourrice... haha... une nourrice...

—Vous empestez...

Il pesait sur son épaule, ses pieds manquant de se défausser à chacun de ses pas. Dans la ruelle boueuse, à peine éclairée par les lampes à huile accrochées aux balcons, quiconque aurait croisé cette frêle jeune femme soutenant un homme aussi massif que Dun-Cadal en aurait été amusé. Ou intéressé…

Trois hommes cachés dans l'ombre d'une rue adjacente les aperçurent. La cible était trop belle. Ils s'avancèrent en ricanant.

— Eh! interpella le plus maigre des trois en soupesant un bâton garni de pointes. Où comptes-tu aller, ma belle? Il a pas l'air bien vif, ton grand-père. Vous aurez bien quelque argent à nous donner en cette si belle soirée.

Viola s'arrêta net. La tête de Dun-Cadal, privée de toute force, tomba sur son épaule. Une grimace parcourut son visage et ses yeux roulèrent dans leurs orbites comme s'il cherchait devant lui un point à fixer.

— C'est quoi… ça…? bougonna-t-il.

— De la compagnie…, murmura Viola, la voix subitement tendue.

Dans l'obscurité, leurs silhouettes disparates ne présageaient rien de bon. L'un pareil à un géant, le deuxième, probablement le chef, maigre comme une anguille, et le troisième rond comme un boulet de canon. Tous portaient un pantalon brun rapiécé, une chemise de la même teinte au col ouvert en V. Seul le plus maigre s'était autorisé une veste de cuir sans manches et un étrange chapeau flasque tombant sur son crâne.

— Des… des malandrins! brailla le général en repoussant la jeune femme d'un coup de coude. Des fourbes?

Il s'élança vers eux, manquant de choir à plusieurs reprises.

— Venez vous blattre, manants!

— Blattre? ricana le plus rond.

— Il est fait, rit la voix rauque du géant.

— Général! hurla Viola.

Il voulut frapper d'un poing rageur le premier brigand, mais ce geste simple suffit à le déséquilibrer. Il en avait vu, des batailles, il en avait mené, des combats, seulement, ce soir-là, Dun-Cadal Daermon n'était plus qu'un ivrogne tombant à terre. Là, ridicule et surpris, le peu de lucidité qui lui restait blessa son amour-propre. Là… le cul dans la boue.

Il y eut des coups, vifs, rapides. Il y eut des cris de surprise, le craquement d'un bras lorsque le Nâaga, surgissant de nulle part, agrippa l'un des bandits. Dun-Cadal tenta de discerner quelque chose, mais il n'arrivait pas à maintenir sa tête droite. Il n'y avait que des silhouettes floues et des bruits pareils à des échos roulant dans son crâne. Jusqu'à ce que le silence succède à la course des bandits en fuite. Il baissa la tête, le ventre noué, le cœur serré. Il aurait dû n'en faire qu'une bouchée. Il aurait dû user du *Souffle*, les défier comme jadis il avait défié les plus grands guerriers… Une main terriblement froide lui agrippa le poignet et l'aida à se relever.

— Allez, venez, dit une voix rauque.

Il y avait une certaine… compassion ? C'était une poigne qui le hissait. La poigne d'un colosse tatoué.

— T… toi, bredouilla Dun-Cadal d'un air menaçant.

— Oui, répondit Rogant un étrange sourire aux lèvres. Ravi de vous revoir aussi, vieux fantôme.

— J'suis pas… encore… mort! grogna-t-il.

Dans le dos du général, la voix de Viola se fit entendre.

— Merci d'être intervenu, dit-elle sèchement.

Dun-Cadal essaya de tourner la tête pour l'apercevoir, mais le sommeil pesait sur ses paupières et chacun de ses gestes devenait encore plus ardu. Il crut, l'espace d'un instant, qu'elle regardait les toits comme essayant d'y apercevoir quelque chose.

Puis il sombra.

7

Retrouver sa dignité

Il est facile de combattre avec une épée.
Mais pour vaincre ses démons
La lame n'est d'aucune utilité.
Vous qui êtes à genoux, sans plus aucune fierté,
Relevez-vous, tremblant, mais retrouvez votre
dignité.
Car c'est bien la seule arme
Qui vous protège des puissants.

— Flèèèèches !

Le hurlement désespéré fut aussitôt couvert par un sifflement assourdissant. Une nuée sombre s'abattit sur les fantassins, frappant plastrons et casques pour les plus chanceux, crevant les surcots de cuir pour les autres. Aux bruits secs et cinglants du métal succédèrent celui, plus lourd et flasque, de la chair déchirée, puis les râles graves des soldats tombant à terre. La funeste symphonie fit place à un silence stupéfiant. Les premières lignes ne se dispersèrent pas, les hommes se redressant parmi leurs camarades à terre. Il fallait tenir la plaine. Ils s'acquittaient de cette tâche depuis plus d'une semaine déjà et beaucoup n'en étaient pas à leurs premiers combats. La révolte avait gagné de nombreuses régions, mais celle-ci, coincée au pied du Vershan, faiblissait. Bientôt, les troupes venant de l'Est, menées par le capitaine Étienne Azdeki, les prendraient en étau et le calme reviendrait. Il fallait juste tenir encore un peu.

—Tenez la ligne! Tenez-la! ordonna une voix grave dans leur dos.

Dressé sur son cheval, Dun-Cadal Daermon haranguait ses troupes, les sabots de sa monture martelant le sol à chaque allée et venue. Certains soldats reprirent leur poste, le visage encore crispé par la peur. D'autres restèrent à jamais immobiles. De l'autre côté de la plaine, tapis près des bois au pied des montagnes, les archers ennemis préparaient une nouvelle salve.

—Général! Général Daermon!

Un jeune chevalier galopait vers lui, l'air nerveux. Son armure accusait de nombreuses batailles, parsemée d'encoches et de craquelures. Un fils de bonne famille tout entier acquis à l'Empire, un de ceux qui avaient suivi les choix de leur père sans émettre un seul doute, justifiant leur soumission certaine par un respect des traditions. Dans d'autres situations, sans aucun doute aurait-il été élégant et bien élevé, faisant montre de culture, voire d'un certain humour lors de banquets à Éméris. Mais, dès sa sortie de l'académie, on l'avait envoyé sur les champs de bataille. La guerre l'avait sûrement changé au point que, dans des festivités prochaines, il se contenterait de porter une coupe à ses lèvres en acquiesçant aux remarques de ceux qui n'avaient pas épousé une carrière militaire. Pour un jeune chevalier comme lui, apprenant l'art de la guerre et la maîtrise d'une force aussi délicate que le *Souffle*, Dun-Cadal n'avait que du respect. De cette bataille, un jeune homme comme lui devait sortir vainqueur. Car un jour, peut-être, il sauverait la vie de son général… Le chevalier tira les rênes d'un coup sec et le cheval s'arrêta en s'ébrouant.

—Général, la cavalerie est fin prête. Les troupes du capitaine Azdeki ont contourné le Vershan et sont en attente de vos ordres.

Il acquiesça. L'heure était venue.

—À mon signal, dit-il d'une voix grave.

D'un coup de talon, il fit partir son destrier au trot soutenu derrière les lignes de fantassins. Il était temps de donner l'assaut, l'attente n'avait que trop duré. L'Empereur ne l'avait pas envoyé pour garder un bout de terre, non. Mais pour reprendre un comté. Il descendit une petite colline et rejoignit le gros de l'armée. Des cavaliers par centaines, des chevaliers prêts à défendre leur Empire…

—Il est temps, hurla-t-il, tirant son épée au clair.

Aux abords de la plaine, les fantassins essuyaient une nouvelle volée de flèches quand, soudain, le sol se mit à trembler. Et le grondement grandissait, comme si quelque chose approchait. Les capitaines agirent aussitôt, aboyant leurs ordres. Les soldats formèrent de larges travées, se regroupant dans un parfait *tempo*. Et, surgissant de la colline derrière eux, la cavalerie s'engouffra dans les allées bordées de piquiers.

Dans les bois, au pied des montagnes, peu avaient connaissance de l'art de la guerre. Certains avaient servi l'Empire, d'autres s'étaient illustrés comme mercenaires, mais la majorité des hommes n'étaient que des paysans, de modestes artisans des villes alentour, quelques bourgeois séduits par l'idée de «changement». Quand ils entendirent l'étrange grondement, leur cœur battit plus vite. À la vue de la poussière grandissante, certains crurent leur poitrine s'écraser. Masqués par les nuages qu'entraînait la cavalerie, les soldats de l'Empire avançaient. Une fois qu'elle aurait déchiré les lignes ennemies, c'était toute l'infanterie impériale qui percerait leur défense. Si quelques lâches s'enfuirent, abandonnant armes de fortune et peu de fierté, la plupart se résignèrent à mourir ici, au Vershan. Car ils se battaient pour une autre idée du monde. Les mains s'accrochèrent aux lances, aux poignées d'épées, aux manches des masses comme s'ils étaient leur dernier recours avant la chute. Et d'eux-mêmes, sans qu'aucun n'ait donné l'ordre, ils s'élancèrent à la rencontre de leurs assaillants dans la plus totale confusion. Le fer frappa la chair, une pointe effilée tranchant la peau. La cavalerie brisa leurs lignes, les corps volèrent... et ce fut le chaos à l'orée de la forêt. Ceux qui restèrent en arrière ne furent pas en reste. Surgissant de la montagne, les soldats d'Azdeki attaquèrent à leur tour.

Les révoltés n'avaient plus rien à perdre. Ils ne pouvaient baisser les armes, tant dépendait de leur volonté. Faire d'une simple révolte une véritable révolution. Debout, ils restaient. À genoux, ils tenaient. À terre, ils frappaient encore. Rien ne les ferait abandonner, rien d'autre que la mort.

Dun-Cadal avait atteint les bois. De son bras armé, il battait l'air, taillant, coupant. Jusqu'à ce qu'une lance perfore l'encolure de son cheval. La bête hennit et ses pattes cédèrent sous son propre poids, projetant le général à terre. Prestement, il se releva, parant un coup, puis un autre, du plat de son épée. Et de sa main libre repoussa son adversaire, sans même le toucher. Le révolté fut catapulté dans les airs avant de percuter le tronc d'un arbre dans un bruit terrible. À quelques pas de là, un jeune garçon s'arrêta net. Il avait déjà vu son mentor user du *Souffle*, il en avait même appris quelques rudiments, mais chaque fois c'était pour lui comme un appel.

Dun-Cadal s'en doutait, aussi essayait-il de le surveiller du coin de l'œil en plein combat. Il aperçut Grenouille faire un pas de côté, évitant la pointe d'une lance. Un homme aux tempes grisonnantes s'arc-boutait, surpris de ne pas avoir touché sa cible. L'apprenti fendit l'air de sa lame et la lui planta dans l'épaule. L'homme hurla avant de s'écrouler, grimaçant. Il n'y avait pas si longtemps, le garçon aurait pu en être affecté. Mais, dans le feu de l'action, il avait appris à oublier toute humanité. Ses gestes étaient devenus mécaniques, des réponses aux attaques, des parades, des estocs répétés de nombreuses fois. Dun-Cadal en était rassuré. Le gamin savait bien se défendre. Quand deux hommes s'élancèrent vers lui, il n'eut aucune peine à réagir, totalement libre de remords. C'était eux ou lui. Les épées claquèrent contre la sienne. Il se courba avant de plonger sa lame dans le ventre d'un de ses assaillants puis, tournant sur lui-même, esquiva l'attaque du second. D'un coup de pied dans les côtes, il le fit choir. Le pauvre homme vit l'épée fondre sur lui. La lame transperça son torse avec un étrange bruit, flasque.

—Grenouille! Ne t'éloigne pas!

Dun-Cadal bataillait ferme lui aussi. Malgré les assauts successifs qu'il repoussait avec vigueur, il surveillait du coin de l'œil son apprenti. Bien qu'il s'en inquiétât à de nombreuses reprises, il se voyait rassuré par son aisance épée en main. Non seulement Grenouille reproduisait ce qu'il lui avait appris, mais, non content d'approcher la perfection dans chacun de ses gestes, il improvisait sans aucune retenue. Toute sa rage explosait sur le champ de bataille et, alors qu'elle aurait pu le desservir, elle conférait à ses gestes une précision digne des plus grands bretteurs. Un coup, un seul, lui suffisait pour mettre à terre un opposant et c'est avec la même célérité qu'il s'occupait du suivant.

—Je ne m'éloigne pas, se plaignit Grenouille en écartant un homme d'un coup de coude.

Un soldat cette fois, probablement un ancien mercenaire du Nord au vu de sa cotte de mailles et de son casque à pointe.

Mais l'assurance du garçon ne suffirait pas car, déjà, d'autres venaient à la rescousse, courant entre les arbres, lourdement armés.

Le général dut se défaire de deux révoltés, plus habitués à travailler la terre qu'à se battre si l'on se fiait au tremblement de leur bras à chaque coup donné. Il para une lance d'un coup d'épée, et projeta son poing dans la face de l'un. Sonné, l'homme tomba à genoux, les yeux mi-clos. Puis, d'un mouvement de poignet, Dun-Cadal fit tourner sa lame avant de se fendre et de piquer la main de l'autre. Le paysan lâcha son arme en hurlant de douleur et partit sans demander son reste.

De son côté, Grenouille résistait tant bien que mal aux assauts de quatre mercenaires, habiles et précis dans chacune de leur passe d'armes. Deux d'entre eux frappaient de leur masse piquée, manquant à chaque coup de briser en deux son épée. Grenouille tenta alors l'impensable.

Son mentor comprit aussitôt, en l'apercevant reculer d'un pas, les yeux fermés. Il devait chercher à calmer son cœur battant, à respirer et à sentir le monde… pour user du *Souffle*. Mais, jusqu'à présent, à peine avait-il réussi à faire bouger un pot de terre et cet effort avait failli l'épuiser au point de frôler l'évanouissement. Comment s'imaginait-il capable de maîtriser une telle force? Il esquiva la pointe d'une épée en tournant sur lui-même et s'arrêta, à genoux, une main tendue vers les quatre assaillants.

—Grenouille! Non, non, non! rugit Dun-Cadal en accourant.

Le général vrilla l'air de son épée pour se frayer un passage. Le gamin réprimait une grimace, sa poitrine agitée de soubresauts. Il tenait bon. Il tenait…

Mais il ne vit pas le coup venir.

Une masse frappa son poignet. Son épée vola dans les airs avant de se planter dans le sol quelques mètres plus loin. La douleur dans son bras désarmé lui arracha un cri avant qu'un réflexe ne le fasse se pencher en arrière, esquivant de justesse une lame. Le tranchant effleura la pointe de son nez en sifflant. Il roula aussitôt sur le tapis feuillu de la forêt et se remit à genoux.

—Grenouille! hurlait Dun-Cadal dans son dos.

Le général n'arriverait jamais à temps à moins d'user du *Souffle*. Et encore? Le pourrait-il? Ses poumons le brûlaient, un effort supplémentaire aussi vite le tuerait à coup sûr. Il ne lui restait que la méthode de combat la plus triviale. Dun-Cadal récupéra une épée plantée dans le sol et, une lame dans chaque main, se fraya un passage parmi les combattants. Tout autour d'eux, les révoltés commençaient à se disperser. Les troupes d'Azdeki arrivaient.

— Chiens que vous êtes! braillait-il en courant, fendant l'air de ses armes, coupant, tranchant net, repoussant les malheureux qui se mettaient sur sa route. Pourritures et faquins!

À quelques mètres seulement, avec pour seule défense une armure légère et cabossée, Grenouille ne bougeait plus. En face, quatre soldats s'apprêtaient à fondre sur lui. Le gamin sauta de côté, évitant un premier coup. Mais les trois autres assaillants maniaient si bien leurs armes qu'il n'aurait pas de seconde chance. Une masse et deux épées filèrent vers lui. Impuissant, il crut sa dernière heure arrivée. Il n'entendit pas les sabots frapper la terre battue pas plus qu'il ne comprit l'arrivée soudaine de la cavalerie d'Azdeki. Il aperçut seulement le fil d'une lame glisser entre lui et les mercenaires pour les arrêter en pleine course puis relever les épées d'un coup sec. L'homme à la masse fut projeté à terre par une force invisible.

Et, comme pour parachever l'œuvre du cavalier, Dun-Cadal surgit derrière les deux bretteurs pour planter ses armes dans leurs dos, frappant le troisième, qui se relevait sonné, d'un coup de pied au visage. Ce dernier tomba en arrière, le nez en sang, les yeux révulsés.

— Un homme sans arme n'est rien, dit une voix. Elle est tout, jusqu'à sa dignité.

L'épée contre la cuisse, la main tenant fermement le pommeau, le corps fier et droit confortablement installé sur la selle… ce regard méprisant au-dessus d'un nez aquilin. Dun-Cadal n'eut nulle peine à le reconnaître. Se complaisant dans son arrogance, Azdeki jaugeait le gamin d'un œil mauvais.

— Ton mentor ne te l'a jamais appris? Peut-être n'as-tu pas choisi le bon maître, cracha-t-il avant de talonner sa monture et de partir au galop.

Il manqua de renverser Dun-Cadal sur son passage.

— Capitaine! vociféra ce dernier.

Mais le cavalier disparaissait déjà entre les arbres. Tout autour les révoltés s'enfuyaient. Ne restaient que les soldats de l'Empire et, jonchant les feuilles mortes, brisés contre les racines hors de terre, des corps par centaines. Le tumulte de la bataille se calmait peu à peu.

L'odeur du sang et de la sueur voguait dans le sous-bois. Grenouille entendait désormais le craquement des branches sous les pas du général.

— Qu'est-ce que tu as fait, bougre de peste ? gueula Dun-Cadal.

— Qui était cet homme ? lui demanda le garçon avec la même véhémence.

— Qu'est-ce que tu croyais faire en baissant ta garde ?

— Son nom ? Quel est son nom ? insista Grenouille. Dites-moi !

Le visage tordu de colère, il avançait vers Dun-Cadal d'un air de défi. La main de son professeur le retint par l'épaule avant qu'il ne fasse un pas de trop.

— Calme-toi, imbécile ! Calme-toi !

— Qui c'était ? s'emporta Grenouille.

— Azdeki ! répondit Dun-Cadal. C'était le capitaine Étienne Azdeki et bien qu'il m'en coûte de… Mais calme-toi, par les dieux !

Le gamin tentait de passer, Dun-Cadal lui agrippait presque le cou pour l'en empêcher.

— Grenouille ! Grenouille, regarde-moi !

Il voyait là le plus grand défaut de son élève. Ces hommes, il aurait souhaité les combattre seul, sans que personne vienne l'aider. Encore moins lui sauver la vie. Il avait échoué. Il avait été humilié.

— Regarde-moi, gamin, réitéra Dun-Cadal d'une voix plus douce. Calme-toi…

Il réussit enfin à accaparer son attention. Aux alentours, des hommes de l'Empire secouraient les blessés. Quelques gémissements se mêlaient aux chants des oiseaux doucement renaissant.

— Tu as envie de lui rabattre son caquet, hein ? C'est ça ? dit Dun-Cadal. Regarde-moi, par les dieux ! C'est ça que tu veux ? Moi aussi, crois-moi, ça me démange sérieusement, mais, quoi que puisse t'inspirer Azdeki, c'est un capitaine de l'Empire, et issu d'une des plus grandes et anciennes familles de la cour. Tu lui dois le respect pour cela.

— Ce chien…, grommelait Grenouille.

— Tu lui dois le respect ! insista Dun-Cadal. Et même si cela me gêne de le dire, il a eu raison.

— … pourriture…, continuait le garçon en baissant les yeux.

— Il a eu raison, tête de mule ! Qu'est-ce que tu as tenté de faire, dis-moi ? User du *Souffle* ?

En un éclair, son regard défiait celui du général.

— Oui, avoua-t-il, le visage mauvais.

— Tu n'es pas prêt.

— Je peux le faire ! se défendit-il.

Dun-Cadal le lâcha brusquement puis, après avoir marqué une pause, le visage tendu, recula de quelques pas sans le quitter des yeux.

— Nous verrons cela…, souffla-t-il.

— Sans aucun doute.

L'un comme l'autre se défiaient du regard. Dun-Cadal tourna les talons sans rien ajouter.

L'Empire venait de reprendre la vallée du Vershan et il en avait été le stratège. Au campement, il y eut une fête autour des feux de camp. Certains soldats avaient été envoyés dans la ville la plus proche pour en rétablir l'ordre, mais la plupart purent profiter d'un repos bien mérité. Dun-Cadal et Azdeki s'évitèrent. Il était évident que le capitaine avait pris ombrage d'être écarté du commandement des Salines. Le châtiment aurait été tout autre s'il s'était avéré qu'il avait sciemment laissé le général aux griffes d'un Rouarg. Mais nul n'avait pu – ou osé – l'affirmer à l'Empereur. Il y avait donc un *statu quo* forcé entre les deux chevaliers. Leurs rancunes auraient été une entrave au bon déroulement de la guerre. Et puis… Azdeki ne s'était pas défilé, cette fois.

Le lendemain, à la lueur de l'aube, les hommes étaient assoupis sous les tentes, près des feux morts, dispersés ici et là… le calme à peine troublé par le pépiement des oiseaux. Une brume matinale enveloppait le camp silencieux. Allongé sur le côté, près de l'enclos des chevaux, les bras recroquevillés sur son torse, Grenouille dormait. Un coup de pied dans son dos le fit sursauter. Il tourna violemment la tête, grimaçant. Une silhouette imposante le surplombait sans qu'il puisse distinguer son visage. L'aurore diffusait autour de celle-ci une curieuse lumière blafarde.

— Debout.

Il sembla mettre quelques secondes à reconnaître Dun-Cadal qui l'enjambait.

— Qu'est-ce… ? grommela-t-il en se frottant les yeux.

Il avait encore sommeil.

— Lève-toi, ordonna Dun-Cadal.

En découvrant la gravité sur le visage de son mentor, le garçon dut comprendre qu'aucune plainte ne parviendrait à le faire changer d'avis, car il ne prononça plus aucun mot. Résigné à ne pas dormir plus longtemps, il se leva, les paupières encore lourdes.

Dun-Cadal ouvrit la marche. Tremblant dans le froid du matin, Grenouille le suivit à contrecœur. Ils passèrent entre les tentes, serpentant parmi les soldats endormis. Les odeurs d'alcool et de viande de cochon grillée persistaient. Le garçon retint sa respiration tant elles lui donnaient la nausée. Lorsqu'ils atteignirent l'orée d'un petit bois, l'air était plus frais, plus agréable.

—Maître?

Pas un mot. Ils s'engouffrèrent dans l'ombre des arbres, les branches mortes craquant sous leurs pieds. Les oiseaux chantaient. Au bout d'un moment, enfin, Dun-Cadal s'arrêta et, dos à son apprenti, il réfléchit.

—… maître Dun-Cadal… ?

—Le *Souffle*, commença-t-il d'une voix sourde. Que t'en ai-je appris?

Grenouille hésita. Qu'attendait-il de lui? S'être réveillé ainsi l'empêchait de répondre avec discernement et c'est sa déception qui parla.

—Pas grand-chose…, se plaignit-il.

—Pas grand-chose? répéta le général dans un rire contenu.

Il se retourna enfin, et son visage parut plus détendu un bref instant. Avant que la sévérité ne vienne de nouveau tirer ses traits.

—Ce que je te demande, ce n'est pas ce que tu en penses, dit-il. C'est ce que tu en sais. Alors? Que t'ai-je appris?

Grenouille ne put soutenir son regard ce matin-là. Il luttait contre l'envie de fermer les yeux, de s'allonger, de se reposer enfin, sans se battre, sans craindre, sans rien de tout cela. Juste fermer les yeux et ne plus penser.

—Tout respire, répondit-il enfin.

—Quoi? demanda le général en collant une main derrière son oreille.

—Tout est en mouvement, comme une respiration. Voilà le *Souffle*, expliqua le garçon comme s'il récitait une leçon.

Il recula d'un pas, sur ses gardes, lorsque Dun-Cadal s'approcha de lui en sortant son épée.

—C'est tout ce que tu as retenu alors… et tu prétends être capable d'user du *Souffle* aussi aisément, soupira-t-il. Très bien. Désarme-moi.

—Quoi?

—Désarme-moi!

Il écartait les bras, l'invitant à porter l'estocade. Un étrange sourire parcourut ses lèvres alors qu'il observait la réaction de son apprenti. Ce dernier tremblait sur ses jambes. Était-ce dû au froid du matin ou à l'angoissante perspective de l'affronter en duel? Peu importait, car, en vérité, Dun-Cadal savait parfaitement ce qu'il allait faire. Lorsque Grenouille porta la main à la poignée de son épée, son sourire se figea.

—Sans épée, annonça-t-il.

—Mais vous êtes fou, je ne vais pas…

—Désarme-moi sans épée. Puisque tu sais te servir du *Souffle*, vas-y, étonne-moi.

Si son visage ne laissait rien paraître, Dun-Cadal jubilait. Face à lui, le jeune garçon ne savait plus quoi faire. Il hésitait, perdu, bien loin de l'arrogant qui lui avait tenu tête la veille.

—J'attends, murmura Dun-Cadal.

Grenouille tendit le bras vers lui, la main ouverte. Et le général patienta… Il le vit se raidir peu à peu, les muscles de son bras se contracter au point de vibrer comme un bout de bois qu'on aurait violemment cogné… mais rien ne vint.

—Tu ne sais pas ce qu'est le *Souffle*, conclut-il en rangeant son épée d'un coup sec.

Le gamin baissa le bras comme il baissa les yeux, vexé. Toute sa colère bouillonnait de nouveau, prête à exploser. Une rage qui n'avait pour cause que son échec avéré. Dun-Cadal avait raison. Il ne fit pas un seul mouvement lorsque le général s'arrêta à ses côtés, inclinant son visage vers lui avec dureté.

—Le *Souffle* se transmet de chevalier en chevalier, ce n'est pas un don. C'est à qui comprendra comment en user. Alors retiens. Sens les choses, Grenouille. Tu n'as pas besoin d'ouvrir les yeux pour les voir. Il te faut juste savoir qu'elles existent tout autour de toi. Les sentir vivre…

Mais le garçon tourna la tête comme pour ne plus l'écouter. La fierté du gamin confinait à l'insolence.

—Ferme les yeux! tonna le général.

Il n'eut pas à le répéter. Insolent, peut-être, mais pas stupide.

—Bien… Maintenant, dit-il d'une voix soudain plus douce, essaie d'écouter… le bruit du vent… suis-le entre les arbres… vole avec lui… écoute les oiseaux… pas leur chant, non…

Il posa la main sur son épaule et se pencha vers son oreille.

—… le battement de leur cœur…

Le visage de Grenouille se détendit, sa respiration devint plus calme, plus lente.

—La terre… le monde entier est comme de l'air qui va et vient. Le *Souffle*… la respiration du monde. Tout le monde peut l'entendre… mais le ressentir? Le contrôler? C'est plus ardu… Il faut être à l'écoute… concentré… Sens le *Souffle*, sois le *Souffle*.

Sa poitrine se levait et s'abaissait plus rapidement désormais. Quand il le vit froncer les sourcils, Dun-Cadal sut qu'il l'avait amené où il voulait. Le rythme de ses mots, la tranquillité de sa voix l'hypnotisaient.

—Sens le *Souffle*, sois le *Souffle*, continua-t-il lentement. Grenouille, sens-le! Respire comme la vie. Respire à son rythme. Elle est là, la magie. Dans ce souffle que tu exhales. C'est comme une musique qui se joue, Grenouille… Il ne suffit pas de l'écouter. Ressens-la… *legato*… *staccato*… Imagine, représente-toi l'arbre en face de nous… Tu l'imagines?

Il n'y avait plus de colère, plus d'offense, plus de tension. À côté de lui, Grenouille se redressait, confiant. Dun-Cadal marqua un temps… avant d'élever la voix.

—Sens le *Souffle*, Grenouille. Et frappe!

D'un mouvement brusque, le garçon tendit le bras et avec lui survint un bruit pareil au cri du vent en pleine tempête. Les feuilles mortes se soulevèrent en tourbillonnant; un sillon se creusa à une vitesse folle jusqu'au pied de l'arbre. L'écorce vola près des racines saillantes, puis se lézarda quelques centimètres au-dessus dans un craquement semblable au gémissement d'un mourant.

À ce moment-là seulement, Grenouille ouvrit les yeux. Le général se tenait prêt, les mains sur les épaules du garçon. Il avait déjà vécu ça, il connaissait la douleur consécutive au premier véritable usage du *Souffle*. Quand il le vit ouvrir grande la bouche, la respiration coupée, il se remémora la brûlure parcourant la poitrine, les muscles, soudain aussi lourds que du plomb. Grenouille partit en avant, ployant sous son propre poids. Son mentor le retint entre ses bras et l'aida à s'agenouiller.

—Calme… calme… calme, gamin, murmurait-il en le serrant contre lui.

… je… je le promets…

Et le garçon toussa, si fort, si puissamment qu'on eût dit qu'il crachait littéralement ses poumons, en pleurs.

Grenouille…

—Le *Souffle*, Grenouille… il s'apprend… Tu comprends, maintenant ? Tu sauras l'utiliser un jour. Je te le promets… mais, en retour, promets-moi de ne plus jamais tenter des folies comme hier.

… dort encore, vous ne pouvez le réveiller.

Le corps agité de soubresauts, raclant sa gorge comme il le pouvait pour s'aérer les bronches, Grenouille acquiesça.

Il dort encore !

—Je… je… le promets, réussit-il à articuler entre deux quintes de toux.

Réveillez-le.

—Il dort encore.

—Réveillez-le, je dois lui parler.

Les voix étaient étouffées, pourtant il parvenait à clairement comprendre chacun des mots prononcés.

—Je vous prie de quitter les lieux, conseilla une voix.

—Je n'ai pas l'intention de partir sans l'avoir vu, répondit une autre avec tout autant d'énergie.

Enfin, il y eut de la lumière. Peu à peu, ses paupières glissaient sur ses yeux embués. Au-dessus de lui, les moulures du plafond aux couleurs passées étaient bercées d'une étrange lueur dorée. Il voulut tourner la tête, mais une enclume logeait dans son crâne, les coins frappant ses tempes à chaque mouvement précipité. Grimaçant, il se redressa sur le lit. Chez Mildrel. Il était de retour chez Mildrel. Peu à peu, les souvenirs de la veille faisaient surface. Il se tint la tête entre les mains, se maudissant d'exister encore. Comme il aurait voulu ne pas se réveiller, n'être plus qu'oubli, pas même une ombre, rien d'autre que le néant.

—Vous ne comprenez pas ! C'est important !

La voix était jeune, décidée.

— Vous n'êtes pas la bienvenue ici, à fouiller le passé des gens.

Il reconnut sans peine Mildrel. Les deux voix s'élevaient derrière la porte fermée de sa chambre. Au travers des rideaux tirés, les rayons d'un soleil déjà bien vif venaient mourir au pied du mur en face de la fenêtre. Dans la pièce voisine, Mildrel et Viola se querellaient. Car, de toute évidence, tout opposait les deux femmes. Une courtisane, ayant passé sa vie à séduire pour gravir les marches de la haute société, semblait n'avoir que peu de points communs avec une jeune républicaine.

— Laissez-le tranquille…

Ce n'était pas un ordre, non, une supplique en vérité. Tout en s'asseyant dans un fauteuil aux accoudoirs couverts d'une dorure ternie par le temps, Mildrel soupira.

— C'est Éraëd, que vous voulez, n'est-ce pas… ?

— C'est pourquoi je l'ai trouvé, lui, oui, répondit Viola. Dun-Cadal a fui Éméris avec elle. Elle fait partie de l'histoire de ce monde, ma dame.

Près de la porte d'entrée du petit salon, Viola restait debout, les mains jointes devant elle. Même si elle avait haussé le ton pour se faire entendre, elle parut redevenir une petite fille timide en évoquant l'épée.

— Elle a été forgée pour les rois de ce monde. D'aucuns la disent magique, capable de briser les roches les plus dures, de percer la peau des plus grands dragons…

Elle se tut un court instant avant de rabattre l'une de ses mèches rousses derrière son oreille. Sous les verres de ses lunettes rondes brillait un éclat rêveur.

— Mais… quoi que vous pensiez, c'est tout autre chose qui a guidé ma venue, ma dame.

— Il n'est pour rien dans l'assassinat du conseiller, assura Mildrel pour devancer une accusation qu'elle redoutait.

Viola hocha la tête.

— Je le sais bien. J'étais avec lui quand il a été tué. Mais il connaît l'assassin.

Si Mildrel fut surprise par cette information, elle n'en montra rien. Elle avait appris à masquer ses émotions. Une courtisane se devait d'être bonne actrice pour soutirer quelques secrets et, plus encore, feindre de ne pas les connaître.

— J'en suis certaine. Il a parlé de la… Main de l'Empereur.

Mildrel baissa les yeux. La lumière du soleil qui traversait la fenêtre dans son dos éclairait ses épaules nues. Sur sa nuque, quelques mèches bouclées tombaient délicatement. Quand Viola l'avait vue pour la première fois, il faisait nuit. En arrivant ce matin, elle avait eu le temps de bien l'observer. Elle comprenait ce qu'on avait pu lui en dire. Une fleur que le temps peinait à faner… Elle s'était attendue à ce que Mildrel s'interpose entre elle et Dun-Cadal. Elle s'y était même préparée.

— Vous vous croyez tout permis parce que nous avons servi l'Empereur Reyes, n'est-ce pas ? dit Mildrel d'un ton cassant. Vous, vos études, votre Histoire et vos petites lunettes rondes, dans votre folle et arrogante jeunesse, vous venez fouiller le passé des gens, remuer le couteau dans les plus profondes blessures pour atteindre votre but… C'est la liberté de juger les autres que votre République vous a apportée. Cette liberté seule…

D'un geste nerveux, elle épousseta sa robe avant de se lever.

— Je ne vous le redemanderai pas, annonça-t-elle. Partez de ma maison. C'est un lieu où se réunissent bon nombre de gentils-hommes de Masalia. Certains me doivent quelques services et ne rechigneraient pas à s'occuper de vous… dans le plus total respect de cette République que vous chérissez tant.

Des menaces à peine voilées désormais. Viola sentit ses mains devenir moites à l'idée qu'il lui arrive quelque chose de… douloureux. Elle devait juste s'occuper de Dun-Cadal le temps nécessaire pour que, de lui-même, il la mène à Éraëd.

— Madame… c'est une question de vie ou de mort…

— Pour le *général* Dun-Cadal, cela m'étonnerait. Pour vous, sûrement.

— Je dois lui parler.

— Il me suffit d'envoyer une missive au chef de la garde de Masalia, prévint Mildrel en joignant ses mains devant elle.

— Tu n'en feras rien, intervint une voix rauque, presque brisée.

La porte de la chambre s'était ouverte sans qu'elles l'entendent. Dans l'embrasure, Dun-Cadal plissait les yeux, une main appuyée sur le chambranle pour garder l'équilibre. Il fit un pas peu assuré, grimaçant. Ce mal de crâne ne lui laisserait donc aucun répit. Il avait bu presque toute la journée. Il se racla la gorge pour s'éclaircir la voix.

— Tu n'en feras rien, reprit-il, parce que tu ne peux pas et tu le sais. Ce ne sont pas les bourgeois de la République qui viennent voir tes filles mais les marins de passage…

— Tais-toi! s'indigna-t-elle.

Peu lui importait finalement de réduire à néant les efforts de Mildrel pour le protéger. Tous deux vivaient dans le passé et considéraient l'avenir comme un ennemi.

— Tu auras beau tenter d'effrayer cette petite, je ne suis pas certain que tu y arrives. Elle est décidée… n'est-ce pas?

Il s'était tourné vers Viola. Elle acquiesça d'un bref signe de tête.

— Vous avez parlé d'un certain Négus, hier, dit Viola sans attendre. Un ami.

— Oui, répondit simplement Dun-Cadal.

— Un conseiller, ajouta-t-elle.

Le regard du vieil homme se perdit dans le vide. Sa gorge était si sèche. Négus… lui aussi avait trahi ce qu'il avait défendu tant d'années… son vieil ami Négus… Le mal de crâne se fit plus fort si bien qu'il posa une paume moite sur son front.

— Il est arrivé à Masalia.

— Qu'y puis-je? soupira-t-il.

— Prévenir votre ami. Je vous y emmènerai, il vous écoutera, expliqua Viola.

L'écouter? Seraient-ils toujours amis après tout ce temps? Il croisa le regard de la jeune femme. Elle était si déterminée. Dans ses yeux, il y avait une lueur semblable à celle qu'il avait pu percevoir, il y a bien longtemps, chez un jeune garçon.

— Allez-vous rester un fantôme toute votre vie? murmura Viola. Ou bien agirez-vous comme l'aurait fait un véritable… *général*?

Qu'il avait l'air faible, que ses yeux étaient rouges et son teint verdâtre! Elle doutait qu'il soit possible de réveiller en lui ce qui paraissait plus mort qu'endormi. Mais elle devait le tenter.

— De quel droit vous…? s'emporta la courtisane.

— Mildrel, l'interrompit Dun-Cadal.

Il n'avait que chuchoté son prénom. Il lui lança un simple regard, triste. Tout cela n'était pas dû au hasard, la venue de Viola, Éraëd, ses souvenirs plus vivants que jamais… la Main de l'Empereur. Quelque chose de plus puissant était à l'œuvre… le divin?

— Attendez-moi en bas, demanda-t-il à Viola.

Lorsque le bruit de ses pas dans l'escalier se fit lointain, le vieux guerrier osa avancer dans la pièce, titubant encore.

—Tu n'aurais pas dû, cracha Mildrel.

—Quoi donc ? Avouer que tu inventais des histoires pour lui faire peur ? persifla-t-il avant de s'appuyer sur un guéridon tout en se massant les yeux d'une main tremblante. Tu as fui Éméris et sa cour comme nous tous ! Tu survis dans une république qui nous a oubliés. Aucun de ceux que tu courtises n'a de pouvoir sur ce monde. La seule chose que tu penses encore contrôler, c'est moi. Tu m'as assez materné, ma belle. Cette petite a raison. Elle a foutrement raison...

Elle le fixait d'un œil sévère. Il aurait aimé y voir autre chose qu'un reproche.

—Mildrel...

—Et elle ? demanda-t-elle, des tremblements dans la voix.

Un sourire étira ses lèvres rouges.

—Qu'a-t-elle de plus que les autres ?

—Besoin de moi ? proposa-t-il.

Il marcha jusqu'à la porte d'un pas plus sûr. Il s'arrêta, une main sur la poignée.

—Ce n'est pas la Main de l'Empereur...

—Et si c'était le cas ? rétorqua Dun-Cadal le regard posé sur la serrure, pensif.

—Tu veux le venger, c'est ça ? Dun-Cadal, tu n'es plus un...

—Un général ?

Il se retourna si vivement qu'il dut se retenir à la poignée. Un rictus mauvais déforma son visage.

—Comment me vois-tu, Mildrel ? Comme un déchet ? Un vestige ?

—Ce n'est pas ce que je voulais dire...

—Comment ? tonna-t-il. Comme un pauvre soûlard ? C'est ce que je suis, Mildrel, un ivrogne ! J'ai vécu hors du monde trop de temps. Que sais-je de la République ? Que sais-je des gens qui ont survécu après l'Empire ? Si, avant de mourir, je peux faire quelque chose de bien... pas pour un empire, pas pour une république, juste pour sauver des vies. Comme l'aurait fait un chevalier. Un général...

Dans le regard de Mildrel, auréolée par le soleil vif de Masalia, il ne voyait plus aucun reproche, plus aucune colère ni tristesse. Juste de l'affection.

— Dis-moi… Mildrel. Dis-moi comment tu me vois, insista-t-il d'une voix mourante avant d'ajouter : C'est bien lui, c'est bien Logrid, j'en suis certain. Il veut se venger de tous ceux qui ont défait l'Empire, ceux qui ont changé de camp. Ça ne peut être que ça.

Il ouvrit la porte.

— Je suis désolé…

— Pourquoi ?

— Pour toi. Toi et moi. Quelle ironie… J'ai toujours su donner la mort…

Il sortit de la pièce et, tout en refermant la porte derrière lui, termina d'une voix rauque :

— … je n'ai jamais su donner la vie…

8

KAPERNEVIC

— Voyons… tu me surnommes Échassier, hein ?
Rendons la pareille.
Comme tu as l'air d'aimer ces bestioles…
Ce sera…
Grenouille…
Je vais t'appeler Grenouille…

Chaque pas lui coûtait, chaque mouvement ravivait la douleur dans sa tête, pareille au fracas d'une violente bataille dont l'écho peinait à disparaître. Il marchait, essayant tant bien que mal de rester digne, mais son équilibre était si précaire qu'il dut longer les murs pour s'y appuyer par intermittence.

— Vous allez y arriver ? demanda Viola.

Dans la rue pleine de vie et de bruits, elle était semblable à un phare, lumineuse, rassurante… son visage si doux, entouré de deux mèches ondulées, d'un rouge flamboyant, glissant contre ses joues. Et son parfum de lavande, qui flottait autour d'elle, l'apaisait. Les murs clairs de Masalia étaient comme une torture, reflétant la lumière crue du soleil. Il plissait les yeux en ronchonnant.

— Ça va… ça va…

— Nous ne sommes plus très loin, dit-elle pour l'encourager.

Il s'appuya contre une façade, livide, maudissant son addiction. Qu'avait-il eu besoin de boire autant ? L'image d'une chope surgit en pensée comme si en avaler son contenu était la solution pour endormir sa douleur. Il baissa les yeux. Sa main droite tremblait…

— Place! Place! rugit une voix.

Les passants s'écartèrent à la vue d'une escouade de gardes. C'était bien la quatrième qu'ils croisaient depuis leur départ de l'hôtel particulier de Mildrel. Ils marchaient toujours au même rythme, leurs pas frappant la terre boueuse, les pointes de leurs lances brillant au-dessus des casques. Elles n'avaient jamais servi. Ces soldats n'avaient sûrement jamais combattu mais, gonflés d'orgueil, ils avançaient… *Pathétique*, pensait-il.

— L'assassinat du marquis d'Enain-Cassart, expliqua Viola. Depuis hier après-midi, ils fouillent la cité.

— Ha…, souffla Dun-Cadal. Bonne chance…

Ils passèrent devant une vieille église, aux portes ouvertes, sur le perron de laquelle se tenaient quatre hommes en bure noire, le crâne rasé. À l'ombre du clocher, ils récitaient en chœur des paroles saintes, un livre ouvert entre les mains. Dun-Cadal reconnut des extraits du *Liaber Moralis*, l'un des piliers de l'ordre de Fangol. Il s'arrêta, pensif. Combien de fois avait-il entendu les sermons des moines? Se souvenait-il encore de tout ce qui était bien ou mal? Ils chantonnaient presque, avec ferveur, attirant quelques groupes de badauds. Fut une époque, ils avaient été des centaines à assister aux messes. La foi se perdait alors que d'autres religions prenaient place. Celle des Nâagas vénérant les serpents était de nouveau tolérée, celle des îles Sudies, nommant leurs dieux, respectée, et pire encore, des rumeurs circulaient concernant un « enfant des eaux », un messie, qui un jour viendrait purifier la terre. Dun-Cadal avait grandi dans l'ombre du *Liaber Dest*, où la destinée des hommes avait été retranscrite, immuable. Il avait appris le bien et le mal par le *Liaber Moralis* et le respect des dieux par le *Liaber Deis*… La République écoutait-elle l'ordre de Fangol à Éméris, ou bien avait-elle oublié à quel point les moines avaient œuvré pour créer une société juste?

— Il faut nous hâter, Dun-Cadal, dit Viola en le contournant.

Elle reprit sa marche, la capuche de sa capeline battant sur ses épaules. Partout, dans la rue comme sur les places, il y avait un étonnant mélange que jamais l'Empire n'aurait toléré. Les pauvres croisaient les plus riches, les Nâagas avançaient sans une remarque, des dames vêtues de belles robes colorées tendaient leur main à de jeunes bourgeois bien coiffés. Même s'ils échangeaient peu de mots, ils avaient tous la possibilité de se parler, de se flatter, dans le pire des cas, de s'invectiver. L'ordre avait laissé place à un chaos sans nom, baigné dans un brouhaha constant de langues étrangères, d'odeurs tantôt parfumées, tantôt désagréables. C'était donc sur cette boue molle que la République souhaitait poser ses fondations, bien loin du ciment fort et dur de l'Empire.

—C'est ça votre… République, lâcha Dun-Cadal, le dégoût tordant ses lèvres.

Tout ce mélange, ce mépris envers les moines fangolins, cet oubli… Voilà pourquoi il avait si longtemps fermé les yeux. Ce monde n'était vraiment plus le sien.

—C'est ici, dit Viola sans daigner relever la remarque.

Ils étaient arrivés sur une grande place qu'entouraient d'imposants bâtiments. Sur le fronton de l'un d'eux, des têtes de loups jaillissaient, gueules ouvertes. L'édifice affichait en façade l'ostentation typique de la période des rois Cagliere, se comparant aisément aux plus féroces bêtes, toujours en meute. Durant trois siècles, peu avant l'avènement des Reyes, ils avaient mené une politique de conquête, envahissant royaume après royaume jusqu'aux lointaines îles Sudies. Les racines de l'Empire, jusqu'à ce que l'un d'eux le déclare comme tel. Il fut le seul de la dynastie Cagliere à porter ce titre. Le dernier loup mourut seul.

Un large escalier menait aux portes que surveillaient quatre hallebardiers peu enclins à la conversation. Sans attendre, Dun-Cadal devança la jeune femme.

—Mais… eh! fit-elle.

Son pas était rapide, décidé, malgré sa fatigue. Son mal de crâne s'estompait. Il s'arrêta brusquement, jetant un coup d'œil par-dessus son épaule.

—Vous vouliez que je voie Négus, non?

—Ils ne vous laisseront pas passer, dit-elle en courant derrière lui.

Elle avait sûrement raison. Négus avait été son plus proche ami… L'était-il désormais, alors qu'il servait ceux qu'ils avaient combattus ensemble? À peine fut-il arrivé sur le perron que les hallebardes s'abaissèrent devant son torse dans un cliquetis sec.

—Nous venons voir le conseiller Négus, intervint aussitôt Viola d'une voix tremblante. Nous demandons audience.

—Nulle visite n'est autorisée, répondit sèchement l'un des gardes.

Depuis l'assassinat, les ordres étaient clairs. Personne ne devait approcher les conseillers de la République avant la grande Nuit des Masques. Viola s'interposa entre Dun-Cadal et les hallebardes, mains levées.

—Je vous prie d'excuser mon ami pour cette arrivée si brutale mais…

—Dites à Négus qu'un vieil ami veut le voir, l'interrompit aussitôt Dun-Cadal. Annoncez celui qu'il a cru mort aux Salines.

Devant la réticence des gardes, il ajouta :

—Il comprendra.

Puis, d'un geste de la main, il les invita à ouvrir les portes. Après un bref moment d'hésitation, l'un d'eux s'engouffra dans le bâtiment et en ressortit dix bonnes minutes plus tard. Sans mot dire, il les fit entrer et les conduisit dans une grande salle aux larges fenêtres teintées de rouge et d'or. Passant au travers, les rayons du soleil formaient d'étranges filets obliques qui venaient mourir sur un carrelage mordoré. Deux rangées de colonnes s'élevaient en haie d'honneur jusqu'au pied de deux escaliers encadrant une large porte en chêne.

—Patientez là, leur ordonna le garde en désignant une série de bancs sous les fenêtres. Le conseiller Négus va vous recevoir dans quelques instants.

Quatre soldats descendirent les escaliers à pas cadencés et prirent position de chaque côté de la porte, une main sur le pommeau de leur épée. N'était-ce pas trop de précautions pour eux seuls ? Un vieil homme aux yeux fatigués et une jeune femme dont le regard brillait d'une lueur innocente derrière de bien fragiles lunettes ? Viola avisa l'un des bancs et alla tranquillement s'y asseoir. Elle feignait d'être calme, Dun-Cadal le voyait bien. Elle fermait ses poings par à-coups le long de ses cuisses, comme pour calmer son appréhension. Il la rejoignit, s'adossant à une colonne les bras croisés.

—Votre tête ? s'enquit Viola.

—Ça passera, répondit-il en levant les yeux vers les grandes vitres derrière elle.

Le teint des fenêtres conférait à la lumière du soleil l'éclat de l'or.

—Ai-je... trop parlé? s'inquiéta-t-il d'une voix basse, l'air absent.

Il affronta son regard, inquiet d'y lire la réponse avant même qu'elle ne prononce un seul mot.

—Pas assez à mon goût, répondit-elle, un léger sourire aux lèvres. Si vous craignez de m'avoir avoué où vous avez apporté Éraëd, je puis vous assurer que vous ne l'avez pas mentionné. Vous avez parlé de Grenouille. De la bataille au pied du Vershan.

Il acquiesça, pensif.

—Vous l'aimez, n'est-ce pas?

Il restait immobile désormais, les yeux mi-clos.

—Grenouille, précisa Viola. Qu'est-il advenu de lui? L'Histoire n'en parle pas. Et pourtant, vous semblez le considérer comme un grand chevalier.

Son visage se durcit.

—Il ne suffit pas d'être dans les livres d'Histoire pour exister, jeune fille, s'indigna-t-il.

—Ce n'est pas ce que j'ai voulu dire, se défendit-elle.

—Et quoi? Vous ne savez rien de lui.

Il s'écarta de la colonne, prêt à se jeter sur elle. Sur le banc, Viola recula jusqu'au mur dans un mouvement de panique. Il se pencha vers elle, l'haleine encore chargée d'alcool.

—Rien, répéta-t-il dans un souffle. Vous ne savez rien. Il était le meilleur d'entre nous, le plus pur. Les moines auraient dû écrire ses hauts faits. Il aurait été le plus grand si... Il aurait...

Il s'arrêta net, le regard vitreux, embué, avant de se redresser lentement, les mains serrant sa ceinture.

—L'Empire serait encore là, lâcha-t-il. À lui seul, il l'aurait défendu. À mon époque, il était connu, vous savez. Mais je suppose qu'avec la République il n'est pas de bon ton de se rappeler ça. Il était connu et respecté. Avez-vous entendu parler du dragon de Kapernevic?

—Le dernier dragon rouge?

Dun-Cadal acquiesça, détournant les yeux.

—Le plus grand dragon du Nord, précisa Viola comme récitant un cours. Il a terrorisé la région pendant des années jusqu'à ce que...

—... nous arrivions, avoua Dun-Cadal. La plupart des dragons sont des bêtes stupides, souvent apeurées à l'approche des hommes. Il est facile de les berner. Parfois même, elles oublient de voler, c'est dire.

141

Mais les rouges, eux… ils sont grands, rares… et terriblement violents. Nous étions à Kapernevic. Nous y étions. Et Négus aussi. C'est la dernière fois que je l'ai vu.

Le grincement d'une porte résonna au loin. Tous deux tournèrent la tête vers le fond de la salle, découvrant un petit homme enrobé, vêtu d'une longue et large toge blanche, un tissu vert et or drapé sur l'épaule. Il échangea quelques mots avec les gardes et chercha du regard ceux qui l'avaient demandé.

—Et… ? s'enquit Viola dans un souffle.

—S'il n'y a plus de dragon rouge à Kapernevic, c'est grâce à Grenouille. À lui seul, murmura-t-il sans plus de précisions.

Et d'un geste brusque il contourna la colonne pour s'avancer vers le petit homme. Viola quitta le banc pour le suivre, les mains terriblement moites.

—Négus! tonna Dun-Cadal d'un ton peu amical.

—Conseiller Négus, rectifia le petit homme en marchant à leur rencontre.

—Pour moi tu resteras Anselme Nagolé Egos, dit Négus…

Les deux hommes se firent face. Deux têtes au moins les séparaient, mais, bien que Dun-Cadal le toisât de haut, le petit homme n'en semblait guère intimidé. Il le défiait avec une arrogance certaine, un bras replié contre son ventre, le pouce frottant l'intérieur de sa paume d'un geste lent.

À Kapernevic. C'est la dernière fois que je l'ai vu.

—Cela fait si longtemps, nota le conseiller sans faire montre d'une quelconque émotion. Mon vieil ami…

Ils restèrent ainsi, à se regarder, sans rien ajouter. Et les traits usés de leurs visages se détendirent à mesure qu'un sourire ému ourlait leurs lèvres.

À Kapernevic.

—Trop longtemps, murmura Négus en présentant une main ouverte.

Dun-Cadal baissa les yeux sur la main tendue.

Il lui présenta la sienne.

Kapernevic…

… une main aux doigts rouges; un sang épais coulait dans ses veines pour contrer le froid cinglant de la région.

Il repoussa une branche pour mieux apprécier le paysage en contrebas, une vallée couverte de pins que traversait une rivière glacée. Parmi les ramures se dessinaient les toits de chaume du village de Kapernevic et ses tours de guet en bois. Lorsqu'il relâcha la branche, elle claqua tel un fouet, projetant alentour le duvet blanc qui couvrait ses épines. Le crissement de la neige sous ses pas ne perturba pas le garçon derrière lui.

—As-tu fini? râla Dun-Cadal.

Près des chevaux attachés au tronc d'un sapin, Grenouille se balançait lentement, lançant ses bras en avant tout en expirant. Un sillon creusa aussitôt le sol jusqu'à mourir au pied d'un pin. À chaque arrêt, chaque campement, chaque moment libre, il s'exerçait, ne négligeant aucun effort. Peu à peu, il avait appris à user du *Souffle* sans en pâtir et, si ses poumons le lançaient encore après chaque essai, la douleur était devenue supportable.

Ils étaient tous deux vêtus d'amples capes noires bordées de fourrure, des bottes noires matelassées protégeant leurs pieds du froid du Nord.

Trois ans s'étaient écoulés depuis les Salines. Et la guerre continuait, enchaînant les victoires et les défaites, leur accordant peu de répit. Par trois fois, ils étaient retournés à Éméris. Par trois fois, Grenouille avait manqué de rencontrer l'Empereur. Cependant, et bien que le garçon n'ait pu le constater, Dun-Cadal n'avait eu de cesse de vanter les mérites de son apprenti. Asham Ivani Reyes suivait donc avec intérêt son évolution, évoquant même l'hypothèse qu'il puisse être bientôt adoubé en sa présence. Qu'un orphelin devienne chevalier était en soi assez rare, mais que l'Empereur daigne l'honorer de sa présence lors de ses vœux se rapprochait du domaine de l'impossible. Seuls quelques nobles avaient eu l'honneur de le voir assister à leur serment, le dernier en date s'appelait Étienne Azdeki. Le général ne le lui avait jamais dit, par pudeur sûrement ou pour garder son aura de mentor, mais il était fier de lui. Pas un jour ne s'était passé sans qu'il s'exerce, manquant parfois de tomber inanimé. La douleur, il n'en parlait pas. La souffrance, il ne la laissait pas paraître. Il persistait à attendre que son maître soit endormi ou absent pour atteindre ses limites et, chaque fois, les repousser. Par pudeur sûrement…

—Cesse cela, ordonna Dun-Cadal. Un enfant comme toi ne peut que se faire mal.

— Un enfant comme moi pourrait vous mettre à terre, Échassier, sourit Grenouille en roulant des épaules pour se détendre.

Il se massa l'épaule droite en grimaçant puis entreprit de détacher les montures. Son visage était plus sec, sa mâchoire plus carrée, ses traits affinés. Peu à peu, c'était l'homme qui se dessinait. Un bouc naissant cerclait ses lèvres. Dun-Cadal pensa avec amusement qu'il serait bon un jour de lui apprendre à se raser correctement.

— Vraiment ? Je ne prendrais pas le pari, à ta place.

— Non, parce qu'à ma place vous auriez des années de moins. Et puis qui a combattu les Rouargs aux Salines ? Pas vous en tout cas. Vous dormiez sous votre monture.

Dun-Cadal hocha la tête en souriant, enfilant sa main nue dans un épais gant de cuir. Il apprécia la douce chaleur réchauffant ses doigts et agrippa les rênes de son cheval, posant un pied sur l'étrier.

— Tu fanfaronnes, Grenouille, tu fanfaronnes.

— Je ne fais qu'appliquer votre enseignement, se défendit le garçon en imitant son mentor.

— Je ne t'ai pas appris la forfanterie.

Ils se hissèrent tous deux sur leur destrier et partirent au trot sur le petit sentier à peine distinct dans la neige. Ici et là, la terre se muait en boue crasse, un duvet ouaté courait entre les pins. Le calme régnait, à peine perturbé par les sabots des chevaux.

— C'est parce que vous n'imaginez pas tous les enseignements que je retire en vous observant.

— De la flatterie, désormais ? rit Dun-Cadal. As-tu donc peur qu'une fois à Kapernevic je te botte le derrière, pour me complimenter ainsi ?

— Pourquoi ils nous envoient là-bas ? se plaignit soudainement le garçon, rabattant sa capuche bordée de fourrure pour se protéger du froid. Le gros de la guerre est au Sud.

— Tu n'apprécies pas le paysage ?

— Vous êtes un général, Échassier, s'indigna-t-il. Et nous avons prouvé notre valeur plus d'une fois, non ? Alors pourquoi on nous envoie chercher ce… cet alchimiste ?

— Peut-être l'Empereur a-t-il pensé qu'il était temps de refroidir tes ardeurs, se moqua Dun-Cadal.

Grenouille avait bien grandi mais il lui arrivait encore de s'opposer au général. Avec plus de retenue, certes, s'accordant même quelque temps de réflexion avant d'agir. Mais sa colère restait entière. « Ardeur » était un bien maigre mot en vérité. Il avait seize ans et se comportait parfois comme un enfant, parfois comme un homme. Le jour finirait bien par arriver où la maturité prendrait le dessus.

Ils traversèrent les bois enneigés, descendirent jusqu'au cœur de la vallée, parcourant au galop les clairières couvertes d'un lourd manteau blanc. Ils croisèrent quelques carrioles remplies de femmes et d'enfants, le regard éteint, qui fuyaient la région. Mais vers où ? Plus aucune terre n'échappait au crépitement des flammes, plus aucun vallon, aucun champ, aucune route ne résistait à l'écoulement du sang. La guerre était partout.

Sous le ciel brillant d'un pâle éclat, ils atteignirent Kapernevic. Au bord de la rivière glacée, perdue entre deux forêts de conifères, s'élevaient des maisons en bois. Les cheminées en pierre exhalaient des volutes de fumée grise se dispersant aux quatre coins du village, survolant les tours de guet, pour finalement mourir au-dessus de la forêt. Les villageois qui avaient décidé de rester ici, ou qui ne pouvaient se permettre d'abandonner le peu qu'ils possédaient, s'emmitouflaient dans de grandes étoffes rapiécées. Ils déambulaient comme des fantômes, livides, les yeux cernés. Sur le perron d'une maison délabrée, une femme assise serrait dans ses bras une petite fille d'à peine cinq ans. Parmi la crasse qui maculait les cheveux de l'enfant, Grenouille discerna quelques mèches blondes, comme un vestige de temps plus heureux. La petite fille le suivait des yeux, sans qu'aucune expression ne soit discernable. Elle se contentait de l'observer, l'air absent, au creux des bras de sa mère. La vie paraissait les avoir tous abandonnés.

C'est sous le regard impavide de ces pauvres gens que les cavaliers entrèrent, au pas. Quelques soldats les escortèrent jusqu'à la tour de guet de l'autre côté du village, tournée vers les collines boisées tout au nord. Pas une parole, pas même un murmure ne commenta leur arrivée. Avant que le silence glaçant ne soit brisé par un rire. Descendant de l'échelle du beffroi, un homme rond s'étouffait presque de joie. Serré dans une lourde armure cabossée, une peau de bête sur ses épaules, il passa une main boudinée sur son visage rougi par le froid. Il n'en croyait pas ses yeux.

— On m'a dit que quelqu'un viendrait chercher l'inventeur, mais j'étais à mille lieux de penser que ça pourrait être toi, avoua-t-il entre deux gloussements. Toi…

Il pointa un index vers le général qui mettait pied à terre.

—Toi ici! s'écria-t-il en écartant les bras. Mon vieil ami!

—Il aurait fallu t'envoyer au Sud! C'est à cause du froid que tu as gardé tant d'appétit? se moqua Dun-Cadal avant qu'ils ne tombent dans les bras l'un de l'autre. Mais je croyais que c'était un alchimiste que nous venions escorter.

—Alchimiste, inventeur, il est un peu tout et rien, mon ami.

Grenouille descendit de cheval à son tour, laissant le soin à l'un des soldats de mener les montures à un abreuvoir. Certains villageois passant à proximité de la tour de guet s'arrêtèrent pour les observer, l'air hagard. Contrairement à eux, soldats compris, le général et son élève portaient de beaux habits qui n'avaient, semble-t-il, connu aucune bataille. Grenouille les jaugeait d'un œil méfiant, le pouce passé entre la ceinture et l'aine, les doigts effleurant le pommeau de son épée. En s'arrachant à l'étreinte de son compagnon d'armes, Dun-Cadal lui jeta un regard. Le garçon était sur ses gardes, comme en territoire ennemi. De quoi avait-il peur? De ces pauvres bougres en haillons? Il lut sur son visage une expression qui le peina... du mépris. Grenouille éprouvait du mépris pour ces gens-là. L'éducation était loin d'être terminée...

—Grenouille, héla-t-il. Approche.

—Il a bien grandi..., murmura Négus.

—Il n'est pas sage pour autant, dit-il avant de hausser la voix lorsque Grenouille les eut rejoints. Te souviens-tu de Négus? Garmaret?

Sans mot dire, le jeune garçon acquiesça avant de s'incliner légèrement. Leur première étape, une fois les Salines quittées, avait été le fort de Garmaret, commandé alors par le général Négus. Bien sûr qu'il s'en souvenait, Dun-Cadal l'avait vu parler avec une jeune fille, une réfugiée des Salines et, de son œil averti, avait cru comprendre qu'elle ne l'avait pas laissé indifférent. Grenouille n'esquissa pas un sourire, pas une marque de sympathie, juste ce qu'il fallait de politesse envers un général. Le visage de Négus s'assombrit.

—J'ai beaucoup entendu parler de toi, dit-il. Tu as bien changé depuis que nous nous sommes vus à Garmaret.

—Vous aussi depuis que vous avez perdu la ville, répondit sèchement Grenouille.

Dans l'ombre de sa capuche, ses yeux gris brillaient, perçants, tout droit plongés dans le regard surpris du petit général. Le temps s'étira, comme si la réplique du garçon les avait tous deux sonnés. Avant que Dun-Cadal n'ait pu se scandaliser, Négus laissa échapper un souffle, stupéfait. Puis il leva la tête vers le ciel, éclatant d'un rire gras en frappant son ventre rebondi.

—Nul doute n'est permis, s'esclaffa-t-il. C'est bien toi son mentor !

Négus calma aussitôt son courroux d'une tape amicale sur l'épaule.

—Il a parfois tendance à oublier à qui il s'adresse, pesta Dun-Cadal en lançant un regard noir au jeune garçon.

Mais Grenouille semblait n'en avoir cure.

—Bah… il a raison, concéda Négus en balayant l'air de la main. J'ai perdu Garmaret. Mais qui aurait pu la tenir face à cette révolte ?

Dun-Cadal craignit qu'une voix ne se fasse entendre en affirmant que lui l'aurait fait, mais Grenouille se tut. Le gamin avait sûrement senti sa gêne. C'est pourtant avec malice et provocation qu'il lui jeta un coup d'œil amusé. Dun-Cadal se raidit, les poings serrés, prêt à le corriger. Mais, au fond, il s'accommodait fort bien de son caractère. Dans d'autres circonstances, face à des gens qu'il n'appréciait guère, ce culot l'aurait même diverti.

—Je ne pensais pas que l'Empereur t'enverrait ici, avoua Négus. Surtout pour faire office de simple escorte. Cet inventeur est si important que cela ?

À la grimace qui tordait son visage rond, nul doute qu'il ne le portait pas en estime.

—Lui, je ne sais pas. Mais le noble de la cour qui a fait la demande de rapatriement, sûrement.

—Bah, souffla Négus. Si l'Empereur accède à cette demande et qu'il vous confie cette mission, c'est qu'il la juge importante. Et, pour tout t'avouer, ça m'arrange. Quelques jours de plus et je l'aurais embroché.

Déconcerté, Dun-Cadal haussa les sourcils. Négus parcourut le village du regard, scrutant du côté des maisons.

—Aladzio ! Aladzio ! appela-t-il. Où est-il, cet âne bâté ? ALADZIO !

Quand une silhouette fine apparut au détour d'une rue, un tricorne vissé sur la tête, Négus l'incita à se hâter d'un geste de la main.

—Aladzio! Viens par là!

—J'arrive, général, j'arrive, bafouilla le jeune homme. Laissez-moi juste le temps de… Oh, oups!

Dans sa course, il laissa choir de sous son bras quatre longs rouleaux de parchemin. Il se baissa pour les ramasser mais, ce faisant, ce furent les quelques livres qu'il serrait contre lui qui glissèrent de son autre bras. À genoux dans la neige, haletant, il entreprit de tout rassembler. Dans l'air froid, sa respiration formait de petits nuages, sans cesse plus nombreux à mesure que son anxiété grandissait.

—Ça? Un génie? persifla Négus. Trois mois qu'il est là, à étudier des pierres de je-ne-sais-quoi et la seule chose qu'il a réussi à faire, c'est foutre le feu à la grange.

—Un accident? suggéra Dun-Cadal.

—Trois fois de suite?

Dun-Cadal retint un rire, croisant les bras.

—Je ne sais pas quel noble de la cour tient tant à ce vaurien, mais à coup sûr il cherche à faire brûler ses appartements, ajouta le petit général avant de râler de nouveau. Aladzio! Ce ne sont que des bouts de papier, laisse-les pourrir dans la neige!

—Les laisser pourrir? s'offusqua l'alchimiste en ramassant maladroitement ses parchemins. Des œuvres des moines copistes? Vous n'imaginez pas, général, la somme de savoir que contiennent ces «bouts de papier» comme vous dites. L'ordre de Fangol serait meurtri que j'abîme son œuvre.

Et, grelottant dans son long manteau bleu, il avança, les jambes serrées, petit pas par petit pas. Lorsqu'il arriva au pied de la tour de guet, Grenouille lui barrait la route, les doigts tapant le pommeau de son épée. L'alchimiste devait avoir vingt-cinq ans, le visage blême, les yeux cernés. Le froid rougissait ses hautes pommettes. Ses cheveux bouclés partaient en bataille sous un tricorne noir comme le jais et tournoyaient jusque sur sa nuque. Son ample manteau bleu se parsemait de taches étranges, résidus d'expériences ou simple crasse, il était difficile d'en présumer l'origine. Passant la langue sur ses fines lèvres gercées, il réprima un rire gêné, contourna Grenouille et se présenta devant les deux généraux, terriblement embarrassé.

—Toutes mes excuses, je… j'ai trouvé des… des… oui, des trouvailles, dirais-je, bredouilla-t-il. Des pierres dans les mines près de… là-bas, les mines…

Écrasant les parchemins contre son torse, il réussit à libérer l'un de ses bras pour le tendre vers les bois en contrebas de la tour de guet.

—Le territoire des hommes de Stromdag, expliqua Négus en levant les yeux vers son ami. C'est lui qui dirige la révolte de Kaperdae, de Krapen et les abords de Kapernevic. Les mineurs se sont joints à lui. Il leur a promis la liberté.

—Les mines, répéta Aladzio, rêveur. Il y a plein de trouvailles là-bas.

Un large sourire, proche de celui d'un benêt, éclaira son visage.

—Ça me fait comme l'effet d'un…

Il chercha ses mots puis, s'inclinant légèrement, dit sur le ton de la connivence :

—Vous savez, comme le baiser d'une femme sur un endroit plus… enfin…

Dun-Cadal détourna les yeux, mi-amusé mi-choqué. Qui donc s'intéressait à cet homme pour qu'on l'envoie le chercher dans la région la plus reculée de l'Empire. Et, comme si Aladzio n'était pas là, le général se tourna vers son ami.

—Stromdag ? demanda-t-il. Je ne dois pas rester longtemps, mais fais-moi part des nouvelles.

—Oh, il n'y a rien de bien nouveau, soupira Négus.

S'avançant vers les piliers de la tour de guet, Dun-Cadal haussa la voix.

—Grenouille, emmène Aladzio à l'auberge et prépare nos chambres.

—Mais…, gémit le garçon.

Dun-Cadal tourna à peine la tête. Le ton qu'il prit suffit à réprimer toute velléité d'insolence.

—Occupe-toi d'Aladzio et ne discute pas. Nous partirons demain dès l'aube.

Il échangea un sourire avec Négus en entendant le jeune garçon marmonner son mécontentement.

—Viens là, lança Grenouille à l'inventeur d'un ton glacial.

Et tous deux s'engagèrent dans la rue principale du village, en direction de l'auberge, Aladzio trottinant presque derrière le jeune garçon, prenant soin de ne pas lâcher ses précieux parchemins.

Quelques soldats passèrent près de la tour de guet, les yeux cernés, le teint livide. Le métal de leurs armures s'était terni, marqué de nombreuses encoches, et, en dessous, pendaient des morceaux de cotte de mailles comme un vieux tissu déchiré.

—Stromdag, soupira Dun-Cadal. Qui est-ce?

—Un simple voleur au départ, répondit Négus. Une sorte de bandit au grand cœur pour la plupart des paysans du coin.

Il entreprit de gravir l'échelle menant au sommet de la tour, invitant son ami à le suivre, et, tout en grimpant, il continua:

—Il y a un peu plus d'un an, il a pris la tête de la révolte du Nord. Le précédent général en poste a réussi à le repousser jusqu'à Kaperdae, mais cela lui a coûté la vie.

—Et dans ce froid ils tiennent leurs positions? interrogea Dun-Cadal.

Négus atteignit le haut de la tour, s'appuya sur les bords du garde-corps et se hissa sur le poste de guet. De lourds rondins, attachés les uns aux autres par des cordes tressées, constituaient une épaisse plate-forme entourée de planches. À chaque coin s'élevaient des poteaux de bois qui soutenaient un toit incliné. Deux gardes allaient et venaient en scrutant l'horizon, un arc à la main. Un troisième était assis près d'un vieux sac et taillait le bout d'une flèche à l'aide d'un large couteau. À l'approche de Négus, il se redressa, comme pris en faute. Sans mot dire, le général balaya l'air de sa main le visage austère. L'homme s'écarta et les laissa approcher du garde-corps. Les mains posées sur le rebord, ils contemplèrent l'étendue boisée couverte d'un fin duvet laiteux. L'horizon se confondait avec le ciel d'un blanc aveuglant.

—C'est leur terrain, fit remarquer Négus, l'air grave. Ils connaissent les moindres recoins de ces bois, jusqu'aux monts un peu plus au nord. Ils sont ici chez eux…

—… comme aux Salines, reconnut Dun-Cadal.

—Aux Salines, ils montaient les Rouargs contre nous. Là, ils promettent la liberté aux mineurs… et attisent la colère des dragons…

Ces territoires appartenaient à l'Empire, mais quel général pouvait se prévaloir de les connaître parfaitement? La plupart avaient grandi à Éméris et quand, à l'instar de Dun-Cadal, il en avait été autrement, nombreux étaient ceux qui avaient vécu leurs jeunes années reclus dans un château. La guerre continuait tout simplement parce que le lien qui les unissait au peuple avait été brisé. Et l'Empereur lui-même n'en avait pas conscience. Pour la première fois, alors qu'il avait vécu tant de combats, Dun-Cadal eut l'étrange sentiment que l'Empire s'écroulait bel et bien.

— Tu vois cette cuvette? dit Négus en pointant son index vers le lointain.

Elle était bien là, couverte d'arbres jusqu'au pied des monts, une vallée qui se devinait sous les frondaisons.

— C'est la seule raison pour laquelle nous n'avons pas été vaincus, avoua Négus. Les dragons sont comme happés par la forêt. Ils ne pensent pas à la survoler jusqu'à Kapernevic. Tu vois? Ils se ruent entre les arbres, une fois tirés de leur antre par Stromdag. C'est la seule raison pour laquelle nous tenons encore.

— Des animaux…, maugréa Dun-Cadal. De simples animaux…

Il savait les dragons stupides au point d'agir comme des moutons, mais à ce point? Ce supposé atout des rebelles pouvait se révéler être leur faiblesse, finalement.

— Des animaux, certes, mais qui taillent en pièces nos hommes, même en restant à terre. Imagine le jour où l'un d'eux s'envolera de ce côté-ci de la vallée… Jusqu'à présent, ils se contentent du mont.

— Aucune inquiétude à avoir, certifia Dun-Cadal. C'est toujours la même chose avec ces crétins de dragons. Fous-les dans un couloir, à ciel ouvert, ils le suivront comme de vulgaires rats. Rien ne change, mon bon Négus.

— Si, osa Négus entre ses lèvres, les yeux baissés. Certaines choses changent.

Il inspira profondément avant de lâcher, comme s'il s'agissait d'un poids mort dont il souhaitait se débarrasser :

— Plus rien ne sera jamais comme avant. Cette guerre dure depuis trop longtemps. Toi qui viens d'Éméris… ne l'as-tu pas ressenti?

— Quoi donc…?

— Le nid de vipères, mon ami. L'Empereur souffre de mauvais conseils. Le fils de d'Uster, Laerte, reste introuvable. Il serait en campagne vers Eole, à ce qu'on dit. Mais, si une révolte est bien menée là-bas, personne ne peut attester qu'il la dirige. Il semble partout à la fois, à la tête de chaque rébellion qui se lève. On a arrêté des révoltés vers Serray, tu sais. On les a interrogés. On en a pris du côté de Brenin également. Tous disaient avoir croisé ce Laerte. Mais personne n'est capable de dire à quoi il ressemble. Cet homme s'est totalement désincarné pour ne devenir qu'une rumeur. Et tu sais ce que font les rumeurs ? Elles courent jusqu'au palais. La révolte couve là-bas aussi... On craint plus ce qui ne se voit pas. Certains nobles se seraient déjà ralliés à lui. Les idées d'Oratio d'Uster séduisent. Nous en avons fait un martyr en le pendant. Laerte l'a bien compris. Une guerre politique, d'accusations, de on-dit... voilà ce qui se passe à Éméris. Une guerre sans autre arme que des mots...

Les avant-bras appuyés sur le garde-corps, Dun-Cadal laissa son regard dériver sur l'étrange paysage silencieux. Que Kapernevic semblait calme. Les arbres lointains se mouvaient docilement, caressés par un vent léger.

—Certains sont soupçonnés ? s'enquit Dun-Cadal, l'air grave.

L'idée même qu'Éméris puisse être infestée lui était insupportable. Le palais était son refuge, son antre... son cœur. Il avait protégé l'Empereur de façon inavouable, pour ensuite le servir le plus honorablement possible. Voilà que le monde parfait qu'il s'était construit vacillait comme une pauvre tour... une tour de guet en bois aussi fragile que celle sur laquelle il se tenait.

—Il y a des rumeurs à propos des nobles issus des familles proches des Salines. Les comtés d'Alser, du Rubegond... le duché d'Erinbourg... sans parler des réfugiés des Salines... de certains en particulier.

Combattre. Frapper. Attaquer. Cela était familier pour Dun-Cadal. Mais les luttes d'influence en haut lieu lui étaient totalement étrangères. Il se sentait démuni. Crispé, il se redressa lentement.

—Quels sont tes plans pour contrer Stromdag ? demanda-t-il.

Autant discuter de choses qu'il maîtrisait.

—Mon ami...

Négus posa la main sur son avant-bras, l'air terriblement peiné.

—L'Empereur se méfie des réfugiés des Salines qui sont à Éméris. N'as-tu donc pas compris ?

Dun-Cadal inspira profondément. Oui... il comprenait. Il avait pleinement saisi l'allusion, mais se refusait à la considérer comme une possibilité. D'un geste rapide, il retira son bras de la main de Négus et quitta le garde-corps.

—Dun-Cadal, appela Négus.

—Il n'a pas à se méfier de Grenouille. Pas plus que quiconque, dit sèchement le général sans se retourner.

Il s'apprêtait à descendre l'échelle, posant un pied sur le premier barreau.

—Écoute-moi! implora Négus en le rejoignant d'un pas décidé.

—Il ne trahira pas l'Empire! s'emporta Dun-Cadal.

—Peut-être que non, mais reste sur tes gardes, conseilla Négus. Certains proches de l'Empereur le considèrent comme dangereux.

Au visage affligé de son ami, Dun-Cadal répondit par un sourire mauvais. Grenouille n'était qu'un gamin, mais les fourbes conseillers qui empoisonnaient son Empereur de viles paroles le craignaient. Voilà un point sur lequel ils pouvaient tous s'accorder.

—Ils ont raison d'en avoir peur.

Cette idée lui plaisait. Il ne connaissait rien de la politique ni n'appréciait particulièrement le jeu du pouvoir. Seul lui importait le respect acquis par les actes, non les mots. Grenouille avait risqué sa vie tant de fois pour repousser la révolte qu'imaginer un seul instant qu'on puisse l'accuser de sédition était intolérable.

Tout le reste de la journée, alors que Négus et lui passaient en revue les troupes, Dun-Cadal ne cessa de penser à ce qui les attendait à Éméris. Bien qu'il fût un intime de l'Empereur, aurait-il assez de poids pour défendre son élève en cas de... Non, ce n'était pas concevable. Lorsqu'il retrouva Grenouille, dans la douce tiédeur de l'auberge, il n'était toujours pas rassuré. Le garçon tenait entre ses mains un petit cheval de bois. Il l'avait vu, parfois, contempler cet étrange bibelot, pareil à un jouet d'enfant ramassé sur la route des Salines. Il le sortait à chaque veille de combat. Qu'il l'ait ainsi devant lui ne présageait rien de bon.

—Ils ont l'air fatigués, hein? remarqua Grenouille alors que son mentor s'asseyait à sa table.

Dans l'âtre d'une large cheminée crépitaient des flammes d'un rouge vif. Elles dansaient au-dessus des bûches, s'en repaissaient en ondulant, distillant autour d'elles une chaleur salvatrice. Tout autour, des soldats se contentaient d'un maigre repas fumant. Au comptoir, certains s'enivraient sans bruit, le regard vague, l'air absent. Ici flottait un sentiment de lassitude. C'était comme si le froid de Kapernevic glaçait toutes les envies.

—Ne l'avons-nous pas été au pied du Vershan? s'amusa Dun-Cadal en joignant les mains sur la table. Ou encore à Bredelet

153

après trois semaines de combats ? Tu serais ici depuis aussi longtemps qu'eux, tu aurais le même regard, crois-moi.

— Possible, acquiesça Grenouille en baissant les yeux vers son assiette.

Les reliefs de son repas bordaient la porcelaine. D'un geste nonchalant il attrapa sa chope fumante et but une gorgée. L'odeur qui s'en dégageait parvint au général. Il reconnut avec un air de dégoût un jus de baie chaud. Trop sucré pour lui. Du coin de l'œil, il aperçut une serveuse à l'impressionnant décolleté, qui remplissait un pichet à l'avant d'un tonneau. Il l'appela d'un signe de main et reporta toute son attention sur son élève. Il paraissait troublé.

— Où est Aladzio ?

— Retourné dans la maison qu'il occupe. Pour faire ses bagages. Est-ce vrai que nous partons demain ?

— Nous avons une mission. Il nous faut ramener cet inventeur à Éméris. Dans cette région, il est trop en danger, et des gens importants s'inquiètent de sa sécurité.

— J'ai envie de le frapper, lâcha sèchement Grenouille.

Dun-Cadal retint un rire.

— Ne ris pas, Échassier, dit Grenouille, l'air contrit. Il ne fait que parler... Des mots, des mots, des mots. Il risque plus avec moi en dix minutes qu'en restant ici durant toute la guerre.

— Allons, soupira le général. Tu t'y feras. Le voyage ne sera pas si long. Et ce n'est pas le vrai problème. Dis-moi.

Grenouille hésita.

— Allons-nous laisser tous ces gens ici ? demanda-t-il.

— Négus les protège...

— J'ai entendu parler de dragons... d'un dragon rouge surtout. Il paraît que c'est la pire bête du monde, qu'elle attaque les villages sans laisser de survivants.

— C'est donc cela, sourit Dun-Cadal.

Le gamin souhaitait affronter des dragons. Il avait envie d'en découdre, d'agir, de faire quelque chose de concret. Pas seulement servir de garde à un inventeur à la langue bien trop pendue.

— Les dragons sont des bêtes stupides.

— Pas les dragons rouges...

— Ils sont un peu plus malins, j'en conviens... plus imposants, plus cruels et il faut une certaine maîtrise pour les abattre, mais ils restent des bêtes. Des bêtes qui n'attaquent les hommes que contraintes et forcées.

—Les Nâagas ne disent pas cela. Ils sont plus que des bêtes. Ce sont les anciens.

Que son apprenti évoque les Nâagas avec sérieux ne lui plaisait guère. Ces sauvages vouaient un culte à tout ce qui se couvrait d'écailles, arguant qu'ils étaient les ancêtres des hommes. Les dragons étaient pour eux des êtres dignes de respect.

—Où as-tu donc entendu pareilles foutaises ?

Grenouille se renfrogna.

—Les Nâagas sont des brutes, grogna Dun-Cadal. Ils croient à la puissance des dragons mais ils croient aussi à la force des hommes en mangeant les prisonniers de leur guerre tribale. Eux... comme les dragons, sont des bêtes, Grenouille. Ne l'oublie pas. Et puis ce dragon-là, ce n'est pas notre affaire. Ce n'est que parce qu'il se trouve entre Stromdag et nous qu'il réagit. Le jour où cette guerre s'arrêtera, il restera dans son coin, crois-moi. Il a attaqué Kapernevic ? Non, jamais. Les gens en parlent parce que c'est... le folklore. Ce n'est un danger que parce qu'il y a la guerre tout autour. Et nous ne pouvons pas rester ici, tu le sais.

—Pourquoi ? s'indigna Grenouille. Vous êtes un général ! Je sais me battre. Nous avons gagné des batailles.

—Nous en avons également perdu.

—Si peu ! À nous deux, nous avons changé le cours de la guerre de si nombreuses fois !

—Est-ce vraiment pour ces gens que tu veux rester te battre ?

—Vous ne comprenez rien, souffla Grenouille, l'air abattu.

La serveuse était enfin à leur table, déposant une chope devant Dun-Cadal, qu'elle remplit aussitôt en inclinant le pichet. Il lui fit signe de laisser le tout. Un seul verre n'allait pas lui suffire. Elle entreprit aussitôt de ramasser les couverts du jeune garçon, légèrement penchée à hauteur de ses yeux. Le regard de Grenouille fut inévitablement attiré par le corset, remontant jusqu'au décolleté vertigineux, se bloquant sur la peau lisse de sa poitrine. Dun-Cadal baissa la tête, une main devant la bouche pour cacher son sourire.

Non, vraiment, Grenouille n'était plus un enfant. Lorsqu'elle quitta la table, emportant l'assiette du garçon, Dun-Cadal brisa le silence.

—Sur le côté, là, se moqua-t-il en montrant le coin de ses lèvres.

—Quoi ?

—Tu baves.

Il ne goûta guère la plaisanterie, manquant d'essuyer naïvement sa bouche. Dépité, il hocha la tête avant de ranger le petit cheval de bois dans la poche de sa veste en cuir.

—Cette fille… celle que tu vois à Éméris, dit Dun-Cadal en perdant peu à peu son sourire. Tu l'aimes, n'est-ce pas ?

Grenouille soutint son regard l'espace d'un instant puis vida d'un trait sa chope.

—Allons, ça se sait. Tout se sait à Éméris, assura-t-il d'un ton amusé. C'est bien celle que tu as retrouvée à Garmaret après notre fuite, n'est-ce pas ? Elle vient des Salines, elle aussi. Tu la connaissais avant ?

—Ça ne vous regarde pas, lâcha brusquement le garçon en quittant la table.

Il traversa l'auberge et sortit en poussant violemment la porte. Dun-Cadal resta pensif, les mains entourant sa chope. Il la porta à ses lèvres et en but le contenu d'un trait. Le vin dévala dans sa gorge, piquant, âpre, coulant jusque dans ses veines avec une douce chaleur. Il reposa la chope, hésita à se resservir puis sortit à son tour. Il retrouva Grenouille sur le perron de l'auberge, adossé à la façade, les bras croisés, la capuche rabattue sur la tête.

Il marqua un temps avant de descendre les marches et de fouler la neige dans un crissement. La lune était haute, pleine et lumineuse. Le village entier se teintait de bleu dans la nuit calme. En haut de la tour de guet la plus proche, deux gardes veillaient à la lueur d'une torche vacillante.

—Je me souviens de mes premières amours, dit-il comme s'il se parlait à lui-même. J'étais à peine plus âgé que toi. Je me souviens du désir, de l'envie…

Il se retourna vers Grenouille.

—Est-il possible qu'un sentiment puisse faire aussi mal au ventre ? ricana-t-il.

Mais Grenouille resta de marbre. Qu'espérait le général ? Qu'il délie sa langue au point de tout lui révéler ? Qu'il le rassure, surtout. Peut-être que Négus avait raison, que des traîtres agissaient à Éméris… et qu'une jeune réfugiée des Salines se servait de Grenouille, de son innocence. Si tant est qu'un apprenti chevalier soit encore innocent.

—Demain… nous aiderons Négus à lancer l'assaut contre les révoltés de Stromdag, décida-t-il.

Grenouille s'écarta peu à peu du mur, laissant retomber ses bras, muet d'étonnement. Comment aurait-il pu imaginer un seul instant la véritable raison de ce revirement? Dun-Cadal savait que le gamin risquait bien moins ici, à combattre des ennemis visibles, plutôt qu'à replonger dans un nid de vipères à Éméris. Et pour Aladzio… il survivrait bien un jour ou deux. Un cri monta dans le lointain, une sorte de hurlement rauque.

—As-tu déjà vu des dragons? demanda calmement Dun-Cadal, rêveur.

Et dans le ciel, loin au-dessus des forêts, quatre formes noires s'élevèrent en tournoyant. Leurs ailes se déployèrent, leur long cou se fit plus distinct à la lumière de la lune. Les dragons s'éveillaient dans la nuit.

À la prochaine tombée du jour, ils iraient les chasser, eux et ceux qui cherchaient à les dresser contre l'Empire.

9

SAUVER UNE VIE

Allez-vous rester un fantôme toute votre vie ?
Ou bien agirez-vous comme l'aurait fait
Un véritable... général.

S ur le marbre brun tacheté de noir s'élevaient de fières colonnes. Bordant la salle, les hautes fenêtres teintées conféraient à la lueur du soleil un ton mordoré. Au centre se trouvait un petit homme au visage défait par l'âge, au crâne dégarni sur lequel tombaient quelques mèches grisonnantes. Malgré son embonpoint, il nageait dans sa toge blanche, un tissu vert drapé sur l'épaule. Il était conseiller désormais... Qui donc se souvenait qu'il avait conduit des armées à la victoire, qu'il avait usé du *Souffle* comme personne et qu'il avait pour la dernière fois combattu aux côtés de Dun-Cadal Daermon à Kapernevic ?

— Je suis Viola Aguirre, conseiller Négus, se présenta la jeune femme en serrant la main tendue du petit homme. Historienne au Grand Collège d'Éméris.

Il l'observa le saluer d'une courbette, séduit par sa grâce.

— Nous vous sommes reconnaissants de nous accorder un peu de votre attention, alors que vous arrivez à peine à Masalia. Mais c'est une affaire de la plus haute importance qui...

— Il est là, Négus, l'interrompit Dun-Cadal.

Le conseiller conserva son sourire mais parut soudain plus ironique.

—Et moi qui pensais que tu souhaitais parler du bon vieux temps…, murmura-t-il comme pour lui-même.

Face à lui, Dun-Cadal avait la mine des mauvais jours, une barbe naissante fleurissait sur son visage buriné, et ses yeux, rougis par l'alcool, lui donnaient l'air d'un chien battu. Quiconque aurait vu ces deux hommes deviser n'aurait pu imaginer le moindre instant qu'ils avaient été des héros.

—Cela concerne l'assassinat du conseiller Enain-Cassart, expliqua Viola. Nous avons tout lieu de croire que…

—Laissez-nous, ordonna Dun-Cadal sans détacher les yeux de son vieil ami.

Elle marqua un temps, hésitante, puis acquiesça avant de tourner les talons et de se diriger vers l'un des bancs sous les fenêtres.

Seuls au milieu de la grande salle, les deux hommes se dévisageaient sans faire montre d'une grande affection. Pourtant, dans leurs regards brillait une étrange lueur. Ce qu'ils avaient vécu ensemble ne pouvait être oublié. Ce qu'ils découvraient désormais l'un de l'autre n'en était que plus insupportable.

—Je t'ai cru mort, avoua Négus.

—Je t'ai cru… digne, répondit Dun-Cadal entre ses dents.

Il contenait sa colère. Le voir ainsi arborer les couleurs de la République le révulsait. Il devait y avoir une explication à tout cela.

—Les choses changent, mon ami…

—À ce point ? demanda-t-il d'une voix grave. Au point d'oublier ce pourquoi tu combattais et de t'offrir à l'ennemi…

—Tu es donc venu pour me juger, déplora Négus, un sourire triste aux lèvres. Un fantôme du passé venu me juger.

—Non…, soupira Dun-Cadal.

Il hocha la tête, baissant le regard comme s'il cherchait à ses pieds de quoi lui donner du courage.

—… non, répéta-t-il.

Avait-il changé à ce point lui aussi ? Il ne se reconnaissait plus dans ce corps amorphe qui lui servait de navire, voguant de chope en chope, d'une taverne des bas-fonds à la maison de Mildrel.

—J'étais hier sur le port lorsque Enain-Cassart a été tué…

Négus ne souriait plus. Son visage si affable était devenu subitement semblable à celui d'une statue.

—J'ai vu qui l'a tué, continua Dun-Cadal. Il est là.

—Qui donc? demanda le conseiller dans un murmure.

Enfin il montrait quelque émotion, fronçant les sourcils.

—La Main de l'Empereur…

Il y eut un bref silence durant lequel ils se jaugèrent, sans ciller. Dun-Cadal fut le premier à détourner les yeux.

—La Main de l'Empereur, répéta Négus mesurant toute la gravité de la situation. Et tu… tu es donc ici pour me prévenir.

—Pour te sauver la vie, annonça Dun-Cadal.

Mais son visage était blême, ses yeux vagues, son allure… sale. Il était sale et piteux. Négus l'évaluait des pieds à la tête, cachant à peine son affliction.

—Tu vis toujours dans le passé, n'est-ce pas… Logrid est mort, Dun-Cadal. Enain-Cassart a été tué par un fou, rien de plus. Le reste ne te concerne pas.

C'était tout. Ça ne devait pas aller plus loin. Pourtant le vieux général ne pouvait se résoudre à être ignoré de la sorte, persuadé qu'il était de voir ce que les autres s'évertuaient à ignorer. La Nuit des Masques avait été décrétée fête nationale. Ce soir, où tous oubliaient leur rang, le visage masqué, célébrait désormais la victoire d'un peuple sur l'oppression. Cette année-là, par un coup du sort, Masalia accueillait la fine fleur du Conseil et la présence d'un assassin portant haut les couleurs d'un empire déchu n'était pas une simple coïncidence. Alors que Négus lui tournait le dos pour rejoindre la porte au fond de la salle, Dun-Cadal tenta d'arrêter son ancien compagnon d'armes.

—Négus, attends!

Il ne put même pas lui attraper le bras. Négus avait certes pris de l'embonpoint, il n'avait pas, pour autant, perdu une certaine agilité. Il esquiva d'un pas de côté, aussi attristé que méprisant. Près de la porte, les gardes se raidirent.

—Les affaires de ce monde ne te concernent plus, Dun-Cadal! Tu ne peux pas comprendre! s'emporta le conseiller.

—Comprendre quoi? Que tu as très bien su te relever parmi les cendres de ce que nous défendions? dit-il, la voix tremblante. Tu étais chevalier! Général! Tu avais prêté serment!

La colère, la peine et la déception obstruaient sa gorge. Était-ce vraiment son ami devant lui, dans cette affreuse toge puant l'arrogance? Ou bien n'était-ce qu'un simple parvenu…

—Nous croyions en des valeurs, Négus. L'Empire... l'ordre de Fangol...

—Le Livre perdu, c'est ça? demanda Négus en hochant la tête. Et si nous méritions mieux que ce destin que les dieux ont écrit dans le *Liaber Dest*? C'est cette déchéance qu'ils ont prévue pour toi? Tu étais grand, Dun-Cadal... mais tu n'as jamais réfléchi.

—Si je n'ai plus cette grandeur, dis-moi donc ce que tu as fait de la tienne!

—Voilà ce que tu ne peux comprendre, répondit Négus avec la même rage. Considère-moi comme un traître si cela te plaît, mais cette grandeur que nous avions en défendant les Reyes, dis-moi ce qu'elle t'a apporté. Regarde-toi et dis-moi en quoi servir l'Empire t'a grandi.

Il lui tourna définitivement le dos et marcha d'un pas décidé vers la porte.

—Avant ou maintenant, j'ai toujours servi le peuple. Toi, tu n'as jamais servi que tes rêves!

Comme sonné, Dun-Cadal l'entendit claquer la porte derrière lui. Sans même s'apercevoir que Viola passait dans son dos.

—Dun-Cadal? appela-t-elle d'une voix douce. Tout va bien?

Il jeta un bref coup d'œil vers elle, croisant avec regret son regard plein de compassion. Il n'en avait pas besoin. Il méritait mieux que cela. N'avait-il pas été autre chose qu'un ivrogne frayant avec les bas-fonds de Masalia?

—Non, dit-il le regard torve fixé sur la porte au loin.

Derrière elle, quelque chose se tramait, il sentait l'air vibrer telle une corde tendue.

Tu...

—Nous trouverons un autre moyen de le convaincre, dit-elle, se voulant rassurante alors qu'un garde s'approchait.

Tu restes...

Elle posa une main délicate sur son épaule.

—J'ai toujours su sentir la mort, assura-t-il une larme au coin de l'œil, la voix tremblante.

Arrivé à leur hauteur, le garde s'apprêtait à les guider jusqu'à la sortie.

Tu restes près de moi, Grenouille... Négus, les pièges sont prêts?

—Elle est là, gronda-t-il.

Brusquement, Dun-Cadal agrippa l'homme au col et, de son autre main, saisit la poignée de son épée. Avant que le garde n'ait pu faire le moindre geste, il l'avait déjà poussé à terre, tirant la lame du fourreau. Il s'élança vers la porte derrière laquelle Négus avait disparu.

Ils sont bientôt là... Je les sens.

Il courut à en perdre haleine, le cœur battant à tout rompre, le crâne près d'exploser. Ses tempes tambourinaient si fort qu'il crut bouillir de l'intérieur. Tout son corps lui semblait n'être qu'un vieux morceau de viande pourrie, inutile, flasque... brûlé.

Les dragons...

Ils arrivent...

Mais il courait. Il courait, car cette étrange sensation ressentie sur le port la veille revenait lui picoter les tempes. Il avait tellement côtoyé la mort qu'avant même qu'elle ne frappe il la devinait. D'un coup d'épaule, il fracassa le bois de la porte et s'arrêta net.

Les pièges sont prêts, Négus ?

C'est peut-être notre dernière bataille côte à côte, mon ami...

— Ils arrivent...

Dans la nuit étoilée, les bouches exhalaient d'épaisses volutes de fumée. Le froid saisissait les hommes, les enserrait avec force, grappillant chaque degré de chaleur sous leurs armures couvertes de givre. À la lueur des torches, ils se tenaient prêts, couchés à même la neige, au pied des arbres. Debout à leur côté, Dun-Cadal serra la poignée de son épée, et dans le silence résonna le bruit de son gant de cuir glissant sous la garde.

— Je ne les entends pas, murmura Grenouille allongé non loin de lui.

— Fais-lui confiance, dit Négus, adossé à un arbre à quelques pas de lui.

Il lui adressa un clin d'œil avant de relever la lame de son épée devant son visage. Ils étaient regroupés sur le flanc d'une petite montée au cœur des bois bordant Kapernevic, des centaines de soldats transis de froid qui attendaient l'assaut avec angoisse. Cela faisait une bonne heure que les rabatteurs avaient quitté leurs positions, se faufilant entre les arbres à pas feutrés à la recherche du camp des révoltés. Leur mission était simple... : simuler une attaque surprise, jouer la retraite, et attirer l'armée ennemie, certaine de sa supériorité, au point voulu. Dun-Cadal avait imaginé ce plan au dernier moment, s'appuyant sur les dires de Négus, après avoir considéré toutes les possibilités. L'imbécillité des dragons était la clé de voûte de son plan, la faille dans la stratégie de Stromdag. Il ne restait plus qu'à en tirer parti. Et c'est étrangement grâce à Aladzio que l'idée lui était venue. Il était temps de juger si elle était judicieuse.

— Gardez vos positions, ordonna-t-il à voix basse en s'agenouillant au sommet de la montée.

Dans l'obscurité, il discernait à peine les mouvements des pins. Était-ce le vent qui pliait les branches ? Non. Des ombres couraient dans leur direction. L'intuition de Dun-Cadal s'avérait. Le cliquetis des armures que produisait leur course éperdue se fit plus net et, avec lui, comme un roulement qui les suivait. Une première voix hurla :

— Ils arrivent !

Une seconde…

— Alerte !

Dun-Cadal et Négus échangèrent un regard décidé. C'était maintenant que tout allait se jouer et c'était bien là la seule faille visible d'une telle stratégie. Tout reposait sur l'inventivité d'un homme qui, jusqu'à présent, n'avait réussi qu'à brûler une grange. Grenouille s'était montré réticent à l'exposé du plan. Négus avait cru d'abord à une plaisanterie.

— Piquiers, tonna Dun-Cadal.

Ce n'en était pas une. Les premiers soldats dressèrent leurs lances. Devant eux, à quelques mètres seulement, des fantassins armés de haches calmaient leur angoisse, adossés aux pins. Sur les troncs des conifères, des cordes avaient été enroulées. Le roulement… Le claquement. Le claquement, le roulement.

— Ils sont là ! cria un homme s'extirpant d'un bond de la pénombre.

Suivirent dix rabatteurs, le souffle court. Et plusieurs rugissements assourdissants retentirent dans la nuit. Ce n'était plus un roulement désormais, mais un boucan infernal, un mélange de bois brisé et de terre retournée. Quand la gueule du premier dragon surgit à la lueur des torches, il n'y eut pas un instant d'hésitation.

— Maintenant ! lâcha Dun-Cadal en se redressant.

Les haches s'abattirent sur les cordes, vives, brutales. Il ne fallut que trois coups pour qu'elles soient tranchées, relâchant aussitôt l'énorme filet masqué au pied des pins. Hérissé de barbelés, le piège jaillit du sol, projetant autour de lui le tapis de neige et d'épines le recouvrant. Les dragons avaient de nouveau suivi leur colère, sans réfléchir, cavalant dans la forêt. Le premier d'entre eux fut bloqué net. À gauche comme à droite, ses frères subissaient le même sort. Ils eurent beau déplier leurs ailes tordues dans un réflexe, les battre avec vigueur en grondant, leur tête était prise au piège dans d'épaisses mailles de cordes et de métal.

Les piquiers chargèrent alors en hurlant, tranchant le cuir prisonnier. Dun-Cadal termina l'assaut, plantant son épée dans l'œil exorbité de la bête la plus proche. En se retournant, il aperçut Grenouille, les bras ballants, une main tenant à peine son épée. Il restait bouche bée devant leur corps massif parsemé de boursouflures de chairs grises, leur longue gueule hérissée de crocs luisant de bave, leurs narines épaisses exhalant des nuages de fumée. Dun-Cadal lui en avait pourtant décrit avant le combat. Les voir, devant soi, gigotant avec force pour se sortir du filet qui entravait leur mouvement, c'était tout autre chose.

—Grenouille !

Il ne répondit pas. Il ne bougea pas. Il ne perçut même pas les hurlements stridents des guerriers approchant.

—Grenouille ! Bouge-toi, par les dieux !

Ils arrivèrent tel un flot tumultueux, surgissant entre les pins, de tous âges, de toutes tailles, mercenaires, soldats, paysans, contournant les dragons ou gravissant leur carcasse pour sauter dans la mêlée. La rage était leur écume, la vaillance leurs vagues incessantes. Et ce fut un chaos indescriptible, les lames s'entrechoquant, les bras, les jambes, les têtes coupées, les corps tombant lourdement sur le sol, les râles déchirant la nuit. Le rythme des coups tonnait, les grognements des dragons prisonniers s'ajoutaient aux cris des belligérants comme un écho. Il y avait partout la même animalité, la même violence, la même colère…

Grenouille para un coup, en esquiva un second avant de porter l'estocade à son tour. Et de sa main libre frappa la tête de l'un de ses assaillants.

—Grenouille ! Là-bas !

Après avoir porté le coup de grâce à la silhouette lui faisant face, il se retourna vers Dun-Cadal, la pointe de l'épée couverte d'un sang poisseux et noir qui glissait en un fin filament. Le général bataillait à quelques pas de lui, se contentant pour le moment de bloquer les coups du plat de son épée.

—Le dragon! hurla-t-il.

Le garçon fit volte-face. Dix mètres plus loin, l'une des bêtes réussissait déjà à déchirer les mailles de son filet à grands coups de dents, écrasant de ses pattes les malheureux soldats qui tentaient de la retenir. Sans attendre, il s'élança vers elle. L'anarchie des combats se referma derrière lui.

—Daermon! tonna Négus non loin de lui.

Son épée taillait les chairs, coupait les membres, claquait contre les lames en vibrant. Parfois, il se contentait d'écarter les bras, créant autour de lui un *Souffle* puissant qui projetait ses adversaires quelques mètres plus loin. Malgré son poids, il gardait une certaine souplesse, évitant les coups, se courbant aussitôt pour planter l'épée dans une cuirasse. Pas un visage ne se différenciait des autres, ce n'étaient que des ombres mouvantes. Les généraux étaient habitués à ce tumulte, une tornade d'inconnus fondant sur eux, sans nom, sans histoire, sans rien qui vaille la peine d'être retenu. Eux aussi avaient une vie, une famille, des rêves comme des peurs, mais penser à leur humanité au cœur de la bataille, les considérer comme des semblables, c'était courir à sa perte. Les gestes étaient mécaniques, de simples réflexes parfois, la somme d'années d'apprentissage du combat. Dun-Cadal mit à terre l'un des assaillants, sans percevoir une présence derrière lui. Un mercenaire brandissait une hache et au moment de l'abattre sur le général…

—Foutreciel! rugit Dun-Cadal en se retournant au bruit de l'épée perçant le corps du rebelle.

L'homme tomba à genoux, une expression de stupeur figée sur son visage. Derrière lui se dressait Négus, un rictus tordant ses lèvres gercées par le froid mordant. Dun-Cadal laissa échapper un soupir de soulagement.

—Je t'ai sauvé la vie, mon ami, remarqua fièrement Négus, se plaçant aussitôt à ses côtés.

La neige se couvrait de sang, comme une injure.

Les pins pliaient sous les coups des dragons piégés. Les silhouettes noires, à peine éclairées par des torches vacillantes, se mouvaient en une danse mortelle. Et parmi elles Dun-Cadal cherchait désespérément celle de son élève. Quand il l'aperçut enfin, Grenouille se frayait un passage parmi les révoltés, tournoyant, roulant, sautant. Sa lame scintillait d'un éclat rougeoyant à chaque coup porté. Il n'était plus qu'à quelques mètres du grand dragon qui, d'une gueule puissante et rageuse, mettait à mal le filet le bloquant jusqu'aux épaules.

— C'est le dragon rouge, souffla Négus. Dun-Cadal ! Le filet ne tiendra pas !

Il était plus grand que les autres, les muscles saillants sous des écailles d'un rouge vif, deux cornes vrillant au-dessus de ses yeux jaunes fendus d'un noir de jais. De ses naseaux s'échappaient des volutes de fumée, dansant les unes autour des autres avec grâce. C'en était presque hypnotique. Son rugissement arrêta net le garçon dans sa course. D'un coup de crocs, la bête finit de déchirer le filet, écartant les mailles, et redressa la tête d'un mouvement de cou circulaire. Ces mailles avaient été renforcées de barbelés, elles auraient dû tenir ! Les rouges étaient si rares et belliqueux qu'à aucun moment Dun-Cadal n'avait jugé Stromdag capable d'oser en rabattre un vers eux. En dépit du risque que la bête ne se retourne contre son armée, Stromdag avait réussi à s'en faire un allié.

Lorsqu'elle ouvrit grande la gueule, inspirant l'air, le bras de son ami retint Dun-Cadal.

— Grenouille ! hurla-t-il.

— Dun-Cadal, non ! ordonna Négus.

D'un mouvement brusque, le dragon rouge allongea le cou, gueule béante, découvrant une langue fine terminée par deux crochets. Non loin de sa luette, deux bourrelets de chair rosâtre se contractèrent, et un torrent de feu jaillit. Les flammes affamées consumèrent les hommes les plus proches, se jetèrent sur les pins avec avidité, et l'embrasement fut si soudain que Grenouille se retrouva projeté deux mètres plus loin. Sonné, il aperçut la bête battre des ailes et s'élever en grondant.

— Grenouille ! Fuis ! tonna Dun-Cadal en repoussant Négus d'un coup de coude, prêt à s'élancer vers son apprenti.

— Dun-Cadal ! Il faut battre en retraite !

Il se retourna d'un coup sec. Le crépitement des flammes, les armes qui s'entrechoquaient, tout devenait assourdissant. Négus dut hausser la voix pour couvrir le fracas.

— Nous devons battre en retraite !

— On ne peut pas reculer ! objecta Dun-Cadal.

Plus loin, Grenouille s'était relevé, encore groggy, suivant du regard l'ombre imposante de la bête furieuse. Elle cracha une nouvelle langue de feu avant de glisser au-dessus des pins. Les hurlements des soldats, piégés dans leur armure chauffée à blanc, manquèrent de le faire vaciller de peur. Les torches humaines se débattaient, dévorées par les flammes, se jetant dans la neige dans l'espoir de les étouffer.

— Grenouille ! appela Dun-Cadal.

Des cris stridents, des appels lugubres précédèrent l'arrivée des mineurs. Ils surgirent, avec pour seules armes leurs pioches brandies, prêtes à creuser la chair à grands coups, jusqu'à rompre les os.

— Daermon !

Les deux généraux furent rapidement encerclés et, dos à dos, réussirent à contenir le flot des assaillants. La meute se refermait sur eux par vagues. Estoc, parade, lames tournoyantes… *Souffle…* Les mineurs volèrent, se fracassant contre les pins en flammes, retombant lourdement sur les rochers couverts de neige fondante…

Négus… mon ami…

Tout était perdu. La libération du dragon rouge, qui volait au-dessus des bois en poussant de longs cris rauques et menaçants, brisait tout courage. Les soldats de l'Empire commençaient à fuir.

Les épées fendaient l'air, paraient, frappaient, tranchaient. Et aux mineurs se joignirent des mercenaires plus habiles.

Combien de temps se poursuivit le combat ? Quelques minutes ? Il parut durer une éternité. Les généraux tombaient, Stromdag pourrait fondre sur Kapernevic, attisant la colère du dragon rouge pour qu'il brûle tout sur son passage. Aucune armée de l'Empire ne pourrait l'arrêter.

Nous aurions pu mourir là-bas, ensemble… Peut-être eût-il mieux valu que nous y laissions nos vies, côte à côte, quand nous n'étions pas aussi différents.

Jusqu'à ce hurlement. Ce bruit sourd, puissant, bestial. C'était un cri de détresse qui déchira la nuit et perturba les assauts ennemis. Et loin, au-dessus des cimes, la silhouette du dragon rouge battait des ailes avec force, baignée par la lumière de la pleine lune. Haut dans le ciel, le dragon était tiré vers le sol par quelque chose d'indicible mais de si puissant qu'il agitait frénétiquement la tête, grondant. La peur changea de camp. La panique se faufila dans les rangs ennemis. La bête avait beau se cabrer en tous sens, elle restait prisonnière de cette force invisible. C'était grand et terrifiant, et cela réussissait à la maintenir malgré ses soubresauts. Dun-Cadal et Négus reconnaissaient ce pouvoir. Pour autant, jamais, de toute leur vie, ils n'avaient assisté à une telle démonstration du *Souffle*. Qui étaient-ils et surtout combien, des chevaliers de l'Empire, agissaient avec autant de maîtrise? Il fallait une volonté inébranlable pour se risquer à pareil usage. Un *Souffle* mal contrôlé, et le corps tout entier se voyait meurtri, des os à la chair... Tout autour, la crainte gagnait les révoltés. Déjà, les troupes ennemies se clairsemaient, redoutant la chute de leur atout.

Le dragon rouge fut comme happé, disparaissant dans les pins. Sa chute s'accompagna d'un craquement d'arbres, puis d'un coup sourd, semblable à un tremblement de terre aussi bref que violent.

—Par les dieux, souffla Négus.

Ce fut le tournant de la bataille. La nouvelle de la chute du dragon rouge se propagea telle une traînée de poudre. Les hommes de Stromdag battirent en retraite sans demander leur reste. Il n'y eut bientôt plus rien que le crépitement des flammes continuant de se repaître des carcasses, les soupirs des survivants, les râles des mourants. Il eut beau parcourir la forêt du regard, Dun-Cadal ne trouva trace de son élève. Il vérifia chaque corps à terre, chaque visage tuméfié, brûlé, soulevant ce qui restait des cadavres avec rage. Mais il n'y avait pas de Grenouille.

—Dun-Cadal, dit Négus dans son dos.

Ce n'était pas ce corps-là, ni celui-ci... Il ne restait plus que les soldats calcinés près du piège déchiré par le dragon rouge.

—Dun-Cadal! réitéra Négus avec force.

Il l'attrapa par l'épaule et le contraignit à se redresser.

—Il est là, annonça-t-il.

Dans la nuit claire, à la lumière vacillante des flammes, il avançait en boitant, la capuche rabattue sur la tête, un filet de sang au coin des lèvres. Et, sous son bras, une corne...

— *Tu n'es pas prêt.*

— *Je peux le faire!*

... qu'il jeta aux pieds de son mentor avant de s'écrouler à genoux.

—Je crois… je crois que nous avons gagné, balbutia-t-il.

Aux côtés de Dun-Cadal, Négus restait bouche bée. Le gamin venait de maîtriser le *Souffle* comme jamais personne auparavant.

Je serai le plus grand chevalier…

Dans l'embrasure de la porte, Dun-Cadal marqua un temps, ses doigts desserrant lentement la poignée de son épée.

Tu m'as sauvé la vie… à Kapernevic…

Là, parmi des parchemins déroulés, des livres ouverts en pagaille, gisait son ancien camarade, les yeux encore ouverts mais sans plus aucune lueur. Sa tête reposait sur le bord d'une cheminée de pierre.

Je suis désolé de ne pas avoir pu sauver la tienne…

Venant de l'âtre, des particules de suie tourbillonnaient non loin du cadavre, puis partaient en s'estompant au pied d'une fenêtre ouverte. De fins rideaux bleus ondulaient sous une brise légère, laissant apparaître la teinte brune de la rue voisine.

—Arrêtez! Arrêtez-vous! hurla le garde dans la salle.

Dun-Cadal se releva péniblement, sous le regard inquiet de Viola. S'arrêter? Alors que l'assassin était encore tout proche? Pure folie! Dun-Cadal traversa le bureau d'un pas rapide et enjamba la fenêtre au moment même où le soldat entrait dans la pièce. Il ignora son appel et se laissa retomber dans une ruelle pavée débouchant sur une avenue bondée. Son sang ne fit qu'un tour lorsqu'il aperçut, se faufilant parmi la foule, la silhouette athlétique de l'assassin. Le visage masqué par l'ombre d'une fine capuche, une veste d'un vert sombre couvrant le haut de ses cuisses, il jeta un bref coup d'œil par-dessus son épaule et pressa le pas.

—Alerte! appela le soldat encore quelque peu étourdi, les mains sur le bord de la fenêtre.

Les affaires de ce monde ne te concernent plus…

Ivre de rage, Dun-Cadal s'élança dans la ruelle puis plongea dans le flot ininterrompu parcourant l'avenue marchande. Il bouscula un homme au passage, manquant de lui assener un coup d'épée.

Daermon!

Le cœur battant, il secoua la tête, tournant sur lui-même, cherchant du regard un quelconque signe de Logrid. Mais il n'y avait que des gens. Des centaines de gens, des costumes fins, des haillons, hommes, femmes, Nâagas, marchands, notables… des odeurs, épices, parfums, roses, muguet… transpiration. Sous le soleil du Sud, tout se mélangeait, couleurs et bouquets, crasse et puanteurs. La tête lui tournait. Et il le reconnut, courant avec grâce, se mouvant sans bousculer aucun passant. Dun-Cadal poussa un grognement puis partit à sa poursuite, jouant des coudes sans gêne. Des cris s'élevèrent alors, à la vue de son épée brandie.

Ses jambes devenaient lourdes. Sa poitrine le brûlait, ses poumons laissaient filer l'air en sifflant, sa gorge n'était plus qu'un conduit râpeux, comme une plaie à vif. Et de ses yeux coulèrent quelques larmes. Mais il courait, courait encore et toujours, fonçant au travers d'un étal dans un fracas de tous les diables. Il pourchassa l'homme dans plusieurs rues, croyant chaque fois gagner du terrain. Ou bien était-ce l'assassin qui s'assurait que le vieil homme ne lâchait pas prise ?

Au loin résonnaient les claquements des bottes de la garde et avec eux les cris d'effroi des habitants.

Le souffle lui manquait, son cœur battait à un rythme irrégulier, sautant dans sa poitrine comme s'il voulait s'en échapper. Ses tempes cognaient. Il allait tomber.

Non.

Il continua. Il devait continuer. Il avait combattu des armées, il avait parcouru l'Empire jusqu'aux régions reculées. Une simple course ne l'arrêterait pas. L'orgueil fut une planche de salut sur laquelle il prit appui et il redoubla d'effort en s'engageant dans une ruelle à l'ombre de deux grands immeubles. Au bout, un amas de caisses reposait contre un mur deux fois plus haut qu'un homme. Pris au piège, l'assassin restait immobile.

— Toi…, cracha Dun-Cadal le souffle terriblement court, la respiration sifflante. Toi !

Parfois… je te hais.

Il brandit son épée devant lui avec une étonnante difficulté. Elle lui paraissait désormais faire le triple de son poids et il s'aida de son autre bras pour la maintenir droite.

— Retourne-toi, ordonna-t-il d'une voix faible et éraillée. Retourne-toi !

Il le fallait, Dun-Cadal… Je suis l'Empereur, je me dois de prendre les décisions les plus difficiles. C'est mon devoir.

Lentement… très lentement, l'assassin obéit. Pas un trait de son visage n'apparaissait dans l'ombre de sa capuche. Et résonnaient dans la tête du vieil homme des moments passés, aussi tranchants que le fil d'une épée. Il manqua de fléchir en s'avançant vers Logrid.

— Pourquoi… pourquoi as-tu tué Négus…, demanda-t-il dans un souffle lourd. Pourquoi es-tu revenu d'entre les morts ?! Sors ton épée ! Sors-la !

— Tu es encore trop faible, murmura l'assassin sans faire un geste.

Sa voix était étrange, grave et forcée.

— Faible, grinça Dun-Cadal.

Il avança d'un pas peu assuré, tremblant plus par épuisement que par crainte. Peu à peu, sa respiration se calmait bien que sa gorge restât terriblement sèche.

— Ne me mésestime pas… Logrid, conseilla-t-il, un sourire menaçant ourlant ses lèvres. Je reste le général Dun-Cadal Daermon !

Il retrouvait une certaine puissance dans la voix, mue par la rage qui bouillonnait en lui. Il redressait lentement le dos, l'allure fière. Son regard, sans perdre sa lueur de tristesse, parut soudain plus décidé. Enfin, il avait un but, une lumière qui guidait son chemin. Là, devant lui, la boucle pouvait être bouclée. Sous l'ivrogne renaissait le général. Sa descente aux enfers avait commencé après que l'assassin eut commis l'irréparable. Elle se terminerait sans nul doute ici, dans une simple ruelle de Masalia. D'un poignet souple, il fit tourner l'épée devant lui.

— Je suis le général Dun-Cadal Daermon, répéta-t-il à voix basse, comme pour s'en convaincre. J'étais l'un des plus grands.

Dans l'ombre de sa capuche, l'assassin restait impassible, observant le général avancer vers lui à pas mesurés.

— Et même si le temps a fait son œuvre, continuait-il d'une voix de plus en plus rocailleuse, même si mon cœur ne bat plus que par à-coups, las et brisé, je demeure… un… général. Ne l'oublie jamais.

Parfois…

— Je suis heureux que tu t'en souviennes, répondit l'assassin. Mais je ne me battrai pas avec toi. Pas tant que je n'aurai pas la rapière.

La réponse le surprit tant qu'il s'arrêta net sans pour autant baisser sa garde. Éraëd ? Parlait-il d'Éraëd ?

—Sors ton épée! rugit Dun-Cadal en pointant sa lame vers l'assassin d'un air de défi. Sors-la qu'on en finisse maintenant!

L'homme recula d'un pas, la main remontant lentement vers la garde de son épée.

… je te hais.

—Des comme toi, j'en donnerais des centaines contre un seul Grenouille, pesta le général. Tu ne vaux rien. Tu n'es rien!

—Fierté retrouvée, Dun-Cadal? sembla-t-il sourire en inclinant la tête de côté.

Il abaissa la main.

—Enfin, te revoilà parmi nous, conclut-il.

La surprise figea Dun-Cadal. L'assassin avait fait volte-face avec une étonnante célérité, grimpant sur les caisses empilées.

—Reviens, balbutia le général. Reviens, lâche!

L'homme bondit par-dessus le mur sans lui jeter un regard. Déjà, les bottes de la garde républicaine claquaient dans le dos du général.

—Je te tuerai, Logrid, par les dieux! Je le jure! Je te tuerai! Tu paieras! hurla-t-il.

—Halte-là! somma une voix.

Il ne bougea pas lorsque les hallebardes s'abaissèrent vers lui. Les gardes l'encerclèrent, mais il ne les regardait pas. Ses yeux fixaient le haut du mur au-dessus duquel Logrid avait sauté.

—… tu paieras…, murmura-t-il dans le vide.

—Lâche ton épée, tueur! Lâche-la!

Il ne se défendit pas lorsqu'on le désarma. Il ne dit mot ni ne réagit lorsqu'ils l'emmenèrent au cachot.

… je te hais.

10

Logrid

Ne l'oubliez jamais, Dun-Cadal !
N'oubliez jamais d'où vous venez
Et ce qui vous a permis d'être général.
Ce n'est en aucune façon
Votre sens de l'honneur.

Ils avaient rejoint Éméris, auréolés d'une gloire nouvelle. Kapernevic avait été sauvée, son terrible dragon rouge abattu et les rumeurs allaient bon train sur l'identité de celui qui avait accompli un tel exploit. Si peu de gens connurent le nom du chevalier exemplaire dont le talent avait mis à terre un monstre légendaire, les élèves de l'académie soupçonnèrent l'un des leurs. Celui qui, même présent, continuait à être une ombre. Il s'en fallut de peu pour que le mystérieux Grenouille, le seul de leurs camarades à parcourir les champs de bataille, ne soit reçu par l'Empereur Asham Ivani Reyes et ne reçoive les honneurs pour ses hauts faits.

Car, chaque fois que le garçon retrouvait les classes, profitait des cours d'escrime, de maîtrise du *Souffle*, de stratégie, il démontrait ses talents et son avance, acquise par la pratique de la guerre. Était-ce dû à son évidente supériorité qu'il préférait garder ses distances ? Pas un ami ne lui était connu. À vrai dire, les jeunes nobles appartenant à sa promotion le regardaient avec envie, jalousie mais aussi crainte. Qui pouvait dire ce dont ce Grenouille, servant le mythique général Daermon, était capable ?

175

Un dragon était tombé à Kapernevic. Que cet homme brillant et son apprenti aient pris part à cette bataille n'avait rien d'étonnant. Et l'idée que Grenouille ait usé du *Souffle* pour faire tomber la bête, si elle paraissait improbable en considérant la difficulté d'un tel acte, était pourtant évoquée avec sérieux. Partout où ils se rendaient, leurs exploits, même dans les défaites, remontaient jusqu'aux couloirs du palais. À eux seuls, peut-être gagneraient-ils cette guerre...

L'élève qui, d'une main ferme, tenait son épée dans la grande cour de l'académie n'arrivait pas à chasser cette idée. En face de lui, Grenouille le fixait d'un regard décidé, un regard que rien ne semblait pouvoir faire baisser, un regard qui s'accrochait à sa proie et en devinait chaque émotion. Tout autour d'eux, en cercle, leurs camarades les observaient avec appréhension. Les cours de duel leur permettaient de mettre en pratique ce qu'ils avaient pu apprendre en théorie, et la plupart s'y soumettaient avec un certain entrain. Hormis quand Grenouille revenait parmi eux.

—Engagez! ordonna le professeur au milieu des étudiants.

Les lames se croisèrent aussitôt en un claquement sec. Appuyé contre une colonne, les bras croisés, Dun-Cadal observa son apprenti se défaire aisément de son ennemi. En seulement quelques attaques, il le mit à terre, le désarmant d'une brève secousse de poignet pour s'accroupir et le balayer d'un mouvement de jambe. Et, comme pour signer son œuvre, il laissa filer la pointe de son épée sous l'œil droit. Du sang coula de la fine plaie sans que l'élève se décide à l'essuyer d'un revers de manche. Il n'y eut pas un applaudissement, pas un bruit, tout juste le bruissement du vent dans les arbres bordant la cour intérieure. Il se redressa sur ses coudes et déglutit, le ventre serré. Grenouille le surplombait en silence, la lame de l'épée pointée vers sa gorge. Son regard n'exprimait rien, son allure seule imposait le respect.

—Bien. Vous avez tous vu de quelle manière Grenouille a remporté ce duel, dit le professeur en avançant au milieu du cercle, les mains posées sur les hanches. Avant même de croiser le fer, il avait déjà gagné. Pourquoi, selon vous?

Parce qu'il sera le plus grand, pensa Dun-Cadal, un sourire en coin, avant de s'éloigner de la cour intérieure, arpentant les longs couloirs ouverts de l'académie jusqu'à la place au milieu de laquelle trônait une fontaine. C'est sur ses bords qu'il avait retrouvé Grenouille, le visage tuméfié après une rixe, lors de leur premier retour à Éméris. Il la contempla, pensif, quelque peu agité de remords. Grenouille n'avait-il pas à lui seul défait un dragon rouge ? Alors pourquoi donc allait-il le surveiller dès qu'il en avait l'occasion ? Peut-être pour se féliciter de l'avoir découvert, seul, au cœur des Salines. Cet enfant était un diamant brut qui n'attendait que d'être taillé pour devenir un joyau. Ou bien… s'inquiétait-il encore et toujours de son seul bien-être ?

— Les dieux veillent sur lui, soyez-en certain, général, mais eux seuls connaissent le rôle qu'ils lui ont attribué dans cette épreuve qu'est notre vie.

Il avait marché une bonne heure dans les couloirs du palais, hésitant à rejoindre Mildrel qu'il avait quittée au matin sur une nouvelle dispute. Il était prêt à la serrer dans ses bras de nouveau, mais craignait que, s'il voulait arriver à ses fins, elle ne le force à s'excuser. Chose qu'il répugnait à faire. Quand bien même éprouvait-il des sentiments pour elle, ce n'était qu'une courtisane. Il avait marché… jusqu'à pousser les lourdes portes de la cathédrale des dieux.

— Je prie pour lui, tous les jours…, confia Dun-Cadal.

— Comme nous prions tous pour les soldats menant la guerre aux révoltés, lui sourit l'évêque assis à son côté.

Sur les piliers longeant le chœur de la cathédrale, des dizaines de statues au visage figé, représentant des hommes et femmes en longue toge, sans que rien puisse les différencier des simples mortels. Ici, les dieux avaient un visage semblable aux hommes, leur caractère divin n'étant signifié que par leur taille démesurée. Proches de l'autel de pierre sur lequel tombait la lumière du soleil transperçant un immense vitrail circulaire, des bancs de bois vides se suivaient en un ordre parfait. Sur la première rangée, Dun-Cadal s'était recueilli avant que l'évêque d'Éméris, dans sa grande toge blanche et dorée, une coiffe rouge retombant sur ses épaules, ne vienne s'asseoir à sa droite. Son visage gris se striait de rides profondes, de fins cheveux blancs pareils à des fils de soie glissant le long de sa nuque. Leurs pointes effleuraient le vaste col rigide teinté de violet de sa robe. D'une main tachée de brun, il tapota l'épaule du général, d'un geste semblable à celui d'un père pour son fils.

— Et je prie particulièrement pour vous, mon vieil ami.

À son arrivée à Éméris, Dun-Cadal avait trouvé refuge ici, à de nombreuses reprises, dans des moments de doute, de faiblesse et de crainte. Plus encore, il avait emprunté, grâce à sa foi, le chemin menant au prestige. Et pour cause. L'évêque s'appelait Anvelin Evgueni Reyes, et avait pour neveu l'Empereur actuel. S'il n'avait pas vu en lui plus que ce qu'il montrait alors, Dun-Cadal n'aurait jamais été présenté à la cour, n'aurait jamais sauvé la vie du jeune Asham Ivani, n'aurait jamais eu comme première vie celle de garde du corps... avant de devenir la première Main.

— Nul ne sait ce que les dieux ont prévu, continua le vieil homme. De difficiles épreuves sont à venir, mais, pour vous aider à les surmonter, j'ai tendance à croire qu'ils vous ont accordé l'aide d'un jeune garçon.

— Il vaut mieux que cela, rétorqua Dun-Cadal sans aucune animosité, avec juste le sentiment d'énoncer une simple vérité.

— Ah bon ?

— Je crois plutôt que nos dieux l'ont fait venir à moi pour qu'il gagne cette guerre. Et protège l'Empire.

L'évêque acquiesça d'un bref signe de tête, portant un poing fermé à la bouche pour retenir une forte quinte de toux. Puis, fébrilement, il chercha dans sa robe un mouchoir qui lui servît à essuyer le bord de ses lèvres.

— Alors ils ont choisi l'homme qu'il fallait pour lui apprendre à devenir « grand », dit-il.

Il se leva, parcourant la grande salle d'un œil respectueux. Les dieux statufiés se défiaient du regard. Majestueux, ils ne souffraient d'aucune fêlure dans leur gangue de pierre. Chaque jour, des artisans venaient s'en assurer, colmatant les effritements du temps.

— L'Empire est comme ces statues, nota l'évêque en joignant les mains devant lui. Les années passant, il se fragilise. Il faut des faits d'armes et de grandes batailles pour que sa splendeur rayonne. C'est ainsi qu'Adismas Deo Cagliere est devenu le premier Empereur. Un fervent croyant. Au point de rechercher le *Liaber Dest* et de se persuader qu'il serait le premier à remettre la main dessus.

Il marqua un temps, pensif, un léger sourire ourlant ses lèvres fines.

— C'est ce qui a perdu sa dynastie au profit de la nôtre, je le crains, se moqua-t-il dans un rire contenu, avant de continuer : Toujours est-il que Deo Cagliere a commenté à de nombreuses reprises les deux autres *Liaber* à défaut de posséder le Livre Sacré. J'aimerais, avant de vous laisser à votre recueillement, vous citer cet extrait du *Liaber Deis* et ce que Deo Cagliere a ajouté.

Pour la première fois depuis qu'il s'était assis sur le banc, Dun-Cadal leva les yeux vers l'évêque, desserrant ses mains jointes. Et, tout naturellement, Anvelin baissa les siens vers lui, la tête légèrement inclinée de côté.

—Le *Liaber Deis* dit ceci : « Nul n'est aussi grand que les dieux. Mais les dieux veillent à ce qu'entre les hommes et eux se lèvent de grandes destinées. Si les dieux ne sont pas nommés, les héros, sur ce monde, le seront. » Et Deo Cagliere d'ajouter…

Il se pencha légèrement en avant, prêt à chuchoter.

—… et d'ajouter, reprit-il. « Il est étrange comme de grands noms se succèdent… »

Lentement, il se redressa, détournant son regard.

—Si les dieux ont mis cet enfant sur votre route, ce n'est pas uniquement pour sauver votre vie… Il sera l'écho de votre grandeur, pour le bien de l'Empire. Je prierai pour vous et cet enfant. L'Empereur joindra ses pensées aux miennes, j'en suis certain. Et nul doute que les dieux le savent déjà et ont tout prévu pour que nos demandes soient entendues.

Il lui adressa un dernier sourire avant de tourner les talons, de longer l'autel et de disparaître par une petite porte de bois qu'il ferma doucement derrière lui. De nouveau seul, le général resserra ses doigts, fermant les yeux dans un long soupir. Les paroles de l'évêque lui étaient d'un réconfort certain. Les dieux avaient donc prévu de lier les destins du mentor et de l'élève, pour que ce dernier soit encore plus grand que son maître. Dun-Cadal était conscient de sa notoriété et des victoires qu'il avait, à lui seul, apportées à l'Empire. Qu'un jour, Grenouille puisse faire mieux était effectivement rassurant. Et, tout en essayant de garder cette seule idée en tête, il se remit à psalmodier une prière, chuchotant presque, répétant inlassablement la même requête. Que cette guerre se termine avec gloire, que Grenouille y survive avec honneur et que, si sa vie s'achevait durant la dernière bataille, il y meure avec dignité. Il serrait les mains, plissait les yeux comme si sa vie en dépendait. Il priait pour que le destin décidé au début des temps soit aussi grand qu'il l'espérait. Telle était la véritable foi. Accepter et remercier les dieux.

—Piètres paroles…, siffla une voix dans son dos.

Les lèvres du général se figèrent alors qu'il ouvrait lentement les yeux.

—Comment?

—Piètres et vaines paroles quand, selon l'évêque et tous ses moutons, ce qui sera a déjà été décidé. Si les dieux ont écrit l'histoire des hommes, croyez-moi, ils ont déjà fermé le Livre et sont passés à autre chose. Pourquoi donc les louer? Si jamais le destin prévu ne vous convient pas...

Comment ne l'avait-il pas senti s'asseoir dans son dos, écarter les bras pour les passer derrière le dossier d'un air nonchalant, la pointe de son fourreau raclant les dalles de la cathédrale? Lentement, Dun-Cadal se redressa. Puis il tourna la tête, assez pour découvrir la silhouette sombre de l'assassin d'un simple coup d'œil par-dessus son épaule. La Main de l'Empereur arborait son éternelle allure mystérieuse, l'ombre de sa capuche rabaissée masquant totalement son visage. Sa cape verte s'ouvrait sur un plastron de cuir clouté, une ceinture ornée de multiples dagues, et le pommeau argenté de sa rapière. Mais, dans la noirceur de son visage, Dun-Cadal était certain que Logrid ne cessait de le jauger.

—Je t'estimais, lâcha subitement le général.

—Je n'ai jamais cessé de vous rendre la pareille, rétorqua l'homme d'une voix sourde. Seulement... je vois désormais vos failles.

—Ma foi n'en est pas une.

—Quand elle vous aveugle, il me semble que si, Dun-Cadal.

Le général passa un bras sur le dossier du banc, se tournant de côté, et ferma le poing. Il soutenait le regard de Logrid qu'il devinait dans l'ombre. L'assassin n'esquissa pas un geste.

—Tu étais bon, Logrid... tu étais bon...

Il hochait la tête d'un air de dépit.

—C'est peut-être que je n'ai pas trouvé l'expiation, comme vous, dans la foi... Ou que contrairement à vous, j'ai plus de mal à expliquer ce pour quoi nous sommes faits. Et ce que l'on me demande de faire.

—Je n'ai jamais aimé donner la mort, moi! rugit Dun-Cadal en se redressant.

D'une main ferme et ouverte, il frappa le dossier du banc. Le bois trembla. Le claquement de sa paume eut un terrible écho dans la cathédrale, suivi d'un silence pesant. Son vis-à-vis n'en fut pas troublé, immobile et serein.

180

— Et votre… Grenouille, cracha Logrid. Lui avez-vous demandé ce qu'il en pensait ? Il sera bien trop tard quand vous vous rendrez compte qu'il a pris goût à ce pouvoir.

— Tu ne sais pas…

— … ôter la vie en justifiant cet acte, continua Logrid.

— Tu ne sais pas de quoi tu parles…

— Quelle nouvelle créature allez-vous engendrer, *général* Daermon… ?

Dun-Cadal détourna les yeux, reprenant sa place sur le banc sans se rendre compte qu'il fuyait la confrontation. Il était pris de court, se remémorant l'espoir qu'il avait placé en Logrid avant d'être nommé général et de lui céder sa place. Ce jeune homme avait été si habile, si doué au combat, si… patient. Quand s'était-il perverti au point d'arborer cet air cruel ?

— Allez-vous en faire une nouvelle Main de l'Empereur pour que votre création soit éternelle ?

— Il suffit, Logrid…, soupira Dun-Cadal en baissant la tête. C'est la jalousie qui te fait parler.

Il marqua un temps et reprit :

— Il sera plus que ce que tu n'aurais jamais pu rêver devenir.

— Il vous trahira.

— Suffit, j'ai dit, gronda Dun-Cadal. Il vaut bien mieux que…

— Qu'un assassin ? l'interrompit Logrid avec violence.

Il attrapa le dossier des deux mains et sauta par-dessus avec une telle souplesse qu'il n'y eut pas un bruit. D'un pas, il surplomba le général, les doigts de sa main droite effleurant le pommeau de son épée.

— Vous avez été la première Main, Dun-Cadal. Vous m'avez créé juste pour que votre petit jouet ne sombre pas dans l'oubli ! Et que la famille impériale se souvienne de votre nom ! Juste par orgueil.

— Je t'ai choisi ! rugit Dun-Cadal pour se défendre.

Il se mit d'aplomb, repoussant Logrid. Plus le ton montait, plus l'écho se faisait fort dans la cathédrale, ricochant contre les statues et les vitraux du chœur. Des voix froides et métalliques qui s'entendaient encore à chaque nouvelle phrase.

— Oh oui, j'étais parfait pour vous. Sans attaches… Une mère morte de la syphilis, un père qui n'a jamais daigné me reconnaître mais qui, dans son infinie bonté, a payé mes études à l'académie.

Pour être un assassin, contrairement au chevalier, il faut emprunter la voie de la colère… non ?

—Il ne s'agissait pas de colère, objecta Dun-Cadal.

—Oh si, si, ne le niez pas, insista Logrid. La colère contre le reste du monde, ce monde qui voit en Reyes une fin de race. Oh oui, c'est moins glorieux que votre voie à vous, j'en conviens, mais elle est plus efficace.

—J'ai cru en toi ! Je pensais que…

—Donc, vous n'y croyez plus, assura sèchement Logrid. Seuls comptent pour vous des « dieux » qui ne se montrent jamais.

La poigne de Dun-Cadal se ferma sous la garde de son épée. Et deux lames furent tirées avec célérité pour se croiser au pied de l'autel.

—Tu blasphèmes…, dit-il entre ses dents.

—Vous êtes plus prompt à défendre ceux qui ne feront rien pour vous. Nous en revenons à l'aveuglement de votre foi.

Ils restèrent ainsi à se jauger, attendant que l'autre porte la première attaque, sans se préoccuper des conséquences de leur duel. Quelque chose les poussait à se défier ainsi, de vieilles rancœurs nourries par les ans, une déception mutuelle, le sentiment de s'être trompé l'un et l'autre sûrement. Et, plus que tout, la confrontation entre un maître et son élève comme une passation de pouvoir leur semblait par moments inévitable. Mais jamais ils n'avaient croisé le fer pour en découdre.

—Vous n'avez pas eu tort de croire en moi. Vous auriez tort de croire en ce gamin des Salines.

—Qu'en sais-tu… ?

—Car, si vous priez ici, ce n'est pas pour l'Empire. Mais pour lui.

Bouillonnant de rage, Dun-Cadal se fendit d'une première attaque que Logrid détourna sans mal. La deuxième en revanche lui fut bien plus difficile à éviter. D'un coup de reins, il se courba en arrière pour voir passer la lame au-dessus de son visage dans un grand arc de cercle. Il eut tout juste le temps de se redresser pour parer un coup faible sur le côté. Et le duel prit forme enfin, danse macabre de deux lames vibrant dans l'air pour s'embrasser avec fracas. Et le choc résonnait dans la cathédrale comme un glas terrifiant. Sous le regard figé des statues divines, ils s'affrontaient avec une dextérité dont peu pouvaient se vanter, cherchant la faille dans la garde de l'autre jusqu'à ce que tous les deux perçoivent leur brusque changement de respiration. Le temps sembla se dilater, chaque mouvement devenant plus lent. Puis ils levèrent leur main libre.

Les deux *Souffles* se percutèrent, propageant une onde de choc qui troubla leur vue. Ils tinrent debout malgré la puissance de l'impact, reculant l'un comme l'autre dans un nuage de poussière. Ils se toisèrent quelques secondes, la respiration sifflante.

—Vous… vous devriez ouvrir les yeux, Dun-Cadal…, conseilla Logrid, essoufflé.

—Sur QUOI? tonna le général. Sur quoi, Logrid?

—Sur les liens du comte d'Uster avec la famille Reyes. Sur la charge qui lui incombait et sur les raisons d'une telle révolte.

En chiens de faïence, ils s'observaient. Tous les deux voyaient leur rancœur exploser dans une violence exacerbée. Les mots, mal formulés ou mal perçus, n'avaient jamais été qu'une simple étincelle, une excuse à ce duel si souvent attendu. Leur chemin s'était séparé depuis si longtemps.

Ils reculèrent chacun d'un pas comme pour oublier leur rage. L'orgueil du maître face à l'ambition de son ancien élève… Jamais ils ne s'étaient vraiment compris.

—Il y a des partisans du comte d'Uster à Éméris, Dun-Cadal, continua l'assassin. Ils se sont réfugiés ici et œuvrent dans l'ombre! Contre nous! Ouvrez les yeux.

—Je les ai grands ouverts, rétorqua Dun-Cadal. Et ce que je vois devant moi ne me plaît guère…

—Les Salines, Dun-Cadal. Vous avez amené les Salines près de l'Empereur. Oubliez votre apprenti… Il ne sera pas assez fort pour défendre l'Empereur de ses véritables ennemis.

C'était donc ça. Dans le chaos, Logrid révélait sa jalousie.

—Je t'ai choisi, dit Dun-Cadal l'air sévère. Je t'ai choisi parmi tant d'autres pour prendre ma relève en tant que Main de l'Empereur. Grenouille ne prendra pas ta place. C'est autre chose qui l'attend.

Voilà de quoi, espérait-il, mettre un terme à la jalousie de Logrid qu'il soupçonnait d'avoir éclos avant même leur arrivée à Éméris. Jalousie qui avait poussé telle une mauvaise herbe avec leur récent succès au Nord et la chute du dragon rouge. Pour autant, Logrid eut une réaction inverse. Il avança d'un pas rapide, au bord de l'explosion, avant de se raviser… et de lentement ranger sa rapière au fourreau pour signifier qu'il ne souhaitait plus en découdre. Seule sa voix trahit sa colère. Elle roula dans sa gorge, grave et dure comme la roche.

— Vous croyez que je cherche à vous éloigner de votre nouvel élève parce que j'ai peur qu'il me remplace ?

— Il est doué, je te l'ai dit. Tu en as pris ombrage et je puis le comprendre, mais…

— Dun-Cadal…

La voix avait changé. Il y avait une certaine tristesse mêlée à de la déception.

— Ce n'est pas une simple révolte que vous pourrez mater par la force. Notre monde lui-même est en train de changer. Je fais ma part, mieux que quiconque. J'ôte les vies de ces pourritures qui menacent mais, seul, je ne pourrai rien… Des nobles sont prêts à suivre le vent si les révoltés gagnent les portes d'Éméris. Certains œuvrent déjà à la chute de notre cité.

Tant de divergences avaient grandi entre eux. Ils ne se comprenaient plus, si tant est qu'ils l'aient pu un jour.

— Je t'ai appris à tuer pour l'Empereur, pour le défendre, pas pour t'en enorgueillir, condamna Dun-Cadal d'un ton ferme. De mon temps, la Main était crainte ET respectée. Depuis que tu as pris l'uniforme, c'est tout ce que…

— … que vous avez bâti que je détruis, finit Logrid dans un murmure. Comme si je n'avais pas déjà entendu ce sermon. J'ai…

Il hésita. Avant de lever son poing ganté et de pointer l'index en direction du général. Il fit un pas, atteignant le bord de l'autel.

— … du respect pour vous. Vous m'avez beaucoup appris. Mais vous êtes si… paysan, cracha-t-il. Si vulgaire et terre à terre. Un ancien, voilà ce que vous êtes, Dun-Cadal. Jamais il ne vous est venu à l'esprit que je puisse, à mon tour, vous apprendre quelque chose.

— Par les dieux, Logrid, pesta le général.

— Cessez avec vos dieux ! gronda l'assassin. Sont-ils là pour vous prévenir du danger ? Je le suis !

Il recula d'un pas. Dans la lumière chaude de midi que déversait le grand vitrail, l'ombre de sa capuche disparut, laissant apparaître une bouche marquée d'une cicatrice sur la lèvre supérieure que peinait à recouvrir une barbe naissante.

—Des voix murmurent contre l'Empereur. Le mal qu'a fait naître Oratio d'Uster est ici désormais. Des voix qui conseillent à mauvais escient, masquent la vérité derrière des mots innocents. Les réfugiés des Salines conspirent contre Sa Majesté impériale, les nobles eux-mêmes sont prêts à l'abandonner si la révolte se fait révolution. Ils préserveront leur place, croyez-moi.

—Folie…, lâcha Dun-Cadal en détournant les yeux. Tu entends des choses et en déformes le sens.

—Je suis les yeux, les oreilles et la Main de l'Empereur, Dun-Cadal. Je suis le garant de l'Empire ! C'est en lui que je crois, pas en une quelconque divinité. C'est lui et son monde que je défendrai jusqu'à en mourir. Seulement, vous… vous n'écoutez plus, vous ne voyez plus… et votre main tremblera le jour où il faudra se battre.

Dun-Cadal hocha la tête d'un air de dégoût et se décida à quitter les lieux avant de ne plus contenir sa colère et sa déception. Ils en étaient venus aux lames, ils s'étaient défiés. Cette guerre semait donc ainsi le trouble pour que d'anciens alliés en arrivent à se haïr au point de s'entre-tuer.

—La guerre ne se gagne plus sur le champ de bataille, Dun-Cadal. Elle est désormais faite de mots et de promesses. De séductions, mensonges et trahisons. Ceux qui œuvrent le font dans l'ombre. Et qui mieux que moi pour le voir ?

Des mots, des promesses, des trahisons… Et si leur véritable duel était ainsi fait ? Las de parler, Dun-Cadal porta le coup de grâce.

—On se souviendra de son nom. Pas du tien…, dit-il le regard vague.

C'était sans compter sur les talents de Logrid, talents que son maître n'avait jamais décelés. Ceux du discours, du mot juste, de la capacité à déstabiliser et à blesser plus profondément qu'une lame.

—Personne d'autre ne m'a entendu dire ce que je vous ai avoué, avoua froidement l'assassin. Personne d'autre ne mérite ma confiance et mon respect. Personne d'autre ne pourrait sauver l'Empire comme Dun-Cadal Daermon. Ce gamin des Salines sera votre fardeau. Quand il tombera, il vous emportera avec lui…

Logrid recula de plusieurs pas avant d'ajouter :

—… dans l'abîme.

Dun-Cadal baissa les yeux. Lorsqu'il les releva, l'assassin avait disparu. Il resta ainsi quelques minutes, une main posée sur le dossier du banc devant lui, hésitant à s'adosser au pilier derrière lui. Il resta ainsi, laissant dériver son regard sur les dalles menant à l'autel, qu'éclairait un soleil troublé par le vitrail. Il resta ainsi entre colère et réflexion. Il était un homme de guerre, non de mots. Un général, pas un courtisan. Une poigne de fer propre à frapper, non un de ceux qui œuvraient dans l'ombre de l'Empereur pour décider du sort du monde. Les seuls conseils qu'il donnait volontiers à Sa Majesté relevaient du bon sens, celui de la terre dont il était issu. Dans l'Ouest, fils de noble, il avait marché pieds nus, enfant. Logrid avait grandi à Éméris, parmi l'élite, avant que Dun-Cadal ne décèle son potentiel et ne fasse de lui son successeur. Un noble du nom de Duberon avait fauté avec une fille de bonne famille, sans oser reconnaître l'enfant, sans risquer de compromettre sa bonne place à la cour par un scandale. Il acheta donc le silence de la jeune mère célibataire en finançant les études de Logrid. Quand Dun-Cadal l'avait remarqué, à l'heure où l'Empereur lui offrait la possibilité de devenir général de ses armées, il avait reconnu en lui le candidat idéal à sa succession. Une parfaite Main de l'Empire, habile au combat, agile et malin. La Main d'un Empereur malade dont certains contestaient le pouvoir. Une Main immortelle, sans nom, sans visage, mais pas sans honneur. Logrid avait accepté. Sa mère venait d'être emportée par la maladie après avoir cherché à oublier son ancien amant dans les bas-fonds de la cité. Une déchéance qu'il avait suivie sans rien pouvoir y faire… sinon juste l'endurer.

Les dieux avaient toujours bien fait les choses.

La première victime de l'assassin fut Duberon. Le comte était un de ceux qui considéraient la famille Reyes en fin de vie… Avec le temps, Dun-Cadal ne pouvait nier l'allégeance de Logrid ni douter de ses intentions premières. Pour autant, il restait persuadé que la jalousie jouait un rôle dans ses assertions. Qu'il y ait complot était plus qu'une hypothèse… Que Grenouille en soit considéré comme partie prenante ressemblait plus à un règlement de compte.

Le général soupira.

Il ne trouva nul réconfort, nulle réponse dans la statue du dieu qui s'élevait derrière lui. Il avait beau le fouiller du regard, ses yeux de pierre légèrement ouverts fixaient un point devant lui sans se soucier de l'être insignifiant à ses pieds.

Nul n'a le droit de les nommer. Ils sont partout et pour tout.

Ils sont ici, maintenant. Avant nous et seront après nous.

Une fois, durant son apprentissage, Logrid l'avait questionné au sujet des dieux, sans que son maître suppose un seul instant que ses doutes deviendraient certitude.

— Mais qui sont-ils? Ce que je crois décider est-il vraiment écrit? Quel droit ont-ils de nous destiner à quoi que ce soit? Sommes-nous donc des jouets pour eux?

À cela, Dun-Cadal n'avait su trouver que cette réponse:

— Ce sont les dieux. Ils ne se jouent pas de nous, ils font de nos vies des histoires, des récits, des sagas. Pour que l'humanité atteigne son summum. Ils connaissent le début et la fin des temps. Remercions-les pour nous avoir donné la vie et un destin dont le sens leur appartient.

Et là, sous la statue dont il essayait vainement d'affronter le regard, se résoudre à une autre réponse lui semblait inconcevable.

11

LA CHUTE DE L'EMPIRE

*Combien d'années faut-il
pour construire un empire ?
Combien de secondes pour le détruire… ?*

D'un revers de la main, il s'épousseta le visage.

Dans la cellule répugnante, baignée d'une chaude teinte orangée, des barreaux poisseux fermaient la petite lucarne derrière laquelle passaient quelques bottes. Chaque pas projetait un peu plus de terre sèche qui tombait en miettes sur la tête du prisonnier. Allongé sur sa couche de bois, les bras croisés sous sa tête, il observait la lumière décroître peu à peu au rythme des passants. Cela faisait des heures qu'il attendait patiemment qu'on vienne l'interroger. Il se repassait sans cesse le fil des événements, cherchant à comprendre, à trouver un sens à tout cela, une raison, quelque chose qui puisse le rassurer. Il avait quitté Négus à Kapernevic alors qu'il était encore au service de l'Empire et il le retrouvait œuvrant pour ceux qui les avaient vaincus. Quelles que fussent les raisons d'un tel changement, Dun-Cadal ne les comprendrait sûrement jamais. Pour autant, il n'aurait jamais attenté à sa vie ; il avait, par ailleurs, essayé de le prévenir. Mais à quoi bon le nier ? De toute évidence, il représentait là un coupable idéal. Dans cette pièce exiguë, il jouait avec ses souvenirs comme avec les pièces d'un puzzle, espérant les lier en un tableau sensé, une image cohérente. Mais rien ne vint. Lorsque le clapet de la porte de fer coulissa, il l'ignora. Dans le jour, un œil apparut, accompagné d'un rire sardonique.

—Hé! appela une voix nasillarde. Général! Comment que c'est?

De son geôlier, il ne connaissait que le timbre de la voix mais cela suffisait bien à s'en faire une idée. Il l'imaginait maigre et sale, aigri de n'être qu'un simple gardien et, pire que tout, stupide. Au-dehors, c'était sans aucun doute lui qu'on méprisait. Ici, il se vengeait de sa condition à loisir, humiliant, derrière une lourde porte de fer, les prisonniers pourrissant dans les geôles.

—T'étais un grand, 'paraît, c'est bien ça? Un général de chez les généraux. T'fais moins le fier m'tenant, gloussa la voix. Y en a des comme toi qui se sont rendus. On a été gentils avec eux. Mais les comme toi qui se sont pas rendus, t'sais c'qu'on leur fait nous autres?

Sans détacher les yeux du jour déclinant au-dessus de sa tête, Dun-Cadal esquissa un maigre sourire.

—Vous en faites des conseillers, murmura-t-il.

—On les pend, assura le geôlier comme s'il n'avait rien entendu. Ça, pour sûr qu'avec ta gueule de vieux briscard on va pas faire que ça. Toi, t'en as fait des choses lors de la guerre.

Son ton changea brusquement.

—Profite, conseilla-t-il, plein de mépris. Parce que t'à l'heure, tout général que t'es, tu seras jamais plus qu'un pauvre gars au bout d'une corde.

Il referma le clapet avec force. Le claquement du métal fut masqué par son ricanement et le bruit de ses pas s'éloigna peu à peu. Lorsqu'ils ne furent plus qu'un lointain écho, Dun-Cadal laissa échapper un soupir. Peut-être le garde avait-il raison. Peut-être allait-il être jugé. Mildrel l'avait prévenu: «Tu sais ce que la République a fait des généraux qui ne se sont pas rangés à ses côtés...»

Il avait essayé de sauver la vie d'un conseiller, seule Viola pouvait témoigner en sa faveur. Mais où était-elle? Et si elle décidait de l'abandonner? Il s'efforça de ne plus y penser, fermant les yeux. Ce n'était pas la première fois qu'il se retrouvait en cellule, et, même si à l'époque, sa vie n'avait pas été mise en danger, il ne se souvenait pas d'avoir été dans une situation plus confortable. Bien au contraire. Douze ans auparavant... bien loin de Masalia...

… il se souvint de l'avoir cherché dans toute l'académie militaire, sans succès.

Aladzio !

… à Éméris. L'image de la ville brillante se dessinait peu à peu dans ses souvenirs et il quitta sa cellule putride pour se revoir marchant jusqu'à la cour de l'académie militaire.

—Aladzio ! héla-t-il en avançant d'un pas rapide vers l'inventeur.

Vêtu d'un ample manteau bleu aux liserés or, un tricorne coiffant sa tête, il dépareillait parmi les tuniques grises des élèves de l'académie. Plus encore que son accoutrement, c'était son attitude qui le différenciait. Alors que tous les élèves présents à ses côtés s'écartaient avec une certaine déférence, il ne sembla pas même remarquer l'arrivée du général. Quelques pas derrière lui, sur un socle de bois, reposait un long tube de plomb noir. Quelle que soit la nouvelle machine qu'il testait ainsi en pleine cour de l'école militaire, Dun-Cadal n'en avait cure. Ce n'est qu'une fois qu'il fut arrivé devant lui qu'Aladzio nota sa présence, encore tout occupé à résoudre un épineux problème.

—Ah, fit-il, l'air absent. Général Daermon… quel bon vent… quel bon vent…

—M'amène, c'est ça que tu te demandes, Aladzio ?

—Oui, enfin, c'est un plaisir que de vous voir.

Il ne le regardait pas, absorbé par la machine qui patientait derrière lui.

—… peut-être un peu plus de soufre… ou bien de salpêtre… à moins qu'il ne faille un boulet moins lourd, pensait-il tout haut.

—Aladzio…

—Le projectile doit atteindre une grande vélocité, garder un axe bien précis sinon… boum ! Ça explose, continua-t-il en mimant une déflagration de ses deux mains ouvertes.

—Aladzio.

—Ou alors c'est… Mais oui bien sûr ! se réjouit-il. C'est l'humidité ! Le mélange est trop humide ! La poudre ne réagit pas.

—Aladzio ! gronda Dun-Cadal, agacé.

Ils avaient passé un long mois sur la route de Kapernevic à Éméris, souffrant du flot de paroles ininterrompu d'Aladzio. Plus d'une fois, Dun-Cadal dut empêcher Grenouille de l'assommer d'un coup d'épée. Mais, au fur et à mesure qu'ils approchaient de la cité impériale, les deux militaires commencèrent à, non pas apprécier, mais tout du moins tolérer ses jacassements.

— Je cherche Grenouille…

— Ah, oui, oui, bredouilla Aladzio en se frottant les mains.

L'inventeur lui assura qu'il trouverait son élève près de la passerelle, une sorte de long pont de pierre reliant l'académie militaire aux salles d'armes, et qui surplombait les jardins suspendus du palais. Dun-Cadal le laissa à son invention et traversa la cour de l'école. Depuis leur retour, Aladzio et Grenouille avaient, contre toute attente, lié amitié. Que son élève puisse traîner auprès de l'inventeur ne le dérangeait pas outre mesure ; Dun-Cadal le laissait goûter à un repos bien mérité, loin du fracas de la guerre. Et surtout qu'il se socialise le rassurait quelque peu. Il avait passé peu de temps parmi sa promotion. Ses camarades l'avaient toujours considéré avec défiance et jalousie, et, de lui-même, il avait gardé ses distances.

C'était une première pour eux que de rester aussi longtemps dans la cité impériale, sans qu'on les renvoie au front. Leur dernière sortie à Kapernevic avait été un tel succès que ce temps accordé par l'Empereur fut l'occasion pour Grenouille de prêter serment. Seule l'absence de Sa Majesté impériale pour raison de santé ternit cette journée-là, mais, pour le reste, quelle fierté, quel orgueil ressentis lorsque Dun-Cadal avait posé son épée sur l'épaule de son apprenti.

Prête serment.

… de défendre l'Empire…

Même si la guerre continuait et que la rébellion gagnait, les mois passant, un peu plus de terrain, Éméris restait calme et apaisée, un îlot de quiétude au cœur du tumulte. Le chant des oiseaux avait remplacé les cris des soldats. Le soleil baignait les pierres blanches du parapet d'une douce lumière.

… de ne jamais emprunter la voie de la colère…

Il aperçut Grenouille, sous sa cape grise, et, face à lui, une jeune femme approchant la vingtaine, une tresse noire tombant sur son épaule nue. Sa robe était d'un rouge carmin, simple, sans aucune broderie ni autre signe de richesse. Peut-être une servante officiant auprès d'une duchesse en retraite à Éméris. Non. Car, à mesure qu'il approchait, il reconnut sans peine ses yeux d'un bleu vif et sa peau mate, luisante, cette même belle allure qu'elle avait arborée à Garmaret… Elle avait grandi, mais il était certain de ne pas se tromper.

— Grenouille! tonna-t-il.

Chevalier…

Le jeune homme se retourna et son visage se durcit alors que la jeune femme lui murmurait quelque chose au creux de l'oreille. Elle prit congé avant que Dun-Cadal ne rejoigne le nouveau chevalier… presque son égal, désormais. Tous deux observèrent la silhouette gracile franchir le bout du pont et descendre l'escalier vers l'intérieur du palais, avant que le général ne brise le silence d'un ton de réprimande.

— Ça fait des heures que je te cherche.

— Je t'ai connu plus efficace, répondit Grenouille, le visage ne laissant transparaître aucune émotion.

Il continuait à regarder l'extrémité de la passerelle comme si la jeune femme s'y trouvait encore. Qu'il avait changé en si peu de temps, qu'il avait grandi au point de rejoindre la taille de son mentor. Si ses traits s'étaient affinés, ils s'étaient également durcis, ses pommettes étaient plus saillantes, des plis marquaient son front lorsqu'il fronçait ses larges sourcils. Ses yeux gris conservaient, quant à eux, une lueur juvénile, bien qu'il puisse s'y lire par moments une curieuse gravité.

— Si ce n'est pas Aladzio, c'est elle qui occupe ton temps, soupira Dun-Cadal. Tu sais ce que j'en pense.

— Je me suis entraîné avec les cadets, Échassier, assura Grenouille, flegmatique.

— Et si l'on nous renvoie au front demain? Ce n'est pas avec les cadets que tu dois travailler. Tu es un chevalier, bougre de tête de bois!

— Je serai prêt, assura-t-il en manifestant enfin son énervement.

Son ton était devenu sec, son débit, rapide. Énervé, il se retourna vers les jardins qui descendaient en paliers, posant ses mains sur la rambarde de la passerelle.

— Toi, tu passes bien ton temps auprès de Mildrel, pesta-t-il.

— Ce n'est pas pareil.

— Et l'Empereur ne te demande pas de t'entraîner tout le temps. Moi, tous les jours je le fais, chaque matin. Encore plus depuis mon adoubement. J'ai le droit de la voir.

— Ce n'est pas pareil, répéta doucement Dun-Cadal.

—Et pourquoi? s'emporta Grenouille en soutenant le regard de son mentor.

—Parce que Mildrel n'est pas une réfugiée!

Le garçon détourna les yeux, hochant la tête.

—Encore cette histoire, souffla-t-il.

—Je te l'ai dit quand nous sommes revenus de Kapernevic, il ne faut plus que tu l'approches. N'as-tu pas vu à quel point tout le monde se méfie de tout le monde? Négus m'a mis en garde. Je… t'ai mis en garde.

—Moi aussi je suis des Salines, l'as-tu oublié? murmura Grenouille.

Ce gamin ne comprenait donc rien. Il les prenait comme une injustice, mais les recommandations de son mentor n'avaient pas pour but de le brimer.

—Grenouille… c'est juste le temps que cette guerre se termine. Après, tu auras tout le loisir de la courtiser…

Il se voulait rassurant mais n'en savait rien lui-même. Car la guerre ne prenait pas un bon tour et, avant qu'elle n'arrive à son terme, il pouvait se passer bien des années.

—Je ne veux pas qu'on te soupçonne de quoi que ce soit.

Il hésita avant de poser une main sur l'épaule du garçon. D'un mouvement brusque, Grenouille la repoussa avant de s'écarter.

—Encore moins depuis que tu as été adoubé, ajouta Dun-Cadal.

—Cela devrait me permettre de voir qui je veux alors, persifla Grenouille.

—Oh, ne te crois pas arrivé, mon garçon. Il te reste beaucoup de chemin à faire avant d'être…

—Je ne comprends pas, se plaignit-il, lui adressant un regard noir. Je ne suis jamais assez bon à tes yeux, n'est-ce pas? Quoi que je fasse, ça n'est jamais suffisant. M'as-tu une seule fois complimenté? M'as-tu dit un seul jour: «c'est bien, *gamin*»? Même après le serment… m'as-tu félicité une seule fois? J'aimerais te dire que tu as été comme un pè… Je…

Il ne trouva pas les mots, baissant les yeux. Et, quand il les releva, sa voix fut aussi acérée qu'une épée.

—Parfois… je te hais.

Fuyant une quelconque réaction, il s'éloigna d'un pas rapide, sa cape claquant au vent. Seul, au milieu de la passerelle illuminée par un soleil déclinant, Dun-Cadal laissa échapper un soupir de désappointement. Il avait le sentiment qu'ils n'arrivaient pas à se parler, que chaque mot prononcé n'était pas le *mieux* choisi au *meilleur* moment. Plus d'une fois leur discussion s'était soldée par le départ du garçon comme si tout était dit, rien ne pouvait être expliqué, calmé, adouci… À ce moment-là, tout semblait les séparer. Et chaque fois, le comparant à Logrid, il craignait d'aboutir au même résultat.

Pourtant, cette relation était faite de regards complices et de mots mordant. En un sens, Grenouille avait raison. Il ne l'avait jamais félicité pour quoi que ce soit, pourquoi l'aurait-il fait ? Le gamin n'était pas doué, il était juste brillant, travailleur, mû par une force que personne n'était à même de comprendre. Dun-Cadal avait essayé de connaître son histoire, d'apprendre ce qui lui était arrivé avant qu'ils ne se rencontrent et qui expliquerait sûrement sa motivation. Mais, au fil des ans, il s'était résolu à accepter que rien ne soit dévoilé, préférant le voir grandir plutôt que de l'entendre parler du passé. Seul comptait l'avenir. Et il semblait plus sombre qu'auparavant. L'Empereur l'avait demandé, il n'avait pas eu le temps d'annoncer à Grenouille ce qu'il pressentait. Quelque chose de mauvais…

Son intuition ne l'avait jamais trompé. Il sentait la mort.

— Les révoltés s'approchent d'Éméris ! affirma une voix pareille au crépitement des flammes, sèche et désagréable.

Les portes s'écartèrent devant le général, et c'est d'un pas assuré qu'il traversa la salle, une main sur le pommeau de son épée. Près des voilages caressés par une brise légère, le trône de l'Empereur, tout d'or et d'argent, brillait d'un éclat terne. L'Empereur assis se couvrait d'une grande cape noire, tombant jusqu'à ses pieds. Un masque d'or cachait son visage et ne laissait transparaître aucune autre expression que celle de ses yeux.

— L'Ouest, le Sud et le Sud-Est sont tombés ce matin.

— C'est ici que tout va se jouer, prédit un homme âgé, appuyé sur une canne de chêne vrillée.

— Vous auriez dû agir plus vite, conclut l'homme à la voix désagréable, son double menton gonflant lorsqu'il inclina la tête.

Il masquait presque l'Empereur, son obésité perdue dans un vaste manteau aux teintes bleues. Nul ne pouvait nier une ressemblance avec le capitaine Azdeki, à quelques pas de lui. Pour autant, si Étienne avait une silhouette mince et altière, son oncle ressemblait plus à un amas de chair flasque sur lequel ondulait une seule mèche de cheveux blancs. Le baron Azinn Azdeki des baronnies de l'est du Vershan avait plus fréquenté les salles de banquet, comme les fêtes du duc de Page, que les champs de bataille. Aucun ne réagit à l'arrivée du général, seul l'Empereur sembla y accorder un intérêt particulier, son regard se détachant de ses conseillers pour le fixer. Ils étaient au nombre de six. L'oncle de l'Empereur lui-même, le grand évêque Reyes de l'ordre de Fangol, à côté de son neveu. Le marquis d'Enain-Cassart, les cheveux blancs tirés en arrière, la main ferme posée sur le pommeau de sa canne en chêne, se tenait proche du trône. À la droite du baron Azdeki, son neveu plissait les yeux, pensif. À sa gauche, s'impatientaient le duc de Rhunstag et le comte de Bernevin, l'un robuste dans son manteau de fourrure, l'autre engoncé dans un manteau pourpre serré à la taille par une ceinture argentée. Tous deux avaient l'habitude d'agir ensemble, leurs domaines étant limitrophes, comme deux voisins inséparables sans pour autant être amis. C'était à croire qu'ils trouvaient en l'autre ce qu'il leur manquait pour être important, l'un possédant l'intelligence fine d'un politicien, l'autre les caractéristiques typiques du chef de guerre.

Tous ces nobles présents formaient le dernier cercle proche de l'Empereur depuis un an. Peu à peu, au gré des rumeurs assurant que certains s'étaient alliés à Laerte d'Uster et à ses révoltés, les membres de la cour avaient été écartés au profit de ces six-là. Toujours prompts aux conseils, généreux en compliments, capables d'assener leur vérité avec un aplomb surprenant.

— Il nous faut commanditer l'assassinat de d'Uster, s'exclama Bernevin. Sans lui, la révolte n'aura plus de meneur.

— Non, non, rétorqua Enain-Cassart d'une voix grêle. Nous ne savons même pas où il est exactement, et ce à quoi il ressemble. Ce n'est pas lui qui, au palais, conspire contre vous.

— Votre Majesté impériale, intervint Rhunstag en gonflant le torse pour se donner de la prestance. Tous les mineurs ont rejoint leurs rangs. Et je ne parle même pas des Nâagas à qui ils ont promis la liberté. Leurs troupes se sont considérablement renforcées.

— Il faut préparer les défenses du palais dès maintenant, acquiesça Azinn Azdeki. Mon neveu me semble la personne la mieux indiquée pour cette tâche qui…

Dun-Cadal laissa échapper un soupir ironique, attirant enfin tous les regards vers lui.

—… cette tâche qui ne saurait souffrir aucune faiblesse, conclut le baron, les mâchoires serrées à la vue de Daermon.

De tous les généraux de la grande armée, Dun-Cadal était certes le plus titré, mais il restait pour bon nombre de nobles un parvenu de la pire espèce. Bien des fois l'Empereur avait dû le défendre auprès de la cour, arguant qu'il avait gagné plus de batailles qu'aucun autre homme de guerre. Son sang, comme celui de son grand-père, avait coulé pour l'Empire. Il était aussi noble que ceux qui n'avançaient que leur titre, sans avoir jamais foulé un champ de bataille.

—Il ne faut plus attendre, Votre Majesté impériale, fit Bernevin.

—Il est temps de se rendre à l'évidence, ajouta Rhunstag. La révolte court déjà dans la ville basse. Il faut faire des exemples.

—L'Empire n'a jamais été aussi fragile et c'est votre seule décision, sage et éclairée, qui pourra repousser l'ennemi hors d'Éméris, assura Azinn Azdeki. Arrêtez ceux qui conspirent. Et pendez-les sans autre forme de procès, comme vous l'avez fait pour ce traître de forgeron !

—Montrez à la population que vous n'avez pas peur, conseilla Rhunstag. Étouffez la révolte à Éméris. Et préparons les défenses contre les armées de d'Uster. Ils n'auront plus aucun appui ici.

—Je sais que cela vous répugne de juger vos sujets ainsi. Mais vous l'avez fait pour Oratio d'Uster. Si ses idées lui ont survécu, alors agissons avant qu'elles ne réduisent votre Empire en cendres. Attendre que cela se passe ou punir ceux que vous soupçonnez de complot. Il faut prendre une décision. Nul doute que vous saurez prendre la bonne, sourit Enain-Cassart.

Il y eut un silence. Le regard de l'Empereur était rivé sur Dun-Cadal, comme s'il était le seul à mériter son attention, l'unique personne dont il guettait l'approbation. Une nuée de moineaux claqua des ailes, leur ombre noire s'envolant derrière les fins rideaux.

—Qu'en pensez-vous… mon ami… ?

Tous attendirent que le général réponde, masquant au mieux leur inimitié sous des sourires éteints. Dun-Cadal marqua un temps, cherchant les mots adéquats pour exposer son point de vue. Il n'était nul besoin de s'attirer les foudres des nobles présents en critiquant leur absence totale de discernement. Et, bien qu'il les considérât comme en partie responsables d'une telle situation, il ne pouvait se les mettre à dos en les accusant ainsi.

—Je pense qu'ils ont raison, Votre Majesté impériale, dit-il enfin. Il faut se préparer à l'attaque d'Éméris.

—Mais encore? s'enquit l'Empereur d'une voix terriblement basse.

—Mais pendre ceux que vous pensez coupables de conspiration n'est sûrement pas le meilleur moyen d'avorter une révolte au sein de cette cité.

Azinn Azdeki retint un hoquet de stupeur, offusqué qu'on puisse les contredire. Ils avaient l'air de coqs de basse-cour, gonflant leur cou en battant des ailes. Seul Enain-Cassart sut cacher son mécontentement en baissant simplement les yeux.

—Ce serait au contraire l'attiser, assura Dun-Cadal.

—Vraiment? soupira l'Empereur.

—Elle est déjà là, la révolte! s'emporta Bernevin.

—Oseriez-vous nier, général Daermon, que des nobles ont apporté leur appui aux révoltés? cracha Rhunstag. Le duc d'Erinbourg a fui Éméris il y a deux mois. Tout porte à croire que certains de ses hommes sont encore ici, à préparer le terrain. Non pour une révolte… mais pour une révolution!

Ainsi, ils imaginaient que la vue de prétendus traîtres ballottés au bout d'une corde suffirait à calmer toute velléité de révolte au sein de la capitale. Ils ne comprenaient décidément rien au peuple, n'avaient pas vu leur courage sur le champ de bataille. Tous ces simples *paysans* que Dun-Cadal avait combattus depuis le début de la guerre… aucun n'avait baissé les armes en voyant leurs frères tomber à leur côté. Bien au contraire… Il remarqua l'œillade du baron adressée à Enain-Cassart alors que ce dernier se rapprochait de l'Empereur.

—Je suppose que vous m'avez mandé pour une bonne raison, annonça le général, préférant couper court à tout débat. Pas pour que je vous conseille sur la manière d'agir comme le fait si bien Bernevin.

Ignorant la pique, Bernevin détourna les yeux, relevant le menton avec fierté. Dun-Cadal aurait aimé qu'il réagisse pour lui prouver à quel point il n'aurait jamais le dessus. Pas devant Reyes. Si l'Empereur l'avait appelé, c'était sûrement pour lui confier la défense du palais. Sinon pourquoi ne l'avait-il pas renvoyé sur le front auprès de Négus et des autres militaires?

Derrière le masque doré, les paupières de l'Empereur se fermèrent. Il se devait de faire le bon choix. L'avenir en dépendait. Des vies en dépendaient… Ou bien… était-ce tout autre chose qui lui pesait ? Il leva une main vers l'évêque à sa droite. Son oncle la serra tendrement, esquissant un maigre sourire.

—Je comprends votre point de vue, mon ami, je comprends, assura-t-il en hochant la tête. Aussi je vous prierais d'en faire de même, quoi qu'il vous en coûte.

—Je vous demande pardon ? demanda Dun-Cadal, surpris.

—C'était écrit… général, ajouta l'évêque attristé. Nul ne peut échapper aux décisions divines.

Les portes s'ouvrirent au bout de la salle et une dizaine de soldats entra dans la plus grande discrétion. C'est à peine si Dun-Cadal les entendit. Mais il perçut leur présence comme il nota soudain l'absence inhabituelle d'une personne bien particulière.

—Vous l'avez dit vous-même, ils ont raison, continua l'Empereur d'une voix chevrotante. Alors que le peuple en colère sous les ordres d'un fou s'approche de nos portes, leurs idées nocives ont déjà investi la cité… depuis si longtemps…

—Votre Majesté impériale…, murmura Dun-Cadal.

Il ne savait pas ce qui se tramait. Comment aurait-il pu le deviner ? Pour autant, son cœur battait plus vite et son inquiétude montait. Logrid n'était pas là. La Main de l'Empereur, son assassin personnel, ne se cachait pas dans l'ombre des colonnes comme il en avait l'habitude, prêt à défendre son maître. Une seule chose pouvait justifier son absence… : il avait été envoyé en mission.

—Bernevin, appela l'Empereur. Faites en sorte que le peuple comprenne que je ne tolérerai aucun trouble et que quiconque mettra en doute la grandeur de son Empire au profit de cette insurrection sera châtié. Quiconque se revendiquera de la protection d'Oratio d'Uster sera puni ! À commencer par tous les réfugiés des Salines.

—Bien, Votre Majesté impériale, répondit Bernevin en le saluant d'une courbette appuyée.

—Votre Majesté impériale, répéta Dun-Cadal.

—Mon ami, vous avez tant fait, soupira l'Empereur. Tant, et c'est ainsi que je vous remercie. Mais les sentiments vous ont aveuglé.

—Qu'avez-vous fait ? s'inquiéta le général.

Et dans son dos avançaient les soldats.

—Je les ai accueillis…

La voix de l'Empereur tremblait, autant de tristesse que de haine, portant en elle la blessure d'une trahison et le plus total mépris envers ceux qu'il avait voulu protéger.

—… et c'est ainsi qu'ils me remercient !

—La fille, intervint Étienne Azdeki d'un ton sec. Celle qui traîne avec ton… Grenouille. Elle s'appelle Esyld Orbey.

—La fille du forgeron personnel du comte d'Uster, continua son oncle avec une étonnante satisfaction. Ensemble, ils fomentaient un complot. Eux et d'autres…

—Qu'avez-vous fait ?! rugit Dun-Cadal en portant la main à son épée.

Mais déjà, les soldats commençaient à l'encercler, pointant leur lance vers lui, menaçants.

—Je n'ai fait que mon devoir ! tonna l'Empereur en se dressant sur son trône.

Une main apparut de sous sa cape, se posant sur l'accoudoir pour le maintenir en équilibre.

—Et c'est parce que vous avez tant fait que j'agis ainsi ! Votre élève ne mérite pas d'être traîné en place publique comme Orbey et sa fille.

—Par tous les dieux, qu'avez-vous fait ?! répétait Dun-Cadal, au bord des larmes.

—Ce que justement les dieux attendaient de nous ! affirma l'évêque. Général ! Il n'est rien qui ne se passe ici qui ne soit pas dans le *Liaber Dest* ! Faites appel à votre foi. Ne restez pas aveugle !

Voilà donc pourquoi Logrid n'était pas là. Il était parti en chasse. Les yeux embués, Dun-Cadal cherchait désespérément une échappatoire. Il devait partir d'ici au plus vite, courir rejoindre Grenouille, s'opposer à l'assassin, combattre, se défendre, sauver sa vie, ne pas le laisser tomber, ne pas le laisser, se battre, se défendre… ne pas le laisser… seul… sans défense. C'était comme si Grenouille était redevenu l'enfant qu'il avait trouvé aux Salines, sans expérience, faible.

—Capitaine Azdeki, veillez à ce que le général Daermon soit traité avec tous les égards dus à son rang, ordonna l'Empereur. Ensuite, préparez les défenses d'Éméris…

—Vous ne pouvez pas ! hurla Dun-Cadal, épée au clair.

Les soldats se raidirent, prêts à intervenir, mais Azdeki leva la main, leur intimant l'ordre de n'en rien faire. Seul, encerclé, Dun-Cadal frappa le bout des lances du plat de son épée d'un air de défi, espérant que l'un des soldats s'écarte pour le laisser s'enfuir. Où était Grenouille ? Dans quel couloir l'attendait Logrid, tapi dans l'obscurité ?

— Il ne vous a pas trahi ! Il a combattu pour vous ! Il a tué le dragon rouge de Kapernevic ! À lui seul !

— Général Daermon…

— Votre Majesté impériale, ce n'est encore qu'un enfant ! Stupide de temps à autre, mais il est le meilleur d'entre nous ! Vous n'avez pas le droit !

— Général Daermon ! répéta l'Empereur, haussant la voix.

Dun-Cadal tournait sur lui-même, se fendant par moments pour porter l'estocade, mais chaque fois le soldat visé reculait d'un pas avant de reprendre sa place.

— Il s'est battu pour vous ! Il s'est battu pour vous ! hurlait Dun-Cadal. Il a défendu l'Empire !

Grenouille verrait-il l'épée fondre sur lui ? Aurait-il le temps de parer le coup ? Saurait-il se défendre ? Seul… perdu… sans comprendre pourquoi ceux qui l'avaient recueilli le traitaient ainsi avec le plus grand mépris. Ce n'était encore qu'un gamin…

Dans l'ombre des colonnes avançait la silhouette de Logrid. Comme il aurait aimé à ce moment découvrir son visage sous sa capuche, y déceler un éclat de peur lorsqu'il se rua vers lui en beuglant tout son soûl. Les soldats l'agrippèrent avec difficulté, tant il se débattait pour échapper à leur étreinte. Ils bloquèrent son bras armé.

— LOGRID ! cracha Dun-Cadal, ivre de rage. Logrid ! Putréfaille, pourriture ! LOGRID !

L'assassin recula d'un pas, surpris par une telle furie.

— Logrid ! Je te maudis, s'époumonait le général. Je te maudis par les dieux !… Je te maudis…

Essoufflé, il perdait toute vigueur, las, perdu, abattu comme jamais. Lui qui avait pensé toute sa vie s'écrouler sous les coups ennemis, pliait sous le coup du sort. L'assassin parut fléchir, tête baissée, une épaule appuyée contre une colonne.

— Est-ce fait ? s'enquit Azdeki.

Logrid acquiesça d'un bref signe de tête. Et, d'un geste de la main, le capitaine ordonna aux soldats de relâcher le fou furieux. Dun-Cadal tomba à genoux, épuisé, le corps secoué de sanglots.

—Vous n'avez pas le droit…

—Ainsi voilà le grand Dun-Cadal Daermon…, murmura Azdeki.

Ainsi voilà le grand Dun-Cadal Daermon…

—Je suis désolé, mon ami, confessa l'Empereur d'une voix chevrotante. Je n'ai pas eu d'autre choix. Sa trahison sera à jamais cachée et seul restera son honneur sur les champs de bataille. Il le fallait, Dun-Cadal… Je suis l'Empereur. Je me dois de prendre les décisions les plus difficiles. C'est mon devoir.

… le grand Dun-Cadal Daermon…

—Arrêtez-le… le temps qu'il reprenne ses esprits.

Ainsi voilà…

L'odeur humide du cachot… le claquement sec de la porte de fer… L'impuissance due à l'enfermement, comme si on l'écartait de la vie elle-même. Il l'avait vécu à Éméris. Il le vivait désormais à Masalia.

—Ainsi voilà le grand Dun-Cadal Daermon, dit une voix.

Endormi, il ne l'avait pas entendu entrer. Les paroles le tirèrent du sommeil avec une certaine douceur avant que le bruit sec de la porte se refermant ne le réveille en sursaut. Le soleil du soir projetait de maigres rayons par la lucarne et c'est dans l'ombre que la silhouette resta un long moment. Dun-Cadal s'assit sur la couche en se massant la nuque. Il savait qui venait le voir. Nul doute possible. Il avait reconnu la silhouette fine, vêtue d'une longue toge blanche.

—Que de retrouvailles…, marmonna-t-il.

—N'est-ce pas? reconnut l'homme, ironique.

La main sur le cou, penché en avant, Dun-Cadal marqua un temps, haussant les yeux vers l'ombre à quelques pas de lui. Il paraissait aussi arrogant que sur le port. Ce n'était pas Enain-Cassart qui aurait mérité d'être assassiné…

—Entre donc, Étienne, je t'en prie, fais comme chez toi.

Il avança dans la faible lumière, dévoilant son visage glabre et creusé, son nez aquilin surmontant de fines lèvres pincées, ses cheveux gris plaqués en arrière. Un bras replié sur le torse, un tissu rouge drapé sur l'épaule, il jaugeait le prisonnier d'un air de dédain.

— J'étais justement en train de repenser à de vieux souvenirs, avoua Dun-Cadal d'un ton aigre. Quand vous m'aviez enfermé et qu'on t'a chargé de défendre Éméris.

— Le passé est le passé, répondit Azdeki en gardant son calme.

Dun-Cadal avait envie de lui sauter à la gorge, de l'étrangler avec force pour que son visage hautain se teinte enfin de crainte. Qu'Azdeki ait pu en arriver là lui était totalement inconcevable. Lui qui avait le premier affronté la révolte et par là même ceux qui allaient fonder la République se retrouvait dans leur rang. L'ennemi d'hier était l'ami d'aujourd'hui. Pas pour Dun-Cadal. Pour lui, un ennemi restait un ennemi, le temps n'y changerait jamais rien.

— Et seul compte l'avenir, c'est ça, railla Dun-Cadal. Dois-je te féliciter pour t'en être brillamment sorti depuis la fin de l'Empire ?

Azdeki ne releva pas, avançant jusqu'à la couche, le regard rivé sur la lucarne légèrement éclairée par le soleil couchant de Masalia. Assis sur le bord de la planche, Dun-Cadal l'observa sans mot dire, notant la boue maculant le bas de sa toge.

— Ainsi tu n'es pas mort, dit Azdeki, fixant l'ouverture.

— Comme tu peux le constater, soupira Dun-Cadal. Et toi, sûrement plus fin politicien qu'habile stratège militaire.

Peut-être aurait-il préféré ne plus être de ce monde plutôt que de voir tant d'anciennes connaissances, amis ou frères d'armes, bafouer leur serment de fidélité à l'Empereur.

— J'ai cru que tu étais tombé lors de la prise d'Éméris et la mort de Reyes.

— La mort de l'*Empereur*, rectifia Dun-Cadal.

Azdeki acquiesça, un maigre sourire aux lèvres, avant de s'asseoir aux côtés du général.

— Je ne l'ai pas tué, Azdeki, marmonna-t-il, la tête basse.

— Je sais, avoua le conseiller en joignant ses mains fines devant lui.

Des mains trop bien soignées pour tenir une épée.

— J'ai voulu sauver Négus, j'ai voulu le prévenir du retour de Logrid, voilà pourquoi j'étais là, continua Dun-Cadal, la voix terriblement grave.

—Le monde a changé, Daermon… Les sauveurs d'hier ne sont plus ceux d'aujourd'hui. Mais tu as de la chance, étant donné ton identité, tu aurais fait le coupable idéal. Une jeune femme s'est portée garante de toi.

Viola… S'il ne le montra pas, Dun-Cadal fut soulagé. Cette petite était décidément bien plaisante. Sa vie lui semblait changée depuis qu'elle était venue le voir, et voilà qu'elle la lui sauvait.

—Tu as de la chance. Sans elle…

Il laissa sa phrase en suspens, jetant un coup d'œil discret vers le général comme pour s'assurer qu'il s'imaginait les pires tourments.

—Parce que je ne me suis jamais rendu, hein, souffla Dun-Cadal.

—La haine contre l'Empire est encore forte chez certains, concéda Azdeki. Mais tous les généraux renégats considérés comme dangereux ont été arrêtés.

Dun-Cadal retint un éclat de rire nerveux, se passant une main sur le visage. Bien sûr qu'il n'était pas dangereux aux yeux de la République, lui qui pourtant, du temps de sa splendeur, avait changé si souvent le cours d'une bataille. Mais voilà, sans Grenouille, il n'était plus qu'une ombre inoffensive. Sa splendeur s'était dissoute dans le vin.

—Tu n'as donc rien à craindre de ce côté-là, ajouta Azdeki en se relevant.

—Pourquoi, alors?

—Pourquoi être venu te voir? renchérit le conseiller. Je marie mon fils le jour de la Nuit des Masques. Je suis un conseiller élu par le peuple et j'espère, aimé par lui. J'ai toujours vécu parmi les puissants… et, fut une époque, je vivais dans l'ombre d'un général…

Il lui tournait le dos désormais, le port altier, savourant cet instant en laissant couler le silence. Dun-Cadal restait assis sur sa vulgaire couche de bois, le visage hagard, la crasse de sa peau seulement masquée par sa barbe. Il comprit enfin la raison de sa visite et ferma les yeux. Comme il lui était pénible d'attendre la réponse, sachant qu'elle allait piétiner ce qui lui restait d'honneur. Le conseiller inclina légèrement la tête sur le côté, sans même se retourner pour s'adresser au prisonnier. Pourquoi l'aurait-il fait? Pour encore plus le rabaisser?

—Je voulais voir de mes yeux quel grand héros Dun-Cadal Daermon était devenu.

Il s'avança vers la porte d'un pas lent.

—Azdeki !

Il s'arrêta, prêt à frapper du poing le métal pour signifier au geôlier la fin de l'entrevue. Mais sa main resta levée, immobile.

—Combien êtes-vous ? demanda Dun-Cadal. Qui d'autre s'est vendu à la République pour garder un peu de pouvoir ? Dis-moi.

Il n'y avait aucune haine dans sa voix, juste du dépit. Il avait posé ces questions dans un long soupir. Face à la porte, Azdeki n'esquissa pas le moindre geste. Il prit un temps de réflexion avant de répondre d'un ton glacial.

—Tu n'as jamais été d'une grande intelligence, Daermon. Tu n'as jamais vu ni compris ce qui se passait. Le monde aurait pu s'écrouler sous tes pieds, tu ne l'aurais pas senti.

Négus lui avait tenu le même genre de discours. Avait-il été aveugle à ce point ? N'avait-il été finalement qu'un simple guerrier, un outil, un instrument…

—C'était… tellement prévisible… lisible… écrit, sourit-il. C'est ainsi que cela devait se passer. L'Empire était à l'image de son Empereur… malade.

D'un pas, il se retourna, le poing toujours levé contre la porte.

—C'est étrange, j'aurais cru éprouver plus de plaisir à te voir aussi pitoyable.

Sans même lever les yeux, Dun-Cadal répondit, joignant les mains devant lui comme en prière.

—C'est étrange, Azdeki. Mais je suis heureux de n'avoir pu arrêter Logrid.

Puis son regard vint très lentement défier celui du conseiller.

—Parce que tous tes jeux de pouvoir ne seront rien contre sa vengeance. Et il fera alors ce que je suis incapable de faire.

La bouche d'Azdeki se tordit, les mâchoires crispées. Il hésita avant de toquer violemment du poing contre la porte. Dans un cliquetis désagréable, le geôlier l'ouvrit.

—Les dieux ont pitié des ivrognes, Daermon. Tu es libre.

L'espace d'un instant, Dun-Cadal crut déceler une lueur dans le regard du conseiller. Et cela lui suffit pour esquisser un sourire.

L'espace d'un instant, il avait vu de la peur dans ce regard si fier.

12

À la croisée des chemins

C'est une fois que ses souvenirs
L'auront réveillé,
Que je me révélerai.
Ici, à la croisée des chemins
Entre ce que nous avons été, ce que nous sommes
Et ce que nous serons.

— Je sais ce que vous pensez, mon ami. Je sais que vous ne comprenez pas.

La voix de l'Empereur était étouffée par la lourde porte de la geôle. Plongé dans le noir, la tête contre le métal froid, Dun-Cadal percevait sa respiration sifflante. Il était assis, là, dans la terre humide, muet d'indignation. Ses doigts creusaient lentement des sillons dans le sol, comme un exutoire.

— Mais ne me jugez pas trop vite, continuait-il. C'est cela, le poids du pouvoir, la malédiction. Parfois, je dois, pour préserver l'intégrité de mon empire, blesser quelqu'un qui m'est proche... Ne me jugez pas.

Il attendit mais Dun-Cadal ne parla pas.

— Je devais vous protéger. Je devais vous enfermer, le temps que vous retrouviez votre calme, votre raison. Comprenez-moi...

La supplique n'eut aucun écho. Alors l'Empereur reprit.

— Vous le saviez, n'est-ce pas ? Que des proches de Laerte d'Uster avaient investi la cité, montant les plus fidèles de mes conseillers contre moi. Vous le saviez. J'ai accueilli des réfugiés des Salines en pensant bien faire, mais ils ont mordu la main que je leur tendais. Quelle folie que de croire un seul instant qu'un fruit pourri puisse redevenir vert. Il y avait là la fille du forgeron. Lui est mort. Peut-être a-t-elle voulu le venger, que sais-je ? Mais je ne pouvais la laisser pervertir un élément tel que votre apprenti. Elle le montait contre vous et vous étiez aveuglé, Dun-Cadal. Le chevalier Grenouille a…

— Ne prononcez pas son nom ! se révolta le général, au bord des larmes.

Sa voix résonna comme un coup de tonnerre et, après elle, survint un silence lourd, pesant… Il inclina la tête en arrière, la froideur du métal de la porte saisissant aussitôt son crâne. Et, continuant à creuser nerveusement la terre, il donna trois coups de tête, brusques, supportant la douleur filant jusqu'à ses tempes. La souffrance n'effaça pas pour autant celle qui vrillait son âme.

— Il aurait tôt ou tard pris son parti, Dun-Cadal, certifia l'Empereur d'une voix triste. Vous le savez, n'est-ce pas ? Il l'aimait. Il n'aurait pu que prendre son parti. Un jeune homme est prêt à tout par amour. Y compris à se perdre… Il le fallait.

Quelque chose n'allait pas dans sa façon de parler. Il articulait les mots curieusement, comme s'il doutait, ou bien se retenait d'affirmer le contraire. La seule certitude, pour Dun-Cadal, était qu'il ne disait pas toute la vérité.

— Je n'avais pas d'autre choix, dit-il cette fois avec une étonnante assurance. Le seul et unique coupable est ce Laerte d'Uster qui a divisé mon peuple. Et croyez-moi, je protégerai Éméris. Je repousserai la révolte au plus profond de l'Empire. Et Laerte… Laerte… Il n'aura nul repos, nul refuge. De jour comme de nuit, en tout lieu, il ne sera plus qu'un gibier fuyant la battue.

Il mesurait chaque phrase, chaque mot prononcé avec une gravité telle que l'atmosphère elle-même semblait s'être alourdie. Asham Ivani Reyes s'était souvent confié au général. Il le connaissait depuis son enfance. Mais il n'était pas question de confidence ici. C'était comme s'il cherchait l'absolution.

— J'ai perdu ma mère alors que je venais au monde. J'ai perdu mon père quand j'avais dix ans. J'ai dû très tôt apprendre à régner, mon ami. J'avais un devoir, celui de conduire mon peuple. Et vous avez toujours su me protéger, dès votre arrivée. Vous avez toujours été là pour me protéger, Dun-Cadal. Vous, l'ambitieux, que je respecte tant… jusqu'au jour où j'ai posé Éraëd sur votre épaule et fait de vous un général. N'était-ce pas là une marque d'affection ?

Il reprit son souffle. Sa voix était chevrotante, étouffée. Malade.

— Le fort homme de l'Ouest protégeant un Empereur rongé, à demi debout… un faible et sot Empereur, murmura-t-il. Vous méritiez que je vous adoube moi-même… car l'Épée que je porte, c'est l'Empire, vous savez ? Sa puissance, sa beauté… sa force. Fière, droite… un équilibre parfait. D'aucuns la disent magique depuis qu'elle a été forgée. Venue des temps anciens, elle a toujours été à la ceinture des pères de ce royaume. Elle a traversé le temps sans que ce dernier l'affaiblisse. Elle est plus que tout cela, plus que le temps, plus que les hommes, plus qu'aucune autre de leur création. À la fin du monde, restera Éraëd, et sa lame… Elle est capable de briser n'importe quoi, dit-on. Et alors que mon peuple se déchire, que cette révolte aurait dû être « brisée »… je ne l'ai même pas sortie du fourreau…

— Vous êtes faible, répondit Dun-Cadal d'un ton terriblement neutre.

Ce n'était pas même une attaque. Juste la vérité énoncée de façon brutale.

— Je l'ai toujours été, rit l'Empereur. Je l'ai toujours été, mon ami.

C'était un rire noyé de tristesse et, quand il se dilua, il ne restait plus que le chagrin dans sa voix.

— N'est-ce pas pour cela que mon oncle et mon père ont fait de vous ma Main ? Vous savez comme je suis… rongé. Faible. Repoussant. Pour beaucoup je suis un monstre, alors qu'en vérité…

Il marqua un temps avant de se racler la gorge et de continuer :

— … en vérité, je suis un père pour eux. Pour le peuple, je veux dire. Que vont-ils faire sans moi ? Ils veulent prendre des décisions par eux-mêmes, c'est ça le fameux *rêve* d'Oratio d'Uster ? S'imaginent-ils un seul instant être responsables de leurs choix ? Ce ne sont que des… enfants. Je suis responsable d'eux. De cet Empire. C'est écrit depuis la nuit des temps.

—Vous les avez écoutés… *eux*, souffla Dun-Cadal. Azdeki, Rhunstag, Bernevin… Ils ont fait de vous une marionnette. Ne parlez pas de responsabilité.

Il considéra le silence suivant comme un aveu.

—Ce n'est pas aussi simple que cela, se défendit l'Empereur de l'autre côté. Il s'est passé tellement de choses ici pendant que vous défendiez l'Empire sur le front. Je pourrais vous les raconter, oui… mais quelqu'un d'autre vous les narrerait d'une tout autre façon.

Il y eut un bruit métallique sur la porte. Celui d'un écu…

—Comme une pièce a deux faces, murmura l'Empereur. D'un côté, vous avez l'image de ma mère. Et de l'autre… le sceau de l'Empire. Deux choses qui paraissent différentes dans leur forme comme dans leur signification et pourtant… Il s'agit de la seule et même pièce. Il en est de même des événements. Suivant celui qui vous les rapporte, ils changent du tout au tout…

Qu'essayait-il de lui dire ? Cet homme, il l'avait défendu dès son plus jeune âge, il s'était damné pour lui. Et cet homme-là lui avait ôté ce qu'il avait acquis de plus précieux, plus que l'honneur, plus que les victoires. Il lui avait arraché une partie de lui-même.

—J'ai ordonné l'exécution d'Oratio d'Uster parce qu'il était dangereux. Il l'était, Dun-Cadal…

Il l'entendit se lever.

—On me l'a raconté, ajouta Reyes.

Comme il perçut le bruit de sa main posée sur le métal glacé de la porte.

—Pour votre jeune ami, il en a été de même… C'est ainsi que les choses se passent, Dun-Cadal. De murmures en murmures au creux d'une oreille… Tout est décidé par avance en vérité. C'est ainsi que cela doit se terminer… sans pardon de votre part, j'imagine.

Ses pas s'éloignèrent, lentement, tel un souvenir… un souvenir si lointain.

Et l'obscurité de la cellule se dissipa sous une douce lumière, fébrile et tiède. Le soleil de Masalia se couchait au loin derrière les hautes maisons aux balcons fleuris. Oui, l'Empereur n'était plus qu'un souvenir et Dun-Cadal, un homme au visage buriné, que parcourait une barbe poivre et sel.

—Inutile de me remercier, s'exclama une voix douce alors qu'il empruntait une ruelle déserte, préférant éviter le tumulte de l'avenue marchande.

D'un bref coup d'œil par-dessus son épaule, il reconnut le visage amical de la jeune historienne d'Éméris. Elle lui souriait. Il n'en avait nulle envie. Il continua son chemin en se massant la nuque. Un bon verre lui ferait le plus grand bien.

—Enfin, si vous le souhaitiez, je le prendrais comme un compliment, insista Viola en courant presque derrière lui.

Il marchait d'un pas rapide, décidé. Elle lui collerait aux basques, il n'arriverait pas à s'en défaire, il le savait. Dans sa tête résonnaient les paroles de Logrid...

Je ne me battrai pas avec toi. Pas tant que je n'aurai pas la rapière.

Éraëd. Viola la voulait. Logrid également. Il ne doutait pas un seul instant de pouvoir emporter avec lui le secret de son emplacement. Cependant... la curiosité le piquait. Rien n'arrivait par hasard.

—Ils croyaient que vous aviez tué Négus, je leur ai dit que ça ne pouvait être le cas, expliqua Viola tout en essayant de marcher à son côté. J'ai dû intercéder en votre faveur. Mais le conseiller Azdeki m'a bien spécifié que vous étiez sous ma garde désormais et je... Bon sang!

Le ton avait progressivement monté jusqu'à claquer comme un fouet, au moment même où elle s'était arrêtée.

—Vous pourriez m'écouter un instant, non? gronda-t-elle. Ce serait trop vous demander?

Elle se tenait raide, les poings serrés le long des cuisses, les sourcils froncés au-dessus de ses lunettes rondes. Ses yeux verts le figèrent quand il se retourna. Il s'y perdait, troublé, happé tout entier par la jeunesse de son visage lisse. Cette Viola ne lâchait décidément pas prise. Mais ce n'était pas seulement par intérêt qu'elle l'avait libéré, non. Il le percevait, là, au fond de ses pupilles. Il y voyait du respect. Alors, ses traits s'adoucirent.

—Merci, dit-il.

—Voilà, ça, c'est déjà une bonne avancée, soupira-t-elle en relâchant ses épaules. Vous n'êtes vraiment pas facile, Dun-Cadal.

Enfin, il esquissa un sourire.

—Pourquoi faites-vous tout cela? demanda-t-il.

—Faire quoi?

—Me pourrir la vie, répondit-il sans se départir de son sourire naissant.

Elle se contenta de hausser les sourcils.

—Pour la rapière, avoua-t-elle. Je vous aide. Vous m'amenez à la rapière.

Il hocha lentement la tête.

—Très bien.

Et reprit sa route.

—Quoi? C'est tout? s'étonna la jeune femme. Non mais attendez!

Elle essaya de nouveau de le rejoindre, mais il marchait de plus en plus vite, atteignant le bout de la ruelle.

—Et le conseiller Azdeki, vous lui avez parlé? Qu'est-ce qu'il vous a dit? Et Logrid? Qu'est-ce qu'il s'est passé?

Elle le pressait de questions. Mais il n'était guère décidé à lui répondre. Ils débouchèrent dans une rue pavée qu'arpentaient quelques passants sans grande agitation. Ici, pas de marchands, pas de cris, pas de gardes. Juste la vie simple de la cité. Certains rentraient chez eux, d'autres devisaient sur un banc près d'une petite fontaine qui déversait une eau claire dans un bac couvert d'algues vertes.

—Mais enfin, où allez-vous comme ça?

Il avisa une statue au bout de la rue. Trônant au centre d'un petit croisement, personne ne semblait la remarquer, à moitié couverte de lierre, un duvet mousseux liant le socle de pierre au pavé humide de Masalia. Elle représentait un homme, brandissant une sorte de parchemin devant lui, prêt à annoncer une grande nouvelle.

—J'aimerais que votre *tatoué* nous laisse un peu tranquilles, dit-il subitement.

Lorsqu'il se tourna vers elle, Viola pâlit.

—Il est là pour me protéger…, assura-t-elle.

Dans son dos, la silhouette massive du Nâaga se détacha de l'ombre d'un balcon. Dun-Cadal lui adressa un regard torve avant de revenir sur la jeune femme, un sourire en coin.

—Vous savez quoi? Je n'en étais pas certain.

Vexée d'avoir été ainsi piégée, elle ouvrit la bouche pour protester, mais déjà Dun-Cadal reprenait sa marche, accélérant le pas.

— C'est comme ça que vous me remerciez ? Vous redevenez déplaisant ! Vous filez vous soûler dans quel rade, cette fois ?

— Je ne vais pas me soûler, répondit-il d'un ton sec.

Il ralentit la marche, arrivé au croisement.

— Alors quoi ? s'impatienta Viola.

Devant lui s'élevait la statue, son socle entouré de grilles de fer par lesquelles s'écoulait l'eau croupie des rues. Son nez avait été brisé, les détails émoussés, le lierre grimpait jusqu'à l'épaule, mais il l'aurait reconnue entre mille. Il n'était pas repassé devant elle depuis son arrivée à Masalia. Il ferma les yeux, inspirant profondément pour chasser ses souvenirs. Mais rien n'y fit, c'était même pire. Les images de la chute d'Éméris surgissaient du néant, aveuglantes, rougies par les flammes voraces qui bougeaient frénétiquement dans les nuages de fumée crasse. Il se revit là-bas, dans les couloirs du palais, toussant, crachant ses poumons, perdu…

Une explosion l'avait réveillé et il avait découvert avec stupeur la porte de sa geôle pliée, une partie du mur effondrée. Et partout des déflagrations comme autant de coups de tonnerre ébranlant l'édifice. Se mêlant à la clameur des lointains combats, le choc des épées résonnait sans qu'il puisse en déterminer la provenance. Il avait couru dans les couloirs, sonné, le front en sang, le visage couvert de poussière. Savait-il seulement où il allait ? Éméris était attaquée et les révoltés prenaient déjà le palais. Azdeki n'avait pas tenu. Savait-il seulement…

Il s'était arrêté devant la double porte sans trop comprendre ce qui l'y avait mené. Il les avait poussées de toutes ses forces, ignorant quel triste spectacle il découvrirait. Quelle volonté le guidait alors…

Et quel ressentiment le frappa lorsqu'il aperçut la silhouette tordue, drapée dans sa cape noire, le masque luisant à quelques centimètres de sa main inerte. Elle était allongée, silencieuse, la lumière vacillante des flammes épousant ses contours. Derrière elle, les voilages consumés par les flammes se soulevaient, vibrant à l'écho des combats. Et pas un oiseau ne chantait aux cimes des arbres léchant le balcon de marbre.

Dun-Cadal s'était agenouillé à son côté. Il avait couvert le visage à jamais figé de son masque d'or.

Il avait failli quitter la salle ainsi, submergé par sa rancœur, sans rien y comprendre. Il avait manqué de s'enfuir en l'oubliant. Mais elle ne pouvait tomber entre les mains des révoltés, elle représentait tant. Il l'avait emportée avec lui, traversant les restes d'un Empire en flammes… Éraëd avait quitté la ceinture de l'Empereur pour échouer avec lui dans cette ville portuaire. Elle avait parcouru les anciens royaumes peu à peu apaisés. Jusqu'à Masalia…

—Cette statue… c'est une de celles qui ont été construites en hommage à la proclamation de la République, nota Viola.

Il rouvrit les yeux lentement. Le monument s'auréolait d'une lueur orangée, douce et chaleureuse. Bien moins âpre que celle du feu crépitant.

—Oui, reconnut-il, ajoutant comme pour lui-même : C'est ironique quand on y pense.

La jeune femme ne releva pas tout de suite, l'observant contourner le socle tout en jetant de brefs coups d'œil vers les maisons au coin des rues. Elle fronça les sourcils.

—Qu'est-ce qui est ironique ? demanda-t-elle enfin.

Il s'arrêta net, son visage semblant se durcir à la vue d'une grille de fer légèrement masquée dans le renfoncement d'une façade. Du lierre, encore, y tombait en rideau.

—Que je l'aie cachée en dessous, murmura Dun-Cadal en s'en approchant, l'air préoccupé.

—Vous voulez dire que…, souffla Viola.

Elle chercha désespérément du regard la présence du Nâaga derrière elle. Bien loin de s'en soucier, Dun-Cadal s'évertuait déjà à ouvrir la grille, ses deux mains serrant les barreaux pour la tirer vers lui. Il dut s'y prendre à plusieurs fois pour enfin la décoincer dans un grincement strident. Cela faisait dix ans qu'il ne l'avait franchie.

—Vous l'avez cachée ici ? comprit Viola, abasourdie. Ici même à Masalia ?

De toute évidence, elle ne s'était pas préparée à cette éventualité. Le soir de leur rencontre, il avait évoqué les territoires de l'Est. Il avait toujours donné cette destination lorsque, fin soûl, il se plaisait à raconter la chute de l'Empire. Et tout le monde en avait été convaincu… Si cet homme disait vrai, c'était dans les territoires de l'Est, non loin du Vershan, qu'il avait caché Éraëd. Dun-Cadal retint un sourire moqueur.

—Je parle beaucoup trop quand je suis soûl, vous me connaissez. Si vous saviez le nombre de chasseurs de trésors qui parcourent le Vershan…, lâcha-t-il en sortant une allumette de la poche de sa veste.

Il passa la grille, disparaissant dans l'obscurité d'un escalier pentu. Une odeur pestilentielle monta jusqu'à la place, piquante et salée. Viola grimaça d'un air de dégoût avant de s'engager dans l'escalier, prenant soin de s'assurer de la présence de Rogant quelques pas derrière elle.

Dans l'escalier, Dun-Cadal alluma une torche et s'en servit pour nourrir celles qui attendaient, scellées au mur.

Les marches luisaient à la lumière combinée du soleil passant la grille et celle des flambeaux. L'escalier s'enfonçait en tournant pour atteindre un conduit souterrain au milieu duquel coulait une eau fétide. Aux ordures immondes que charriait le courant se mêlaient quelques rats, aussi gros que des chats.

—Exquis…, soupira Viola.

Au bord du canal, Dun-Cadal attendait, la lueur des torches vacillant sur les contours de son visage grave. Des rongeurs longs comme son avant-bras glissèrent entre ses jambes sans qu'il s'en inquiète. À l'inverse de Viola qui mesura ses pas, relevant instinctivement le bas de sa robe de ses mains tremblantes.

—… exquis et grouillant, ajouta-t-elle dans un murmure.

Elle ne reculait pas, avançait en tâtonnant certes, l'air écœuré, mais elle était bien décidée à ne pas le perdre de vue. Dun-Cadal s'en trouvait réconforté. Peut-être était-ce vraiment le bon choix et ne faisait-il pas cela sur un simple coup de tête. Quelles qu'aient été les raisons de la venue de Logrid à Masalia, comme du meurtre de deux conseillers, tout semblait mener à Éraëd. Et si Logrid avait eu vent que Dun-Cadal l'avait cachée, peut-être même en avait-il déduit qu'elle était ici, dans la ville du Sud. Plutôt Viola que lui. Le vieux général était bel et bien déterminé à lui remettre la rapière. D'une certaine manière, elle le méritait.

Il suivit le canal jusqu'à une large salle où l'eau rejoignait trois sillons similaires au sortir d'autres tunnels. Leurs courants venaient se lier autour d'une large dalle octogonale baignée par la lumière du soleil. Au-dessus, les grilles d'évacuation bordant la statue formaient d'étranges persiennes parsemées de crasse noire. Viola lâcha sa robe, mal à l'aise. Marcher ainsi la freinait, elle pressa le pas pour rejoindre Dun-Cadal et retint un cri lorsqu'un rongeur fila le long de son mollet. Arrivé à sa hauteur, le général lui jeta un bref coup d'œil auquel elle répondit par un rictus peu engageant. Elle devait le maudire de l'avoir amenée ici, dans les déjections de la cité.

Il avait enterré l'ultime symbole de l'Empire dans des égouts putrides… Étonnant pour quelqu'un qui le regrettait à ce point et le considérait toujours comme le seul régime acceptable. Il traversa la salle, passa sur la dalle et s'arrêta au coin d'un tunnel après avoir compté les autres du regard.

— Pourquoi avoir choisi les territoires de l'Est ? demanda Viola en l'observant s'agenouiller et fouiller une anfractuosité.

Elle eut un haut-le-cœur en le voyant écarter des rats d'un revers de main. Puis il enfonça le bras dans le trou.

— Et pourquoi pas ? souffla Dun-Cadal.

— Moi, je pense le savoir, déclara la jeune femme. Quitte à prétendre avoir caché quelque chose, autant que ce soit dans l'endroit le plus haut du monde, n'est-ce pas ?

Ainsi pouvait-il se passer des années avant qu'Éraëd ne devienne une légende et que plus personne n'ose ou ne trouve un quelconque intérêt à la chercher. Les montagnes du Vershan étaient réputées pour leur dangerosité.

Dun-Cadal retira son bras de la cavité, un objet longiligne couvert d'un épais tissu marron dans la main. Et, tout en se plaçant au centre de la dalle, il entreprit d'ôter la couverture. Peu à peu apparut une lame à l'éclat nullement altéré par le temps, claire et lisse jusqu'à sa garde torsadée roulant au-devant d'une poignée finement sculptée. Sa perfection était si flagrante que personne n'aurait pu y voir là autre chose qu'une création divine.

— Voilà, soupira Dun-Cadal. Éraëd.

Il la gardait respectueusement posée sur le plat de ses mains, hésitant à en saisir la poignée.

— Pourquoi ? osa timidement Viola, plissant les yeux d'un air suspicieux.

— C'est ce que vous vouliez, non ? répondit sèchement Dun-Cadal. Éraëd. Alors la voilà.

Il tendit les bras pour lui présenter la rapière.

— Prenez-la. C'est l'Épée du dernier Empereur, elle doit valoir quelque chose dans votre musée de la République. Prenez-la.

Elle hésitait, contournant la dalle d'un pas lent, le regard oscillant entre l'Épée et le visage affecté du général. C'était la seule chose matérielle qui le liait à ce qu'il avait été. Et il était prêt à s'en séparer sans cérémonie.

— Pourquoi? réitéra Viola.

— Parce qu'elle mérite une autre place que celle-là, répondit le général sans grande conviction. Peut-être que j'estime que vous êtes à même de la protéger.

— La protéger? Mais de quoi? s'enquit-elle aussitôt.

— De qui…, dit-il.

Elle joignit ses mains derrière son dos sans réussir à masquer leur tremblement. Dun-Cadal baissa les yeux sur la lame, sachant qu'elle avait compris.

— Quelqu'un d'autre vous a demandé l'Épée.

— Logrid, avoua-t-il dans un soupir. Je suppose que Logrid la veut également.

Elle se contint du mieux qu'elle put pour dissimuler son soulagement. Mais, de toute évidence, le général était trop absorbé par la lame parfaite au creux de ses mains pour lui prêter une attention particulière.

— Vous m'avez aidé, reconnut Dun-Cadal d'une voix terriblement basse. Vous m'avez écouté…

Ses yeux tristes se tournèrent vers elle, plongeant dans son regard, comme pour s'y accrocher désespérément. Elle n'avait, jusqu'alors, compté que sur un parfum de lavande pour amadouer le vieil homme. Sa ténacité, son humour comme sa jeunesse avaient fait le reste. Dun-Cadal l'appréciait.

— Vous la méritez…, dit-il. Vous la vouliez, alors prenez-la.

Il tendit de nouveau les bras vers elle, présentant l'Épée avec une certaine déférence.

— Elle ne m'a jamais été d'une grande utilité, expliqua-t-il. Sa place est dans un musée…

— Pourquoi changer d'avis? interrogea Viola, curieuse.

— Pourquoi? lâcha-t-il d'un rire nerveux. C'est une simple rapière.

—Elle est magique.

Il hocha la tête, un sourire en coin.

—Vous ne comprenez pas…

—Elle a accompagné les grandes lignées de ce monde.

—Elle n'est pas magique, murmura-t-il.

—Elle a été forgée dans les temps anciens, ensorcelée, est capable de…

—Qu'en savez-vous? s'emporta-t-il. Vous ne comprenez pas! Ce n'est qu'une épée. Croyez-vous qu'elle ait sauvé Asham Ivani Reyes?

Son visage se tordait de colère. Au coin de ses yeux perlaient des larmes. Mais, devant lui, Viola restait imperturbable. Dans le dos du vieux général se dessinait peu à peu la silhouette massive d'un Nâaga.

—Croyez-vous qu'elle ait changé quoi que ce soit? continua Dun-Cadal. L'Empire est tombé… et moi avec. Alors dites-moi, où est passée sa prétendue magie? Je ne l'ai jamais vue sortie de son fourreau. Tout ce qu'on dit sur elle n'est que… fadaises! Elle a servi bien des empereurs mais n'a pas protégé le dernier.

Il se revoyait penché au-dessus du cadavre encore chaud de l'Empereur. Un corps inerte gisant au milieu d'un palais en flammes…

—Sa magie ne réside peut-être pas là.

—Elle n'est pas magique! insista-t-il. Ce n'est qu'un symbole! Vous ne comprenez donc pas!

Sa colère vira à l'amertume et sa voix se fit soupir.

—Éraëd n'a jamais été qu'un… symbole, conclut-il.

Pas un moment, il n'avait osé en toucher la poignée, préférant la porter tel un précieux objet sur le plat de ses mains.

—Et qui d'autre que Dun-Cadal Daermon aurait pu y accorder autant d'importance?

Il se figea, comme tétanisé. Cette voix, il la reconnaissait bien qu'elle ait gagné en profondeur. Il y avait cette même diction, cette même tension dans chacun des mots prononcés. Sortant d'un tunnel, l'homme avançait d'une démarche féline, le visage masqué par l'ombre de sa capuche. Les flambeaux auréolaient les contours de sa large cape verte, bordaient ses bottes de cuir comme ses gants d'un fin liseré. À sa ceinture, le pommeau d'une épée sur lequel il posa une main.

— Mais… mais, balbutia Viola, blême.

— Un symbole que tu as bien pris soin de ne pas laisser à Éméris. Ce n'est guère étonnant qu'un homme, qui a passé sa vie à servir un empire auquel il a tant donné, cherche à en emporter un morceau… avant que tout brûle.

Dun-Cadal restait immobile, le cœur battant, tout proche de la rupture. Lui aussi devenait livide. Du coin de l'œil, il aperçut le Nâaga se détacher de l'obscurité d'un tunnel.

— Ce n'était pas prévu, articula enfin Viola. Ce…

— Prévu…, répéta Dun-Cadal dans un murmure.

L'homme s'arrêta à quelques pas de la dalle.

— Je voulais le voir, Viola. Et rien n'aurait pu m'en empêcher, répliqua-t-il d'une voix sourde.

Le Nâaga ne goûtait visiblement pas la surprise, mais il se contenta de croiser les bras, s'adossant à la paroi courbe de la salle. D'un coup de pied, il fit valdinguer un rat qui passait devant lui.

— Je sais qui tu es…, commença Dun-Cadal, la gorge terriblement sèche.

L'homme acquiesça d'un lent hochement de tête. Dun-Cadal aurait pu jurer qu'il souriait. Il n'osa pas faire un seul mouvement, Éraëd posée sur ses paumes, comme il ne pouvait détourner son regard. Il n'en avait plus la force.

— J'ai cru que tu étais Logrid, avoua-t-il, une pointe de tristesse dans la voix. Mais pourquoi… pourquoi tout ça…

— Ce n'est pas une bonne idée, tu devrais partir, dit Viola en le prenant par le bras. Nous voulions l'Épée, nous l'avons. Ça ne sert à rien.

Mais l'homme l'ignora.

— Il y a tant de choses que tu n'as pas voulu voir, accusa l'homme. Tu n'as aucune idée de ce que j'ai vécu. Aucune.

— Arrête tant qu'il est encore temps, supplia la jeune femme en lui pressant le bras.

Cette fois-ci, il la repoussa doucement.

— Si tu savais comme je me suis perdu auprès de toi, comme je t'ai haï, comme je m'en suis voulu.

… parfois, je te hais…

— Tes anciens amis ont trahi l'Empire et c'est à la République qu'ils vont s'attaquer désormais. C'est étonnant que, pour la sauver, il faille l'Épée du dernier Empereur, n'est-ce pas ? L'ironie du sort…

Elles lui brûlaient les lèvres, toutes ces questions, mais laquelle poser en premier, laquelle calmerait cette sourde douleur qui montait… Là, sous la cape de Logrid, il ne le reconnaissait pas.

— Et maintenant… ils veulent s'attaquer au rêve de mon père, affirma l'homme avec le plus grand calme. Ils ne piétineront pas ce qui lui a survécu. Nous avons besoin de l'Épée…

— Ton père…

Un pan de sa vie se fracassait. Il avait beau essayer d'en rassembler les morceaux, rien ne formait un tout cohérent. L'homme acquiesça brièvement avant d'abaisser sa capuche, découvrant enfin un visage qu'il pensait ne jamais plus revoir.

— Je me suis perdu, Échassier. On m'a volé jusqu'à mon nom durant des années. J'ai choisi ma voie. Et je sais qu'elle ne te plaira pas.

— Laerte, dit Viola, inquiète.

Dun-Cadal sentit son cœur se briser.

— D'Uster…, laissa-t-il échapper, stupéfait.

Cet homme s'est totalement désincarné pour ne devenir qu'une rumeur.

Comme une pièce a deux faces… Il en est de même des événements. Suivant celui qui vous les rapporte, ils changent du tout au tout.

PARTIE II

1

DESTIN

Ironie du sort ?
Ou volonté des dieux,
D'offrir à un homme la possibilité
De nourrir son propre ennemi.

Le premier baiser, le premier mot d'amour, la première étreinte… La vie d'un homme est parsemée d'événements qui restent à jamais gravés. La première arme, le premier coup, la première mort donnée. Qui peut se souvenir ou avoir conscience du moment, parmi toutes ces premières fois, où la vie prend un sens ? Du moment où le destin s'empare de vous et vous mène sur une seule voie. Ce moment-là était arrivé dix-sept ans plus tôt.

—C'est pas comme ça qu'on fait, Laerte, dit une douce voix.

Les Salines étaient sous la tutelle du comte d'Uster, un homme respecté pour son jugement, son autorité et sa clémence. Il était homme de lettres, habile à l'épée mais si épris de la plume qu'il était connu pour laisser la lame au fourreau quand d'autres auraient usé de la force pour être obéi. Le peuple l'aimait autant pour ses talents de bretteur que pour sa culture. Il les éclairait.

—C'est comme ça, expliqua-t-elle en posant la main sur le carreau pour le bloquer au creux de l'arbalète.

En ces temps-là, nul ne se doutait que, deux ans plus tard, la guerre embraserait la région. Si Oratio était coupable de quelque chose, c'était de blasphème, mais même les plus croyants de ses sujets

223

l'avaient aisément pardonné. Si, contre les lois des moines de Fangol, il écrivait lui-même ses ouvrages, non des registres mais bien des réflexions sur l'avenir de ce monde, il y mettait tant d'intelligence qu'ils étaient désormais discutés en secret à Éméris même.

La jeune fille prit l'arbalète des mains de Laerte et illustra ses dires.

— Tu le mets comme ça, tu épaules, tu vises…

Elle marqua une pause, concentrée sur sa cible.

— … et tu tires, souffla-t-elle.

Elle pressa la détente et, dans un claquement sec, le carreau partit se figer dans l'écorce d'un arbre. Sans rien ajouter, elle rendit l'arme au jeune garçon, un sourire narquois ourlant ses lèvres. Elle était belle, de longs cheveux noirs de jais bouclaient jusqu'à ses épaules nues. Sa robe verte épousait les formes naissantes de son corps sorti de l'enfance. Pas encore une femme, elle essayait pourtant d'en adopter l'allure. C'était sûrement pour cela que Laerte perdait tous ses moyens devant elle. L'œuvre d'Oratio d'Uster lui était bien étrangère, tout comme les remous qu'elle provoquait en haut lieu. Bien qu'il soit son père, c'était tout autre chose qui méritait son attention. Intimidé, il contemplait chacun de ses traits, chaque courbure de son corps, par de simples petits regards furtifs. Quand elle pointait vers lui ses yeux bleus en amande, il détournait aussitôt les siens, le rouge aux joues.

— C'est simple, dit-elle d'une voix subitement aiguë.

Elle le jaugeait presque, un sourire en coin. Laerte ne supportait pas quand elle se tenait comme ça, hautaine, presque méprisante. Tout ça parce qu'elle avait tout juste quatorze ans et lui seulement douze. Il entendait encore le maître d'armes de son père lui crier dans les oreilles : « Stupide pataud ! Même une fille tient mieux l'épée que toi. »

C'était vrai pour elle. Son père était un forgeron, elle avait grandi parmi les armes et appris à les manier dès son plus jeune âge. Quand ils étaient petits, elle lui avait toujours mis des raclées. Maintenant, c'était… différent. Elle ne jouait plus, ne s'amusait plus de la même façon que lui. D'autres choses l'intéressaient et, parfois, il lui semblait ne plus en être. Pire encore, elle commençait à lui parler comme une adulte s'adressant à un enfant. Mais alors, si elle l'énervait autant, pourquoi ne pouvait-il s'empêcher de l'observer sous toutes les coutures ?

— Non, mais je sais faire, geignit Laerte en soupesant l'arbalète.

— Fier petit garçon, sourit-elle avant de marcher vers l'arbre.

Elle retira le carreau et, quand Laerte la rejoignit, ils restèrent ainsi, silencieux, l'un à côté de l'autre. En contrebas s'étendaient les calmes marais des Salines. Quelques paludiers s'affairaient à leurs tâches, sur leurs gardes, car les marécages un peu plus loin regorgeaient de Rouargs en cette période de l'année. C'était le début de l'été, les femelles sortaient de leur terrier avec leurs petits pour se mettre en chasse et il n'était pas rare qu'un malheureux finisse dans leur gueule.

— C'est beau, dit-elle.

Plus que le voile de chaleur qui se mouvait sur les marais, c'était elle que le garçon regardait. Quand, du coin de l'œil, elle remarqua l'attention de Laerte, il contempla à son tour le paysage. Au loin, deux échassiers se dressaient sur une patte, l'autre repliée contre leur ventre. À une telle distance, leur long bec fin prenait l'allure d'une lame aiguisée.

— Oui, c'est… c'est les Salines, soupira-t-il.

Elle eut d'abord un léger sourire avant d'éclater d'un rire moqueur.

— Les Salines, c'est tout ce que tu trouves à dire.

— Ben quoi? demanda Laerte, affecté.

— Ton précepteur ne t'apprend donc aucun mot pour que tu puisses parler du paysage autrement que par un…

Elle se pencha vers lui, minaudant.

— … « c'est les Salines »? termina-t-elle d'une voix douce.

Il sentait son parfum, il voyait ses lèvres toutes proches des siennes, sa peau mate, si douce. Une envie serrait son ventre comme jamais et il se retint de l'embrasser.

— Qu'est-ce qu'on va faire de toi, dis-moi? Tu n'es pas très doué pour les armes…

— Le maître d'armes dit que je fais des progrès! mentit Laerte.

— Et tu n'es pas aussi porté sur les lettres que ton père… Qu'aimes-tu donc faire à la fin?

Elle n'attendit pas de réponse, descendant la colline jusqu'aux chevaux attachés à un arbre en bordure de forêt. Derrière les cimes, au loin, se dressaient les remparts de bois du Guet d'Aëd, et en leur centre un haut donjon de pierre.

—Faire du cheval, dit Laerte alors qu'il lui emboîtait le pas.

—Et c'est tout ?

Non, bien évidemment. D'ailleurs il mentait. La seule chose qu'il savait aimer était se trouver avec elle, tout simplement. Le reste… il éprouvait peu de plaisirs en vérité. Son chemin était tout tracé, son frère aîné promis à une grande carrière militaire, il prendrait la place de son père. C'était ainsi. L'aîné offert au service de l'Empereur, le cadet se devait d'assurer la succession. Et, même si son destin n'avait pas été aussi clair, il n'aurait pas eu plus d'idées que cela sur ce qui l'attendait.

Il n'était plus un enfant, pas encore un homme, difficile de savoir ce qui l'intéressait. Parfois, il aimait jouer avec ses petits soldats de bois. D'autres jours, il les rangeait en pestant que ce n'était plus de son âge et qu'il souhaitait chevaucher où bon lui semblait. Seulement, bien qu'il se sente grandir, tout le monde, à l'instar de son amie, le considérait comme un *petit garçon*. D'ailleurs, n'avait-elle pas raison ? Il conservait au fond de sa poche son jouet d'enfant préféré, un tout petit cheval de bois que son père avait lui-même sculpté.

—Iago sait manier l'épée, lui. Il aime faire du cheval, il est bon archer et il s'y connaît en poèmes, lui confia-t-elle.

Il eut l'impression que ses jambes se dérobaient sous lui. Mais il resta debout, les mains terriblement moites lorsqu'elle lui tendit les rênes de son cheval.

—Il est bien meilleur cavalier et il aurait trouvé de merveilleux mots pour parler du paysage, ajouta-t-elle en détachant sa monture de l'arbre.

Laerte tira le cheval derrière lui, marchant d'un pas chaloupé, tête basse. Quand elle parlait de Iago ainsi, ses yeux s'illuminaient d'une lueur qu'il n'appréciait guère. Trop vive. Iago était le fils du capitaine de la garde ; il partait avec quelques prédispositions. Et puis il avait seize ans ! Et puis il était blond. Et puis il était grand. Et puis, quoi qu'il ait pu avoir d'autre, Laerte l'aurait de toute façon jugé comme un défaut. Iago était l'archétype même du beau jeune homme à qui rien ne résistait. Ils avancèrent tous deux jusqu'à l'orée du bois, à côté de leurs chevaux.

—Oh ! Une grenouille, s'exclama-t-elle alors qu'ils approchaient du petit chemin de terre serpentant dans la forêt.

Elle lui tendit les rênes de son cheval et courut derrière le batracien affolé. Si son geste fut rapide, il n'eut aucune dureté lorsqu'elle emprisonna le pauvre animal au creux de ses mains. Elle laissa apparaître la tête verte striée de noir et y déposa un baiser. Comme rien ne se passa, elle ouvrit les mains et, aussitôt, la grenouille bondit avant de disparaître dans les herbes en direction des marais.

— C'est… dégueulasse, dit Laerte, dégoûté. Chaque fois que t'en vois une, faut que tu fasses ça…

— Parce que chaque fois il est possible que l'une d'elles soit mon prince charmant, se défendit-elle en haussant les épaules.

Elle revint à sa hauteur et posa un index sur son nez, plissant les yeux.

— Qui sait derrière quelle grenouille se cache un prince charmant…

— Ben pas derrière celle-là en tout cas. Et puis qui te dit que tu vas pas avoir des pustules?

Elle mena son cheval jusqu'au chemin de terre. Il s'enfonçait dans la forêt, serpentant parmi les bosquets fleuris jusqu'à n'être plus qu'une trace floue entre les troncs.

— Les grenouilles ne donnent pas que des pustules! s'indigna-t-elle. Ma grand-mère m'a appris qu'elles avaient toutes des vertus, quoi qu'on en dise.

— Je sais, je sais…, acquiesça Laerte, blasé.

— L'urine des grenouilles des Joncs est un très bon médicament! Et puis ce ne sont pas que de pauvres petites bêtes, tu sais. Certaines ont beaucoup à apprendre au plus fin stratège.

Elle se hissa sur sa monture. Sa robe glissa, dévoilant ses jambes jusqu'aux cuisses. Laerte avala sa salive, serrant les rênes aussi fort qu'il put. Il avait envie de les embrasser, ces jambes, d'y laisser glisser la paume de sa main, d'en sentir l'odeur. C'était nouveau et soudain, alors, il baissa les yeux. Non pour chasser ces idées qui, somme toute, lui plaisaient, mais bien pour ne pas les nourrir davantage. Il grimpa à son tour sur son cheval et d'un coup de talon lui ordonna d'avancer au pas.

— Tu sais que la grenouille d'Érain se nourrit de guêpes et de frelons? continua la jeune fille. Elle a une technique particulière pour chasser. Sa peau prend les couleurs de ses proies; elle s'approche d'une ruche, se fait presque accepter comme une des leurs. Et à ce moment-là, au moment même où elles baissent leur garde…

Elle inclina la tête de côté, un étrange regard dans sa direction.

—La grenouille d'Érain attend d'être au plus proche de ses ennemies pour frapper. Vois-tu, petit comte, qu'on peut apprendre beaucoup, même d'une simple grenouille…

—Ne m'appelle pas petit comte, dit-il, l'air renfrogné.

—C'est qu'il se vexerait presque… Autant que si tu arrivais le dernier aux portes du Guet?

Elle donna deux petits coups de talon et son cheval partit au galop dans le chemin. Surpris, celui de Laerte se cabra, manquant de désarçonner son cavalier. Il oscillait entre la colère et l'amusement en l'observant s'éloigner. Ses cheveux bouclés semblaient flotter sur la peau mate de ses épaules.

Elle s'appelait Esyld Orbey, fille du forgeron du Guet d'Aëd. Et Laerte d'Uster, fils du comte de la région des Salines, l'aimait jour après jour sans oser l'avouer à quiconque. Il s'élança au galop à son tour.

Son chemin était tout tracé, comme le sentier qu'il empruntait dans la forêt menant à la ville. Un jour, il serait comte des Salines, sans trop savoir s'il pourrait gouverner avec la même aisance que son père et sans pouvoir compter sur l'aide de son grand frère, sûrement devenu général, assurant la paix dans l'Empire. Il aurait une femme, des enfants. Et quoi? Il se contentait de ce qu'il avait déjà, sans rêver de plus, faisait ce qu'on lui demandait, sans donner plus, apprenait à aimer en secret, sans en dire plus. Si! Il y avait bien une chose qu'il aurait appréciée. Être comme Iago. Non pas être Iago le beau, le blond, le talentueux. Mais avoir un peu de son charisme, un peu de son adresse… un peu d'attention d'Esyld.

Il la rattrapa enfin dans les sous-bois. Elle s'était arrêtée, le visage grave, l'œil fixant au-delà des arbres une étrange fumée noire qui s'élevait du Guet d'Aëd. Lorsqu'il fut enfin à sa hauteur, calmant sa monture devenue soudain nerveuse, Esyld lui adressa un regard autoritaire.

—Tu ne bouges pas d'ici.

—Quoi? Mais pourquoi? Qu'est-ce qui se passe?

Enfin, il vit la fumée. Le donjon brûlait. Son cœur tressauta. Il blêmit. Et n'osa pas avancer. Esyld talonna sa monture et s'élança au galop vers les remparts en bois de la ville. Pour y trouver quoi ? Laerte aurait pu la suivre, chevaucher dans la cité, découvrir par lui-même le drame qui s'y déroulait. Mais lui, le fils cadet du comte d'Uster, assez piètre bretteur, élève moyen, au physique commun, n'avait même pas une once de bravoure pour escorter celle qu'il aimait.

Les sabots de la monture d'Esyld martelèrent la route de terre menant aux portes du Guet d'Aëd, jusqu'à ce qu'elle disparaisse au loin derrière un nuage de poussière.

Durant une bonne heure, il attendit à l'orée de la forêt, indécis. Que devait-il faire ? La rejoindre ? Rester là ? Que se passait-il ? Il descendit de cheval, l'attacha à un arbre et tourna autour de lui comme un animal en cage, le regard rivé vers l'enceinte de la ville. Il s'adossa à un arbre, le souffle lourd, quand au loin lui parvinrent des bruits de combats. Il y eut un craquement sec derrière lui. À peine se fut-il retourné qu'une fine main gantée s'abattit sur son épaule. Une seconde se plaqua contre sa bouche grande ouverte pour étouffer son cri.

— Chut ! ordonna une voix. Laerte, calme-toi. C'est moi.

Et, sous la cape bleue, il reconnut Esyld. Pourquoi s'était-elle changée ? Sans qu'il ait pu lui poser la question, elle sortit d'une sacoche une seconde cape, noire celle-là, et la lui tendit.

— Mets ça, vite. Il faut partir d'ici. Ils ont lancé des patrouilles à ta recherche.

— Qui ça ? demanda-t-il d'une voix tremblante. Esyld, qu'est-ce qu'il y a ?

Il enfila le vêtement par-dessus sa chemise. Esyld posa les mains sur ses épaules et plongea ses yeux dans les siens.

— L'Empire. Ton père a été arrêté. Toute ta famille aussi, annonça-t-elle sans faire montre d'aucune émotion.

— Mais… pourquoi ?

— Mon père est avec le capitaine Meurnau. Ils sont au nord de la ville. Viens, il faut se hâter ! Allez !

Les traits de son visage étaient si tendus, si durs qu'il ne la reconnaissait plus. Elle lui prit la main et l'entraîna dans la forêt. Meurnau, le capitaine de la garde…

— Une jeune fille qui sort de la ville, ça attire moins l'attention, dit-elle d'une voix terriblement nerveuse. Quelqu'un leur a dit que tu étais sorti dans les marais. Ils ratissent tout autour du Guet, ils te cherchent partout…

Ils rejoignirent l'orée de la forêt où les attendait une petite charrette à l'arrière bâché.

—… sauf à l'endroit où ils n'imaginent même pas que tu puisses te rendre. Cache-toi, il risque d'y avoir quelques soldats…

Le sourire qu'elle lui adressa était si crispé qu'il ne fut pas plus rassuré. Elle l'aida à se faufiler sous la toile. Le ciel commençait à se voiler de nuages. Au loin, une averse se préparait. Entre deux sacs mous puant les égouts, Laerte se recroquevilla comme un nouveau-né. Le sang battait ses tempes. Ses mains tremblaient. Il ferma les poings. Son père arrêté par l'Empire sans qu'il en connaisse les raisons ? Et si on le recherchait, c'était pour qu'il subisse le même sort. Qu'avait fait la maison d'Uster ? Ce n'étaient pas les seuls écrits d'Oratio qui justifiaient un tel acte. Alors pourquoi ?

Il perçut le claquement des rênes puis le bruit des sabots martelant le sol. La charrette s'ébranla.

—Surtout tu ne bouges pas, lui ordonna Esyld.

Durant les quelques minutes que dura le trajet jusqu'aux portes de la cité, il n'entendait plus que sa respiration, lourde, saccadée. Un manteau d'angoisse l'enveloppait, sa peau était moite, sa gorge sèche. Quand il devina les voix sourdes de soldats interpellant Esyld, il retint son souffle. Il y eut un échange tendu. Des voix sèches, où se mêlaient autorité et mépris. Une seule parole mal perçue et c'était fini. Sous la bâche, il serra ses genoux tout contre lui et ferma les yeux. Si un soldat attaquait Esyld, aurait-il le temps de sortir pour la sauver ? Essaierait-il ? La protégerait-il de son corps, acceptant qu'une lame le perfore ? Il retint un gémissement ; les larmes lui montaient aux yeux. Il y eut plusieurs petits tapotements au-dessus de lui. Un soldat passait sa main sur le tissu. Le bruit fut plus prononcé, les tapotements augmentaient… Non… ce n'était pas un soldat, mais des gouttes de pluie. Une averse s'abattait sur le Guet d'Aëd.

Enfin, la charrette avança. Quand elle se fut arrêtée et que quelqu'un releva la bâche, Laerte avait les yeux rougis par les larmes. Si le premier visage qu'il vit dans la pénombre d'une grange humide fut celui d'un homme barbu et non d'Esyld, il n'en eut pas moins honte. Du coin de l'œil, il aperçut la jeune fille, trempée par la pluie, qui l'observait, attristée. Il s'essuya aussitôt les yeux d'un revers de la main, serrant les dents de colère. Elle ne devait pas le voir comme ça. Pas comme ça, lâche, perdu, sans aucune pudeur.

— Monsieur, vous êtes sauf. Venez, dit l'homme en le poussant d'une main sur l'épaule. J'ai cru qu'ils vous avaient attrapé dans les bois. Le temps presse.

C'était le père d'Esyld et, de toute évidence, ils se trouvaient dans la grange jouxtant son atelier. Il portait encore son tablier couvert de poussière, sur une chemise noire qui peinait à contenir ses larges épaules. Derrière une porte craquait le bois dans l'âtre d'une forge, sa lumière orange palpitant entre les planches du panneau.

— Esyld, selle les chevaux, il nous faut partir dans l'heure! prévint-il en entraînant le garçon vers une échelle menant à une coursive.

Ils grimpèrent sans attendre, longèrent la coursive jusqu'à une petite porte sur laquelle Maître Orbey donna trois coups rapides puis deux coups longs. Par-dessus la rambarde, Laerte jeta un coup d'œil vers Esyld en contrebas. Elle se dépêchait de préparer les chevaux, nerveuse. Dans sa hâte, elle lâcha la selle qu'elle portait et pesta, des sanglots dans la voix. Elle lui avait paru si déterminée lorsqu'elle était venue le chercher dans les bois. Il aurait préféré rester auprès d'elle pour la prendre dans ses bras. Au moins, ça, il était sûr d'y parvenir.

La porte grinça en s'ouvrant. Derrière, deux gardes, la main sur le pommeau de l'épée, les jaugèrent d'un œil suspicieux. Reconnaissant Orbey, ils s'écartèrent pour les laisser entrer. La pièce était exiguë, quelques caisses remplies d'outils de forge posées dans un coin et une large enclume usée. Un homme au visage fin, marqué de courtes cicatrices, se tenait assis à une petite table proche de la seule fenêtre qui donnait sur une rue du Guet d'Aëd. La forge de Maître Orbey avait été construite dans la partie la plus haute de la cité. De là, on voyait jusqu'à la grande place au pied de l'église. Sur la table, reposait un casque de capitaine de la garde, reconnaissable à la tête de dragon, gueule ouverte, qui surplombait la protection nasale. L'homme y apposa une main gantée de fer.

— Capitaine Meurnau? s'étonna Laerte, la gorge terriblement sèche.

S'il était bien là, caché dans l'atelier de Maître Orbey, cela voulait dire que la situation était pire encore que ce qu'il avait pu imaginer. Meurnau se redressa et, d'un geste rapide de la tête, désigna un petit tabouret près des caisses.

— Asseyez-vous, enjoignit-il d'un ton ferme.

Puis, lui tournant le dos, il invita Orbey à le rejoindre près de la fenêtre.

— De nombreux soldats d'Azdeki fouillent les alentours de la ville, lui confia le forgeron dans un murmure.

Passant une main dans le blond cendré de ses cheveux, Meurnau inspira profondément tout en écoutant le forgeron. C'était comme s'ils souhaitaient tous deux épargner à Laerte leur conversation. Il n'aurait sûrement rien entendu s'il s'était assis comme le lui avait demandé le capitaine.

— Ils vont revenir quand ils ne trouveront rien, et là, nous ne pourrons plus passer par le nord. Il nous faut quitter le Guet d'Aëd dès maintenant, Orbey.

— Je sais, acquiesça-t-il. Ma fille selle déjà les chevaux. Mais après ?

— Après nous aviserons. Les baronnies du Sud-Ouest ont toujours respecté le comte et certaines ne se sont pas cachées d'adhérer à sa vision des choses. Il faut d'abord nous retrouver en lieu sûr pour organiser le soulèvement.

— Le soulèvement ? Meurnau, vous n'y pensez pas ! s'indigna Orbey.

— Capitaine…, dit Laerte.

Mais les deux hommes près de la fenêtre ne l'écoutaient pas. Orbey cherchait le regard fuyant du capitaine. Au loin, sur la place de l'église, une potence finissait d'être montée.

— Ce n'est pas ce que le comte souhaite !

— C'est exactement ce qu'il veut, forgeron, rétorqua Meurnau. L'Empire se meurt, il est temps de changer de gouvernance.

— Pas par la force !

— Capitaine ! réitéra Laerte en avançant d'un pas.

Les poings fermés, il sentait le sang bouillir dans ses veines. Et, dans sa tête, une question prenait le pas sur toutes les autres… mais personne ne lui prêtait attention.

— Puisque l'Empire prive les Salines de son maître sans le consentement de son peuple, alors les Salines clameront leur indépendance ! rugit Meurnau. Cela suffit de se plier aux moindres désirs d'un tyran. Considérer d'Uster comme un hors-la-loi et le traiter avec le plus grand mépris après tout ce qu'il a pu faire pour ces coqs de basse-cour, c'est indigne, forgeron. Indigne !

— Capitaine Meurnau ! hurla Laerte.

Les deux hommes firent subitement volte-face, découvrant avec étonnement l'attitude décidée du garçon. Meurnau l'avait entraîné plusieurs fois au duel, sans cacher ses doutes sur ses talents de bretteur. Des trois enfants du comte d'Uster, Laerte se savait le plus discret, sans grand caractère, effacé en toute occasion. Qu'il ait pu hausser la voix ainsi pour se faire entendre, non avec arrogance, mais avec une autorité semblable à celle du comte, le surprenait lui-même. Mais il ne s'y arrêta pas. La colère était trop envahissante pour qu'il puisse retrouver son calme.

— Où est mon père ? demanda-t-il. Ma mère ?

— Laerte, nous essayons de gérer la situation au mieux, expliqua Meurnau. Je vous prie de rester à votre…

— Dites-moi ce qui se passe ici ! s'emporta le garçon en soutenant son regard. Où est retenue ma famille ? Pourquoi n'avoir rien empêché ? Dites-moi !

Le capitaine cilla. C'était la première fois que Laerte lui donnait un ordre du haut de ses douze ans. Comptant sur le respect dont Meurnau devait faire preuve envers lui, il semblait prêt à le défier afin d'obtenir des réponses. Le forgeron devança le capitaine, s'avançant vers le garçon.

— Monsieur, c'est une grande confusion dans la cité, commença-t-il. Le capitaine Azdeki est venu arrêter le comte, votre père, et votre frère en les accusant de haute trahison envers l'Empire. Votre mère et votre sœur ont été emmenées, nous n'avons pu les…

— Votre père n'a pas trahi, Laerte, intervint le capitaine entre ses dents.

Le dégoût lui venait chaque fois qu'il pensait aux manœuvres d'Azdeki.

— Mais alors pourquoi mentent-ils ? enchaîna Laerte, hébété. Pourquoi font-ils ça ?

— Nul doute que l'ordre de Fangol veut récupérer son bien, répondit Meurnau. Et que l'Empereur, dans sa faiblesse, ne s'y est pas opposé.

— Votre famille… possède bien des choses qui attisent les convoitises, monsieur, ajouta Orbey, embarrassé.

Si Laerte avait bien entendu, ce n'était pas ce qu'il souhaitait savoir, ce n'était pas le plus important. La peur vrillait son estomac.

— Où est-il ? Où est mon père ?

Sa voix tremblait maintenant. Il imaginait le pire.

— Maître Orbey ! Où est mon père ?

Le forgeron fit un pas de côté, découvrant la fenêtre dans son dos, tête baissée.

— Ils l'ont déjà jugé, monsieur…

Au loin, derrière les toits de bois des maisons en contrebas, se devinait le gibet. On allait pendre quelqu'un. Laerte regarda tour à tour la fenêtre et les hommes à ses côtés. Il ne comprenait pas. Il n'en avait aucune envie. Peu lui importait finalement de savoir pourquoi, comment, quand. La seule chose qu'il constatait avec colère était l'immobilisme du capitaine de la garde. Soumis à une rage intérieure qui l'envahissait, il perdit toute retenue.

— Et vous allez le laisser mourir ?

— Laerte…, soupira Meurnau.

— Allez le sauver ! Empêchez ça !

— Laerte, calmez-vous !

— Espèce de lâche ! hurla le garçon. Allez vous battre ! Vous êtes à nos ordres ! Obéissez ! Mon père est votre comte ! Sauvez-le !

— Par tous les dieux, monsieur ! s'interposa Orbey. Reprenez-vous !

Allaient-ils réagir, prendre les armes et secourir son père ? Et ensemble libérer sa mère, son frère et sa sœur ? Non. Ni Meurnau ni Maître Orbey, pas plus que les deux soldats, ne semblaient décidés à agir. Ivre de colère, Laerte se rua vers la porte, les prenant tous de court. Il débaula sur la coursive, courut jusqu'à l'échelle et s'y laissa glisser, les jambes serrant les montants. Derrière lui retentit la voix autoritaire du capitaine.

— Laerte ! Revenez !

Il ne pensait nullement aux risques encourus. Sa raison était anéantie par la peur. Cette même peur qui virait à la hargne. Il fallait qu'il voie de ses propres yeux ce qui se déroulait sur le parvis de l'église. L'idée même qu'il n'ait aucun moyen d'intervenir ne l'effleura pas un seul instant.

— Laerte… ? s'étonna Esyld en le voyant pousser les portes de la grange.

—Monsieur! appela Orbey sur la coursive.

Meurnau empruntait déjà l'échelle. Sans même adresser un regard à la jeune fille, Laerte grimpa sur le cheval qu'elle terminait de préparer. Au moment où le capitaine s'élança vers lui pour l'arrêter, il talonna sa monture et partit au galop dans les rues désertes du Guet d'Aëd. Que la ville parut ainsi dépeuplée ne l'inquiéta pas, car au loin des clameurs le guidaient. À elles s'ajoutait le bruit de la pluie semblable à des roulements de tambour. À deux rues de la place seulement, lorsqu'au coin d'une maison il aperçut les hallebardes tenues par des soldats de noir vêtus, il ralentit sa course et rabattit la capuche rapiécée sur sa tête. Il mit pied à terre, relâcha le cheval sans même l'attacher, et avança. Il s'en fallut de peu pour qu'il ne rebrousse chemin, le cœur battant à tout rompre, lorsqu'une escouade de soldats passa devant lui, leurs bottes frappant la terre battue par l'averse. Enfin il pensa aux risques encourus, à cette folie qu'il n'avait su repousser dans sa soudaine ardeur. L'Empire le cherchait. Son père allait être exécuté. Au lieu de fuir, il se jetait dans la gueule du loup. Car que pouvait-il faire contre toute une armée…

Quelque chose pourtant le força à avancer. Il brûlait en lui un étrange feu dont il n'aurait pu décrire la force ni même le nommer. Peut-être l'espoir coulait-il encore dans ses veines pour faire battre son cœur aussi vite. Il avait l'impression que ses vêtements étaient devenus subitement trop petits pour lui. Il marcha jusqu'au parvis. Une foule se pressait autour de la large potence dressée à la hâte. Il n'y avait nulle joie, nul enthousiasme, seulement des cris de stupeur, quelques-uns de révolte. Et pour cause. Sur l'estrade, prêt à être exécuté, son père conservait un regard fier et droit vers le lointain. À son côté, les yeux baissés bien qu'il essayât de rester digne, son frère aîné murmurait une prière. Une corde nouée autour du cou, les mains attachées dans le dos. Laerte manqua de s'effondrer.

Il inspira profondément.

—Silence! Silence!

Tout proche, un homme au visage émacié, le nez aquilin, essayait de calmer les huées en baissant les mains vers la foule. Il portait une armure argentée, une large cape rouge attachée sur ses épaules et tombant jusque sur ses talons. Un aigle était peint sur son plastron et broyait entre ses serres un serpent.

Guidés par un homme en armure légère, un jeune chevalier sans aucun doute, des piquiers se postèrent devant la potence pour repousser la foule. Laerte se fraya un chemin entre les spectateurs, sans qu'aucun le remarque. Comme lui-même ne leur prêta aucune attention. Il se courbait légèrement, la tête à hauteur de poitrine. La pluie rendait sa cape plus lourde encore. On le laissa passer. Personne ne le reconnut tant ils étaient tous stupéfaits à la vue de leur bien-aimé comte au bout d'une corde. Lorsque Laerte fut assez près de la ligne de soldats au pied de la potence, il lut sur leur visage une détermination qui lui fit froid dans le dos.

— Silence ! répéta l'homme sur l'estrade.

Il y eut un semblant de calme durant lequel il survola la foule d'un regard perçant.

— Je suis là, moi, capitaine Étienne Azdeki, au nom de Sa Majesté l'Empereur Asham Ivani Reyes, pour juger les traîtres ici présents…

Il pointa un doigt accusateur vers les deux coupables à quelques pas de lui et parcourut l'assemblée d'un air sévère.

— Celui qui vous a gouvernés pendant toutes ces années a fomenté un complot contre votre Empereur, distillé de fausses paroles, semé le trouble et le doute dans vos cœurs et vos raisons ! Sa Majesté impériale, elle-même, a constaté sa haute trahison. L'ordre de Fangol a également soumis une requête…

Une huée s'éleva dans la foule. Regroupés près de la potence, des moines en robe de bure noire cherchaient à garder bonne figure.

— … une requête, reprit Azdeki. Le comte Oratio d'Uster a commis nombre d'outrages et, malgré les mises en garde de notre évêque d'Éméris, il n'a exprimé aucun repentir ! Au regard de ses nombreuses accusations et malgré la peine de Sa Majesté impériale, c'est avec fatalisme que je me dois ici de prononcer la sentence !

Fatalisme ? Il n'en laissait rien paraître. Laerte lui lança un regard torve, prenant soin de mémoriser chaque trait de son visage. Cet homme-là lui apportait le malheur et il connaissait son nom : Étienne Azdeki. Pour autant, il ne croyait pas une seule seconde que son père comme son frère perdraient la vie. D'ici quelques instants, quelqu'un allait les sauver.

— Ma main…, dit une douce voix à côté de lui.

Il perçut les gens bouger furtivement dans son dos et, tournant la tête, croisa le regard peiné d'Esyld. Il baissa aussitôt les yeux.

—Tiens ma main. Prends-la, insista-t-elle dans un murmure. Serre-la.

Les doigts de la jeune femme se glissèrent entre les siens. Aussitôt, il enserra sa main comme si elle était la chose la plus précieuse au monde. Sa peau était douce, sa chaleur, réconfortante. Sa seule présence ralentit les battements de son cœur. Il réprima l'envie folle de la prendre dans ses bras de peur qu'elle ne s'échappe.

—Le sieur Oratio Montague, comte d'Uster, est reconnu coupable de haute trahison envers l'Empire et Sa Majesté impériale Asham Ivani Reyes, d'outrage aux dieux et à leurs représentants, les moines fangolins. Comme inscrit dans la loi, lui et toute sa descendance seront punis de la peine capitale.

Un grondement mécontent parcourut la foule. Les gardes brandirent leurs lances pour stopper net toute velléité. Les moines reculèrent, rabaissant une capuche sur leur crâne rasé et se mirent à psalmodier. Azdeki pivota vers le comte et affronta ses yeux noirs sans aucune hésitation. Sûr de sa toute-puissance, il avança jusqu'à lui.

—La mort… par pendaison, ajouta-t-il en plongeant son regard dans celui du comte.

Sur la chemise blanche du prisonnier, du sang séché, comme sur sa barbe fourni. Sous ses yeux pochés, quelques ecchymoses. Sur ses lèvres fendues se dessina un rictus insolent.

—Souriez, comte, chuchota Azdeki, l'air faussement abattu. Vous avez mordu la main qui vous nourrissait… et vous voilà… au bout…

Azdeki approcha la bouche de son oreille et susurra.

—… d'une corde…

Qu'il paraissait sale et usé dans ses habits défaits, en dépit du port altier qu'il s'évertuait à conserver face au peuple. Près de lui, son fils aîné réprima un sanglot. Le comte avait défendu sa famille, il s'était opposé à leur arrestation, s'était battu contre les soldats dans les couloirs du donjon. Mais sa vaillance n'avait pas suffi. Il était là, sur la potence, en compagnie de son premier fils, se doutant du sort réservé à son épouse et à sa fille. Il lui restait deux choses pour se maintenir ainsi droit et fier aux portes de la mort : l'absolue nécessité de mourir en digne martyr, pour que son œuvre ne soit pas balayé par son dernier souffle, et le réconfort de savoir un membre de sa famille en fuite. Laerte. Son petit Laerte avait une nouvelle fois fugué dans les marais en compagnie de la fille du forgeron. En voilà un qu'Azdeki ne soumettrait pas à la torture avant de l'exécuter devant son peuple.

— Serre ma main, dit la voix d'Esyld à l'oreille du garçon.

— Bourreau, clama Azdeki.

Et, parmi la foule, le comte découvrit avec horreur le visage triste et grave de son cadet.

— Fais ton office!

— Serre ma main aussi fort que tu le veux…

Pour la première fois de sa vie, il lut de la peur dans le regard de son père.

Le bourreau abaissa un levier avec force. Un roulement…

Le claquement sec des planches se dérobant sous les pieds des condamnés.

Un craquement…

Puis juste le bruit du vent qui soufflait la pluie sur une foule muette d'horreur et deux corps pendus, ballottant au bout de leur corde. Laerte ferma les yeux, la poitrine compressée par une douleur insupportable, au point de lui tirer les larmes. Sa main serra celle d'Esyld et alors qu'il pliait les genoux, sentant un cri grandir dans sa gorge, elle l'entoura d'un bras et l'emmena dans la foule qui peu à peu se ranimait.

— Peuple des Salines! héla Azdeki. Vous voilà libéré d'un usurpateur! Vous voilà revenu dans la lumière du Saint-Empire!

Laerte ne voyait pas cette lumière. Il percevait à peine les silhouettes parmi lesquelles ils se faufilaient, parmi les gouttes de pluie, parmi les larmes. Ils passèrent une escouade marchant au pas à l'entrée d'une rue et Esyld l'entraîna sous une porte cochère. Lorsqu'ils furent au calme, et qu'elle eut bien vérifié que personne ne pouvait les voir, elle rabattit sa capuche en arrière et prit le visage du garçon dans ses mains.

— Il faut partir, il faut partir maintenant… Sois le plus courageux, fier petit homme, sois le plus brave…

Elle laissait glisser ses doigts sur les joues du garçon, plongeant son regard triste dans le sien.

— Mon père…, arriva-t-il à prononcer dans un sanglot. Mon frère…

L'effroi le saisit alors que sa bouche se tordait de douleur. Sa gorge était si serrée, son cœur si à vif, qu'il n'arrivait plus à prononcer un seul mot. Il restait sa mère et sa petite sœur au donjon, seules et désemparées. À moins que Meurnau ne les ait délivrées ? Oui. Il l'avait sûrement fait.

— Tu les pleureras plus tard, dit-elle doucement. Mais je t'en conjure, ne nous fausse pas compagnie de nouveau. Ta vie nous importe.

Elle remonta les doigts le long de son visage et colla son front au sien, fermant les yeux.

— Ta vie m'importe, précisa-t-elle dans un murmure.

Tout devint plus clair pour Laerte. Il savait quoi faire désormais et se concentrait sur cette unique priorité : suivre Esyld où qu'elle aille, où qu'elle veuille. Toutes les questions qu'il se posait, tous les tourments qui l'affligeaient, se recouvraient d'un voile chaleureux. Il se laissa emmener jusqu'à la grange, hagard, comme entre deux eaux. Meurnau ne lui adressa pas un mot. Orbey le traita avec délicatesse. Ils le cachèrent dans la charrette bâchée. Puis quittèrent la ville dans le plus grand secret, des hommes de la garde, fidèles au comte, attirant l'attention des soldats de l'Empire par quelques escarmouches.

La nuit tomba vite sur les Salines. Le Guet d'Aëd s'illumina de mille torches sur les remparts de bois. Et, partout dans la région, Azdeki envoyait ses hommes pour assurer sa domination.

Dans un hameau proche des marais, à quelques kilomètres de la cité, Laerte observait les flammes vacillantes dans le crépuscule, comme la lueur fragile d'une vie passée. Il n'arrivait plus à pleurer. Dans son dos, Meurnau préparait les tours de garde des quelques hommes qui les avaient rejoints. Il y avait à peine une dizaine de maisons de bois dans ce village de paludiers, mais Azdeki remuerait ciel et terre pour retrouver le descendant du comte. Toute la région serait mise à sac pour mettre un terme à la maison d'Uster.

— Où est ma mère ? demanda Laerte sans détacher son regard de la cité au loin.

Il n'y eut pas de réponse.

— ... et ma petite sœur ?

— Je suis désolée...

Il les avait cherchées du regard, perdu parmi les gardes de Meurnau, emporté sans ménagement dans le chaos de leur fuite.

239

Depuis leur départ du Guet d'Aëd, c'était la première fois qu'il prononçait un mot. Esyld sortit de l'ombre de la maison dans laquelle ils avaient élu domicile pour la nuit. Elle se plaça à sa droite. Leurs doigts s'effleurèrent.

—Elles aussi, ils les ont tuées? demanda-t-il d'un calme glaçant.

Elle éclata en sanglots.

—... je suis désolée Laerte... Tellement désolée, répétait-elle en enfouissant son visage dans ses mains.

En un jour seulement, Laerte d'Uster avait tout perdu. Sa famille entière, sa ville, son avenir... Il n'était plus qu'une écorce vide, prête à être brisée.

Elle tenta de lui prendre la main. Il s'en écarta. Pour la première fois, il se refusait à elle, sans craindre de perdre toute chance de la séduire. Il fouilla la poche de son pantalon et en ressortit le petit cheval de bois. Combien de fois avait-il joué avec? Combien de batailles avait-il menées contre des hordes imaginaires? Ses doigts se refermèrent sur les contours polis de la petite sculpture et la serrèrent si fort qu'il en crut sa paume marquée à jamais. Puis, d'un geste vif, il lança le jouet loin devant lui. Le cheval de bois disparut dans la nuit. Il n'y avait plus d'Esyld, plus de Guet d'Aëd, plus de Meurnau, plus d'Orbey. Il y avait juste lui et sa rage. Il sut ce soir-là ce qu'il désirait par-dessus tout.

Un jour, il serait le plus grand chevalier de ce monde... et abattrait l'Empire à lui tout seul.

2

TRAQUÉ

Il n'aura nul repos, nul refuge.
De jour comme de nuit,
En tout lieu, il ne sera
Plus qu'un gibier
Fuyant la battue.

Ils fuyaient. Continuellement. Sans fin. Ils sillonnaient la région des Salines en silence, s'enfonçant dans les marais, se frayant entre les hautes herbes et la boue. De village en village, de camp de fortune en lieu-dit isolé au fin fond des marécages, ils n'avaient pour seul but que de protéger Laerte, de l'éloigner autant que possible de l'ombre grandissante d'Étienne Azdeki. L'enfant la sentait dans son dos, menaçante et vicieuse. Parfois, il se retournait, craignant d'apercevoir l'allure fière du capitaine impérial le défiant du regard. Mais il n'y avait rien que le chemin cahoteux qu'ils empruntaient.

Ils n'étaient qu'une vingtaine, la plupart des soldats de la garde qui avaient laissé leurs armures derrière eux, ne gardant que l'apparence de simples paysans. Souvent, ils plaçaient le garçon à l'arrière d'une carriole, la jeune Esyld à son côté et, tous vêtus d'oripeaux, ils avançaient tels de pauvres hères quittant la région en guerre. Les troupes d'Azdeki ratissaient la région, fouillant les colonnes de réfugiés. Les quelques fois où ils furent arrêtés, il s'en fallut toujours de peu pour qu'ils ne soient découverts. À ces moments-là, Esyld se rapprochait du garçon, prenant sa main dans la sienne et lui chuchotait des mots rassurants dans le creux de l'oreille.

Et toujours les soldats leur ordonnaient de reprendre la route, excédés. Qui pouvait prétendre reconnaître Laerte d'Uster ? Qui même savait à quoi il ressemblait ? Quel habitant des Salines l'ayant croisé était assez vil pour assumer de livrer un enfant innocent à la mort ? Oratio d'Uster avait été aimé par son peuple. Sa mort était une souffrance. Donner son dernier enfant vivant à la colère de l'Empereur aurait été une insulte à sa mémoire. Les registres furent brûlés. Les mentions de Laerte, effacées... Le peu de gens connaissant l'âge et l'apparence du garçon se turent.

C'est un soutien silencieux qui les protégea durant leur fuite, un mutisme accepté par tous comme étant l'unique rempart à la folie d'un capitaine de l'Empire. Nulle langue ne se délia et Azdeki dut reconnaître qu'il avait fait là sa première erreur. Dans sa hâte, il avait omis un seul enfant, un simple garçon, dont la rumeur de la survie provoquait l'agitation. Peu à peu, des gens prenaient les armes, des fermes se rebellaient, des lieux-dits se transformaient en camps retranchés. La révolte bruissait. Et, le capitaine Meurnau était prêt à tout pour qu'elle devienne un véritable grondement.

— Buvez, dit-il à Laerte alors qu'ils s'étaient arrêtés au bord d'une route.

Assis à l'arrière de la carriole, un large et épais tissu le couvrant des pieds à la tête, il sortit une main pâle et prit la gourde que lui offrait le capitaine. Cela faisait des mois qu'ils voyageaient, sans véritable destination, si tant est qu'il en existât une. Et durant tout ce temps, Laerte n'avait guère dit plus que quelques mots. Il restait souvent muet, comme absent, et chaque jour passant assombrissait son regard.

Le garçon but une gorgée et rendit la gourde en s'essuyant la bouche d'un revers de la main. Meurnau fit de même tout en s'asseyant à sa droite sur le bord de la carriole. Il soupira en contemplant les marais bordant la route. Au loin, une épaisse fumée noire s'élevait dans un ciel anthracite.

— Ils ont brûlé le village d'Aguel, souffla Meurnau.

À l'approche de l'hiver, les bourgs proches du Guet se soulevaient, suivant l'exemple des villes plus lointaines. Passé la stupéfaction du jugement expéditif de leur bien-aimé comte, ils s'étaient laissé gagner par la colère.

Même mort, Oratio d'Uster restait une épine dans le pied de l'Empereur… Pire encore, sa mémoire agitait les foules jusqu'à la révolte. Ce n'était pas le premier village qui était ainsi rasé par les troupes d'Azdeki. Ce ne serait sûrement pas le dernier.

—Savez-vous pourquoi ils font ça? demanda Meurnau.

Laerte se posait la même question. Tout comme il essayait de comprendre pourquoi toute sa famille avait été ainsi jugée indigne par l'Empire qu'elle servait. Il avait toujours imaginé Éméris comme la cité des sages, où tout se décidait, gardée par un Empereur bienveillant. Et tel un dieu omniscient, il prenait soin du monde… Il avait été si souvent fier que son père ait été son représentant, ici, aux Salines.

—Ils pensaient que nous étions sots, continua le capitaine de la garde.

Il passa une main sur son visage creusé avant de lisser du bout des doigts sa fine moustache d'un noir de jais.

—Ils pensaient qu'une fois votre père mort tous s'agenouilleraient, mais… Oratio d'Uster est plus fort que l'Empereur, ici. C'est lui qui gouvernait. C'est lui qui était aimé.

Laerte restait sous sa couverture, le regard dans le vide, sans aucune réaction. Il entendait, il comprenait, mais cela lui était finalement bien égal de savoir pourquoi, comment ou encore qui… Deux choses lui importaient. Pourquoi avait-il été épargné et comment avait-il pu ne pas sauver sa famille…?

—C'est ça qui l'a tué, avoua Meurnau. C'est ça qu'ils ont jugé. Le fait d'être aimé. Mais l'Empereur seul décide…

—Il n'a pas trahi, dit sèchement Laerte.

Surpris d'entendre la voix du garçon, Meurnau marqua un temps, l'observant du coin de l'œil. Mais l'enfant s'était de nouveau figé comme une statue.

—Non, pas vraiment, acquiesça Meurnau en descendant de la carriole, le regard tourné vers ses hommes assis non loin de là qui discutaient.

Près des soldats en haillons, Orbey et sa fille s'occupaient à cacher des épées dans de grands sacs de toile.

—Mais les rêves de votre père allaient à l'encontre de l'Empereur, continua le capitaine. Il voulait que ce monde ne soit plus soumis aux décisions d'un seul homme… Il pensait que le peuple était capable de choisir par lui-même. C'est sûrement trop compliqué pour vous, mais n'oubliez jamais ça, Laerte : si votre père est mort, c'est d'abord pour le peuple. Lui, il ne l'aurait jamais trahi.

Le garçon baissa les yeux lorsque Meurnau lui fit face. Non, il ne comprenait pas. Pas plus qu'il ne cherchait à le faire. Le moment présent ne comptait pas. Demain ne lui venait pas davantage à l'esprit. Il n'y avait plus que du vide.

— Dans quelques jours nous nous arrêterons à Braquenne, annonça froidement le capitaine. Là, nous vous apprendrons à vous battre. Et nous préparerons la révolution. Vous m'entendez, Laerte ?

Oui, il l'entendait, mais il y avait de si petits cailloux sur le chemin. Laerte préférait les regarder plutôt que ce capitaine austère qui débitait des paroles dénuées d'importance. Ils étaient si petits, si bruns, sur une terre grise que le gel commençait à craqueler.

— Laerte, insista Meurnau.

Mais le garçon ne réagit pas plus. Lassé, Meurnau balaya l'air de la main avant de s'éloigner.

Et ils reprirent la route des jours et des jours encore. Un matin, une nouvelle colonne de fumée noire, épaisse, traversa le ciel. Un autre village brûlé. Laerte s'étonna de ne rien ressentir en s'imaginant les habitants consumés par les flammes. Ils atteignirent Braquenne enfin, un petit village de quinze larges maisons de pierre, de plain-pied, au milieu des marais. Ils avaient voyagé des mois… et Braquenne n'était qu'à deux jours du Guet d'Aëd. Par quel chemin avaient-ils dû passer pour ainsi semer les troupes impériales… Enfin, ils avaient un lieu où rester, un endroit où se cacher et, étrangement, c'était au plus près de leur ennemi, là où ils se savaient en sécurité pour un moment. Azdeki envoyait ses troupes au plus loin, persuadé qu'ils fuyaient vers d'autres comtés.

Alors que Meurnau tentait de planifier la révolte, Laerte se vit attacher les services d'un colosse chauve, Madog. Robuste, fier, il avait été le second de Meurnau dans la garde du comte d'Uster. La balafre qui filait de son œil droit jusqu'à la lèvre supérieure intimait la crainte comme un certain respect. Madog fut ainsi chargé de former Laerte au combat. Durant l'année qui suivit, il tenta d'apprendre au garçon à ferrailler comme il se devait. Sans succès.

Si l'attitude de Laerte changea, plus amène, il n'en demeura pas moins renfrogné lors des cours. Entre les larges maisons, il pestait, épée en main, tombant souvent le cul par terre. Il était bien plus intéressé par les moments passés avec la fille du forgeron, fuyant la surveillance assommante de son maître d'armes.

Madog le prit alors à part. La première fois, il se retint de le tancer pour avoir quitté le village et risqué sa vie. Car ce n'était pas les hommes d'Azdeki qui l'inquiétaient, à vrai dire. Il n'y avait pas eu de patrouilles à moins de deux jours de là. Mais les Rouargs, eux, peuplaient la région. La seconde fois que Laerte fugua, il comprit que rien ne l'arrêterait, qu'à défaut de l'accrocher à un piquet, il devait faire contre mauvaise fortune bon cœur. Il lui fit donc un drôle de présent.

—Ceci est un sifflet.

—Un sifflet? demanda Laerte, étonné.

Assis sur un banc longeant le mur d'une maison de pierre, il contemplait l'étrange bout de bois creusé.

—Un sifflet à Rouarg, précisa Madog. Quand tu files ainsi dans la campagne, je ne peux te défendre. Si les soldats de l'Empire te repèrent, j'espère que tu sauras courir vite. En revanche, un Rouarg, tu ne le sèmeras pas.

Il pointa le sifflet du bout de l'index.

—Ce sifflet imite le feulement d'un Rouarg mâle. Ce sont les femelles qui chassent. Rarement les mâles. Ainsi, quand l'un d'eux approche, elles fuient de peur de…

Un sourire carnassier illumina son visage marqué.

—… se prendre une sacrée dérouillée. Si des Rouargs te pourchassent, utilise-le.

Fort heureusement, il n'en eut pas l'occasion les mois suivants et, alors que Madog passait des heures à le chercher dans le village pour faire bonne figure, il s'esquivait dans les marais en bonne compagnie. Avec Esyld, il oubliait où il était, qui il était et n'avait aucune crainte de penser à ce qui lui arriverait. Elle vouait une attention toute particulière aux grenouilles. Un jour de printemps, elle reconnut une grenouille d'Érain. D'un vert fade parsemé de zébrures dorées, elle sautait nonchalamment parmi les hautes herbes. Ils la suivirent ainsi, et l'idée de rencontrer des soldats de l'Empire ne faisait qu'ajouter du piment à leur expédition. La peur les excitait bien plus qu'elle ne freinait leur avancée. Le cœur battant, ils observèrent la grenouille se précipiter vers une carriole retournée.

Sûrement des fugitifs, comme eux, qui avaient eu un accident ici et avaient été forcés d'abandonner leur chargement au beau milieu des marais.

—Chut, lui intima Esyld d'un murmure autoritaire. Il ne faut pas l'effrayer. Regarde.

Elle releva sa robe, découvrant ses genoux lisses et s'arrêta à quelques mètres de l'animal. Lentement, elle s'agenouilla dans la terre humide et, d'une main douce sur l'épaule de Laerte, l'enjoignit de faire de même.

—Elle chasse, commenta-t-elle. Il y a un nid de frelons là-bas, tu vois ? Tu vois comme elle change de couleur ? Et sous ses yeux, regarde bien, la peau claque comme des ailes d'insectes. Elle fait comme si elle était un groupe entier de frelons. Ils ne voient pas la différence… Ils la perçoivent comme plusieurs des leurs.

Dans le vert bouteille des hautes herbes, posée sur un rocher trempé, la grenouille s'assombrissait, ses fines dorures s'éclaircissant vers le jaune vif. Les longs gonflements de sa gorge provoquaient un étrange effet hypnotique et ils restèrent ainsi à observer le batracien sans que rien vienne troubler son apparente quiétude. Dans un coin de la carriole, un nid de frelons à peine terminé frétillait. Tout autour de l'ovale couvert d'une étrange résine brune, de gros insectes vaquaient à leurs occupations sans s'inquiéter de la grenouille.

—Ma grand-mère me disait qu'elle pouvait attendre comme ça des jours, chuchota Esyld, un sourire admiratif ourlant ses lèvres. Certains frelons vont venir la voir, elle ne va pas bouger. Puis, quand elle sentira que c'est le bon moment, elle va attaquer sans qu'ils comprennent ce qu'il se passe. T'as vu comme elle est belle ?

Mais Laerte ne regardait déjà plus la grenouille. Il contemplait ses longs cheveux bouclés glisser sur une nuque délicate, ses épaules légèrement couvertes d'une robe poussiéreuse, et ses doigts fins et fragiles joints dans une attitude de recueillement. Son cœur battait. Si fort. Sans aucune douleur, bien au contraire.

—Quoi ? fit-elle en remarquant qu'il la dévisageait, le visage figé.

—Elle n'est pas belle, dit-il timidement. Toi, tu es…

Il détourna les yeux. Et la main d'Esyld se posa sur la sienne sans qu'ils se disent un mot de plus.

Le soir venu, il gardait l'impression de cette douce chaleur sur sa peau. Il espérait que la vie dure ainsi, que le fracas engendré par la perte de sa famille se tairait enfin. Il continua l'entraînement avec Madog, des jours durant.

—Lève ton épée, gueulait le colosse. Tiens bien la poignée! Raaah, Meurnau m'avait dit que t'étais empoté, mais à ce point j'imaginais pas.

Des semaines.

—Garde toujours tes appuis, grondait Madog. Garde-les, bon sang!

Et au printemps succéda l'été.

—Allez, Laerte, l'encourageait Esyld, assise sur un tonneau près d'une des maisons. Vas-y! Défends-toi!

—Pare mieux que ça! Pare mieux que ça! ordonnait Madog.

S'il s'améliorait peu à peu, c'était encore insuffisant pour espérer un jour se battre convenablement. Il n'avait pas encore assez d'aisance et, bien qu'il mémorisât certains enchaînements, il les reproduisait sans grande conviction, au grand désespoir de son professeur. Peut-être ne tenait-il pas de son père…

Après l'été, l'automne et un nouvel hiver. Pendant tout ce temps, Meurnau avait rallié de nombreux villages à sa cause et, petit à petit, la résistance s'organisait. De simples paysans acceptaient de prendre les armes, mus par une colère trop longtemps contenue. La mort de leur comte n'avait toujours pas été acceptée, et l'idée même que son fils Laerte puisse mener la révolte aux côtés du capitaine de sa garde les enhardissait. À cela s'ajoutaient les terribles rumeurs concernant les décès de la mère de Laerte et de sa fille, les sévices infligés à deux innocentes, la barbarie perpétrée sans autre justification qu'une cruauté animale… L'Empire n'avait plus de raison d'être quand ceux qui le servaient succombaient aux plus bas instincts. Dans peu de temps, le capitaine prévoyait de reprendre le Guet d'Aëd. Il avait son armée, désormais.

Un soir, dans la plus grande des maisons de Braquenne, chauffée par une large et austère cheminée, Laerte assista pour la deuxième fois à une réunion de Meurnau et de ses hommes. Non pas qu'il y ait été convié. Il n'était rien de plus qu'un symbole pour le reste des Salines. Ce qu'il était s'estompait derrière une figure plus grande, plus belle et plus âgée. Mais, à ce moment-là, il n'avait pas encore conscience d'avoir disparu au profit d'un fantasme. Il était là, à savourer une soupe chaude pendant qu'Esyld reprisait sa veste près de l'âtre.

—L'attaque se fera au printemps, expliquait Meurnau debout derrière une table, les mains posées sur une carte des Salines.

Tout autour, ses lieutenants, dont Madog, écoutaient attentivement. Certains étaient venus expressément de villages voisins où ils entraînaient les habitants au combat. Depuis quelques mois, les escarmouches se multipliaient et il se murmurait qu'Azdeki commençait à douter de faire revenir le calme dans la région.

—Nous encerclerons le Guet d'Aëd sans qu'ils s'en rendent compte, en passant par ici... et ici.

Du bout de l'index, il désigna deux points sur la carte.

—Ils ne s'imaginent pas un seul instant que le peuple entier prendra les armes, assura-t-il avec un certain contentement. Mais déjà, dans les comtés voisins, certains remettent en cause le bien-fondé des actes de l'Empereur. Et à partir du moment où le peuple doute...

Il laissa sa phrase en suspens. Assis près du feu, Laerte écoutait d'une oreille distraite. Il regardait Esyld coudre un bout de tissu sur sa veste déchirée. Lorsqu'elle eut fini, elle lui tendit le vêtement, un mince sourire aux lèvres.

—Voilà, fier petit homme, de quoi te réchauffer.

—Merci..., répondit-il timidement.

Les flammes crépitaient, dévorant la bûche avec passion ; leur lumière brillait dans les yeux d'Esyld. Il ne pouvait s'en détacher, espérant y lire autre chose qu'une simple... affection ? Peut-être devait-il lui avouer ce qu'il ressentait ou tout simplement l'embrasser. Oui, il devait lui demander de l'accompagner à la maison voisine où il dormait, et là, sur le perron, il déposerait un baiser sur ses lèvres douces. Elle ne le repousserait pas. Elle s'était occupée de lui, ce n'était pas par compassion. Elle l'aimait. Ça ne devait être que ça. Il allait le lui demander. Il le fallait.

Il allait le faire.

—Esyld..., murmura-t-il.

—Esyld, va chercher du bois, ordonna une voix dans son dos.

Et la main ferme de Maître Orbey se plaqua sur l'épaule du jeune garçon au moment même où il s'apprêtait à se lever. Car Esyld avait acquiescé avant de quitter son tabouret de bois. Elle rejoignait la porte d'entrée tandis que son père prenait sa place, l'air embarrassé. Elle disparut dans la nuit froide. La porte claqua dans son dos.

— Monsieur, dit Maître Orbey en se frottant les mains près du feu. Je vous ai vu l'autre jour vous entraîner avec Madog.

Il se frotta la barbe du revers de la main, pensif, avant de finalement oser :

— Vous n'êtes pas très attentif, monsieur. Je m'inquiète.

Laerte lui jeta un bref coup d'œil avant de se tourner vers la porte. Il n'attendait qu'une seule chose. Qu'Esyld revienne. À moins qu'il ne trouve une parade pour échapper au sermon de son père et ne la rejoigne dans le froid de la nuit tombante.

— Je sais que vous avez vécu des choses difficiles mais... chaque plaie se referme.

Il eut un temps d'hésitation. Laerte s'était vivement retourné vers lui, les yeux brillants. Ni l'un ni l'autre n'osait prononcer un seul mot. Jusqu'à ce qu'enfin Laerte brise ce silence pesant.

— Je n'oublierai pas ma famille, dit-il entre ses dents d'un air de défi.

— Je ne vous le demande pas, sembla s'excuser Orbey en levant les mains devant lui. Pas le moins du monde. Ce que j'essaie de vous dire, c'est que cette blessure qui vous ronge, il vous faut passer outre. Vous devez apprendre à vous battre. Pour la mémoire de votre père.

— Vous ne savez rien de lui, cracha le garçon au bord des larmes.

De quel droit se permettait-il d'évoquer Oratio d'Uster, lui, le simple forgeron ? Bien qu'il fût à son service, il n'avait aucun lien avec lui. Pas plus qu'avec son fils.

— Je ne vous demande pas de l'oublier, insista Orbey avec plus de conviction. Vous ne le pourrez jamais. Toutes les plaies se referment. Ce sont les cicatrices qui nous les rappellent à nous. Et, si la douleur est moins vive, elle n'en demeure pas moins profonde.

Il se releva lentement.

— Cette perte, rien ne la comblera jamais, monsieur. Mais... c'est votre perte que je redoute si vous n'écoutez pas plus Madog.

Le jeune garçon n'eut pas le temps de réagir. La porte s'ouvrit dans un claquement brusque et deux hommes en tenant un troisième par les épaules entrèrent en rugissant.

— Allez viens, pleutre ! Viens donc dire ton infamie !

— Qu'est-ce que cela ? tonna Meurnau.

— C'est le vieux Bastian de la maison des Criques, expliqua l'un des deux hommes.

Le troisième homme ne cachait pas son effroi, les cheveux blancs en bataille au-dessus d'un visage creusé. Rachitique, perdu dans un épais manteau tombant jusqu'à ses bottes usées jusqu'à la corde et couvertes de boue, il roulait des yeux vers ceux qui le maintenaient de force.

— Grâce… grâce, suppliait-il d'une voix aiguë.

— Il s'est rendu au Guet d'Aëd il y a deux jours et il n'y a pas fait que des emplettes. C'est un couard ! Un traître ! vitupéra l'autre homme.

Meurnau s'avança jusqu'à lui et le prit à la gorge.

— Quoi ?

— J'ai… j'ai… je vous en prie, bredouillait Bastian.

— Qu'as-tu fait ? gronda le capitaine.

— Il nous a vendus, assura l'un des soldats.

— Non, j'ai… j'ai juste dit…

— Tu as dit quoi ? grinça Meurnau.

Une voix lointaine coupa court à l'interrogatoire.

— Alerte ! ALERTE ! L'Empire ! Ils arrivent !

— Je ne voulais pas, sanglotait Bastian. Mais il m'a donné de l'argent pour les miens. J'ai dit que vous étiez à Braquenne, que vous protégiez Laerte d'Uster, il m'a donné de l'argent pour que ma famille puisse manger, l'hiver est rude, monsieur et…

— QUI ?!

— Le capitaine Étienne Azdeki, avoua le vieil homme.

— Nous ne pouvons rien contre un chevalier qui use du *Souffle*, déplora Madog.

— Laerte ! appela Meurnau.

Dehors, les voix des soldats résonnaient dans la lueur des torches. Azdeki arrivait. De l'agitation qui suivit, Laerte ne garda qu'un souvenir confus. Les lieutenants tiraient leurs épées des fourreaux, les gens couraient et un bruit enflait. Jusqu'à ce que les mains de Meurnau soulèvent le jeune garçon perdu et l'amènent à l'autre bout de la pièce, près d'une petite porte.

— Laerte, il faut que vous partiez, dit-il.

Et, comme le garçon ne bougeait pas, il haussa la voix.

250

—Vous m'entendez, Laerte? C'est Azdeki! Je ne sais pas si nous pouvons lui échapper. Il faut que vous fuyiez. Au moins pourrons-nous l'éloigner de vous. Fuyez, Laerte! Fuyez!

Mais Laerte ne bougeait pas. Les lieutenants sortirent par la porte de devant, et des cris guerriers retentirent. Le bruit sec des épées les unes contre les autres, des hurlements et le fracas... Pourtant, tout semblait si lent aux yeux du garçon, si étonnamment flou et...

La main qui fouetta sa joue le sortit de sa torpeur, son cœur sautant dans sa poitrine. L'Empire. L'Empire était là. La peur l'enserra alors pour ne plus le lâcher.

—Fuyez, Laerte! Allez-vous-en! Fuyez! répétait Meurnau en ouvrant la porte.

Sans attendre, il se jeta dans la nuit, entendant à peine la porte se refermer derrière lui tant son cœur battait puissamment. Il tomba à genoux sur la terre gelée et le vacarme de la bataille se fit plus net. Il se releva avec fébrilité. À sa droite, les ombres gigantesques des belligérants se dressaient contre un mur de pierre. Difformes, splendides et effrayantes, elles se confondaient parfois, auréolées de l'éclat fauve des torches.

—Laerte? appela une petite voix.

Et, dans la nuit, elle apparut, la respiration sifflante, les joues empourprées par l'effort de sa course. Dans ses yeux, la peur. Et, au loin, résonnait la clameur des combats.

—Fuis, dit-elle sèchement. Va-t'en.

Il restait là, perdu, sans savoir où aller, quoi faire: se battre ou partir, mourir là-bas loin d'elle ou ici peut-être entre ses bras ou...

—Va-t'en, Laerte! Va-t'en!

Sa voix claqua tel un fouet, blessante. Elle ne lui demandait pas de partir, elle le lui ordonnait. Ses traits si fins étaient tirés par une agressivité qui ne lui ressemblait pas.

—Va-t'en! insista-t-elle.

Et il s'élança dans la nuit; il fila entre les hautes herbes des marais qui lui fouettaient le visage. Il courut aussi vite qu'il le put, jusqu'à ce que les combats ne soient plus qu'un lointain écho et que seule la lumière glaciale des étoiles éclaire son chemin. Ses jambes se firent lourdes, son souffle irritant, sa gorge sèche et piquante, mais il ne s'arrêta pas. Dans sa tête résonnait la voix d'Esyld, si aigre, si violente: « Va-t'en, fuis, va-t'en. »

Ses bottes s'enfoncèrent bientôt dans l'eau croupie. Il continua. Il manqua de s'enfoncer dans une vase épaisse. Il continua. Il chuta, s'écorchant le genou contre une pierre saillante, s'étouffant dans la boue en pleurant. Il se releva et continua.

Sa poitrine n'était plus qu'un brasier, la tête lui tournait. Sa respiration sifflait dans sa gorge, son cœur lui semblait près d'éclater. Et les larmes coulaient à flots sur ses joues salies. Il n'y avait que l'obscurité devant lui, des ombres à peine discernables, des ululements et des craquements qu'accompagnait le lent souffle du vent. Il était seul, là, dans le noir…

Il tomba en avant. Et ne se releva pas. Il n'y eut plus que le noir complet et un long silence, apaisant. Puis un murmure, pareil à un pépiement lointain.

Laerte cligna des paupières. Quelque chose de pâteux, au goût aigre, lui obstruait la bouche. Il toussa une première fois, fermant les yeux.

Le vent lui caressait la joue, soulevant ses cheveux crasseux. Il toussa une seconde fois, plus vivement, et reprit peu à peu ses esprits. Il était allongé sur le ventre parmi les hautes herbes, enfoncé dans la boue, une partie du visage immergée. En sursaut, il se releva pour aussitôt se plier en deux, recrachant avec force la terre détrempée qui l'étouffait. Lorsqu'il se sentit mieux, il se redressa totalement. Combien de temps avait-il couru, il ne le savait pas. Tout autour de lui s'étendaient les marécages, à perte de vue. Sauf… Saillant des hautes herbes, retournée sur un petit monticule sec, la carriole au nid de frelons se dressait devant lui. Il se décida à la rejoindre d'un pas vacillant. Il était exténué, l'esprit vide. Il s'écroula sur la terre sèche, à quelques mètres de la charrette et s'évanouit de nouveau.

Lorsqu'il reprit conscience, un flot de questions le submergea. Qu'allait-il advenir de lui maintenant qu'il était seul ? Que pouvait-il faire ? Où aller ? Comment survivre ? Meurnau avait-il repoussé le capitaine de l'Empire ? Esyld… elle avait survécu, c'était certain. Elle ne pouvait pas mourir. Il allait la retrouver et… non. Il n'en savait rien. L'Empire avait tué sa famille et le chassait comme un chien. Il en était réduit à l'état de bête aux abois.

À la vue du nid de frelons, brisé à même le sol, il laissa échapper un cri de joie. Cette simple découverte lui procura un tel soulagement qu'il en pleura presque. La grenouille d'Érain s'était repue des insectes pour ne laisser que l'écorce vide et sèche de leur abri. La carriole était désormais aussi accueillante qu'une maison à Braquenne et le jeune garçon entreprit de fouiller les caisses, cherchant de quoi s'aménager une cache à peu près confortable. Il étala de vieilles étoffes à même le sol, dévora les pêches en pots comme s'il n'avait pas mangé depuis des jours, et s'endormit enfin quand le soleil fut à midi.

Les jours suivants, la consolation s'étiola au profit d'un atroce sentiment de désespoir. Pas une âme ne traversa les marais alentour, Laerte était bel et bien seul. Meurnau n'avait sans doute pas survécu. Les jours se firent semaines et le printemps arriva à point nommé pour adoucir le vent des Salines. Tenaillé par la faim, Laerte avait été obligé d'apprendre à chasser des grenouilles Ruches, se souvenant des dires d'Esyld quant à leur chair tendre comparable à celle du poulet.

Il essaya de faire du feu, sans grand succès, ne parvenant qu'à s'entailler plusieurs fois la main. Il se contenta de les manger crues, manquant de vomir à chaque bouchée. La chair était visqueuse, le sang poisseux, les nerfs si durs sous les dents. Mais il n'avait que ça pour toute nourriture. Tout ce qu'il avait pu apprendre auprès d'Esyld et qui lui avait semblé bien inutile alors, il s'en servit pour survivre. Car les marais étaient un véritable vivier de grenouilles aux multiples atouts. Le mucus de l'une permettait de faire un onguent, quand une autre se révélait un plat nourrissant.

Plusieurs fois, il hésita à quitter sa cachette pour tenter de rejoindre le Guet d'Aëd. Mais était-il seulement certain de trouver le bon chemin dans les marécages et, si oui, qu'allait-il retrouver là-bas ? Meurnau et ses hommes, s'ils avaient survécu, auraient sûrement battu la campagne à sa recherche. Et s'ils le croyaient mort ? Les jours passant, le désespoir grandissait, si accablant qu'il en vint à ne plus rien faire. Il restait prostré, affamé et las. Jusqu'à un matin où la mort lui sembla trop proche pour qu'il ait le courage de l'affronter. Enfin, il se releva et décida de ne pas se laisser mourir ici.

Les semaines devinrent mois, la douceur du printemps, la chaleur d'été. Jusqu'à ce jour de chasse où, se déplaçant parmi les hautes herbes loin de sa tanière à la poursuite de grenouilles Ruches, il entendit une voix tonner.

—Azdeki ! Foutreciel ! Tomlinn !

À travers les herbes, il discerna un homme à cheval qui balayait l'air de son épée. Et autour de lui se mouvaient trois Rouargs grognant.

—Tomlinn! Azdeki!

Quand l'une des bêtes bondit sur le chevalier, emportant tout sur son passage, destrier comme cavalier, Laerte réprima l'envie de prendre ses jambes à son cou. Ce n'était pas une curiosité morbide qui le poussa à assister au massacre, non, juste un sentiment de revanche. Ils avaient tué sa famille... C'était comme si sa propre région vengeait le comte d'Uster et les siens. Il se redressa pour mieux le voir être dévoré, mais s'agenouilla aussitôt, nerveux. Au loin, ils étaient au moins une soixantaine à porter de lourds morceaux de bois, semblables à un pont démonté. Lorsqu'il se décida à relever la tête, il les observa s'éloigner sans plus se préoccuper du sort de leur camarade.

—Azdeki! Tomlinn! hurlait le chevalier quelques mètres plus loin.

Le grognement du Rouarg couvrit sa voix. L'homme serait bientôt réduit en charpie. Laerte se résolut à quitter les lieux, préférant ne pas être là pour l'entendre hurler à la mort. D'autant plus que, si l'un des Rouargs percevait sa présence, il subirait sans nul doute le même sort. Il entreprenait un demi-tour, accroupi, lorsque sa main effleura le renflement de sa poche. Le sifflet. Le sifflet à Rouarg. Un sentiment de culpabilité le submergea, plus tranchant qu'une épée, plus pesant que le plomb, insupportable et douloureux. Assister à la mort d'un homme, quel qu'il soit, était une chose. Mais ne pas intervenir alors que l'on en a les moyens en était une autre. La satisfaction de la vengeance s'effondrait sous une honte aussi soudaine qu'inattendue. Allait-il laisser cet homme mourir ainsi?

Il perçut un étrange bruit dans son dos.

Jetant un regard effrayé par-dessus son épaule, il assista à l'impensable. Le Rouarg était projeté dans les airs par une force invisible et, avec lui, la dépouille éventrée d'un cheval. Un terrible hurlement retentit, si déchirant, si atroce que Laerte dut s'asseoir dans la boue pour se couvrir les oreilles. Était-il possible que l'on souffre à ce point? Ce cri n'avait plus rien d'humain et, quand il mourut, ce fut comme un silence glacial pesant sur les marais. Laerte plongea la main dans sa poche et agrippa le sifflet. Il le serra si fort qu'il eut l'impression que le morceau de bois pénétrait sa paume. Quand le vent lui fit parvenir le bruit lourd des pas d'un Rouarg, il le porta à ses lèvres. Et il voulut souffler, souffler si fort, si vite, par à-coups. Aucun son ne sortait. Sa gorge était nouée, sa respiration haletante. Les pas se rapprochaient. Les herbes ployaient sous le vent. Il inspira, gonfla ses poumons et souffla, plus fort encore, recrachant tout l'air possible dans le minuscule bois creusé. Plus fort. Un grognement retentit, si proche qu'il crut sentir l'haleine fétide de la bête sur lui. Il inspira à pleins poumons et souffla une nouvelle fois. Un feulement sourd sortit. Puis un deuxième. Un troisième tint jusqu'à ce que son visage vire au rouge écarlate.

Croyant entendre le râle d'un mâle, les Rouargs femelles s'enfuirent sans demander leur reste. Et c'est le souffle court que Laerte osa se relever. Les troupes impériales avaient disparu derrière l'horizon. Les hautes herbes oscillaient lentement sous un ciel blanc étincelant. Peu à peu, la nature sortit de sa torpeur et les coassements se firent de nouveau entendre. Non loin de là, un cheval harnaché avançait au pas, comme perdu. Les rênes pendaient sur son encolure, une selle rouge en lambeaux sur son dos.

Pourquoi…

Il chercha le corps du chevalier et manqua de s'évanouir en découvrant la jambe écrasée, le sang se liant à la boue des marais dans d'étranges spirales.

Pourquoi tu ne me l'as pas dit…

Ce fut peut-être par simple compassion qu'il entreprit de sauver le chevalier aux portes de la mort. Sa respiration était faible. Son teint blême.

Je t'ai cru mort, je… je t'ai cru…

Ce fut peut-être par miséricorde qu'il l'emmena jusqu'à sa cachette… et qu'il le regarda sombrer peu à peu sans finalement rien ressentir, ni pitié ni haine. Lorsqu'il aperçut le fourreau vide à la ceinture, il repartit au cœur des marais à la recherche de l'épée. Il passa une bonne heure à fouiller la boue épaisse alors que la pluie tombait. Une odeur d'égout lui assaillait les narines, mais ce n'était rien en comparaison de la peur qui lui vrillait le ventre. Par moments, il s'arrêtait, guettant un bruit quelconque parmi celui des gouttes frappant la terre molle. Aucun Rouarg ne troubla sa recherche jusqu'à ce que sa main, enfin, touche le pommeau d'une épée enfouie. Il put rejoindre son camp de fortune, le cœur battant encore à tout rompre, mais la peur s'étiolant à chaque pas le ramenant chez lui.

Allongé près de la carriole, le chevalier blessé délirait, le visage trempé de sueur, tordu de douleur.

… pourquoi, Grenouille…

Pourquoi quoi, Échassier?

Cette première nuit, il resta à genoux auprès du mourant, serrant fermement la poignée de l'épée entre ses mains moites. La pluie tombait drue. Et les gouttes, qui se faufilaient entre les planches de la carriole, se mêlèrent à ses larmes. Sanglotant, il leva la lame au-dessus du corps secoué de soubresauts. Il pouvait l'abaisser, fendre l'armure, le perforer et en finir. Ils avaient tué son père.

Pourquoi ne m'as-tu pas laissé mourir là-bas, aux Salines?

La deuxième nuit, alors qu'il avait commencé à panser les plaies du blessé, il hésita de nouveau à l'achever. L'épée était si lourde… Il n'avait qu'à imprimer un coup un peu plus prononcé pour que son poids fasse le reste et pénètre le torse.

Il pleurait… Il n'y arrivait pas. Il brûlait d'envie de le faire, de venger ceux qu'il avait perdus, de répondre à cette barbarie qui avait ôté toute dignité à sa mère et à sa petite sœur. On les avait brisés, il pouvait faire de même… Le croyait-il?… Il n'en était pas capable, pas encore.

Tu n'étais qu'un simple enfant…

Il se laissa choir sur le côté en gémissant, pleurant à chaudes larmes, se maudissant d'être aussi veule. Entre deux sanglots, il ouvrit les yeux.

… Tu pouvais me laisser mourir…

À quelques mètres devant lui, une grenouille d'Érain le regardait sans bouger, la pâle lueur d'une lune blafarde se reflétant dans ses yeux noirs.

Une grenouille d'Érain…

Tu n'étais qu'un simple enfant…

— … Tu pouvais me laisser mourir… Tu n'étais qu'un simple enfant…

— Mon enfance s'est terminée le jour où, pour la première fois, j'ai hésité, répondit Laerte.

C'était à peine s'il se souvenait de l'air humide et tiède des Salines. Ici, à Masalia, les nuits étaient sèches, étouffantes. Le temps changeait…

— Et le jour où je t'ai sauvé, crois-moi… j'ai hésité, ajouta-t-il, terriblement calme.

Adossé au mur d'une cuisine, les bras croisés, il fixait de ses yeux gris, perçants, le vieux général attablé. Devant lui, posée sur la couverture qui l'avait camouflée durant tant d'années, Éraëd scintillait à la lumière d'une lampe à huile. Près de la porte, Rogant veillait tel un garde. De l'autre côté, ses cheveux rouges balayés par la brise légère que laissait passer la fenêtre entrouverte, Viola s'appuyait sur le rebord de celle-ci des deux mains. Ils avaient emmené le général dans cette maison non loin du port. Depuis leur arrivée à Masalia, elle leur avait servi de repaire pendant que Viola cherchait à amadouer le vieil homme.

— Laerte…, soupira Dun-Cadal en se passant une main tremblante sur le visage.

Que n'aurait-il pas donné pour un pichet de vin… Laerte acquiesça d'un bref mouvement de tête.

— Dun-Cadal…, dit-il comme s'ils se rencontraient pour la première fois.

Il avait peine à voir ainsi le général qui l'avait pris sous son aile, les traits si marqués, si tendus, l'air abattu et crasseux. C'était comme s'il découvrait un tout autre homme que celui qu'il avait connu. Comment avait-il pu tomber si bas…? Il essayait de deviner ce qu'il pensait à cet instant, quelles questions lui traversaient l'esprit maintenant qu'il avait connaissance de son identité. Il avait tant préparé cette entrevue qu'aucune demande ne pouvait le surprendre.

— Grenouille…, prononça le général, les yeux perdus dans le vide.

C'était comme s'il évoquait le souvenir d'un défunt. D'une certaine manière, Grenouille était véritablement mort, si tant est qu'il ait réellement existé un jour. Le regard du général rencontra la forme parfaite de la rapière et s'y arrêta.

— C'est pour ça… C'est pour elle que vous êtes là… Mais pourquoi…? Pourquoi ces morts, pourquoi? balbutiait-il.

Laerte avança jusqu'à la table. Et d'une main ferme il prit la poignée de l'Épée pour la soupeser.

— Pour bien des raisons, Dun-Cadal, répondit-il. Par vengeance, par devoir… par obligation… mais surtout par volonté.

Il dévisagea le général, dans l'attente d'une réaction. Mais rien ne vint. Du coin de l'œil, il aperçut la mine sceptique de la jeune femme. Lui seul connaissait le vieil homme, lui seul savait comment réveiller en lui le général endormi.

— Tu m'en veux, n'est-ce pas? De ne t'avoir jamais rien dit, d'avoir caché qui j'étais… Je le sais.

Dun-Cadal restait le regard dans le vague, sans mot dire… mais peu à peu ses mâchoires se crispaient.

— Il n'était pas prévu que je te voie. Rogant en est quelque peu peiné, d'ailleurs, s'amusa Laerte.

Dans le coin, le Nâaga hocha la tête d'un air de dépit.

— Mais je n'en fais qu'à ma tête, tu me connais.

Le général défia son regard aussitôt, agressif.

— Vraiment? demanda-t-il.

Et pour la première fois depuis qu'ils étaient ainsi, presque face à face, Laerte détourna le regard. Il baissa la tête, laissant le silence s'installer. Mais son ancien mentor ne le brisa pas comme il l'attendait. Alors, d'un pas lent, il commença à tourner crânement autour de la table et reprit.

— Quand j'ai entendu dire qu'un ancien soldat de l'Empire racontait pour quelques chopes toutes ses aventures, j'étais loin d'imaginer que c'était toi, tu sais. Et puis il y eut ce moment où, pour je ne sais quelle raison, tu as commencé à parler de l'Épée. Oh, je suis certain que beaucoup la cherchent au Vershan, Échassier. Mais… moi… Lorsque je t'ai reconnu, j'ai su tout de suite que tu ne l'aurais jamais cachée ailleurs que près de toi. Même aussi pathétique que désormais, même aussi puant et sale qu'une merde, tu n'es pas du genre à oublier ton arrogance. La Main de Reyes… le général… le reliquat de l'Empire qui veille sur… ah, oui, un symbole, c'est ça?

Dun-Cadal encaissait, sans broncher. Et lorsque Laerte arriva à son côté, se penchant doucement vers son oreille, il n'esquissa pas le moindre geste. Au coin d'un œil perla une larme de colère.

— Tu as revécu ton passé, n'est-ce pas? Tu t'es rappelé ton ancienne grandeur? Tiens. Prends-la.

D'un geste de la main, il fit rouler l'Épée vers le général impassible.

—Je te sens bouillonner.

—Laerte, intervint Viola. Ça suffit!

Elle ne put s'empêcher de rougir lorsqu'il la jaugea d'un regard torve. Essayant de masquer son appréhension, elle avait quitté le bord de la fenêtre et joignait ses mains devant elle.

—Il ne mérite pas ça, dit-elle à voix basse.

Elle crut qu'il allait réagir violemment, peut-être même la gifler, mais il n'en fut rien. Sous le regard impavide de Rogant, il quitta la pièce d'un pas lent.

Il mesurait à peine les émotions qui l'assaillaient. Tant d'années pour enfin le revoir, tant d'années à comprendre ce qui avait forgé sa destinée… Devant la porte fermée de la cuisine, Viola lui agrippa le poignet.

—Attends, demanda-t-elle. Qu'est-ce que tu cherches à faire? Dis-moi.

Bien qu'il y ait du reproche dans sa voix, elle tentait de rester assez douce pour ne pas envenimer la situation. Il était forcé de reconnaître qu'elle était douée pour calmer les choses. Mais ce n'était qu'une jeune femme, trop jeune pour comprendre ce qu'il éprouvait auprès de Dun-Cadal.

—Il ne devrait pas être là, continua Viola en jetant de brefs coups d'œil vers la cuisine. Nous avons ce que nous voulions. Qu'est-ce qu'on va faire de lui maintenant? Si on le laisse partir, il pourra tout dire. Quand bien même est-il un ivrogne, ça peut attirer l'attention et nous n'en avons guère besoin.

—Rogant le surveillera ici, répondit sèchement Laerte.

—Mais quand de Page saura que…

—Il ne dira rien. Je sais ce que je fais, assura-t-il. Fais-moi confiance.

D'un mouvement brusque, il rabaissa sa capuche.

—Et tu as raison, il ne mérite pas ça… Il mérite bien plus encore.

Sans qu'elle ait le temps de rétorquer, il tourna les talons et quitta la maison.

3

GARMARET

C'est ton innocence que tu vas tuer là-bas,
mon garçon.
Et crois-moi, j'en suis le premier désolé.

Il s'était laissé tomber sur le côté, dissimulé au mieux dans l'herbe épaisse.

— Est-ce ainsi qu'on vous a appris à monter la garde ? gronda un homme un peu plus loin.

— Quoi ? Je faisais juste qu'à pisser, répondit nonchalamment un second.

La nuit était claire, chaque pas dans sa direction pouvait amener les deux soldats à discerner ses contours. Il avait quatorze ans à peine. Et il fuyait les Salines.

— Ne quitte jamais ton poste sans en avertir les autres !

— On est arrivés hier, capitaine, se défendit le soldat. Nous, on sait pas comment faire, hein. On nous a dit, z'allez aligner les catapultes.

— D'où venez-vous ?

— De Bois d'Avrai, capitaine. On est quinze.

Son arme de bois. Elle n'était qu'à quelques centimètres de son bras tendu. À plat ventre sur la terre humide, comme écrasé par la peur, il n'avait pas assez de force pour ne faire ne serait-ce qu'un mouvement vers elle. Son cœur cognait avec violence, résonnant jusqu'à ses tempes, son souffle était lourd, sa poitrine comprimée.

— Vous devez toujours être...

261

À quelques mètres de lui, un capitaine aux bottes luisantes avança d'un seul pas.

— Mais qu'est-ce que vous avez fait?

— On a aligné les catapultes, hein.

Un seul et unique pas qui lui permit de deviner une forme sombre, couchée dans l'herbe. Lorsqu'il perçut le sifflement d'une épée tirée au clair, Laerte n'eut d'autre choix que de s'élancer. Agile, il roula sur lui-même, agrippant l'épée de bois au passage, et se remit d'aplomb avec une étonnante facilité. Il s'était entraîné si durement ces derniers mois.

Mais, cette nuit-là, ce n'était plus un exercice pouvant supporter une erreur. Sa vie même dépendait de ses choix.

— Toi? s'étonna l'homme. Comment?

Le visage balafré, à demi éclairé par les hautes torches du campement, s'était figé, stupéfait. Le soldat était chauve, large d'épaules, la lèvre fendue.

Quand tu files ainsi dans la campagne, je ne peux te défendre. Si les soldats de l'Empire te repèrent, j'espère que tu sauras courir vite.

Laerte marqua également un temps d'hésitation. Dans la poche de son pantalon, le sifflet à Rouarg lui parut lourd.

… je ne peux te défendre.

Face à lui, Madog restait hébété, l'épée presque relâchée au bout de sa main.

— Qu'est-ce que tu…?

… te défendre…

Il se réveilla à la levée du jour, en sursaut, le souffle court et trempé de sueur. Chaque nuit, depuis qu'ils avaient quitté les Salines, il revivait le moment de cette terrible décision. Chaque sommeil se lestait du même cauchemar où il choisissait d'être coupable de meurtre, irrévocablement. Car ce n'était pas pour défendre sa vie qu'il avait plongé l'épée de bois dans la gorge de l'homme. Il désespérait d'estomper cette culpabilité tant ce moment le hantait. Il cherchait à oublier, à se persuader qu'il avait agi avec raison, sans autre choix possible.

— Qui est Madog? demanda une voix derrière lui.

Ils avaient chevauché deux jours durant, ne s'arrêtant que pour laisser souffler leur monture. Ils avaient galopé jusqu'à la grande forêt de Garm, frontière de pins entre les marais salants et les plaines agricoles du comté de Garm-Sala.

Dans son dos, Dun-Cadal harnachait les chevaux tout en lui jetant de brefs coups d'œil.

—Personne…, répondit Laerte en repliant les jambes vers lui.

—Personne? s'étonna le général dans un rire. Pourtant, tu l'appelles chaque nuit, mon garçon. C'est qu'il doit bien être quelqu'un, ce Madog…

Il l'ignora, bien décidé à ne rien laisser transparaître à ce sujet. Dun-Cadal n'était qu'un outil, un simple pion chargé de l'amener à l'Empereur. Il n'avait pas à connaître ses secrets. Et s'il apprenait sa véritable identité, sans aucun doute, il y perdrait la vie. De la révolte des Salines, Laerte ne comprenait pas grand-chose. Son seul but était la mort de l'Empereur. Rien d'autre ne méritait son attention. À vrai dire, il n'était guère conscient du reste du monde.

Pendant des mois il avait pensé, réfléchi, imaginé jusqu'au moindre détail. Soigner le chevalier pour qu'il devienne son professeur n'avait été que le début. Il s'était peu à peu pris au jeu, certain de devenir un homme aussi respecté que son père… et surtout craint de ses ennemis. Il s'était entraîné jusqu'à l'épuisement, surpassant la douleur, répétant les mouvements interminablement, dès que son mentor s'endormait.

—Allez, lève-toi, gamin, soupira Dun-Cadal. Nous sommes dans le comté de Garm-Sala, Garmaret n'est qu'à deux semaines d'ici. Bientôt, nous aurons droit à un bon bain chaud.

D'ici à ce qu'ils atteignent Éméris, il serait alors le plus grand chevalier de ce monde, capable de défier l'Empereur lui-même. À l'instar de la grenouille d'Érain, il devenait semblable à sa proie… pour mieux s'abattre sur elle. Il se leva, encore fatigué.

—Allez! le pressa Dun-Cadal.

Le général se hissait fébrilement sur son cheval, grimaçant. Était-ce sa jambe qui le faisait encore souffrir? Laerte se surprit à le plaindre. Il avait craint que sa jambe ne le handicape lors de leur fuite mais, à sa grande surprise, Dun-Cadal avait fait montre d'une impressionnante maîtrise. Il l'avait aidé à s'échapper avant de combattre seul. Au moins devait-il le respecter pour cela.

Deux semaines, avait-il dit. Deux semaines de chevauchée à travers les bois, jusqu'aux plaines verdoyantes de Garm-Sala où les attendait la ville fortifiée de Garmaret. Deux semaines durant lesquelles il rêva de Madog pour, chaque matin, subir les mêmes questions de la part de son mentor. Durant leur voyage, il lui apprit quelques rudiments de chasse, content de goûter à une autre chair que celle des grenouilles Ruches.

À Laerte vécut ces moments-là avec une certaine difficulté, tant le général lui paraissait rustre, gouailleur et indiscret. Il cherchait toujours à en savoir plus sur lui, balançant sans aucune raison des questions auxquelles le garçon peinait à trouver des réponses. À son grand soulagement, lorsqu'il balayait sa curiosité d'une phrase évasive, Dun-Cadal changeait de sujet.

À chaque halte, l'apprentissage continuait. Dans la pénombre, il combattait des ennemis invisibles jusqu'à ce que ses muscles deviennent des charbons ardents et qu'il tombe à genoux, épuisé. Las, il revenait au campement, s'allongeait pour dormir à peine trois heures, et se réveillait aux aurores, en sursaut.

Bringuebalé sur sa monture, il manqua plus d'une fois de s'assoupir. Jusqu'à ce que, à l'orée de la forêt, il découvre les plaines de Garm-Sala. Sous un doux soleil de printemps s'étendaient des champs par centaines, du vert foncé de l'herbe coupée au doré des céréales. Ici et là, des sentiers terreux serpentaient, empruntés par quelques chars à bœufs vacillants. De petites silhouettes sombres marchaient à leur côté, calmes et tranquilles. Et dans l'air voletaient de curieuses formes blanches, minuscules et belles, portées par un vent léger.

—Des aigrettes de pissenlit. Le vent les souffle, expliqua Dun-Cadal avant de soupirer d'aise. Garmaret…

Les bras posés sur le pommeau de sa selle, il désigna d'un signe de tête l'architecture brute des remparts de Garmaret. D'ici, la ville paraissait un simple carré de pierres, une tour de guet se dressant à chaque coin.

—Nous y serons en fin de journée si nous gardons une bonne allure.

Laerte contemplait le paysage, stoïque. Il ne laissait rien paraître de son étonnement, trop habitué à masquer ses émotions.

—Eh bien… tu as l'air ravi…, remarqua Dun-Cadal en flattant l'encolure de sa monture. Ça ne te plaît pas, un peu de repos bien mérité?

—Si…

Son laconisme parut irriter le général, si bien qu'il crut opportun de s'expliquer.

— C'est la première fois.

— Que tu peux prendre un bain ? railla Dun-Cadal.

— Non...

Il hocha la tête.

— Je n'ai jamais vu que les Salines, précisa-t-il.

La peur l'étreignait tout autant que l'excitation inhabituelle qu'il se gardait bien de montrer. L'Empire était-il immense au point qu'il mettrait des années à atteindre Éméris ? Instinctivement, il regarda par-dessus son épaule, en direction des Salines.

— Eh, gamin, appela Dun-Cadal. Regarde-moi.

Lorsqu'il croisa le regard du général, il en fut si troublé qu'il sentit les larmes lui monter. Dans ses yeux, il vit de la bienveillance. Pour quelle raison commençait-il à redouter le moment où Dun-Cadal apprendrait qu'il avait nourri son propre ennemi ?

— Tu es ici chez toi, gamin.

Et d'un coup de talon, il fit partir sa monture au galop. Être chez soi... cela n'avait rien de bien rassurant.

C'est à bonne allure qu'ils parcoururent les chemins, croisant chariots et paysans sans qu'aucun d'eux s'en étonne. Il s'était attendu à ce qu'on l'arrête, à ce que quelqu'un se mette en travers de la route et crie qu'il était des Salines, ou pire encore. Tous ici étaient voués à servir l'Empereur et sa cour, tous ici avaient dû applaudir en apprenant la mort d'Oratio et la prise des Salines. Pourquoi se montraient-ils aussi peu intéressés par deux cavaliers galopant vers la ville fortifiée ? Lorsqu'ils atteignirent les portes de Garmaret, au soleil couchant, Laerte comprit la raison de leur indifférence.

Sous le regard dur des soldats impériaux, des dizaines de chariots s'amassaient aux portes et sous leur toile pleuraient femmes et enfants en haillons. Avançant à leur côté, des hommes, par centaines. Ils fuyaient les Salines pour trouver refuge ici, à Garmaret. Jusqu'ici bruissait la guerre. Et, bien loin de profiter d'un calme salvateur, ils se voyaient fouillés sans ménagement, séparés parfois des leurs, pour être guidés au travers de la ville, passant les deux herses levées à l'entrée.

Ils se frayèrent un chemin parmi la foule, une fois franchies les lourdes portes de la cité, allant au pas dans les ruelles étroites qui montaient jusqu'aux baraquements. Ces derniers entouraient une petite tour de pierre, à quelques mètres d'une large porte fermée d'une herse. De l'autre côté partait une grande route que surveillaient des soldats en cuirasse sombre.

Jusqu'à ce qu'il pose un pied à terre, pas une fois Laerte ne baissa les yeux vers les siens qui venaient ici chercher la paix. Pas un instant, il n'osa croiser leurs regards de peur qu'on ne le reconnaisse… ou d'y découvrir la souffrance. L'angoisse lui pesa lorsqu'une escouade passa dans leur dos. Il descendait tout juste de cheval au pied de la tour et l'idée qu'il se trouvait dans la gueule du loup lui empoignait le cœur. Partout où ses yeux se posaient, il n'y avait que militaires et réfugiés. Ici, à l'entrée d'une haute et large tente, une femme calmait son bébé en le berçant lentement. Là, des soldats discutaient avec un homme au visage défait, tiré par la fatigue. Il entendait à peine la voix de son mentor qui discutait depuis quelques minutes avec un jeune lieutenant à l'armure luisante.

— Qui dirige ce camp ?

— Le général Négus, monsieur…

L'un était propre, coiffé et intimidé. L'autre avait vécu des mois dans les marais, sale et puant, l'armure cabossée, les cheveux en pagaille sur un visage marqué par l'épuisement.

— Appelle-le, vite.

Il claqua des doigts aussitôt pour rappeler le lieutenant pressé.

— Dis-lui que Dun-Cadal Daermon est ici.

Le lieutenant parut se décomposer. Sous la saleté des marais maculant l'armure, se devinaient les couleurs de l'Empire. N'importe quel militaire aurait pu y voir son grade gravé sur les épaules. Mais le général Daermon avait été laissé pour mort presque un an auparavant. Le lieutenant acquiesça et emprunta l'escalier de pierre menant au sommet de la tour sans demander plus d'explication.

Laerte remarqua alors que les regards ne se tournaient pas vers lui. C'était Dun-Cadal qui attirait l'attention. Des soldats chuchotaient entre eux, des gardes s'arrêtèrent à sa vue et d'autres, en patrouille, s'écartèrent sans le quitter des yeux.

Il attacha les rênes de son cheval à une large poutre de bois saillant de la pierre. Laerte l'imita avant de le rejoindre alors qu'il contournait sa monture.

— Surtout tiens-toi bien, Grenouille, ne fais pas mauvaise impression, dit-il d'un ton ferme.

—Oui, Échassier…

—Et arrête de m'appeler comme ça, pesta-t-il. Ici je suis le général Dun-Cadal Daermon, alors appelle-moi par mon grade, foutreciel.

Nerveux, il ajusta son plastron en le tirant par le bas. Alors que tout le monde l'observait avec une certaine révérence, la seule chose qui l'inquiétait, c'était que Laerte fasse bonne figure. Il lui avait sauvé la vie, l'avait aidé à passer les lignes ennemies et c'est ainsi qu'il le considérait. Comme un simple gamin qui risquait à tout moment de lui faire honte.

—Par les dieux ! Par les dieux ! s'écria quelqu'un.

En se retournant, Laerte aperçut un petit homme rond, engoncé dans une armure dorée, qui venait à leur rencontre les bras écartés.

Sur son visage, un sourire béat, un éclat de joie dans les yeux.

—C'est bien toi ? C'est vraiment toi ?

—Et qui veux-tu que ce soit ? répondit amusé Dun-Cadal tout en posant une main sur l'épaule de son apprenti.

Lentement mais sûrement, il l'écarta du chemin à l'approche du petit général. Avant qu'ils ne tombent dans les bras l'un de l'autre, accompagnant l'accolade de grandes tapes dans le dos. La mine renfrognée, Laerte les observait du coin de l'œil : ils riaient, tout à la joie de leurs retrouvailles.

—On m'a dit que tu étais tombé ! Je n'y croyais pas. Un Rouarg ? Te botter les fesses ? À toi, Dun-Cadal Daermon ? s'esclaffa le petit homme.

—On t'a mal renseigné, répliqua Dun-Cadal en s'écartant de lui. Mais j'avoue que j'ai bien failli y rester.

—Tomlinn ?

Pour réponse, il hocha la tête d'un air attristé.

—J'aurais fini comme lui si ce gamin ne m'avait pas sauvé la mise. Grenouille !

D'un mouvement du bras, il invita Laerte à se rapprocher d'eux et posa une main ferme sur son épaule.

—Voici le général Négus, un de mes plus fidèles compagnons d'armes. Négus, laisse-moi te présenter le chevalier Grenouille.

—Grenouille ? Le chevalier Grenouille ? se moqua Négus.

—C'est ainsi que je l'ai baptisé, expliqua le général.

Il parlait de lui avec une pointe de dédain, comme s'il n'était qu'un animal de compagnie.

—Quel regard plein de… morgue, nota Négus.

—C'est un orphelin des Salines, mon ami. Il a son caractère. Mais passons. Nous avons beaucoup à nous dire… avant que je m'octroie le plaisir de prendre enfin un bain.

—Comme je te comprends, sourit le petit homme en regardant tour à tour le général et le garçon. Vous empestez à dix lieues.

Il les guida au cœur de la tour, gravissant l'escalier extérieur pour passer une petite porte et découvrir un dédale de couloirs éclairé par de faibles torches. Tout l'édifice avait été conçu avec de grosses pierres brunes, et sur le sol courait un fin nuage de poussière. Il avait été bâti avant même que l'Empire ne s'élève, lorsque Garmaret n'était encore qu'un simple royaume, et gardait, malgré de récentes rénovations, un aspect brut semblable aux anciennes fortifications pullulant sur ces terres. Aucune finesse dans son architecture, aucune tentative d'embellir la pierre, juste cette couleur de crasse.

Ils pénétrèrent dans une grande pièce et Négus leur narra les événements ayant conduit à la retraite vers Garmaret. Ils avaient cherché à reprendre le Guet d'Aëd mais en avaient été chassés par une armée bien plus aguerrie qu'ils ne l'escomptaient. Et pour cause, l'un des comtés voisins avait décidé de prêter main-forte aux rebelles, clamant à son tour une velléité d'indépendance et un soutien sans faille au nouveau meneur de la révolte. Ils avaient cru bien longtemps qu'il s'agissait d'un dénommé Meurnau, ancien capitaine de la garde d'Oratio d'Uster. En vérité, des rumeurs persistantes évoquaient le dernier fils du comte défunt : Laerte.

Quand il entendit son nom, Grenouille eut l'impression que Négus lui adressait une œillade. Ses mains devinrent moites, sa respiration, difficile. Il pâlit à vue d'œil et crut chanceler lorsque Dun-Cadal lui agrippa le poignet.

—Grenouille, tu écoutes ? répéta-t-il.

Il remarqua alors que ce n'était pas la première fois qu'il le lui disait.

—Ce garçon est harassé, Dun-Cadal. Je vais demander à ce qu'on s'occupe de lui, annonça Négus en contournant la grande table autour de laquelle ils discutaient depuis une bonne heure.

Laerte n'avait que peu suivi la discussion, tant il craignait d'être découvert d'un moment à l'autre. La seule mention de son nom avait fini d'embrouiller ses pensées.

— Si tu ne vas pas bien, dis-le, lui reprocha Dun-Cadal en l'aidant à rejoindre la porte.

Un soldat fut chargé de l'emmener dans une petite chambre. Là, deux servantes lui firent couler un bain chaud dans lequel il se plongea, tremblant. Quand il fut seul, il manqua d'éclater en sanglots. La peur le tenaillait si fortement qu'il se sentait écrasé. Les bras ballants sur les bords du bac de bois, il fixait d'un regard vide les filets de vapeur s'entrelacer au-dessus de l'eau chaude. Derrière le voile qu'ils formaient, une lucarne donnait sur la lueur du crépuscule et, par là, montaient les bruits guerriers du fort. Des sabots sur le chemin pavé, des pas et des cliquetis d'armes... des voix fortes et autoritaires. Et les pleurs de son peuple, perdu ici à Garmaret, si loin de chez lui. Peu à peu, il reprit des forces et, sortant du bain, découvrit un lot de vêtements propres disposés à son intention sur le petit lit. Il s'habilla, savourant le doux contact du tissu sur sa peau. Il eut quelques difficultés à enfiler les bottes cirées, tant ses pieds avaient souffert dans ses anciennes chaussures de peau. Quand il fut couvert des pieds à la tête, le visage décrassé, il s'allongea sur le lit, pensif. Ce qu'il allait advenir de lui, il n'en savait rien. Mais serait-il capable d'aller jusqu'au bout sans être découvert ? Hors de question d'abandonner, malgré le doute.

Il se souvint de son retour au Guet d'Aëd après des mois dans les marais. Il avait laissé le général agonisant près de la carriole, voyant en son cheval le meilleur moyen de rallier la ville en toute quiétude. Il manqua de se perdre plusieurs fois mais sut retrouver son chemin. Quelle ne fut pas sa surprise lorsqu'il apprit que Meurnau avait non seulement réchappé à l'attaque de l'Empire, mais en plus repris la cité.

Oui, il se souvint de sa joie, de l'espoir retrouvé en s'aventurant dans les rues paisibles... Jusqu'à ce qu'il atteigne la grande place et comprenne qu'on lui avait volé toute sa vie. Laerte d'Uster est vivant et parcourt les salines, disait-on. Laerte d'Uster mène la révolte et il a encore gagné une bataille, murmurait-on. Laerte d'Uster a vingt ans ? Il faisait beaucoup moins...

Partout on parlait de lui comme de quelqu'un qu'il ne connaissait pas. Ici et là se racontaient les derniers exploits d'un homme qu'il n'était pas. Et, pire encore, les gens croyaient tout cela sans émettre le moindre doute. Si tout le monde gardait en mémoire le visage de son bien-aimé père, qui se souvenait réellement du sien ? Il avait à peine quatorze ans, personne ne l'aurait cru. Il avait craint la réaction de Meurnau en apprenant sa survie. Il s'était même imaginé que le capitaine de la garde avait profité de la situation pour prendre le pouvoir des Salines et qu'il le tuerait à la moindre occasion plutôt que de désavouer les rumeurs de ses faits d'armes.

Il se souvint et s'endormit le cœur lourd.

Ils restèrent quatre jours à Garmaret, profitant d'un repos salvateur et, chaque jour, plus de réfugiés arrivaient. Des colonnes par dizaines qui peu à peu empruntaient la grande route, une fois la herse levée, en direction d'Éméris. Garmaret n'était qu'une étape. L'Empereur avait signé un décret annonçant à chaque habitant des Salines qu'il trouverait asile dans la capitale. Laerte restait souvent seul dans sa chambre, mis à l'écart par un maître trop occupé à s'informer de l'évolution de la guerre et à haranguer les troupes en poste près de la porte. De nombreuses fois, le garçon fut rabroué alors qu'il le suivait au cours d'inspections fortuites. Très vite, il se rendit à l'évidence : le général ne souhaitait plus l'avoir dans les pattes hormis durant les quelques heures d'entraînement qu'ils s'octroyaient en fin de journée.

Le matin du quatrième jour, tandis que la herse était levée pour laisser partir un nouveau cortège d'exilés, il se décida à sortir de la tour, couvert d'une cape bleue qu'une servante lui avait gentiment prêtée. Le visage ainsi masqué par l'ombre de sa capuche, il descendit jusqu'au milieu de l'escalier extérieur et, la main serrée sur la rambarde, il observa les chariots progresser sous les pics de la herse dans un nuage de poussière. Des soldats criaient de chaque côté de la colonne, ordonnant aux pauvres hères d'avancer plus vite.

Laerte continua sa marche à pas feutrés, baissant légèrement les yeux, et longea les baraquements en direction de la grande route. Il tentait de discerner un visage familier parmi la foule, une connaissance, quelqu'un dont la seule vue aurait pu le réconforter.

Entre deux larges tentes, au milieu de tonneaux, il aiguisa son regard, dévisageant chaque passant à quelques mètres de lui. Il les voyait marcher, tête basse, sans grande volonté. Ainsi, on les avait dépossédés de tout, non seulement de leurs biens, mais également de leur dignité.

N'oubliez jamais ça, Laerte, si votre père est mort, c'est d'abord pour le peuple. Lui, il ne l'aurait jamais trahi.

Que lui importait, au peuple, finalement, que son père fût mort pour lui… Les voilà sur les routes, emportant avec eux le seul bien qui vaille la peine d'être défendu, leur propre vie. Lassé d'un tel spectacle, il se décida à rentrer, plus abattu que jamais. Il serpenta entre les baraquements, et s'il baissait la tête ce n'était plus par peur d'être reconnu, mais bien parce qu'il mesurait les conséquences du conflit. Jusque-là, qu'avait-il vraiment vu… ? Il s'arrêta soudain puis redressa la tête. À quelques pas de lui, une jeune fille était accroupie entre deux tentes, sortant une main tremblante de la sacoche ouverte à ses pieds.

—Non, je… je…, bredouilla-t-elle. Ce n'est pas ce que vous croyez. J'ai trouvé la sacoche, je ne…

Sa robe était poussiéreuse, ses cheveux attachés à la va-vite sur sa nuque et, malgré son apparence désastreuse, Laerte en resta bouche bée.

—Laerte…, souffla-t-elle. Laerte ? C'est bien toi ?

Reprenant ses esprits, il jeta de brefs coups d'œil autour d'eux pour s'assurer que personne ne les observait et se jeta presque sur elle. Mais, au lieu de l'embrasser, il plaqua la paume de sa main sur sa bouche pour étouffer ses paroles.

—Grenouille, dit-il rapidement. Je m'appelle Grenouille, ne m'appelle plus Laerte. Ici tout le monde me connaît sous le nom de Grenouille. Tu comprends ? Personne ne doit savoir.

Elle essayait d'articuler derrière sa main mais aucun son intelligible ne s'en échappa. Ses yeux bleus grands ouverts se couvraient de larmes, non de tristesse, mais bien de joie.

—Tu as compris, Esyld ? Si tu dis qui je suis, si on t'entend prononcer mon nom, je suis mort, tu comprends ?

Il marqua un temps. Les yeux de la jeune fille souriaient désormais. Elle acquiesça d'un hochement de tête. Lentement, il écarta la main, sentant ses lèvres fines quitter sa paume dans un doux baiser. Ils se regardaient, sans plus rien se dire, bercés par le cahot des chariots.

—C'est bien toi ? murmura-t-elle.

Ses doigts effleurèrent les siens. Ils n'avaient jamais été aussi proches l'un de l'autre, à tel point qu'il hésita à l'embrasser enfin, à goûter à ses lèvres et à s'y abandonner entièrement. Mais l'inquiétude prit l'ascendant sur tout désir.

— Nous t'avons cru mort… Nous avons passé des jours à te chercher et…

— Qu'est-ce que tu fais là ? demanda-t-il sèchement.

Il n'en croyait pas un mot. Meurnau connaissait les marais, il aurait dû le retrouver. N'avait-il pas fait du nom de Laerte d'Uster un panache derrière lequel tous s'étaient ralliés ? Non, vraiment, le capitaine Meurnau avait tiré profit de la disparition de Laerte en le rendant plus fort, plus grand et plus rassembleur que le garçon n'aurait jamais pu l'être.

— Je fuis les Salines, répondit-elle, surprise par son ton.

— Pourquoi ? Le Guet d'Aëd a été libéré, non ?

Bien qu'il fût heureux de la retrouver, il ne supportait pas l'idée de la savoir ici. S'il lui arrivait quelque chose…

— Mon père s'est rendu, avoua-t-elle. Mais ce n'est pas ce que tu crois. Il va infiltrer le palais, Meurnau a un plan, il a de nombreux alliés pour…

Elle ne put continuer. Laerte s'était détourné d'elle, longeant l'une des tentes pour se rapprocher de la route. Le défilé s'étirait, une succession de carrioles délabrées aux roues branlantes, tirées par des chevaux harassés. Leurs mors se couvraient de bave épaisse…

— Je serai en sécurité là-bas, affirma-t-elle, consciente du fait qu'il s'inquiétait.

Elle se rapprocha de lui, posant une main délicate sur son épaule.

— Je vais à Éméris aussi, confia-t-il, l'air absent.

— Quoi ? Ta place est au Guet d'Aëd, Lae…

Il inclina la tête vers elle.

— Grenouille…, rectifia-t-elle aussitôt.

— Ma place n'est nulle part ailleurs que devant l'Empereur, pesta-t-il. Meurnau se débrouille très bien sans moi pour faire la guerre.

— … Grenouille, souffla-t-elle. Ce n'est pas ce que l'on te demande, tu n'as que quatorze ans.

Il pivota vers elle, le visage grimaçant. Bien sûr, il n'était qu'un gamin pour elle. Bien sûr…

—Il a tué mon père.

—Je sais…, acquiesça-t-elle en passant une main sur sa joue pour le calmer.

—Je le tuerai.

Sa main s'arrêta, alors que ses yeux se fixaient sur lui, brillant l'espace d'un instant d'une lueur d'effroi.

—Oui, je vais tuer l'Empereur, confirma-t-il. Je suis Grenouille, pour eux, maintenant. J'ai aidé un chevalier perdu dans les Salines. Je suis son apprenti. Je vais devenir le plus grand chevalier et je vais venger ma famille. Meurnau ne m'a jamais recherché.

—Quoi? Mais comment peux-tu…? hoqueta Esyld.

—Je le sais, jura-t-il, impérieux. Je l'ai entendu… Tous ces dires sur un Laerte menant la révolte. Il ne m'a plus sous sa coupe alors il use de mon nom pour se donner du crédit. Qu'il dirige sa guerre comme il l'entend. Moi, je n'aurai de repos que lorsque j'aurai tué Reyes.

—Tu n'y penses pas?

Tous les jours, il y pensait. Tous les jours depuis plus d'un an. Il soutenait son regard avec conviction, espérant lui prouver qu'il ne doutait pas un seul instant de sa décision.

—Je suis décidé, Esyld, prévint-il. J'ai fait des choses, j'ai… *Madog!*

—Je ne peux plus reculer…

Il restait digne, calme comme jamais il ne s'en était cru capable.

—Si c'est ce que les dieux veulent, dit Esyld en baissant les yeux.

—Les dieux n'ont rien à voir là-dedans, objecta-t-il. Je décide de ma vie.

Enfin, il se rendait compte qu'il était à même de prendre son destin en main. Aux Salines, depuis toujours et même pendant les débuts de la révolte, il avait souvent agi comme on lui demandait de le faire, sans jamais réussir à imposer sa volonté.

—Je décide de mon avenir, Esyld.

Blême, elle se contraignit à esquisser un sourire. Elle découvrait à quel point il était déterminé et ne souffrirait aucune objection.

—Fier petit homme, le complimenta-t-elle en plongeant la main dans son corsage aux bords noircis par la saleté. Mais, à force de te faire passer pour quelqu'un d'autre, ne risques-tu pas de le devenir?

Elle en ressortit une petite figurine de bois qu'il n'eut aucune peine à reconnaître. Elle représentait un cheval grossièrement taillé. Elle hésita un temps avant de le lui rendre.

—Hé! Toi! Là-bas! appela une voix rauque.

De l'autre côté de la route, un soldat encadrant le cortège se dirigeait vers eux. Sans attendre, Esyld lui prit la main et y déposa la petite sculpture avant de replier ses doigts par-dessus.

—Reviens dans la colonne! ordonna le soldat avant de l'empoigner.

—C'est pour que tu n'oublies pas qui tu es.

—Lâchez-la! gronda Laerte.

Mais une voix forte l'immobilisa aussitôt.

—Grenouille!

Derrière lui, appuyé sur la rambarde de l'escalier de la tour, Dun-Cadal lui lançait un regard torve. Avant même qu'il n'ait pu trouver une explication susceptible d'excuser son comportement, il sentit la main d'Esyld serrer la sienne.

—N'oublie pas, Grenouille, lui dit-elle alors que le soldat l'entraînait sur la route. N'oublie pas qui tu es. Jamais.

D'un geste brusque, elle échappa à l'emprise du soldat. Tout se passa si vite qu'il n'eut pas le temps de réagir. Les lèvres de la jeune femme s'étaient jointes aux siennes dans une douce caresse, ses doigts fins et doux posés contre ses joues. C'était humide, étonnamment humide. Mais si plaisant, si enivrant… Elle était contre lui, comme si elle l'avait toujours été, quoi qu'elle fasse, où qu'elle aille, sa véritable place était ici, tout contre lui…

—Vieeennns là toi! pesta le garde en l'arrachant au garçon.

Il en resta étourdi, percevant encore le goût sucré du baiser sur le bout de ses lèvres.

—C'est pour que tu ne m'oublies pas, murmura-t-elle.

Et, à mesure que le soldat l'entraînait dans la foule, son murmure devint un cri, une vérité hurlée à la face du monde, lui déchirant le cœur.

—Je t'aime. Je t'aimerai toujours. À jamais. Ne m'oublie pas. Ne nous oublie pas. Grenouille! N'oublie jamais qui tu es… Grenouille! N'oublie jamais! Je t'aime!

Quand il se décida enfin à courir derrière elle, le soldat l'avait déjà hissée à l'arrière d'un chariot. La cohorte passa sous la herse, levant un nuage de poussière derrière le cahot des roues.

— Grenouille! Reviens ici!

Dun-Cadal avait déjà descendu les marches pour le rattraper d'un pas décidé. Dans sa main, Laerte serrait le petit cheval de bois. La colonne s'achevait et déjà les soldats se préparaient à rabaisser la herse. Elle s'abattit après le dernier chariot bringuebalant sur la grande route…

4

LE VISAGE DE SON ENNEMI

> *— Ce ne sont que des… enfants.*
> *Je suis responsable d'eux. De cet Empire.*
> *C'est écrit depuis la nuit des temps.*
> *— Ils ont fait de vous une marionnette.*

Il gisait, amorphe et déboussolé, dans une triste maison au cœur de Masalia. Rogant l'avait accompagné à l'étage sans un mot, avant de le faire entrer dans la chambre. Allongé sur la couverture miteuse d'un lit, il remontait le fil de sa vie dans l'espoir d'y trouver un quelconque sens. Les derniers événements le confortaient dans l'idée qu'il avait tout raté quand les généraux, ayant servi à ses côtés, se retrouvaient au pouvoir. L'Empire, il n'avait pu le sauver, et de sa déchéance il n'avait tiré aucun parti pour rester à une digne place. S'il avait gardé quelque idéal, ce n'était que pour en faire son fardeau.

Lorsque la porte de la chambre s'ouvrit, il n'esquissa pas le moindre geste, fixant le plafond, l'esprit ailleurs. Une odeur de lavande flotta dans la pièce, alors, seulement, il roula la tête sur le côté. L'espace d'un instant, il espéra découvrir Mildrel sur le pas de la porte. Étrangement, il ne fut pas déçu pour autant d'y reconnaître la fragile silhouette de Viola.

— Je sais, c'est assez sommaire, mais au moins c'est mieux qu'une cellule, dit-elle sans oser entrer.

Comme il ne réagissait pas, elle avança. Habillée de sa simple robe verte, elle paraissait anxieuse. Les mains jointes derrière le dos, elle gardait sa cape accrochée à ses épaules, comme par pudeur. Une fois au niveau du lit, elle se courba légèrement pour entrer dans son champ de vision et inclina la tête de côté.

— Fatigué?

Il grommela en reprenant la contemplation du plafond.

— Oh, je sais ce que vous pensez. Je ressens la même chose que vous.

Il s'immobilisa et manqua de se redresser lorsqu'elle continua.

— Moi aussi, je me sens trahie.

Il l'entendit tirer une chaise et s'y asseoir.

— Au début, quand vous me parliez de Grenouille, j'étais à mille lieux d'imaginer que c'était de lui qu'il s'agissait, expliqua-t-elle. Pas plus qu'il ne m'avait prévenue que la personne que je devais retrouver était un fameux général de l'Empire.

Intrigué, il s'appuya sur les coudes pour se relever, sans même lui lancer un regard. Il était comme ailleurs.

— Que vous a-t-il dit? s'enquit-il d'une voix sourde.

Les lèvres de la jeune femme dessinèrent un sourire. Il espérait des réponses et, même si elle n'était pas à même de toutes les lui donner, peut-être allait-elle éclaircir un peu ses pensées. Tout comme lui, elle semblait quelque peu dépassée par les événements.

— Je devais retrouver un soldat, un certain Dun qui racontait à tout va comment il avait fui Éméris en emportant avec lui l'Épée. Il me fallait vous amadouer pour que vous nous ameniez à Éraëd…

Enfin, il daigna la regarder.

— Vous voyez, confia-t-elle en se penchant vers lui. Je ne vous ai pas menti. Disons simplement que je ne vous ai pas tout dit. Et ça…

Elle leva les yeux, pensive.

— … ça, je le tiens de lui, je suppose…

Avant qu'il n'ait eu le temps de se rallonger, elle enchaîna.

— C'est étrange, n'est-ce pas?

Lorsqu'elle le vit glisser ses jambes contre le bord du lit pour s'asseoir, elle sut qu'elle avait réussi à capter son attention. Au fil des jours, elle s'était prise d'une certaine affection pour le vieux guerrier. Elle avait compris ce qui l'avait brisé. Elle l'imaginait rustre, arrogant et autoritaire du temps de sa splendeur. Ce n'était plus qu'une épée brisée. Il avait désiré offrir le monde à un jeune garçon des Salines, dont la perte l'avait anéanti en même temps que l'Empire, pour lequel il aurait donné sa vie, s'écroulait.

— Qu'est-ce qui est étrange? marmonna-t-il.

— De lui en vouloir à ce point sans jamais cesser de l'aimer, dit-elle en baissant les yeux.

Le général la dévisagea, notant sa soudaine gêne lorsqu'elle mesura le double sens de ses paroles.

— Vous et lui… ?

— Oh, non, non, répondit-elle aussitôt. Je le connais si peu en vérité… et je ne suis pas certaine qu'il se rende compte que j'existe…

Le rouge lui montait aux joues. Non, bien sûr qu'ils n'étaient pas ensemble mais comment pouvait-elle nier désormais qu'elle éprouvait des sentiments pour Grenou… Laerte… Il était bien ce qu'il voulait, cela ne concernait plus Dun-Cadal. Le vieil homme souhaitait simplement quitter cette chambre, oublier ce qu'il avait vu, boire jusqu'à plus soif.

Mais alors pourquoi ne se levait-il pas pour passer la porte, descendre l'escalier, assommer le Nâaga dans le salon et se fondre parmi les noctambules de Masalia? Pourquoi restait-il ici? Il avait perdu Grenouille. Il découvrait Laerte d'Uster. Sans avoir la moindre idée de ce qui avait pu se dérouler entre-temps et qui aurait sans doute donné un sens à tout cela. Dans le chaos de ses pensées, Viola était la seule chose qui restait immobile et rassurante.

— Pourquoi êtes-vous ici? demanda-t-il, troublé. Êtes-vous seulement historienne?

— Oui…

Elle acquiesça, lentement.

— Ça oui, je suis vraiment historienne pour le Grand Collège… mais les études coûtent cher, vous savez, et les filles comme moi, avec pour parents de simples petites gens, ont recours à des parrains. Le mien est un conseiller du nom de De Page. Un homme bon, intègre… mais à qui je suis en quelque sorte redevable.

— De Page? Alors, lui aussi s'en est bien tiré, rumina-t-il entre ses dents.

Un de plus. Un de ceux qui avaient profité des faveurs de l'Empereur, désiré sa compagnie, pour, finalement, l'abandonner comme s'il n'avait jamais rien été d'important. Le duc de Page avait été connu pour ses fêtes orgiaques, son attitude désinvolte et les rumeurs déplaisantes qui couraient à son sujet. Un dépravé que, même du temps de la noblesse, Dun-Cadal avait toujours méprisé. Un ver dans le fruit, dont l'Empereur n'avait su contenir la faim…

— Si vous lui êtes si redevable que ça…

— C'est lui qui m'a envoyée ici, termina Viola en hochant la tête de nouveau.

… un veul… oui, un veul qui n'avait eu de cesse de flagorner. C'était à n'y rien comprendre. Était-ce ainsi, à force de courbettes, qu'il avait sauvé sa vie et obtenu un poste de conseiller ? Et les autres, avaient-ils piétiné leur dignité afin de rester au pouvoir ? Restait-il une once d'honneur dans ce monde ? La tête lui tournait.

— Mais pourquoi ici ? s'emporta-t-il, le ventre noué. Pour Éraëd ? Pourquoi tuer des conseillers, alors ? Qu'est-ce que vous cherchez ?

Il avait la gorge terriblement sèche. Et c'est avec difficulté qu'il prononça une dernière question, peut-être la plus importante à ses yeux.

— Pourquoi ne m'a-t-il jamais rien dit ?

Les larmes s'amoncelaient au coin de ses paupières, prêtes à le submerger. Les mâchoires serrées, il cherchait éperdument à les contenir, mais quelques-unes roulèrent au coin de son œil, et avec elle, le dégoût de n'être plus un roc. Quand il sentit les mains douces de la jeune femme sur les siennes, il eut le sentiment de chuter, indéfiniment, sans même espérer se retenir à quoi que ce soit.

— Je ne sais pas…, répondit-elle, calmement. C'est peut-être pour vous donner la réponse qu'il est venu à vous…

Il ne la croyait pas un seul instant. Tout un pan de sa vie avait été bâti sur un mensonge. Ce petit, il l'avait aimé… Mais alors, pourquoi était-il sorti de l'ombre quand leur plan ne le prévoyait pas ? Il inclina la tête et contempla les mains de Viola qui, du bout de ses pouces, caressait sa peau usée comme du vieux cuir.

— C'est Azdeki qui a fait pendre son père. C'est pour lui qu'il est là ? lâcha-t-il subitement, reprenant le contrôle de ses émotions.

Il darda un regard noir vers elle, que troublaient les larmes à peine disparues. Elle le soutint, sans mot dire.

— Azdeki, Négus, ceux qui servaient l'Empire, ceux qui ont condamné Oratio d'Uster… C'est cela le lien, n'est-ce pas ? continua Dun-Cadal. Ce n'est pas pour rien que Gre…

La gorge serrée, il inspira profondément.

— … qu'il a pris l'apparence de Logrid. Mais…

Il dévisageait Viola pour garder le fil de ses pensées, espérant que le chaos des questions ne l'emporte pas une nouvelle fois. Chaque événement, chaque phrase, chaque détail qu'il avait pu noter au fond de sa mémoire, il cherchait à les regrouper en un tout cohérent. La présence de Rogant avant la rade, qui l'avait empêché d'emprunter une ruelle, la rixe provoquée par un Nâaga pour attirer l'attention des gardes avant qu'Enain-Cassart ne soit assassiné… le parfum de lavande que portait Viola et qui lui rappelait son amante.

— Non. Ce n'est pas qu'une question de vengeance, se reprit-il. Vous cherchiez l'Épée… Ce n'est pas *seulement* Azdeki.

Elle détourna les yeux, pensive. Puis elle parla.

— Ce n'est pas qu'une question de vengeance, capitaine, dit une faible voix. C'est une question de foi. Votre foi…

— Je suis conseiller, répondit Azdeki d'un ton cinglant.

Il avança d'un pas vers les grilles et toisa le prisonnier d'un regard hautain, une main empoignant son épée. Il avait quitté sa toge de conseiller pour revêtir une tenue plus militaire, des hautes bottes noires à son léger surcot de cuir. Dans l'ombre de la cellule, le vieil homme couvert d'une simple robe crasseuse restait assis, les pieds nus dans la terre humide. Jadis, ses cheveux avaient ressemblé à de longs fils de soie, blancs et purs. Désormais, le peu qu'il en restait s'agglomérait sous une gangue de boue.

— N'oubliez pas ce que j'ai fait, continua-t-il d'un air menaçant. Ne l'oubliez surtout pas.

— Et comment le pourrais-je ? rit tristement le vieil homme. Vous avez détruit ma dynastie en usant de notre confiance. Gargarisez-vous de votre réussite, vous ne resterez pour moi qu'un… capitaine.

— Conseiller ! hurla Azdeki en prenant les barreaux à pleines mains.

Il grimaçait de colère, hésitant à forcer la cellule, le visage blême. Hochant la tête, il lâcha prise et passa une main dans ses cheveux gris en inspirant profondément.

— Je sais que vous y êtes pour quelque chose. Je ne sais pas comment vous avez fait, mais vous êtes responsable de tout ceci, affirma-t-il, légèrement essoufflé. Sinon, pourquoi aurait-il l'apparence de Logrid ? Dites-moi. Anvelin…

— … Evgueni Reyes…, soupira Dun-Cadal, incrédule.

— Il le garde prisonnier dans les geôles du Palatio, acquiesça Viola.

Dun-Cadal se passa nerveusement une main sur le visage, le regard dans le vide. L'évêque d'Éméris, l'oncle du dernier Empereur. Cet homme l'avait aidé, jadis, puis trahi. Comme tous les autres. Il hésitait entre colère et satisfaction, imaginant le vieillard dans une cellule miteuse, souffrant mille martyres. Si bien qu'il en oubliait de questionner Viola plus avant.

— Dun-Cadal?

La main sur la bouche, l'air affligé, il tourna les yeux vers elle. Elle restait étonnamment sereine. Une fois encore, il s'en trouvait apaisé. La douceur de son regard ne le quitta pas.

— Pourquoi? murmura-t-il enfin.

— Pour l'exemple? proposa-t-elle un sourire triste aux lèvres.

Il s'était relevé, fébrile, s'aidant de ses mains sèches sur le mur humide du cachot. Puis, d'un pas hésitant, il avait rejoint la grille le séparant d'Azdeki. Une fois qu'il put poser ses mains sur les barreaux poisseux, il darda un regard d'un bleu intense vers l'ancien capitaine et, malgré l'épuisement, esquissa une grimace.

— Vous avez peur, Azdeki. Il est là. Le fantôme de l'Empire que vous avez renié. De cette foi que vous avez laissée derrière vous. C'était écrit, Azdeki. Vous ne pouvez échapper à votre destin.

— Je ne crains pas les fantômes, répondit calmement le conseiller en approchant le visage des barreaux. Pas plus que vos paroles. Vous, qui n'avez jamais respecté le Livre Sacré… vous, qui avez trahi l'ordre fangolin dans l'intérêt de votre famille. Ce qui est écrit, Anvelin, c'est la pitoyable chute de votre neveu et l'avènement de ma République. Et vous pourrez bientôt le vérifier par vous-même.

— Que savait-il? Viola! s'impatientait Dun-Cadal.

Il se leva d'un bond, nerveux parce que conscient qu'il découvrait là tout ce qu'il n'avait su voir durant son ancienne vie. Ce moment où il se voyait glorieux, puissant et fier, au service d'un Empire éternel.

— Que savait l'évêque?

Il la toisait de toute sa hauteur. Viola restait assise sans broncher, fixant le lit vide devant elle, les mains jointes sur ses genoux.

—Ce qu'Oratio d'Uster possédait aux Salines, avoua-t-elle d'une voix faible. Ce pourquoi les Azdeki se sont retournés contre lui. Avant de se retourner contre l'Empereur. Ce que la famille d'Uster protégeait depuis des siècles et qu'Oratio souhaitait révéler au monde...

Puis elle leva délicatement la tête vers lui, avant que ses yeux ne suivent le mouvement et n'affrontent le regard incrédule du général.

—Le Livre.

—Quel livre ? demanda Dun-Cadal, la gorge serrée.

—Le... Livre, répéta Viola en appuyant le mot d'un bref hochement de tête.

—Vous ne convaincrez personne, Azdeki ! criait Anvelin, de toutes ses forces. Personne ne peut le lire ! Personne !

La silhouette du conseiller s'éloignait dans le couloir voûté, traînant derrière lui une ombre gigantesque à la lueur des torches. Au son de ses pas gravissant l'escalier de pierre survécut le crépitement des torches.

—... personne, termina-t-il dans un sanglot étouffé.

Las, Anvelin se laissa glisser le long des barreaux, à genoux. Il n'entendit pas les pas venir jusqu'à lui. Seule l'ombre qui le couvrit lui fit lever les yeux et un sourire, enfin, illumina son visage creusé tant par les rides que par l'inanition.

—Tu étais là ? se réjouit-il d'une voix éraillée. Tu es toujours là, oui... toujours. Comme un souvenir... tu ne me quittes pas.

L'ombre restait muette. Elle le jaugeait derrière un masque doré, fendu d'une lézarde, sans aucune expression.

—C'était écrit, n'est-ce pas ? tremblait Anvelin, entre joie et épuisement. Les dieux l'avaient toujours prévu. Si ma lignée tombait, tu reviendrais nous venger, oui, oh oui. Nous n'avions pas tort de nous croire dignes de gouverner, non, oh non. Nous n'avions pas tort. Je prie tous les jours pour remercier les dieux, tu sais ? Tous les jours.

Son visage se tordit soudain sous la contrition.

—Je ne doutais pas, non ! Je ne doutais pas du *Liaber Dest* mais c'était ainsi depuis des siècles. Aux d'Uster le Livre, à nous l'Épée, cela a toujours été.

Et le sourire revint.

— Tu étais là ? reprit-il comme si l'ombre venait d'apparaître. Tu es toujours là, oui… toujours. Comme un souvenir…

L'ombre fit battre sa cape verte en prenant le chemin de l'escalier.

— … tu ne me quittes pas… jamais…, sanglotait Anvelin.

Dun-Cadal s'était adossé au mur, perdant son regard sur les stries du parquet, sans trop savoir où il était, comment il y était arrivé ni pourquoi. Il ne pensait plus, ne réagissait plus, tout entier noyé par un flot de sentiments contradictoires que surmontait une terrible tristesse. C'était ça, la douleur sourde, la plaie qui ne cessait de saigner et déchirait son cœur.

Loin des manipulations, loin des trahisons, c'était une seule chose, et quelle chose, qui était à l'origine de sa déchéance.

— Le *Liaber Dest*, marmonna-t-il.

Il perçut à peine le craquement de la chaise lorsque Viola se leva pour venir jusqu'à lui. Son parfum de lavande le sortit de sa confusion et il croisa son regard.

— Après le mariage de son fils, durant la Nuit des Masques, Étienne Azdeki va présenter le Livre Sacré aux conseillers invités, annonça-t-elle avec gravité, mesurant chacune de ses paroles. Imaginez-vous ce qu'un homme peut faire, possédant le destin du monde entre ses mains ? Quelle aura il gagnera auprès du peuple ?

— Celle d'un dieu parmi les dieux…, murmura Dun-Cadal aussitôt.

— Et grâce à Anvelin Evgueni Reyes, il a su s'allier l'ordre fangolin, Dun-Cadal, continua Viola. Durant la Nuit des Masques, c'est le sort de la République tout entière qui va se jouer. De notre politique, comme de nos croyances. Voilà pourquoi nous sommes là, Dun-Cadal.

— Et l'Épée ? demanda-t-il.

Il était comme sonné, cherchant à trouver sa place dans toute cette histoire. Non pas que la raison de sa présence ait pu le rassurer, mais tout du moins aurait-elle éclairé le gouffre dans lequel il lui semblait chuter, sans cesse.

— Vous en savez bien assez, s'excusa Viola, un pâle sourire aux lèvres. Laerte n'approuverait pas que je vous aie dit tout cela.

Elle s'écarta aussitôt, prenant la direction de la porte. Son parfum. Il perdurait autour de Dun-Cadal. Le vieil homme ne bougea pas d'un pouce lorsque Viola demanda, d'une voix gênée :

— Vous savez pourquoi vous êtes là ?

Elle s'était arrêtée sur le pas de la porte, la poignée dans la main, hésitante. La lumière de la lampe à huile accrochée au mur se liait à ses taches de rousseur, comme deux feux s'épousant sur de la soie blanche. Ses yeux verts luisaient de tendresse.

Dun-Cadal hocha la tête, craignant qu'elle n'ait une réponse.

— Je le connais peu, dit-elle, mais, de ce que j'en sais, et de ce que vous m'avez raconté de votre histoire, je crois que...

Elle laissa dériver son regard dans la chambre, cherchant ses mots.

— ... il a besoin de vous, Dun-Cadal.

Laerte avançait d'un pas sûr mais calme, se faufilant derrière les colonnes bordant les couloirs lorsque arrivait une escouade en patrouille. Alerte, il continua, se liant aux ombres, sans perdre de vue la silhouette altière du conseiller Azdeki. Il le suivit dans les méandres du palais, passant du grand balcon intérieur qui surplombait la salle de bal jusqu'à l'imposant escalier dont les marches s'évasaient à mesure de la descente.

Laerte s'arrêta au bord de la première marche et observa Azdeki descendre, la foulée de plus en plus rapide, l'air irrité. Le conseiller pressa le pas sur le marbre coloré, passant devant les grandes statues à la gloire des dieux, sans même un regard. La salle était immense, circulaire, une voûte peinte de multiples tableaux contant l'histoire des Cagliere, de leur première cité jusqu'aux grandes batailles contre les royaumes Majorane, des dieux bénissant leur destinée jusqu'à l'avènement du premier Empereur et sa quête du *Liaber Dest*, et enfin le portrait d'une femme à demi-nue qui piquait le cœur d'un homme étrange d'une lance scintillante. Adismas était représenté au centre, les yeux rivés sur le sol marbré constellé d'étoiles noires, vêtu d'un large manteau rouge, une barbe fleurie lui conférant l'allure d'un sage. Son bras gauche était rabattu sur son torse, avec dans la main un livre. Au bout de son bras droit levé, Éraëd s'auréolait d'une lumière divine.

Dans ma main gauche, le Livre, dans ma droite, l'Épée.

Azdeki disparut après les grandes portes ouvertes au fond de la salle. Ce n'était pas l'endroit, encore moins le moment, pour agir. Laerte le savait mais, pour autant, le désir se révélait étouffant. Il aurait pu se ruer sur lui, le transpercer de son épée, et en finir, là, sans délai, sans risque.

Et à mes pieds le monde...

Non. Azdeki n'était pas le seul responsable. Et si les autres, tels Bernevin ou Rhunstag, n'avaient pas fui Masalia après l'assassinat de deux des leurs, c'était l'orgueil de leur meneur qu'il fallait remercier.

Étienne Azdeki n'abandonnerait jamais. Pas aussi proche de son but. Il était bien trop ambitieux et, s'il s'était montré patient, il ne souffrait plus d'attendre. Le jour du mariage de son fils serait également celui de sa consécration.

Laerte inspira profondément et revint sur ses pas, décidé à contourner Azdeki. Il se remémorait les plans du Palatio pour se guider, cherchant le chemin le plus sûr pour couper la route du conseiller. Le doute l'habitait, sinueux, vicieux. Il se savait capable d'affronter cette épreuve, il avait combattu *son* dragon. Mais, quand il ferait face à Azdeki, contiendrait-il cette colère qui le dévorait depuis tant d'années?

Pour se rassurer, il se répétait la dernière étape de leur plan, cet instant où, enfin, il aurait Azdeki pour lui tout seul, sans risquer de compromettre quoi que ce soit.

Il emprunta les plus petits couloirs de l'édifice, préférant se mouvoir dans les espaces exigus, où les gardes rechignaient à passer durant leur ronde. D'ici deux jours, le Palatio ne serait plus accessible ainsi. Les moindres recoins seraient fouillés avant le début de la Nuit des Masques, et, toute la nuit durant, les abords du palais, impénétrables. Quand bien même se sentait-il capable d'affronter une armée pour atteindre son but, Laerte savait qu'il n'y avait qu'un moyen pour préparer son entrée. Aussi paradoxal soit-il.

Ainsi, il courut, espérant arriver à temps pour couper la route d'Azdeki. Il avisa une alcôve où se nicher, profitant de l'ombre pour masquer sa présence. Puis il attendit patiemment, adossé au mur, à la sortie d'un petit couloir ouvrant sur une vaste salle bordée de portes-fenêtres. Des pas se firent entendre, de plus en plus proches, à un rythme soutenu.

— *Es it allae...*

Il avait longuement cherché quelle phrase il dirait en premier, de quelle manière il l'aborderait. Il aurait souhaité lui hurler sa colère, lui rappeler qui il était, qu'il revive leur dernière rencontre, mais cela aurait été orgueilleux et au détriment de leur mission.

Azdeki s'était arrêté, ni surpris ni effrayé, son visage sec aussi figé que le masque qu'il découvrait à quelques pas de lui. Les bras croisés, dans l'ombre du renfoncement longeant le couloir, Laerte avança d'un pas.

—*Es it alle en… Es it allarae*, continua Laerte en prenant une voix grave. C'est bien cela ? La devise de Masalia. Ce que vous étiez, ce que vous êtes, ce que vous serez.

Sur les murs drapés de rouge, l'obscurité luttait avec la lumière des lampes à huile. C'était ici, non loin de grands salons privés donnant sur les jardins extérieurs, qu'il lancerait le dernier acte.

—Qui êtes-vous ? interpella Azdeki d'un ton ferme.

Il avait empoigné l'épée à sa ceinture, relevant du coude le bord de sa cape. Laerte se demanda s'il serait capable de résister à l'idée d'un duel. Accepterait-il de battre en retraite comme il était prévu ou, dévoré par le feu du combat, céderait-il à la tentation de l'achever ? Il pouvait se mesurer à lui. Cette fois, oui.

—Ce que vous étiez ? Un homme plus courageux, plus intelligent que vous ne l'avez montré, pour manipuler votre monde. N'est-ce pas ? Croyez-vous être sorti indemne de ce rôle que vous vous êtes attribué ?

—Ce masque, grimaça Azdeki avant de hausser la voix. Par cet artifice, tu penses m'effrayer ?

—Les railleries, le mépris des autres généraux, continuait Laerte comme s'il n'avait rien entendu. Voilà ce que vous étiez. Une souffrance, finalement.

—Ôte ce masque, ordonna Azdeki.

—Comme vous avez ôté le vôtre devant Reyes ?

—Ôte-le ! s'emporta-t-il.

Il sortit l'épée d'un coup sec. Laerte recula d'un pas, au bout du couloir.

—Ce que vous êtes, un homme aux abois, aussi proche du succès que de la défaite. Toute une vie réduite à l'importance d'un seul et unique moment…

Azdeki brandit son épée vers lui, avançant d'un pas. Il ne tremblait pas. Non. Il ne le craindrait jamais. Mais, au moins, redouterait-il sa présence lors de son apogée. La garde prévue serait doublée. Croyant se protéger, il ne ferait que s'affaiblir.

—Ce que vous serez, Azdeki ? Un homme mort.

Laerte continuait à reculer, entrant dans un large vestibule que bordaient de grandes fenêtres. Derrière les vitres se dessinaient les courbes ombragées d'un jardin et, garnissant des chemins de gravier, de hautes torches se consumaient sous une nuit claire.

—Je te connais, assura Azdeki. Je te connais. Et qui que tu sois, si tu n'as pas réussi à m'arrêter jusqu'à présent, tu ne le pourras pas plus aujourd'hui. Ni demain.

—J'en prends le pari.

—Enain-Cassart, Négus... ils valaient mieux que toi.

—Pas assez cependant pour défendre leur vie, rétorqua calmement Laerte.

—Au moins ont-ils défendu ce en quoi ils croyaient. Et à visage découvert...

—La Nuit des Masques, Azdeki, promit Laerte en agrippant la poignée de son épée. La Nuit des Masques, nous quitterons définitivement les nôtres.

D'un brusque mouvement de bassin, il se tourna vers les fenêtres et s'élança.

—Gardes ! appela Azdeki, couvrant à peine le fracas du verre.

Laerte était passé au travers de la fenêtre, les bras repliés devant son masque pour terminer sa chute en roulé-boulé sur l'herbe fraîche.

—À moi la garde !

Sur la lame de l'épée de Laerte courait le reflet des torches, et le cliquetis des armures se mit à résonner. Levant la tête, il les aperçut passer les bris de fenêtre sous le regard furieux d'Azdeki. Il eut tout le temps de saisir son épée et de préparer sa première parade.

Les lances, il les rompit en deux frappes, précises, avant de saisir un soldat au col de son plastron et de le plier en deux d'un coup de genou. Le sifflement d'une lame dans son dos le fit fléchir à temps. Il tourna sur lui-même et perfora l'armure de son attaquant, au niveau de la taille. L'homme recula d'un pas, le visage autant horrifié que déformé par la douleur, les mains masquant sa plaie ouverte. Ils étaient cinq à tenter de l'arrêter. Ils seraient bientôt plus. Dans l'obscurité lointaine des jardins, des ombres se profilaient et, avec elles, le bruit de leurs armures.

Il fallait fuir, maintenant, pour ne pas perdre toute chance de continuer.

Les trois autres soldats qui s'apprêtaient à donner de l'épée volèrent comme des fétus de paille pour retomber lourdement au pied du Palatio. À la fenêtre, Azdeki se raidit.

Le message était passé. L'homme au masque était bien plus qu'un simple assassin.

Ils se jaugèrent un instant. Lorsque Laerte remit son épée au fourreau, Azdeki hésita à passer la fenêtre, puis se ravisa, hochant la tête. Les soldats appelèrent.

—Arrête-toi !

— Toi, là-bas !

Le premier arrivé brandit sa lance, certain de toucher au but, mais Laerte recula brusquement. D'une main ferme, il saisit le bois, le tira vers lui et assomma le garde d'un coude en pleine figure. Laerte n'avait pas quitté Azdeki des yeux. Il inclina légèrement la tête. Puis se rua sur les gardes qui arrivaient. À mains nues, il se fraya un passage, détournant les lances, donnant du poing comme du pied, jusqu'à bondir par-dessus la mêlée et continuer sa course dans les jardins.

Il les distança aisément, se faufilant dans un labyrinthe de haies jusqu'à apercevoir la bordure du jardin et s'y hisser d'un saut. Là, il dominait presque la ville, découvrant un mur droit à ses pieds, qui le séparait du sol de dix bons mètres. De l'autre côté de la rue, les maisons se suivaient comme les créneaux d'un château. Alors qu'il s'apprêtait à se jeter dans le vide pour atteindre le premier toit, il se ravisa. Des sabots claquaient dans la rue pavée. Un défilé de carrosses apparut.

Le cortège passa juste sous lui. Les voix des soldats se rappro-chaient. Il hésitait.

Les carrosses arboraient des couleurs sombres et sur leur toit étaient peints des blasons, qu'il eut peine à reconnaître. Pourtant, il devinait l'arrivée d'invités pour le mariage, voyant l'occasion d'appuyer encore plus sa démonstration.

Il inspira profondément. Et sauta dans le vide.

Lorsqu'il retomba lourdement sur le toit, le cocher eut à peine le temps de tourner la tête qu'il l'assomma d'un coup de pied à la mâchoire. Les chevaux hennirent, des cris de surprise résonnèrent et le cortège s'immobilisa. Des femmes, les voix étaient celles de femmes. Il roula sur le toit puis se réceptionna sur les pavés, sentant la douleur poindre dans sa poitrine. Le *Souffle*, il en perdait la maîtrise. Il devait se ressaisir avant qu'il n'en soit submergé et que son corps ne se brise. Il se calma, la respiration lourde.

Ses sens demeuraient plus éveillés qu'à l'accoutumée, ainsi lui restait-il quelque temps avant que les effets du *Souffle* ne se dissipent. À sa droite, comme à sa gauche, il devinait les cochers mettre un pied à terre, et des hommes en armes quitter leur voiture. Il n'avait qu'à faire volte-face, à s'engager dans la rue et à disparaître.

Mais, lorsqu'il se redressa, son assurance fut réduite à néant, son cœur bondit, ses jambes manquèrent de fléchir sous son poids.

Par la fenêtre de la voiture, la femme le regardait, hébétée, une main retenant le rideau. Sa surprise n'altérait en rien son éclat. Les années n'avaient guère atténué la beauté de sa peau mate, et ses cheveux bouclés, sur ses épaules nues, avaient conservé le brillant de l'Ouest.

Ce moment ne dura qu'un bref instant mais lui sembla une éternité.

—Il est là !
—Ne le laissez pas filer !
—C'est l'assassin !

Les voix n'étaient que des murmures tandis que, sous l'effet du *Souffle*, seul résonnait le battement du cœur de cette femme. Elle restait pétrifiée. Alors, il comprit qu'elle reconnaissait le masque de l'Empereur sur son visage, qu'elle ne le voyait pas lui, mais bien un souvenir brisé, comme la lézarde qui parcourait la dorure. Elle maintenait le rideau ouvert, immobile, et ses lèvres esquissèrent un léger mouvement, sans qu'aucun son sorte de sa bouche. Rien, il ne percevait rien d'autre que son cœur. Lorsqu'un homme agrippa son bras droit, il n'eut pas le moindre mouvement. Un second l'empoigna à sa gauche.

Esyld… Il aurait voulu se ruer sur la porte, l'ouvrir d'un coup sec, l'arracher à ce carrosse et l'emmener loin d'ici. Tout aurait pu s'arrêter cette nuit.

—Je le tiens!

—Bouge pas!

Elle retira sa main. Le rideau reprit aussitôt sa place, masquant son visage, et, l'espace d'un instant, il crut avoir rêvé. Son cœur, pourtant, battait encore, si fort, si vite, si effrayé. Il perçut à peine le bruit des armes qu'on tire du fourreau. Tout autour de lui n'était plus que brumes et brouillards, sans distinction aucune, des silhouettes venant assister les deux hommes qui le forçaient à s'agenouiller.

Il se sentit faiblir, et fléchit les jambes.

Fier petit homme…

—Avancez! Avancez! ordonna une voix.

Les sabots claquèrent sur le pavé, les roues se mirent à tourner en crissant. Le cœur s'éloignait. Sur les lèvres de Laerte, le sang distilla un goût salé et le sortit de sa torpeur. Il les voyait clairement désormais, les carrosses reprenant leur route, les hommes maintenant ses bras avec facilité, quand un troisième tendait la main vers sa ceinture pour le délester de son épée.

Fuis… fuis, Laerte!

Il roula des épaules en avant, déstabilisant les hommes qui le retenaient, puis, d'un mouvement brusque, ramenant les bras devant lui pour qu'ils percutent le troisième. La pression se relâcha, il put se libérer aussitôt. Le cortège s'éloignait. Les soldats le croisaient, Laerte n'avait plus de temps, il lui fallait se débarrasser des trois hommes avant de fuir.

Il enchaîna droite et gauche sur le premier, lança sa jambe sur la mâchoire du deuxième en se retournant, puis, s'agenouillant, agrippa le dernier à la ceinture et au col avant de le soulever. Il le balança par-dessus lui, comme un vulgaire fétu de paille. Il se releva, le cœur lourd, la respiration brûlante. Il s'élança dans la rue voisine, ignorant les invectives des soldats à ses trousses.

Il courut à en perdre haleine, tournant à chaque coin de rue, le regard brouillé, à l'affût d'une solution de repli. Dans les rues désertes, les voix des soldats tonnaient et, avec eux, les sabots de chevaux au galop. Il était la proie, un gibier de chasse à courre et, s'il ne trouvait pas rapidement une échappatoire, un piège se refermerait sur lui. C'est alors qu'il les aperçut, lointains et ténus, des éclats vacillants au-dessus des toits. À mesure qu'il s'en rapprochait, ce furent des chants et des claquements de chopes qui se firent entendre.

Il emprunta une ruelle, manqua de chuter contre une pile de caisses, à sa droite. Il ralentit sa course en débouchant sur une large rue qu'éclairaient des lampions pendus à des cordes. La foule était dense, hommes et femmes chantant, trinquant, allant et venant dans les tavernes grandes ouvertes. Il retira son masque et le passa dans sa ceinture, reprenant son souffle. Ici, il avait une chance. Il se fondit dans la foule.

Lorsqu'il quitta le quartier, il n'entendait plus que des rires et des applaudissements derrière lui. Il rejoignit une ruelle et entreprit d'escalader le mur d'une bâtisse. Sur le toit, il savoura une pause méritée.

Esyld…

Il se répéta son nom en pensée, comme pour s'assurer qu'il n'avait pas rêvé. Pas une question n'était en mesure de troubler sa soudaine ivresse. Quelles que fussent les raisons de sa présence à Masalia, le silence d'Aladzio à son sujet, il y penserait plus tard. L'ironie du sort, voilà ce qui définissait sa vie, l'ironie du sort. Il n'avait jamais cru, au contraire de son mentor, que le destin se soit trouvé figé dans un livre, pas plus qu'il n'avait accepté l'idée que des dieux soient à son origine. Mais il lui fallait bien reconnaître que le hasard avait de bien curieuses manières.

Surplombant Masalia, il resta de longues heures à observer les mâts des navires danser mollement dans la rade au loin.

5

SE SOUVENIR DE QUI L'ON EST

Quelle que soit la raison de tes actes,
Que tu les justifies ou non,
Il n'y aura jamais aucune excuse
À ôter la vie à qui que ce soit.

L'Empereur.

Depuis les Salines, Laerte n'avait eu de cesse d'y penser, s'imaginant le jour où, enfin prêt, il plongerait une épée dans son cœur sans autre forme de procès. Il lui ôterait la vie, sans aucune pitié, vengerait les d'Uster, mettrait un terme à cette guerre, sans verser la moindre larme. Il l'avait déjà jugé coupable, il ne restait plus qu'à appliquer le châtiment.

Des Salines à Garmaret, de Garmaret à Sainte-Amanne, Serray, Sopira Galzi, il écouta les conseils de Dun-Cadal, s'entraîna avec force, ne plia pas sous la souffrance. Sa seule volonté surpassa tout le reste. Ils traversèrent tant et tant de villes, de villages peu à peu obscurcis par l'ombre de la guerre… jusqu'à Éméris, flamboyante et majestueuse. Tout simplement impériale.

Il allait avoir quinze ans et se figurait capable d'abattre tous les murs le séparant de son unique but. Quelle ne fut pas sa surprise en découvrant la capitale et ses hautes tours blanches, la chute d'eau bouillonnante à leurs pieds, quelle ne fut pas son anxiété lorsqu'il se représenta cet Empereur maudit. À quoi ressemblait-il ? Sûrement à un géant, à un monstre de muscles et de force, à un intraitable guerrier.

Durant leur trajet, il avait vu la révolte se répandre et, plus d'une fois, il avait dû prendre des vies. À chaque sang versé, à chaque soupir d'un mourant, survenait l'image de Madog. Toute cette violence, cette rage, ce fracas. Il grandissait dans un chaos dont il ne comprenait ni les raisons ni le sens.

Chaque vie arrachée était un argument de plus pour que l'Empereur paie ses crimes. C'était à cause de lui que Laerte agissait ainsi. Asham Ivani Reyes était le seul et unique responsable de cette colère. C'est ainsi qu'il évacuait ses doutes, non sans difficulté, car, en lui, persistait une idée sombre, aussi brûlante qu'une braise prête à s'enflammer. La culpabilité affleurait jusqu'à ce qu'il la repousse au plus profond de son être, et, avec elle, l'ombre de Madog. Au cours des combats, il gagnait en assurance comme en maîtrise sans que Dun-Cadal semble le remarquer. Pas une fois il ne le complimenta sur ses efforts, pas un jour il ne conclut une séance d'entraînement par un encouragement. Le général se contentait de répéter les mêmes conseils, se moquant parfois de son allure, le « taquinant », comme il disait.

Laerte ne l'aimait pas. Laerte le supportait. Dun-Cadal était un ennemi, un de ceux qui avaient attaqué les Salines, un de ceux qui avaient pris le Guet d'Aëd, un de ceux qui avaient tué sa famille. Du moins se le répétait-il…

Car, en arrivant aux portes d'Éméris, il s'était, contre toute attente, habitué à lui et en arrivait même à apprécier certains moments en sa compagnie. Sa franchise lui plaisait, mais cela ne suffisait pas à l'excuser de tout. Il était rustre, dur, inculte. Il estimait connaître tout sur tout, avoir tant vécu qu'il n'avait plus rien à prouver ni n'avait plus à se soumettre à qui que ce soit, excepté à l'Empereur. Seul son avis importait, seule sa vision du monde était exacte, seules ses paroles commandaient le silence. L'Empire qu'il servait était droit et juste, et méritait qu'on donne sa vie pour lui. Peu importe qu'en son nom des hommes aient été pendus, des femmes violées et éventrées… ou alors n'avait-il pas connaissance des tourments infligés à la famille d'Uster.

Naïs… elle s'appelait Naïs… ma sœur…

—Serais-tu donc muet pour n'avoir rien dit jusqu'alors ? s'étonna l'intendant. J'ai entendu parler de toi, tu sais. Grenouille, c'est bien ça ?

Dans les couloirs d'Éméris, un homme les conduisait, vêtu d'une longue robe blanche, un tissu rouge tombant sur son épaule. Dun-Cadal l'avait présenté comme l'intendant de l'Empereur.

—Oui..., répondit le garçon dans un murmure.

—Grenouille..., dit Dun-Cadal d'un ton de reproche.

Du coin de l'œil, il aperçut le regard sévère de son mentor et reprit d'un ton sec :

—Oui, monseigneur.

—Ta dévotion pour l'Empire a toute notre attention... ainsi que notre respect, jeune homme, ajouta l'homme.

—Merci, monseigneur.

Au bout du couloir bordé de miroirs, il y avait deux grandes portes. Et derrière elle se cachait le dernier né des Reyes. Laerte sentait son corps se raidir, prêt à bondir. Il n'aurait pas le droit à l'erreur. Une fois passé les portes, il lui faudrait saisir l'occasion sans trembler. L'intendant poussa les battants.

Il n'aurait pas d'autre chance...

Ils grincèrent, découvrant une large salle au sol marbré, strié de noir.

Pas d'autre chance...

Des dizaines de colonnes se dressaient, lisses et brillantes jusqu'à un fin rideau rouge tendu aux abords d'un grand balcon effleuré par les cimes des arbres. Était-ce lui, cette ombre derrière le rideau couleur sang, cette forme noire sur laquelle des silhouettes de servantes versaient de l'eau fumante ? Était-ce lui, Asham Ivani Reyes ? Laerte se crispa. Une main le poussa dans le dos.

—Avance, ordonna Dun-Cadal. Et ne parle que lorsqu'il t'adressera la parole.

Il n'y aurait pas besoin de mots. Seul compterait son geste, rapide, précis. Derrière l'étoffe, l'ombre se courba. L'intendant leur fit signe de le suivre.

—Votre Majesté impériale, annonça-t-il d'une voix forte. Le général Daermon revenu des Salines et son jeune... protégé.

—M'avez-vous ramené un fils ? railla une voix. Est-ce cela qui vous a tant retardé ?

Ils avançaient vers la silhouette calée dans son bain. Tout juste une ombre, mais quelle ombre ! Imposante, forte... haïssable. Laerte pressa le pas, filant aux côtés du conseiller. Son cœur battait si vite, son front se piquait de sueur, ses mains devinrent moites alors qu'il approchait de son but. Ses doigts effleurèrent le pommeau de son épée.

Vite et bien. C'est ainsi qu'il devait frapper. Vite, bien, en plein cœur, sa lame déchirant le tissu dont la couleur se mêlerait au rouge du sang impérial. Tout prendrait alors fin, la guerre comme sa peine. Son père, sa mère, son frère… sa petite sœur. Sa douce petite sœur serait vengée. Les larmes lui montaient aux yeux. Sa main glissa jusqu'à la poignée. Plus que quelques mètres et il y serait, plus que…

Une lame siffla jusqu'à sa gorge pour se figer tout contre son cou. Laerte s'arrêta net, le souffle court. Au bout de l'arme, une main gantée de cuir serrait la poignée. L'homme était vêtu d'une veste d'un vert profond. Sur ses épaules était posée une cape dont la capuche recouvrait sa tête. Son visage n'était qu'obscurité d'où émana une voix grave et calme.

—Paix, Daermon.

Laerte essaya d'y déceler une quelconque trace d'humanité. Son agresseur n'avait qu'un seul geste à faire, un seul, et tout serait terminé. Le garçon se résigna à éloigner la main de son épée de peur d'être décapité séance tenante. Pour la première fois, alors qu'il avait bataillé, ressenti la peur, fui dans les Salines les troupes de l'Empire comme celles des révoltés… pour la première fois, il admettait qu'il faisait face à la mort. Force était de constater qu'en la considérant il n'était pas encore prêt à l'affronter. Une larme perla au coin de son œil.

Il allait mourir là? Sans honorer la mémoire de sa famille? Sans mettre fin à cette guerre? Sans devenir le plus grand chevalier?

—Ce n'est pas un ennemi, tonna son mentor.

Il ne savait pas qui était cet homme, mais, à la voix de Dun-Cadal, même le général semblait le craindre.

—Il vient des Salines…, nota la voix.

—Prompt sois-tu à me défendre, Logrid, intervint celle, plus forte et autoritaire, de l'Empereur.

Une servante versa de l'eau dans son bain alors qu'il se passait les mains sur le visage. Des volutes de fumée glissèrent le long du drap tendu.

—Mais je ne crois pas qu'un simple enfant ayant quitté sa région en guerre fasse autant de chemin pour tuer l'Empereur.

Laerte sentit une larme affleurer au bord de sa paupière. Il avait tout raté… Sa seule et unique chance, il l'avait laissée passer.

Proche d'éclater en sanglots, tremblant, il jeta un regard noir à l'homme à la capuche.

—Logrid! gronda Dun-Cadal. Laisse-le.

Le dénommé Logrid baissa le bras. Mais le froid de sa lame courait toujours le long du cou de Laerte. Du coin de l'œil, le garçon le vit contourner le général, remettant l'épée au fourreau.

—C'est ainsi que l'on nous accueille, murmura Dun-Cadal.

—Je ne fais que suivre votre enseignement… Daermon, lui répondit l'homme à voix basse.

—Ce gamin ne menace pas l'Empereur, Logrid…

Laerte serra les poings. *Mensonge*, pensait-il alors. *Mensonge!* Il pouvait faire plus que menacer l'Empire, il était en mesure de le briser, de le détruire, de l'annihiler. Un jour, il le ferait. Il n'était pas un *gamin*! Pas un *enfant*! Il n'avait pas accompli ce long voyage pour rien. Mais, s'il bouillonnait de l'intérieur, tout son corps restait paralysé par la peur.

—Grenouille…, dit Dun-Cadal.

Logrid avait disparu. Seul restait face à lui le rideau rouge derrière lequel se courbait l'ombre de l'Empereur. Il perçut le murmure de l'intendant à l'oreille de son mentor.

—Peut-être est-il préférable que vous vous entreteniez en privé avec Sa Majesté impériale, proposa le conseiller.

C'est ainsi qu'il quitta la salle, sans un regard pour Dun-Cadal.

Une fois passé la porte, il hésita à faire volte-face et à courir jusqu'à l'Empereur. Ce Logrid ne risquait-il pas de surgir une nouvelle fois sur sa route? La raison, ou bien la peur, l'empêcha d'agir.

Il suivit le conseiller dans les allées du palais, en proie au chagrin et à la colère sans à aucun moment y céder et fuir, loin. Être ailleurs coûte que coûte en espérant laisser à Éméris toute sa souffrance.

Lorsqu'il découvrit l'académie militaire et que l'homme le présenta aux professeurs, il resta muet. On l'amena à sa chambre où il lui fut demandé de quitter son épée, puis, habillé de la veste grise des élèves, il se laissa guider par l'un d'eux jusqu'à la cour au milieu de laquelle s'élevait une fontaine. À l'ombre des arches du couloir ouvert, il s'appuya contre un pilier de pierre, son regard croisant ceux de ses nouveaux camarades. Ils l'observaient comme une bête curieuse, certains échangeant quelques mots. À leurs sourires, Laerte comprit qu'il s'agissait de moqueries. Mais à aucun moment il ne réagit, trop sonné encore pour faire le fat. Il avait voulu se jeter dans la gueule du loup, pensant y porter un coup fatal, mais s'y retrouvait perdu, prêt à être avalé.

Qu'allait-il advenir de lui?

— Allez, le tatoué! Vas-y, défends-toi!
— Il pue, c'est pas croyable!

Laerte l'observait porter deux lourdes caisses, tête basse. Il restait campé sur ses deux épaisses jambes malgré les bousculades. Une silhouette massive, malgré son air juvénile. De son maillot brun troué jaillissaient deux bras musclés, une condition physique autant due à son statut d'esclave, contraint à un dur labeur, qu'à sa culture Nâaga. Il n'avait eu de cesse de sculpter son corps à grand renfort d'exercices aussi douloureux que cruels. Se faire battre le torse à coups de bûche et tenir debout n'était qu'un exemple parmi d'autres, comme le lui avait raconté avec dégoût Dun-Cadal. Dès leur plus jeune âge, les Nâagas apprenaient à endurer.

C'est avec stoïcisme qu'il tentait d'atteindre l'entrée d'un pont suspendu, sans faire tomber son fardeau, alors que les étudiants railleurs l'admonestaient.

— Une peau comme ça, c'est répugnant!
— Tu devrais aller te laver!
— Les Nâagas sont des animaux.
— Frappe-le!

Ils n'étaient que mépris et dégoût. L'un d'eux abattit son poing sur le visage de l'esclave sans que ce dernier cherche à l'éviter. Il ne dit pas un mot, continuant tant bien que mal d'avancer. Personne ne réagissait, considérant un tel comportement comme naturel. Laerte se surprit à penser à son mentor. Jamais Dun-Cadal n'aurait laissé un faible être ainsi humilié.

Il avait cru échouer ce jour-là, ne pas avoir assez appris de son mentor pour affronter l'Empereur. Au contraire d'un échec, cela n'avait été qu'un essai, une tentative, certes, mais qui lui avait permis de pénétrer la tanière du monstre. Somme toute, ce n'était qu'une marche supplémentaire à gravir pour atteindre son but.

Et ce qu'il avait acquis durant son voyage, des Salines à Éméris, n'avait pas disparu.

— Rien dans la tête, s'esclaffait un élève en montrant le Nâaga du doigt. Un sac vide !

— Vas-y, fous-lui un crochet, encouragea un deuxième.

Alors que le troisième s'apprêtait à lui assener un nouveau coup, une main ferme lui agrippa le poignet. Avant même qu'il n'ait le temps de se retourner, un pied cogna l'arrière de son genou et le fit fléchir. Puis un poing le cueillit à la mâchoire sous le regard hébété de ses camarades. Ils reprirent leurs esprits, bondissant sur Laerte, et très vite d'autres les rejoignirent. Il esquiva tant qu'il le put, frappant en retour ceux qui passaient à sa portée, mais se retrouva bientôt cerné et, tombé à terre, se roula en boule sous une pluie de poings et de pieds.

Laerte supporta la douleur… Il supporta l'humiliation. Le Nâaga avait pu s'échapper. Là, au milieu d'une dizaine d'élèves qui s'acharnaient sur lui, il venait de gagner une indéfectible amitié.

Les jours qui suivirent, puis les mois et les années ne firent que la renforcer. Laerte ne s'intégra pas à l'académie. Il n'était pas un élève comme les autres et nombre d'entre eux masquaient leur jalousie sous des dehors méprisants. Ils l'enviaient, ils le haïssaient… mais ils le craignaient. Lui seul était déjà allé au combat. En compagnie d'un des plus grands chevaliers de l'Empire, qui plus est.

À seize ans, Laerte revenait à peine du Vershan, fort d'une victoire acquise dans la douleur au pied des monts. C'était la troisième fois qu'il retournait à Éméris et il n'avait pas eu de nouvelles occasions de se mesurer à l'Empereur. La guerre estompait ses ardeurs de vengeance. S'il ne les oubliait pas totalement, d'autres envies prenaient le pas.

Esyld avait trouvé refuge dans la grande cité, accueillie comme servante par les nobles du palais impérial. Il lui tardait de la revoir mais, sur le chemin menant aux quartiers des serviteurs, il s'arrêta dans une grande cour intérieure au milieu de laquelle avait été dressée une structure familière.

— Mort aux traîtres ! Mort aux traîtres ! Mort aux traîtres !

Les voix tonnaient comme des roulements de tambours. Des élèves de l'académie, tout entiers voués à la défense de l'Empereur, aveuglés par leur éducation, s'amassaient aux pieds de la potence. Parmi eux, des soldats, des hommes et femmes de la cour ainsi que leurs employés assistaient à la scène avec moins d'enthousiasme. Il y eut un claquement sec, suivi d'un terrible craquement d'os. Pendus à une corde, trois hommes, au corps tailladé, se balançaient lentement, leur visage figé dans une crispation soudaine. Laerte ne put affronter leur regard vide et baissa les yeux.

—Ils viennent des Salines, annonça une voix rauque dans son dos. Nul besoin de preuve quand on craint un complot. Les rumeurs ont suffi à les juger.

Laerte jeta un bref regard par-dessus son épaule. Le visage amical suffit à atténuer le dégoût d'un tel spectacle et un sourire étira ses lèvres. Cela faisait des mois qu'il ne l'avait vu, et le retrouver, visiblement en forme, le réconfortait. Rogant avait changé. Tout comme Laerte, il avait grandi et le dépassait désormais d'une bonne tête.

—À croire que je ne reviens pas au bon moment, remarqua Laerte.

—À croire qu'ils ne pendent pas les bonnes personnes, Grenouille. C'est toi qui devrais être ainsi au bout d'une corde, railla-t-il.

—Et qui te défendrait?

Le Nâaga apprécia peu la boutade, découvrant des dents luisantes dans un sourire agressif.

—Ce n'est arrivé qu'une fois, maugréa-t-il en croisant les bras.

Un surcot de cuir recouvrait son torse bombé. Des tatouages étranges ondulaient de son visage aux épaules, en épousant son cou. Un pantalon de lin bouffait au-dessus de bottes de cuir cirées. À sa ceinture pendait une dague. Oui, certaines choses avaient changé durant son absence.

—Tu es armé désormais, nota Laerte en passant à côté de son ami pour descendre un petit escalier menant à l'intérieur du palais.

Rogant le suivit dans les couloirs étroits.

—Je croyais que les esclaves n'avaient pas le droit de se défendre.

—Je suis au service du duc de Page en tant que garde du corps, expliqua Rogant. Disons qu'il a décelé chez moi des talents de guerrier.

— Il a le sens de l'humour.

— Venant d'un apprenti chevalier nommé Grenouille, ça me laisse quelque peu… froid.

Le jour s'estompa à mesure qu'ils s'enfonçaient dans les quartiers des serviteurs. Là, au milieu d'un couloir exigu, Laerte s'arrêta. L'ombre et la lumière s'affrontaient sans qu'aucune prenne le pas sur l'autre, la lueur des torches ondulant sur les arêtes de son visage. D'un bref coup d'œil à droite comme à gauche, les deux amis s'assurèrent que personne ne les avait suivis. Puis ils tombèrent dans les bras l'un de l'autre en riant.

— Qu'il est bon de te revoir vivant ! avoua Rogant en tapotant le dos du jeune garçon.

— Il me reste des choses à accomplir avant que de laisser la vie.

— Le Vershan ?

— Usant, répondit Laerte en s'écartant du Nâaga. Et toi ? Comment vas-tu ?

— Je ne suis pas encore affranchi… mais être au service de De Page est quelque peu similaire. Il vaut mieux que cela reste entre nous. Les temps sont compliqués. Quiconque émet une critique envers l'Empereur est suspecté.

— Et si ton maître savait tout sur nos entrevues ?

À l'expression amusée de son ami, Laerte comprit. Ainsi, le duc de Page ajoutait son nom à une liste de jour en jour plus longue. Celle des nobles qui, en secret, rejoignaient la contestation afin de proposer aux révoltés une aide logistique. Tandis que Laerte, lui… en quoi aidait-il sa cause ? Combattre les révoltés pour faire bonne figure et soutenir la révolte étaient difficilement conciliables. Pourtant, il s'y tenait sans remettre en cause ses choix. Seul comptait le jour où il serait prêt à se dresser face à l'Empereur.

Rogant le savait. Si Laerte ne lui avait pas dévoilé sa véritable identité, ils s'accordaient sur de nombreux points. L'Empereur n'autorisait-il pas l'esclavage de son peuple ? Sans en connaître les origines, le Nâaga avait été mis dans la confidence de sa vendetta. Et il était bien décidé à l'aider.

— Tu as bien plus à craindre que lui, Grenouille. Tu viens des Salines… et, dès ton premier jour ici, tu as défendu un esclave. Crois-moi, de Page pourrait t'être utile un jour. En tout cas, j'y veille.

— C'est moi qui te protège, Nâaga, sourit Laerte.

—Petit chevalier, lui répondit Rogant en roulant des épaules.

Il inclina la tête vers lui, l'air moqueur. Nul n'osait l'enquiquiner maintenant qu'il avait atteint sa taille adulte.

—C'est juste une mise en garde, avoua Rogant, le ton plus sombre. Je ne voudrais pas qu'il t'arrive quelque chose.

Laerte acquiesça.

—Va vite la voir…, souffla son ami. Elle t'attend depuis deux jours.

Bien que Rogant les ait vus plusieurs fois se retrouver en cachette, Laerte était certain qu'il ne savait que peu de choses d'elle. Le garçon ne lui avait jamais parlé de sa vie d'avant. Encore moins d'Esyld. Tout juste avait-il acquis la certitude qu'elle comptait plus pour Laerte que le plus grand des trésors de ce monde. Et c'était sur cette certitude que le Nâaga s'appuyait pour couper court à la discussion. Son ami le connaissait bien. La voir, oui… Laerte l'espérait depuis longtemps.

Le cœur battant, il parcourut les couloirs qui le séparaient encore de sa bien-aimée.

Quelle n'avait pas été sa joie lorsque, deux ans auparavant, il avait aperçu une silhouette familière dans un jardin du palais ! Elle venait de rejoindre son père à Éméris et s'était vue employée comme servante à la cour.

Elle était son navire dans une mer démontée, la seule personne capable de le maintenir à flot. Il lui avait tout dit… jusqu'à ce qu'il comptait faire, une fois qu'il se sentirait prêt.

Lorsqu'il ouvrit la porte de la petite chambre, baissant légèrement la tête pour passer le chambranle voûté, il ne prit pas la peine de vérifier si quelqu'un l'avait suivi. Il avait trop attendu.

Elle était là, les mains jointes devant elle, ses cheveux délicatement coiffés de rubans bleus. La pâle lumière du jour, qui filait en un seul et unique rayon par la lucarne, nimbait son visage d'un voile diaphane. Dans le coin, un lit spartiate s'accompagnait d'une fragile table de chevet. Esyld était la seule lumière qui avait guidé son chemin. Il ne dit pas un mot, refermant doucement la porte dans son dos. Quand elle se tourna vers lui, ses lèvres dessinèrent un sourire rassuré.

—Enfin, dit-elle simplement.

—Le voyage a été plus long que prévu…

Il s'approcha d'elle, hésitant. Ses mains étaient devenues terriblement moites. Elle était encore plus belle que lors de leur dernière entrevue. Les traits de son visage s'étaient affinés. C'était une femme désormais. Il n'osait pas la toucher. Ce fut elle qui se blottit contre lui, posant la tête contre son épaule. L'odeur de ses cheveux bouclés l'enivra.

—Mon fier petit homme…, dit-elle. Tu as mis si longtemps à revenir depuis que la nouvelle de votre victoire au pied du Vershan nous a été rapportée.

—J'ai fait aussi vite que possible… Voilà seulement deux heures que nous sommes arrivés. J'ai profité de ce que Dun-Cadal prenait congé pour venir te voir.

—Ne va-t-il pas partir à ta recherche? s'inquiéta Esyld.

—Il est dans les bras de Mildrel à l'heure qu'il est, sourit Laerte.

—Et toi dans les miens…

Son sourire s'estompa à mesure que son regard plongeait dans le sien. Très lentement, il inclina la tête et leurs lèvres s'effleurèrent dans un baiser retenu.

—Tu ne dois pas rester longtemps, prévint-elle dans un murmure. Tu dois reprendre ta place à l'académie avant que quelqu'un ne s'inquiète de ton absence.

Elle s'écarta lentement de lui, détournant les yeux. Surpris, Laerte resta coi l'espace d'un instant. N'était-elle pas heureuse de le revoir pour souffler ainsi le chaud puis le froid?

—Ils pendent des gens désormais…

—Je suis l'apprenti de Dun-Cadal. Le vieux grognon me protège, pas d'inquiétudes, tenta-t-il de la rassurer.

—Tu ne comprends donc pas? s'énerva-t-elle.

Elle lui tournait le dos, fébrile. Les poings fermés le long des hanches, elle soupira de dépit.

—Mon père et moi avons accepté de ne rien dire à Meurnau à ton sujet. De faire comme si tu n'avais pas survécu… mais tu aurais dû repartir dans les Salines. C'est bien trop dangereux, ici.

Plus d'une fois ils avaient abordé le sujet, mais toujours Laerte avait été tranchant. En mémoire lui revenaient ses retours au Guet d'Aëd. Tous ces gens parlant de lui comme de quelqu'un qu'il ne connaissait pas. Depuis ce jour, sa confiance en Meurnau s'était éteinte.

—Meurnau a fait de moi un symbole, je ne lui servirais à rien *vivant*. Il mène sa révolte, expliqua-t-il. Au contraire, je suis bien plus en sécurité ici. Quoi qu'on en dise, Dun-Cadal s'occupe bien de moi. Avec lui, j'ai beaucoup appris.

—Tu le haïssais il y a encore un an, nota Esyld dans un petit rire contenu.

Elle se moquait de lui. Mais pouvait-il nier qu'il avait quelque peu changé d'avis sur son mentor ? Il prenait sa défense, parfois.

—C'est encore le cas. Il ne me sert qu'à devenir assez fort pour tuer l'Empereur, se défendit-il.

—Tuer l'Empereur…, soupira-t-elle. Eh bien vas-y, si tu as tant appris de ton général bien-aimé.

Elle le toisait d'un œil torve comme s'il avait commis le dernier des crimes. Qu'elle lui en veuille ainsi, sans qu'il en comprenne la raison, le laissait totalement abasourdi.

—Esyld…

—Vas-y ! Va faire ce qui te semble juste !

—… je ne suis pas prêt, avoua-t-il. Mais bientôt je le serai, je te le promets et cela mettra fin à cette guerre injuste et ma famille sera vengée et…

—Tu n'as donc pas grandi, l'interrompit-elle.

Elle se détourna de lui, s'approchant de la fenêtre en soulevant très légèrement sa robe des deux mains, digne.

—Mais qu'est-ce qu'il te prend ? demanda Laerte, interloqué.

Jamais il ne l'avait vue dans cet état, aussi agressive.

—Ce qu'il me prend ? dit-elle d'un ton insupportablement sec et décidé. Ce qu'il me prend, c'est que mon père risque sa vie ici à faire en sorte que les idées d'Oratio d'Uster survivent. Que des nobles rallient la révolte pour qu'Éméris tombe. Ce qu'il me prend, c'est que chaque jour qui passe le rapproche de la potence ! Qui sait quand il sera découvert, Laerte ? Mais ça, tu n'y penses pas. Seule compte ta vengeance.

Les larmes lui montaient aux yeux.

—Nous prenons d'énormes risques ici ! Chaque jour, des réfugiés des Salines sont interrogés. Chaque jour, les nobles les plus éloignés de la cour sont mandés par l'Empereur. Certains ont disparu et il se murmure que la Main de l'Empereur en est la cause. Que cet assassin est immortel, qu'il a toujours défendu les Reyes et qu'il continue à les servir en tuant ceux qui complotent contre lui. Dis-moi, Laerte? Dis-moi comment mon père va mourir? Sur la potence? Ou bien assassiné comme un chien pendant que toi, tu combats la révolte. Cette même révolte qui porte le nom de Laerte d'Uster aux nues! Parfois, je me demande dans quel camp tu es…

—Ce n'est pas si facile pour moi, Esyld, je…, essaya-t-il de se défendre.

Dans son esprit se formaient les images des batailles. À quel moment avait-il pris conscience de *qui* il affrontait? Y eut-il un seul instant, depuis Madog, où il avait reconnu qu'il tuait ceux qui se battaient pour le rêve de son père… le rêve, qu'un jour, le peuple prenne en main sa destinée.

—Non, bien sûr que ça n'est pas facile, continua-t-elle. Le jour où tu essaieras de tuer l'Empereur, comme tu en rêves tant, sa Main s'abattra sur toi également…

Cette Main avait déjà barré son chemin… Mais, par fierté, il n'avait jamais osé lui raconter ce qui restait un échec. Il souhaitait qu'Esyld garde une bonne image de lui, pas celle d'un perdant.

—Peut-être qu'à ce moment-là tu te souviendras de qui tu es vraiment. Car, pour le moment, ce n'est pas Laerte que je vois devant moi, mais Grenouille.

Cela suffit à abattre sa timidité habituelle. Sans attendre, il l'empoigna pour la ramener tout contre lui, forçant sa main à descendre vers la poche de son pantalon.

—Je suis l'un et l'autre, Esyld. Cela ne change rien. Ne crois pas que j'oublie d'où je viens ni qui je suis.

Il la força à plonger la main dans sa poche, puis la ressortit. Entre ses doigts fins, elle tenait un petit cheval de bois dont la seule vue fit couler des larmes au coin de ses yeux.

—Je ne l'ai jamais oublié.

Elle le remit lentement dans la poche alors qu'il approchait son visage du sien. Elle se raidit.

—Je ne t'ai jamais oubliée…, murmura-t-il.

Le baiser qu'ils échangèrent fut si intense qu'il crut le monde disparaître autour d'eux. Seul son corps se rappelait tout entier à lui, contre elle, parfumé de sa douce odeur fruitée. Peu à peu, Esyld se laissa aller entre ses bras et ce fut elle qui prit en main la suite. Jamais Laerte n'aurait osé aller plus avant, bien que l'envie l'ait toujours tenaillé.

Il en avait tant rêvé que, chaque fois qu'il avait pu la serrer ainsi, l'angoisse l'avait étreint au point qu'il avait été incapable de lui donner plus qu'un baiser.

Il la découvrit ce jour-là, comme une fleur que l'on cueille, belle et nue. Ensemble, ils s'étaient noués sur le petit lit de servante, dans la pénombre de la chambre sans qu'il y ait d'autre bruit que leur simple respiration. Et leurs cœurs, l'un près de l'autre, battirent au même rythme. Goûtant à sa peau, lissant les courbures de son corps de la pulpe de ses doigts, il se perdit en elle jusqu'à s'y abandonner. Plus elle l'enserrait, plus il se lovait contre elle. Il aurait aimé que ce moment dure une éternité.

Lorsqu'il retourna à l'académie, il se sentait changé. Qui il était, Grenouille ou Laerte, ça n'avait plus aucune importance, maintenant qu'il était devenu un homme. Il revit Esyld plusieurs fois mais jamais plus ils n'eurent la possibilité de revivre l'étreinte de cette journée-là. La tension montait d'un cran au cœur du palais et, plus les jours s'écoulaient, plus l'impression d'être épiés se renforçait. L'Empereur se méfiait de tout le monde et, en particulier, des réfugiés.

Laerte suivit quelques cours à l'académie sans qu'il y ait d'incident. Les élèves l'évitaient… Certains même commençaient à le regarder comme s'il était Dun-Cadal Daermon lui-même. Jamais auparavant, Laerte ne s'était senti ainsi en confiance. Il était certain de savoir qui il était, ce qu'il faisait et pourquoi il le faisait.

Cependant, Esyld avait vu juste. En réalité, il se perdait au cœur des batailles, repoussant sans cesse la confrontation avec l'Empereur, oubliant même parfois l'origine de la révolte. L'excitation des combats primait. Sa rage l'aveuglait au point de ne plus avoir de raisons propres, hormis celle d'être assouvie. Elle était devenue une soif inextinguible qu'il entretenait, une addiction insurmontable.

Oui, Grenouille se perdait dans la colère et la violence.

Jusqu'à ce qu'il soit confronté à lui-même, au dragon plein de hargne qui grondait dans son cœur. Ce dragon intérieur, que chaque homme doit un jour combattre, il l'affronta, loin là-bas, au nord de l'Empire.

À Kapernevic où il rencontra pour la première fois un inventeur de génie du nom d'Aladzio.

6

Maîtriser le dragon

Sens le Souffle, sois le Souffle.
Grenouille, sens-le ! Respire comme la vie.
Elle est là, la magie.
Dans ce souffle que tu exhales.

— Lève-toi.

Il frappa le lit d'un violent coup de pied avant de faire volte-face et de passer la porte. Le vieil homme maugréa dans son lit. Il attendit quelques minutes qu'il se lève, puis descendit l'escalier de la petite maison. Dans le salon, assise confortablement au creux d'un large fauteuil, Viola leva un œil par-dessus son livre. Surprise, elle le posa sur ses genoux lorsque Laerte fila devant elle d'un pas décidé. Quelques secondes plus tard, Dun-Cadal apparut, le regard encore endormi.

— Bonjour, salua-t-elle d'une voix mal assurée.

Le général l'ignora, parcourant la pièce, les yeux gonflés. Quand il aperçut Laerte sur le pas d'une porte menant à l'extérieur, il soupira en hochant la tête.

— Ça va être une bonne journée, pensa Viola à voix haute alors que Dun-Cadal sortait à son tour.

Ni l'un ni l'autre n'avait dit un seul mot. Il flottait dans l'air une tension presque palpable. Viola se leva lentement et aperçut la silhouette de Laerte glisser derrière une des fenêtres. Elle s'en approcha d'un pas hésitant.

Ils marchaient tous deux dans une petite cour de gravier, surplombant les maisons qui descendaient en paliers jusqu'à la ville. D'ici, c'était tout Masalia qu'ils contemplaient, des hautes tours aux immeubles fleuris, des trois cathédrales au dôme scintillant du Palatio. Et au loin les mâts des bateaux se mouvaient au gré de la marée. Sur la mer dansait le reflet tranché d'un soleil à peine levé. Dun-Cadal avança jusqu'au petit muret bordant la cour, découvrant les toits de tuiles rouges se succédant. Plus jeune, il aurait pu sauter de l'un à l'autre comme sur les marches d'un escalier. Peut-être était-il encore capable de les dévaler? Pour quitter tout cela, retrouver sa vie dans les tavernes… Mais il n'avait plus envie de s'enfuir. À quelques pas de lui, Laerte soupesait une épée.

—Qu'est-ce que tu veux…? marmonna Dun-Cadal.

Pour seule réponse, il vit la lame filer dans les airs pour se planter à ses pieds. Laerte écarta sa cape d'un mouvement de bras pour découvrir le pommeau de son épée. Puisque son mentor n'osait porter la main sur la poignée d'Éraëd, peut-être se contenterait-il d'une autre arme.

—Prends-la, ordonna Laerte d'un ton terriblement sec.

—Alors… c'est maintenant que tu veux en finir avec moi, lâcha Dun-Cadal. Le solde de tout compte…

—Quand tu m'as vu sur le port assassiner Enain-Cassart, qu'as-tu cherché à faire? demanda Laerte, un étrange sourire au coin des lèvres. Après le meurtre de Négus, quand tu m'as poursuivi, qu'as-tu cherché à faire sinon à me défier? Je t'en donne l'occasion, vas-y.

—À ce moment-là, je poursuivais celui que je croyais être Logrid, répondit Dun-Cadal d'un ton sec.

—Encore un de tes élèves, non? Déçu de voir le résultat de ton apprentissage? ironisa le jeune homme en écartant les bras. Je suis devant toi, après toutes ces années. Je t'ai menti tout ce temps. N'éprouves-tu donc aucune colère? Tu le sais. Tu le sens. Si l'Empire s'est effondré, c'est bien à cause de moi…, l'ombre de Laerte d'Uster…

Dun-Cadal inclina la tête, les yeux sur la poignée de son épée.

—L'homme que je connaissais aurait combattu… et quitté cette maison en n'y laissant que cendres, continua Laerte. Il aurait tenu tête. Mais toi, tu te laisses faire… Ce n'est pas seulement ton corps qui a veilli, c'est également ton âme.

Laerte le voyait frémir. Chaque trait de son visage se durcissait, sans que son regard se détache de l'arme plantée à ses pieds. Dun-Cadal contenait sa colère. Du coin de l'œil, il devina le visage de Viola derrière la fenêtre. Si elle n'appréciait guère la situation, elle ne semblait pas prête à intervenir pour autant.

— Je croyais que tu me gardais pour la fin…, sourit-il tristement. Mais ç'aurait été trop d'honneur.

— L'honneur, tu n'en as jamais eu, grinça Laerte. Oh oui, tu étais un général à part. Un rustre qui, du temps de la noblesse, a réussi à s'inviter aux banquets des plus grands.

— Il suffit…, murmura le vieil homme.

— T'es-tu jamais rendu compte à quel point *il* te considérait comme un idiot ? Une simple arme dans sa main ? Un grand guerrier, certes, mais une cervelle de moineau.

— Arrête.

— L'homme de l'Ouest aux pieds de l'Empereur. Tu avais juré de le défendre, pourtant, continua calmement Laerte.

— Arrête !

— Tu as tout perdu, Daermon. Le monde auquel tu as voué ta vie, comme le peu de gloire que tu possédais. Personne ne te respecte désormais. Pas même toi, c'est dire à quel point tu es tombé bas. Si Grenouille avait existé, *ton* Grenouille, crois-moi, il n'aurait jamais voulu de toi comme père.

D'un mouvement vif, le vieil homme brandit la main vers l'épée. La poignée vint se nicher dans sa paume. Laerte s'élança aussitôt, sous le regard affolé de Viola, et porta la première attaque. Dun-Cadal eut tout juste le temps de lever la lame pour parer. D'un coup de genou, il tenta de repousser son agresseur. Laerte l'évita, tournant sur lui-même, frappant l'aine du général d'un poing fermé. Les deux épées s'entrechoquèrent de nouveau. Les lames glissèrent l'une contre l'autre en crissant.

Derrière la fenêtre, Viola pâlit. Mais à peine eut-elle fait un pas vers la porte que la main de Rogant s'abattit sur son épaule.

— Attends, lui conseilla-t-il.

À contrecœur, elle revint à la fenêtre et se résolut à être spectatrice d'un combat dont elle craignait l'issue.

— C'est tout ? grinça Laerte. Tu es encore plus mort que je ne le pensais.

— Tu ne me tueras pas aussi facilement, rétorqua Dun-Cadal.

— Vraiment ? Retrouverais-tu un peu de fougue, Échassier ? railla-t-il. Le soldat vit encore en toi ?

— J'étais… un… général !

— Qui s'est fait balader par un vulgaire gamin, sourit Laerte, conscient de son effet.

Un violent souffle creusa un sillon dans la cour, tout droit vers lui. Pour éviter la déferlante de vent et de graviers, il bondit en arrière et retomba lourdement sur le sol, une main à terre. À peine leva-t-il la tête qu'il vit Dun-Cadal fondre sur lui. Il esquiva d'une roulade avant d'user à son tour du *Souffle*. Des graviers fouettèrent le visage du général, manquant de le faire choir.

— Tu l'aimais, n'est-ce pas ? Grenouille… Lui n'a jamais eu que mépris pour toi, et riait de ta faiblesse lorsque tu étais endormi.

Furieux, Dun-Cadal pointa son épée vers le jeune homme, de fines gouttes de sang courant sur son visage.

— Tais-toi ! Tu n'es que mensonge ! Fourberie !

Il se fendit en avant, mais Laerte se déroba d'un pas de côté. Et, de son épée, il frappa la lame du général avant de le faire tomber d'un croche-pied.

— Azdeki s'est joué de toi. Je me suis joué de toi. Ne mérites-tu pas de terminer ta vie, ici, agonisant dans un caniveau ? demanda-t-il en tournant autour du vieil homme à terre. Tu ne mérites pas que je t'achève ici, ce serait t'honorer.

— Qu'attends-tu donc de moi ? rugit Dun-Cadal en se relevant maladroitement. Tu ne me briseras pas ! Tu ne m'enlèveras pas ce que j'ai vécu !

— Tu es déjà brisé.

De fait, il tremblait. Pas seulement de rage. La soif prenait le contrôle de ses nerfs et les chauffait à blanc. Le manque d'alcool brûlait son cœur tout entier. Laerte reconnut le désespoir dans son regard lorsque le vieil homme entreprit de porter un nouveau coup.

Que Laerte esquiva aisément, contemplant le vieux général plié en deux, le front en sueur et la respiration sifflante.

— Essaie encore, provoqua Laerte en faisant tournoyer son épée d'un mouvement de poignet.

Dun-Cadal se jeta alors sur lui avec rage, enchaînant les coups, mais toujours l'épée de Laerte parait la sienne avec précision.

— Je t'ai tout donné ! hurlait le vieil homme. Tout ! Et tu m'as trahi ! Tu aurais dû me tuer ! Tu aurais dû ! Tue-moi ! Allez ! Tue-moi !

Soudain, Laerte se courba et, du coude, le frappa en plein sternum avant de le balayer d'une jambe tendue. Le vieil homme tomba de tout son long, sonné. Laerte se dressait au-dessus de lui, l'observant dodeliner de la tête, le visage en sueur.

— … Je ne te tuerai pas, annonça Laerte d'une voix terriblement grave.

Enfant, il en avait souvent rêvé, espérant ce moment où il surpasserait son mentor. Mais aujourd'hui, alors qu'il l'avait à sa merci, il n'éprouvait plus que de la pitié. Cet homme avait raison. Il lui avait *tout* donné… jusqu'à sa dignité.

— Tu le pourrais, sanglota Dun-Cadal. Tu as tué un dragon… Moi, je ne suis qu'un cancrelat…

— Les choses sont parfois trompeuses…

Il lui tendit la main. Dun-Cadal leva les yeux vers elle, hésitant à la prendre.

— Et si tu n'avais vu que ce que tu voulais voir ? proposa Laerte, un étrange sourire en coin qui s'effaça soudain. Et si Grenouille avait… s'il avait vraiment respecté l'homme qui l'avait sauvé des Salines ?

Dun-Cadal resta ainsi quelques secondes, les larmes aux yeux, puis, d'un mouvement leste, attrapa la main du jeune homme. Laerte l'aida à se remettre d'aplomb. À la place des épées, leurs regards s'affrontèrent.

— Tu voudrais que je t'achève, reconnut Laerte.

Dun-Cadal s'était détourné de Laerte, l'air accablé. Jetant de brefs coups d'œil autour de lui, il se massa la nuque.

— J'ai soif… Y a pas un seul pichet de vin ici ?

— Tu n'en as pas besoin.

— Ha ! rit le général en levant les yeux au ciel. Laisse-moi au moins mourir comme je l'entends ! Tu me hais ! Tu m'as toujours haï !

— Non. Tu restes le général qui m'a appris à me battre.

Il était direct, froid.

— Ce général est mort… avec Grenouille ! lâcha le vieil homme, la bouche tordue de rage. C'est à lui que j'ai appris tout ce que je savais ! De l'honneur, il en avait, de l'intelligence, de… de la passion. Jamais il n'aurait fait ce que toi tu as fait à Masalia. Tu veux me tuer comme Enain-Cassart ? Comme Négus ? Alors fais-le !

Accomplis ta vengeance jusqu'au bout! C'est bien pour cela que tu t'es découvert!

Laerte fit un pas vers lui puis s'arrêta.

—Et si les choses n'étaient pas ce qu'elles paraissent?

C'est insensé…

—Le dragon de Kapernevic… Le dragon rouge…

Échassier, vous ne pouvez pas faire confiance à cet… ce… Il est stupide!

—Je ne l'ai pas tué.

Aladzio est juste un peu différent, Grenouille. Mais son plan me semble judicieux.

Dun-Cadal se retourna lentement. Laerte avait déjà disparu et le bruit de ses pas ne fut bientôt plus qu'un lointain écho dans la maison.

Un plan judicieux?

… Judicieux…

—Judicieux? répéta Grenouille en pressant le pas pour être à hauteur de son mentor. Faire confiance à ce crétin est tout sauf judicieux. Négus vous l'a dit, il a fait brûler la grange plusieurs fois avec ses expériences.

Dun-Cadal esquissa un sourire satisfait avant de s'arrêter à la lisière de la forêt. Derrière eux, les traces de pas dans la neige formaient un étrange chemin tacheté, jusqu'aux contours, flous, de Kapernevic. Les cheminées des maisons de pierre exhalaient de lourdes fumées grises qui montaient en oscillant vers un ciel d'un blanc immaculé. L'après-midi touchait à sa fin et, depuis l'aube, les soldats de Négus s'étaient empressés de construire les pièges à dragons imaginés, dans la nuit, par Aladzio. Le fait que l'inventeur ait eu une part importante dans le plan avait fortement déplu au jeune garçon. Il ne lui faisait aucunement confiance. Pire encore, il ne le supportait pas. Aladzio avait un énorme défaut: il parlait tout le temps, de tout et de n'importe quoi, s'extasiait à la moindre chose, s'enthousiasmait pour la moindre idée.

Lorsque Dun-Cadal lui proposa de les aider à vaincre les troupes de Stromdag, il perdit de sa loquacité. D'abord nerveux, il accepta de se mettre au travail et imagina un système de filet capable de piéger les dragons.

— Reste ici, je vais faire le point avec Négus, ordonna Dun-Cadal tout en continuant son chemin à travers les pins.

Négus arpentait le bord d'un long talus derrière lequel des piquiers se préparaient. Dun-Cadal vint à sa rencontre sous l'œil torve de son jeune apprenti. À quelques pas de lui, Aladzio supervisait une équipe de quatre soldats agenouillés autour d'un filet.

— … judicieux, marmonna Laerte entre ses dents avant de lâcher un long soupir. On court à la mort…

Les deux généraux conversèrent au loin sans lui prêter attention. Lorsqu'il aperçut Aladzio se diriger vers lui, il regretta de ne pas être auprès d'eux, au moins auraient-ils attiré l'inventeur. À peine eut-il fait un pas dans la neige, dans l'espoir de lui échapper, que sa voix l'arrêta.

— Grenouille ! clama Aladzio. Quel plaisir !

Sous les regards des soldats, Laerte dut renoncer à se défausser. Il attendit que l'inventeur arrive à sa hauteur, les joues rougies par le froid, son tricorne bien vissé sur la tête.

— Nous n'avons pas eu le temps de discuter hier, j'en suis désolé. Je vous ai laissé seul à la taverne mais…

— Rien de grave, l'interrompit Laerte.

— … j'avais des bagages à préparer, continua Aladzio comme s'il n'avait rien entendu. Eh oui, je croyais partir aujourd'hui, mais, bon… non. C'est comme ça.

Il posa les mains sur ses hanches, avisant la forêt d'un regard rêveur.

— C'est ainsi, soupira-t-il. C'est la vie. Tantôt on croit que… et tantôt on se rend compte que non. On pense partir pour une destination et finalement le sort nous réserve une bien étonnante surprise qui…

Laerte acquiesça d'un bref signe de tête et commença à fuir son interlocuteur d'un pas lent.

— Dites-moi, l'interpella Aladzio à son plus grand regret. Durant la bataille, je ne suis pas forcé de rester ici, je veux dire, il m'est possible de rejoindre Kapernevic ? Je ne suis pas certain d'être d'une grande aide, ici, et…

Sa voix était soudain devenue nerveuse. Il joignait ses mains gantées d'un air anxieux, exhalant un nuage laiteux à chaque respiration.

— Tout dépend, répondit Laerte un sourire mauvais au coin des lèvres.

Il se retourna lentement vers lui, la neige crissant sous ses pas, et défia l'inventeur d'un regard moqueur.

— Si tes pièges sont bons, les hommes de Stromdag ne passeront pas nos lignes. Quel risque prendrais-tu à assister au combat, en lisière de la forêt?

— Au… aucun, bredouilla Aladzio avant qu'un sourire gêné n'ourle ses lèvres. Bien sûr, aucun. C'est juste que, bien évidemment, dans toute science, il y a une part d'incertitude. Je suis un scientifique. C'est… expérimental.

— Tu prétendrais qu'il y a une *incertitude* dans tes filets à dragon? Tu expérimenterais?

À chaque pas dans sa direction, Aladzio reculait. Laerte le pressait d'un regard sévère.

— Non, je ne suis pas du genre à prétendre quoi que ce soit, se défendit Aladzio sans se départir de son sourire. J'ai fait un rapide calcul masse-poids-vitesse à partir de ce qu'on sait des dragons gris logeant dans les monts de Kapernevic, mais… s'il y a un dragon rouge…

— … Scientifique, pesta Laerte. Il nous aurait mieux fallu un magicien.

Aladzio hocha la tête.

— Oh non, non. Croyez-moi, je connais un peu de magie, et ça n'est pas très concluant…

Il baissa les yeux lorsque Laerte se retrouva face à lui.

— … enfin, quand c'est moi qui essaie des tours, tout du moins… J'ai calculé comme il faut, je vous prie de me croire… Je… je suis doué.

L'inventeur avait l'air si embarrassé que le garçon n'estima pas nécessaire d'en rajouter. Il s'écarta d'un pas, laissant son regard dériver sur les filets que les soldats tendaient entre les arbres. D'ici quelques heures, une petite troupe irait feindre l'assaut contre Stromdag et ramènerait les révoltés ici même. Eux et les dragons qu'ils auraient fait sortir de leurs tanières. La tactique des Rouargs des Salines avait fait des émules. Laerte entendit le crissement de la neige sous les bottes d'Aladzio. L'alchimiste avait beau trembler de froid comme de peur, il restait à son côté.

— Le duc de Page ne m'avait pas parlé de ça, soupira-t-il.

— De Page ?

— Mon mécène, précisa Aladzio en se plaçant à sa droite. Enfin… pour le moment. D'ailleurs, c'est pour ça que vous êtes là… enfin, je suppose. D'autres que lui souhaitent s'attacher mes services. Il m'a envoyé ici pour étudier. Pas pour faire la guerre.

Sa voix devint subitement sourde alors que son regard se perdait à la lisière de la forêt enneigée.

— À vrai dire, et sauf votre respect, apprenti chevalier, je n'y comprends pas grand-chose à cette… guerre.

Quand Laerte lui adressa un regard, d'un mouvement de tête, il le soutint sans ciller. Bien qu'une certaine crainte se lût dans ses yeux, il continua.

— C'est vrai. Je n'ai rien, personnellement, contre ces gens… Ils se battent simplement pour… enfin, ce qu'ils veulent, c'est être écoutés, non ? Ils veulent avoir leur mot à dire sur leur destinée, enfin, je… je…

— Tu pourrais être tué pour ce que tu viens de me dire, annonça Laerte d'un ton grave.

Aladzio détourna les yeux, un maigre sourire aux lèvres.

— Pour avoir donné mon avis ? s'indigna-t-il, mal à l'aise. J'essaie juste de comprendre les choses… Enfin, je veux dire que…

Laerte secoua la tête d'un air de dépit. L'inventeur repartait dans un monologue qu'il préféra ignorer. Non loin de là, les soldats terminaient d'installer les filets. Cela suffirait-il à contrer les dragons ? Le jeune garçon ne comprenait pas pourquoi un homme tel que Dun-Cadal commettait l'erreur d'appuyer son plan sur une clé de voûte aussi fragile. À ses questions se mêlaient anxiété et excitation. Chaque bataille était pour lui l'occasion de s'oublier, de se croire grand et fort lorsqu'il prenait le dessus sur ses ennemis, quels qu'ils soient. Chaque affrontement lui permettait de se rassurer, d'être certain de devenir ce qu'il espérait pour, un jour, venger les siens. Peu lui importait de se battre contre des gens qui se targuaient de défendre les idées d'une république. Peu importait le rêve de son père – on l'avait tué. D'autant que, ce rêve-là, Meurnau et les siens se l'étaient approprié sans vergogne…

Tout cela ne lui importait que peu. Ici, à Kapernevic, dans la blancheur aveuglante de la neige, c'était plus que le souhait d'Oratio d'Uster dont il était question. Il s'agissait du sien. Stromdag et ses hommes n'étaient rien en comparaison des dragons.

De ce qu'il en savait, ces bêtes furieuses étaient aussi stupides que des Rouargs. Mais, parmi elles, existait une race supérieure en tout point, dominant autant par la force, la taille, que par l'intelligence. Le mythique dragon rouge. Dun-Cadal en avait minimisé le danger non sans le mettre en garde cependant. Une telle contradiction était une preuve en soi.

Le dragon rouge valait tous les défis du monde et Laerte priait pour le relever.

À la tombée de la nuit, les soldats prirent place en bordure de forêt, masqués par un monticule de neige. Tout contre les arbres, des hommes munis de haches se préparaient à couper les cordes maintenant les filets à terre. Les étoiles scintillèrent peu à peu, comme autant de feux lointains dans l'obscurité glaciale. Dun-Cadal ordonna qu'on allume les torches, tout autour des pièges, et resta debout au-dessus de la butte, à quelques mètres seulement des conifères. La tension montait. À côté du garçon, un soldat tremblait. Le froid n'en était pas l'unique cause.

L'escouade servant d'appât était partie depuis une bonne heure déjà, lorsque Négus se positionna contre un tronc, l'épée au clair. Il y eut quelques quintes de toux… Et le bruit du vent qui soulevait les branches.

— Euh… s'il vous plaît… s'il vous plaît ? appela une voix alors qu'une main tapotait l'épaule de Laerte.

Le jeune homme jeta un bref coup d'œil derrière lui, découvrant sans surprise la silhouette courbée d'Aladzio. Dans la nuit tombée, son visage était aussi pâle que la lune. Il triturait nerveusement son chapeau entre ses mains.

— Est-il vraiment nécessaire que je reste ici, monseigneur ? Je ne vous serai pas d'une grande utilité. Je suppose que je…

— Tais-toi ! dit Laerte d'un ton autoritaire.

Il lui fit signe de reculer.

— Bon, je suppose que je dois prendre ça pour : « Mais bien entendu, va te mettre au chaud à Kapernevic », nota Aladzio d'un ton badin. « Tu as bien pensé ton piège, tu mérites une poularde au coin du feu ».

Laerte ne put s'empêcher d'esquisser un sourire. Il l'énervait tant qu'il était préférable de s'en amuser. L'inventeur s'éloigna, accompagné du crissement de ses pas sur le tapis de neige. Puis il y eut quelques murmures. Pas assez forts, cependant, pour que Laerte oublie le battement de son cœur qui résonnait à ses tempes. Instinctivement, il porta la main à la poignée de son épée. Le froid engourdissait tout son corps. Il avait hâte de se mouvoir pour se sentir vivre, hâte de quitter son poste, accroupi derrière un talus, immobile.

Le gant de cuir de Dun-Cadal glissa sous la garde de son épée... Avait-il pressenti quelque chose ?

— Ils arrivent, annonça-t-il.

— Je ne les entends pas, murmura Laerte.

— Fais-lui confiance, intervint Négus contre l'arbre, à quelques pas de lui.

Il ponctua sa phrase d'un clin d'œil, puis porta la lame de son épée devant son visage. Laerte n'en fut pas rasséréné. Selon Dun-Cadal, Stromdag lancerait les dragons en premier. Les bêtes étant occupées à chasser les importuns, il en profiterait pour tenter une percée dans Kapernevic, persuadé d'avoir l'avantage du nombre. Ils arriveraient ici, certains d'être en tout point supérieurs en force et en puissance, et la lumière des torches enragerait les dragons, et du talus surgiraient les soldats de l'Empire. La surprise serait telle qu'ils profiteraient d'un moment de doute des rebelles pour désorganiser leurs rangs. Quant aux monstres ? C'est là que l'apport d'Aladzio ferait pencher la balance de leur côté. La charge des dragons se heurterait aux filets... Encore fallait-il qu'ils soient assez résistants pour contenir leur masse...

— Gardez vos positions, ordonna Dun-Cadal, s'agenouillant au sommet de la montée.

Laerte observa l'étrange mouvement de son mentor. Le général posait une main sur le duvet neigeux tout en fixant le lointain. Derrière le mur de torches, il n'y avait que l'obscurité.

Peu à peu, un bruit singulier se mit à résonner. De plus en plus fort, il s'apparentait à celui de bouts de métal que l'on entrechoquerait. *Des pans d'armures*, pensa Laerte tout en tirant lentement son épée du fourreau. Le roulement qui suivit le conforta dans son idée. Les rabatteurs étaient de retour et, derrière eux, suivait l'armée de Stromdag.

— Ils arrivent ! hurla une voix.

Une seconde ajouta tout aussi fortement :

— Alerte !

Laerte se redressa subitement, mais la voix calme de son mentor le fit s'agenouiller. Ce n'était pas encore le moment pour lui de se jeter dans la bataille. Pas encore... mais bientôt.

— Piquiers, tonna Dun-Cadal.

Les soldats s'exécutèrent, dressant les lances. Quelques mètres plus loin, les fantassins se préparaient à fendre de leur hache la corde retenant les filets. Les branches des pins se soulevèrent lentement, annonçant la tempête. Des paquets de neige tombèrent des cimes dans un doux bruissement. Rien d'aussi brutal que les claquements des armures conjugués à la respiration lourde des soldats courant à travers la forêt.

Des claquements... des roulements... un rugissement.

— Ils sont là !

Un homme sortit précipitamment de la pénombre, bientôt suivi d'une dizaine d'autres. Derrière eux, les pins ployaient.

Laerte se leva enfin, le cœur battant à tout rompre, le souffle aussi court que celui de ceux qui terminaient leur course folle en sautant par-dessus le talus. Et, surgissant d'entre les pins, une gueule énorme aux crocs luisants s'ouvrit, prête à avaler le premier venu. Au fond de sa gorge vibrèrent des monceaux de chair autour d'une luette grosse comme le bras d'un homme, et un terrible rugissement retentit.

À sa droite, comme à sa gauche, ses frères lui répondirent avec hargne, l'un d'eux dressant une collerette de peau déchirée. Des taches crème sur leurs écailles aux zébrures de leurs ailes décharnées, leurs différences se voyaient aux simples détails. Mais la même rage, la même colère les enfiévraient, et leur mâchoire puissante s'ouvrait dans l'espoir de happer un homme sur son passage.

— Maintenant ! lâcha Dun-Cadal en se redressant.

Laerte restait coi, découvrant avec effroi les bêtes furieuses qui jaillissaient d'entre les pins. Les haches s'abattirent sur les cordes à plusieurs reprises, avant que les filets ne s'élèvent d'un coup, entourant de leurs mailles les gueules voraces des dragons. Un à un, ils furent piégés.

Des dragons si sombres que l'obscurité les enveloppait.

Il y avait assez de la lumière des torches pour que les moindres détails de leurs ailes, se déployant, apparaissent entre les conifères. Les piquiers chargèrent en hurlant. Ils se ruèrent sur les monstres enragés, plantant leurs armes dans leur cou. Sous les yeux stupéfaits de son apprenti, Dun-Cadal bondit sur la gueule du premier dragon et, d'un coup vif et précis, perça l'œil grand ouvert, avant de retomber lourdement sur la neige. Quand il se retourna vers lui, Laerte ne le regardait déjà plus. Seuls l'intéressaient les dragons, énormes, leur longue gueule bloquée par les mailles des filets, une bave épaisse glissant sur leurs crocs. De leurs larges narines s'élevaient en dansant des nuages de fumée blanche. Le long de leurs corps, des boursouflures se liaient aux écailles humides, jusqu'aux ailes décharnées qui battaient violemment l'air dans l'espoir de s'échapper des entraves. Mais les filets tenaient bons...

— Grenouille !

Les bêtes furieuses s'agitaient, griffant le sol de leurs pattes puissantes.

— Grenouille ! Bouge-toi, par les dieux !

La voix de Dun-Cadal le surprit. Moins cependant que la marée de guerriers qui surgit en hurlant parmi les pins. Mercenaires, soldats, paysans. Tous animés d'une même colère, brandissant leurs épées, fléaux d'armes, haches de guerre ou vulgaires pioches, à la lueur des torches. Ils contournèrent les dragons terrassés, grimpant sur les carcasses encore chaudes, prêts à donner leur vie pour leur cause. Jamais ils ne renonceraient.

Passant le talus de neige, les soldats de l'Empire chargèrent sans retenue. Ce fut un choc violent, un fracas semblable à celui du tonnerre. Les cris se mêlèrent aux heurts des armes, les râles des mourants aux rugissements des dragons prisonniers. Au cœur du chaos, Laerte parait, esquivait, bondissait pour frapper à tout va, toujours avec justesse. Sa respiration s'accélérait, son cœur s'emballait. Tout devenait rapide, violent... sublime. Là, au cœur de la bataille, il devenait quelqu'un de fort, de puissant, d'intouchable.

De son épée, il repoussa un coup sur sa droite, et recula d'un pas vif pour en éviter un second. De sa main libre, il frappa la tête d'un mercenaire avant de faire tournoyer son épée autour de lui pour éloigner ses adversaires. Une voix forte retentit, si familière.

— Grenouille ! Là-bas !

Un seul homme avait décidé de continuer le duel, se dressant fièrement devant lui, un sabre dans chaque main. Lorsqu'il chargea, Laerte n'eut qu'à s'agenouiller, levant son épée pour qu'il s'y empale, sans un cri. Puis, d'un geste vif, il extirpa la lame des chairs et se tourna vers Dun-Cadal. Le général bataillait ferme au milieu de plusieurs révoltés, parant les coups avec force, attendant une ouverture pour porter l'estocade.

—Le dragon ! hurla Dun-Cadal.

Et, d'un bref signe de tête, il lui désigna une forme lointaine, secouée de soubresauts. Elle était plus massive que les autres et se débattait avec force dans les mailles du filet. Sa tête entière, entourée d'une large collerette aux reflets sanguins, se retrouvait piégée. Elle cherchait à déchirer les cordes à coups de crocs. Elle martelait la terre de ses lourdes pattes, sans se soucier des pauvres soldats qui s'épuisaient à la retenir. Les lances se brisaient contre sa peau, la puissance de ses rugissements pliait les pins les plus proches.

Le filet... il cédait.

Laerte s'élança, jouant des coudes pour se frayer un passage dans le chaos des combats. Plusieurs fois, il manqua de chuter dans la neige, parant des coups d'un mouvement d'épée, sautant par-dessus les cadavres encore chauds. Lorsqu'il se trouva bloqué par une ligne de paysans, il ne s'arrêta pas. La main serrant fortement la poignée de son épée, il fendit l'air de sa lame, tournoyant, roulant, frappant. Ses coups furent brefs, précis... meurtriers. Et le cri du dragon se fit plus fort.

Laerte en était proche, toujours plus proche, découvrant ses muscles parfaits bandés sous des écailles d'un rouge vif. Deux cornes surmontaient ses yeux jaunes, en amande, fendus d'un noir profond. Sa gueule, puissante, se refermait sur le filet par à-coups. Il rugit une nouvelle fois. Laerte s'arrêta brusquement, le souffle court.

Des naseaux du monstre s'élevaient, avec grâce, des volutes de fumée. Il était si grand, si monstrueusement terrifiant, éclairé par les flammes vacillantes des torches. Laerte restait immobile, les bras ballants. Il était hypnotisé par le mouvement régulier de son cou, cherchant à s'extirper du piège. Lorsque, d'un coup de crocs, le dragon déchira le filet sur toute sa hauteur, il recula d'un pas, aussi effrayé qu'excité. Des soldats se ruèrent sur le monstre, lances brandies. Enfin libéré, le cou du dragon effectua un arc de cercle avant qu'il n'abaisse sa gueule vers le sol. Et ses mâchoires s'ouvrirent en grand, dévoilant des bourrelets de chair contractés autour d'une luette noircie. Sa langue terminée de deux crochets ondula légèrement alors qu'il inspirait profondément.

Comment vaincre un tel monstre ? Plonger l'épée dans un œil jusqu'à son cerveau ? Entre ses cornes, ses yeux ? Ou derrière la large collerette rouge ? Laerte cherchait désespérément une faille dans sa carapace, un plan d'attaque qui mettrait toutes les chances de son côté. C'était là, cette nuit même, qu'il allait faire ses preuves, comme un ultime défi relevé avant de devenir le chevalier capable d'abattre l'Empire.

— Grenouille ! hurla une voix lointaine au moment même où il reprenait sa course.

Soudain, le dragon rouge allongea le cou, gueule béante d'où jaillit un torrent de feu. La neige fondit en dégageant une épaisse vapeur, les pins comme les soldats s'embrasèrent, et le souffle chaud fut si puissant qu'il projeta le garçon en arrière tel une vulgaire poupée de chiffons. Allongé dans le froid de la neige, étourdi, il aperçut une ombre gigantesque prendre son envol. Un grondement roula au-dessus des conifères en flammes, couvrant presque la voix de Dun-Cadal.

— Grenouille ! C'est trop tard ! Fuis ! tonna le général.

Une clameur barbare devança un flot de guerriers. Tous étaient mus d'un sentiment d'invulnérabilité maintenant que le grand dragon s'était libéré. Au-dessus de la forêt, les ailes déployées, il crachait l'enfer sur les soldats de l'Empire. S'il continuait ainsi son vol, la bataille serait perdue. Non, cela ne se pouvait. Laerte le suivit du regard et s'élança, sans que nul se mette sur son passage.

Filant entre les arbres, les branches des pins fouettant son visage, il s'éloigna du tonnerre de la guerre, sans perdre de vue le dragon au-dessus de lui. La bête furieuse décrivait un arc de cercle haut dans le ciel. D'ici quelques minutes, elle piquerait vers la forêt pour déverser de nouveau un flot de feu. Laerte était bien décidé à l'en empêcher, sans pour autant savoir de quelle manière. Courant à en perdre haleine, il trébucha sur une racine et dévala une pente en roulant. Le duvet de neige freina sa chute mais ne lui évita pas une douloureuse réception sur un lit de galets. La bataille n'était plus qu'un écho, les cris comme des souvenirs lointains qui hantaient les bois. Il se redressa, la respiration sifflante, le cœur frappant sa poitrine avec force et les tempes douloureuses. Il se tenait debout dans le tracé d'une rivière asséchée. Elle sinuait devant une large grotte que la lumière de la lune peinait à éclairer. Parmi les galets, des filets de neige serpentaient jusqu'à des formes ovales, aussi hautes qu'un homme, qui s'élevaient à l'entrée de la caverne. Un hurlement rauque attira son attention et, levant les yeux, Laerte manqua de chuter. Le dragon rouge tournait dans le ciel en tordant le cou pour ne pas le quitter des yeux. Il avait changé de direction, oubliant le chaos de la bataille pour ne plus s'intéresser qu'au jeune garçon. Pourquoi ? Les formes ovales… se pouvait-il qu'elles soient une couvée ?

Lorsque le dragon replia les ailes sur son dos pour piquer dans sa direction, Laerte n'eut d'autre choix que de courir.

Les poumons en feu, il vit l'ombre l'envelopper. Au moment même où l'haleine putride de la bête lui parvint, il se jeta au sol, mains sur la tête. Le claquement des crocs résonna, un vent puissant accompagnant le vol du dragon. Il crut mourir lorsqu'un crachat de flammes gicla devant lui, manqua de pleurer lorsque le battement de la queue souleva sa cape.

Il était passé… Le dragon était passé juste au-dessus de lui. Il n'aurait pas de seconde chance. Il se redressa d'un bond. La bête montait vers la lune en agitant ses ailes décharnées. Puis elle s'inclina de côté, tournant au-dessus des bois. Le jeune garçon porta la main à la poignée de son épée.

— Foutre…, pesta-t-il.

Le fourreau était vide. Il avait couru l'arme en main et l'avait lâchée dans sa chute. Cherchant désespérément l'éclat de sa lame, il revint sur ses pas. Mais, dans la pénombre, il n'y avait rien d'autre que le bleu sombre de la neige et la noirceur des galets.

Son cœur battait si vite, si fort, qu'il craignit qu'il ne s'arrête d'un coup. Sa poitrine était si comprimée qu'il manquait d'air.

Au loin, le dragon rouge terminait son arc de cercle. Il n'avait plus aucune arme pour l'affronter.

Non.

Il lui restait le *Souffle*, sauvage, indompté, qui pouvait l'anéantir si jamais il ne le dominait pas. Le *Souffle* qui rendait tout possible. La respiration du monde.

... le monde entier est comme de l'air qui va et vient. Le Souffle*... Sens le* Souffle*, sois le* Souffle.

Il assura ses appuis, calant ses pieds sur les galets, les genoux pliés. Il inspira profondément, les yeux fermés, et se concentra. L'urgence de la situation ne lui permettait plus de douter. Il devait le faire. Il pouvait le faire. Il était le plus grand chevalier. Il l'avait promis. Ce n'était pas un mensonge, il en était capable.

Des pieds jusqu'à la tête, c'est tout son corps qui s'éveilla, de ses dernières blessures encore vives à la douleur provoquée par sa chute, de ses poumons en flammes à son cœur palpitant. Il crut lâcher prise, l'espace d'un instant ; une larme coula au coin de son œil.

La douleur s'estompa quand l'image des galets cerclés de neige revint. Il percevait leur force, leur dureté, jusqu'à leur cœur inaltérable. Les racines des conifères, leurs branches croulant sous la neige, l'écorce épaisse qui recouvrait leur tronc... jusqu'au vent léger qui caressait les ramures. Enfin, il fut submergé par un flot puissant, une force indescriptible qui parcourut son corps tout entier jusqu'à l'enserrer. Il ressentait la vie qui parcourait la chair difforme de la bête, coulait sous les écailles jusqu'aux veines des ailes décharnées. Il ne voyait pas le dragon, il devenait le dragon, percevant chaque battement de cœur, chaque mouvement, chaque respiration. La bête allait fondre sur lui pour... Non, elle n'était ni stupide ni belliqueuse. Elle avait juste peur.

Le dragon replia ses ailes.

Il le tenait.

Maintenant.

Laerte ouvrit les yeux, tendant les bras comme pour saisir une corde invisible. Il ferma les poings et, d'un mouvement brusque, les ramena douloureusement vers lui. La bête hurla, captive. Elle ouvrit grandes les ailes, mouvant son cou par saccades comme si quelque chose l'emprisonnait.

Laerte ne put contenir un hurlement de douleur. C'était si intenable, brûlant, vorace. Sa vie semblait couler hors de lui à mesure qu'il s'efforçait d'attirer le dragon au sol. Ses pieds glissèrent sur les galets. La bête se débattait. Il inspira une nouvelle fois, la gorge terriblement sèche. Ce n'était pas uniquement sa souffrance...

Celle du dragon s'y ajoutait.

Un filet de sang s'échappa de sa narine droite. Tout paraissait tourner autour de lui. La lueur de la lune était devenue aussi aveuglante que la lumière du soleil.

Il relâcha son emprise, harassé. Il ne pouvait plus le contenir, ce n'était plus possible. Son cœur palpitait si vite qu'il respirait à peine.

… non… abandonner ? Pas maintenant, pas là.

Il recula lentement, reprenant son effort, rabattant les poings fermés vers lui, serrant les dents. Il fléchit les genoux de nouveau.

Son cœur s'arrêta un instant. Tout devint noir.

Puis le silence… quelques secondes… une minute peut-être.

Au moment même où l'image du ruisseau asséché réapparut, il ne réfléchit pas, abaissant les poings vers le sol d'un coup sec. Le dragon fut happé, piquant vers la terre en rugissant. Il s'écrasa dans un nuage de neige et de roc brisé. Laerte se laissa tomber à son tour, épuisé. Tout son corps semblait être passé sous les sabots d'un cheval en furie. L'œil mi-clos, allongé sur les galets froids, il observait le dragon blessé. Ses yeux jaunes perdaient de leur lueur, les paupières lourdes recouvrant peu à peu l'iris. Ses naseaux crachaient des volutes de fumée grise par saccades. Il avait l'air si las. Lentement, le garçon se remit d'aplomb.

—C'est ça… n'est-ce pas ? murmura-t-il. C'est ton nid que tu protèges…

À l'entrée de la grotte, il voyait les œufs aussi clairement qu'en plein jour. C'était ça, la peur que la bête avait ressentie. C'était pour cela qu'elle avait quitté la bataille pour le suivre lorsqu'il avait dévalé la pente. Et c'était bien grâce à cette même peur que Stromdag l'avait lancé contre l'Empire, en envahissant son territoire. Laerte s'approcha du dragon en boitant. Pas un moment, le monstre ne bougea. Il acceptait la défaite.

—Tu protégeais ta famille…

Laerte apposa sa main gantée entre les naseaux fumants et la glissa lentement jusque sous l'œil jaune, fendu de noir. Le dragon semblait l'observer avec tristesse. Comment pouvait-il le tuer ? Quel droit avait-il de l'achever ?

Du coin de l'œil, il découvrit un tas d'ossements. Parmi eux, une corne d'un blanc laiteux, aussi imposante que celles qui dominaient le crâne du monstre.

Lentement, le dragon ferma les yeux.

Quand il les rouvrit, Laerte était parti.

7

ESYLD

Qui fait battre mon cœur
Qui le saigne ou l'étreint,
Le tient au creux de sa main ?

Après la mort de son père, il avait multiplié les orgies, certains y voyant là l'expression de sa tristesse, d'autres, la joie d'être enfin libéré des reproches paternels. Le petit monde de la cour se retrouvait dans ses vastes appartements pour oublier la révolte à grandes gorgées de vin, forniquer sans gêne, avec n'importe qui, n'importe où. Peu importaient les titres une fois ivre.

Le jour, le duc de Page était considéré comme l'être le plus amoral qui soit. La nuit, il valait la peine d'être flatté pour se voir ouvrir les portes de ses appartements. Il était celui dont personne n'aimait la promiscuité mais dont tout le monde espérait une invitation, un sésame pour la débauche. Il était l'homme des plus folles soirées de la capitale, le jouisseur, l'amuseur.

C'était une de ses fêtes privées où il évoluait, gracile, vêtu d'une veste de cuir noire aux épaules bouffantes, ouverte sur une chemise d'un blanc pur. Un masque bordé de dentelles couvrait son visage, mais quiconque l'aurait observé aurait distingué ses yeux bruns voguer d'un couple à l'autre avec curiosité. Aux rires se mêlaient les cris de jouissance des convives. Aux claquements des chopes, le clapotis du vin qu'on verse.

Dans une pièce voisine, Laerte les entendaient s'amuser sans retenue. Le souvenir de Kapernevic était encore vif, et il n'en éprouvait que plus de dégoût à leur égard. Qu'il ait été mandé en secret par de Page, à ce moment, lui était inexplicable, mais Rogant avait insisté. Appuyé contre le chambranle d'une petite porte, les bras croisés sur son surcot de cuir, le Nâaga le fixait sans sourciller. Sur sa cuisse, le fourreau d'une dague. Visiblement, il prenait tant son statut de garde à cœur qu'il ne faisait montre d'aucune sympathie à son égard. Ou bien était-ce autre chose qui lui intimait une gravité de façade ?

Las des cris proches, Laerte s'assit sur le canapé rouge du petit salon. À peine avait-il eu le temps, depuis son retour du Nord, de retrouver ses appartements et d'y dormir cinq heures que Rogant était venu le chercher.

—Les dragons sont pour nous des ancêtres, dit soudain le Nâaga d'une voix rauque.

Sans lui adresser un regard, Laerte hocha la tête. C'était donc ça. Bien sûr qu'il connaissait la culture Nâaga et ses croyances, bien sûr qu'il mesurait la portée de son acte pour son ami.

—Tu crois que je l'ai tué, dit-il.

—Ce sont les rumeurs. Peu imaginent qu'elles te concernent, en dépit de ce que raconte ton mentor. Mais, s'il y a bien quelqu'un que je crois capable d'abattre un dragon rouge, c'est toi, avoua Rogant en conservant un ton de reproche.

Quand bien même ne l'avait-il pas tourné comme tel, Laerte fut flatté du compliment et esquissa un maigre sourire. Il se laissa aller en arrière, posant les bras en croix sur le dossier du canapé.

—Il n'y a plus eu d'attaque à Kapernevic depuis que nous sommes partis.

—Un dragon n'attaque que s'il est en danger. Il se défendait, réagit Rogant. Stromdag s'est servi de ça.

—Je le sais, acquiesça Laerte.

—Il n'était pas nécessaire de le tuer.

—Je le sais aussi.

Il inclina la tête de côté et lui adressa une œillade.

—Ne t'inquiète pas pour ton saurien. Tu peux le vénérer encore quelques années.

Rogant resta coi, immobile. S'il ressentait une quelconque satisfaction, il était de ceux qui se gardaient bien de le montrer.

De l'autre côté du mur, des rires fusèrent, la porte sembla bouger sur ses gonds un court instant. Une musique retentit et, avec elle, des applaudissements qui couvrirent les quelques râles encore audibles. Si de Page cherchait à s'attirer sa sympathie en lui promettant les délices de nuits folles, il se trompait.

Laerte ne l'avait jamais rencontré, aussi se fiait-il au dire de son mentor. Et ce que Dun-Cadal avait laissé entendre au sujet du nouveau duc n'était guère glorieux.

— Qu'as-tu fait ? demanda Rogant sans que son visage trahisse sa curiosité.

Une voix provenant de derrière deux amples rideaux rouges leur parvint, de plus en plus proche.

— Je reviens ! Ne vous inquiétez pas, héhé ! Je reviens, mes chatons.

Chacun des mots paraissait se heurter, articulé à l'emporte-pièce par des lèvres lourdes d'ivresse. Laerte jeta un bref coup d'œil vers les rideaux et, comme rien d'autre ne vint, il répondit :

— Je ne l'ai pas tué. Je n'en avais pas la force… je crois, avoua-t-il. Je l'ai maîtrisé, Rogant. J'ai réussi à le maîtriser. Maintenant que Stromdag n'est plus sur son territoire, son nid n'est plus en danger, n'est-ce pas ?

Rogant sourcilla. Puis hocha la tête, un léger sourire tirant le coin de ses lèvres.

— Maîtriser un dragon, c'est passer à l'âge adulte, assura une voix encore troublée par l'alcool.

Laerte sursauta. Derrière lui, passant entre les rideaux de velours, un homme d'à peine vingt ans s'avança en titubant. D'un geste maladroit, il ôta le masque recouvrant son visage. Avec ses hautes cuissardes montant sur un pantalon de cavalier, il dénotait avec l'image habituelle des nobles d'Éméris, souvent plus vulgaires qu'élégants. On aurait pu l'affubler de haillons, il les aurait portés avec délicatesse. Comme seul luxe ostentatoire, une chevalière dorée ornait son annulaire. Ses cheveux coupés ras brillaient d'une huile parfumée. Laerte se leva aussitôt mais rechigna à le saluer d'une courbette. Le noble ne s'en offusqua guère, rejoignant un guéridon sur lequel reposaient une bouteille de liqueur et deux coupes de cristal. Son pas retrouva de l'assurance.

— Dans la littérature de l'époque des Cagliere…, commença-t-il d'une voix pâteuse, posant son masque à côté des coupes, certains philosophes ont comparé le dragon à notre rage intérieure, celle qui s'éveille lorsque le monde prend une réelle signification.

Il n'avait plus rien d'un homme ivre lorsqu'il remplit les deux coupes et en offrit une à Laerte. Il continua, renouant peu à peu avec une parfaite diction :

— Enfants, nous ne voyons rien, nous subissons simplement ou vivons protégés de tout jusqu'à ce que le monde et ses injustices se révèlent. Et c'est là que le dragon s'empare de nous. Mais voilà, vient un moment où nous l'affrontons pour qu'il ne nous asservisse pas. Plutôt que d'être prisonniers de notre colère, nous essayons de…

Laerte hésita un court instant avant de saisir la coupe tendue. De Page leva la sienne à hauteur de visage.

— … maîtriser le *dragon*, murmura-t-il avant de tremper ses lèvres dans la liqueur.

Dans son coin, Rogant observait silencieusement la scène. Il n'eut aucune réaction lorsque Laerte l'interrogea du regard.

— Mais, je vous en prie, invita le duc d'un mouvement de bras, asseyez-vous.

Son invité ne cilla pas, ne bougea pas, se contenta de le suivre d'un œil torve. De Page s'installa confortablement dans un fauteuil jouxtant une cheminée en pierre et, croisant les jambes, il posa la coupe sur l'accoudoir.

— Asseyez-vous, Grenouille, insista-t-il.

Mais Laerte s'était détourné de lui. Le jeu auquel il assistait n'avait rien pour lui plaire et, bien que sa curiosité en fût attisée, il craignait d'en être la dupe. De l'ivresse, de Page était passé à l'aisance, comme un acteur quittant son rôle après s'être assuré d'avoir montré tout son talent.

— Qu'est-ce à dire ? demanda Laerte à Rogant en levant le menton vers lui.

— Calme, Grenouille…, se contenta de répondre son ami,

— J'ai ôté mon masque, intervint de Page, en désignant de l'index celui qu'il avait posé sur le guéridon. C'est pour vous mettre en confiance. La franchise est de mise dans notre entrevue. Une entrevue tout à fait informelle, alors, je vous en prie une dernière fois…

Il tendit une main ouverte en direction du canapé rouge.

—… prenez place… et échangeons.

Rogant restait hiératique, le duc, avenant. Laerte, hésitant. Il avisa le canapé derrière lui, attendit quelques secondes sans savoir que choisir.

—À quel propos?

—À notre propos, répondit aussitôt de Page en affrontant son regard.

Laerte s'assit lentement, masquant sa curiosité derrière un air peu affable.

—À ce que j'en sais, et malgré tout le respect que je vous dois, messire, nous n'avons rien en commun.

Le duc acquiesça d'un bref mouvement de tête, plongeant son regard dans la coupe pleine. Le cri de jouissance d'une femme s'éleva, puissant, avant de mourir sous une salve d'applaudissements.

—Peut-être, concéda de Page. Ou peut-être sommes-nous tous deux perdus dans un monde qui ne nous désire pas. Et que nous adoptons une posture pour lui convenir.

Instinctivement, les doigts de Laerte se raidirent sur ses cuisses. L'idée qu'il ait pu être découvert ne lui avait jamais traversé l'esprit tant il restait obnubilé par la seule finalité de son plan. Il chercha à contenir sa crainte et, espérant ainsi cacher son trouble, inclina la tête en avant. Si de Page l'avait noté, il n'en fit aucune remarque.

—J'imagine à quel point il est difficile de ne pas éprouver de culpabilité en combattant ceux qui ont été les siens, continua-t-il en faisant tourner le pied de sa coupe entre le pouce et l'index.

—Ma fidélité à l'Empire est-elle sujette à caution? s'informa Laerte d'une voix sourde.

De Page laissa passer un temps avant de répondre d'un ton monocorde.

—Pas plus que la mienne.

Ils se jaugèrent sans rien ajouter. De l'autre côté, des violons entamaient une ritournelle que ponctuèrent des rires et claquements de mains. De Page leva les yeux vers la porte fermée.

—Pas plus qu'eux. Eux qui baisent, qui boivent, qui se parent de leurs plus beaux habits en attendant la chute. Eux qui, pourtant, préfèrent se masquer de peur qu'on ne les reconnaisse et qu'on ne leur prête les pires vices de ce monde. Que leur importe ? Le vicieux, le *contre-nature*, c'est moi, ça l'a toujours été et ça ne changera pas. Mon père l'a assez souvent répété. Le vôtre ? L'avez-vous connu aux Salines ?

— Mes sincères condoléances, éluda sèchement Laerte.

De Page fit mine de boire une gorgée et reposa la coupe sur l'accoudoir de son fauteuil.

— Pure politesse. Et vous l'auriez connu, vous n'auriez jamais parlé de sincérité. C'était un porc. Un porc intelligent, plein de malice et de génie politique, mais un porc tout de même. Bref...

Il hocha la tête, esquissant un sourire.

— Nous ne sommes pas là pour parler de celui qui fut, mais bien pour parler de ce qui sera, dit-il, l'air soudain enjoué. J'ai ouï dire que le général Dun-Cadal Daermon a insisté pour que vous prêtiez serment bientôt.

Laerte ne cilla pas. Mais sa gorge s'était subitement asséchée. Il ne quittait pas de Page des yeux, essayant de déceler dans sa posture un indice de duperie.

— Je sais beaucoup de choses. Les informations coulent autant que l'alcool dans mes soirées, précisa-t-il pour devancer toute question. Félicitations, vous serez bientôt chevalier. Et, comme des rumeurs indiquent que les révoltés s'approchent de la cité impériale, vous serez en première ligne. Votre origine ne sera plus une raison de vous soupçonner.

— « Soupçonner », siffla Laerte entre ses dents.

— L'étau se resserre sur les conspirateurs. Et particulièrement sur ceux qui viennent de votre région et que Sa Majesté impériale a daigné accepter dans notre belle cité.

— Je sers Asham Ivani Reyes, se défendit froidement Laerte.

Ses mains étaient moites, son corps se tendait, toujours aussi raide, son cœur... palpitait à une vitesse folle.

— Je combats la révolte, ajouta-t-il.

— Votre comte était aimé, à ce que j'en sais.

Laerte mesura le poids de sa réponse, avant que sa voix ne claque tel un fouet.

— C'était un traître.

L'écho de la trappe s'ouvrant sous les pieds de son père lui vrilla le crâne. Il garda la tête haute, fixant de Page avec intensité. Peu importe ce qu'il lui en coûtait, il ne se trahirait pas.

— Je sers l'Empire, je le défendrai jusqu'à la mort.

Il les voyait de nouveau pendre au bout de la corde. Comme il ressentait la peur dévorante lors de sa fuite dans les marais, l'ombre d'Azdeki prête à fondre sur lui.

Le duc haussa les sourcils.

— Est-ce vous qui parlez ? Ou le général Dun-Cadal Daermon ? Je ne sens aucune passion dans votre voix.

D'un geste de la tête, il désigna la porte.

— Rhunstag. Le fort et grand Rhunstag, même lui, ne tient pas ce genre de discours de propagande, dit-il, calmement. Il n'y a que votre mentor pour être aveugle à ce point. À lui seul, il ne sauvera pas Reyes.

Laerte restait coi. Du coin de l'œil, il chercha une réponse sur le visage de Rogant, un sourire, un regard qui puisse lui expliquer ce qu'on attendait de lui. Mais il n'y avait rien que des tatouages immobiles, des lèvres fermées et des yeux noirs qui guettaient le moindre de ses mouvements.

— Chacun attend la suite des événements. Plus encore, ceux qui subissent des petites fessées ce soir… et qui, demain, arboreront un air grave et digne, continua de Page. Ils ont cette formidable capacité d'adaptation, c'en est étonnant. Drôle, certes. Mais il ne faut pas le leur montrer, ils prendraient cela comme de la moquerie.

Cherchait-il à le forcer à se dévoiler ? Ou bien le duc évoquait-il à sa manière son parti… ? Laerte essayait de soutenir son regard, mais un trouble grandissant l'assaillait. Que faire ? Que répondre ? Et Rogant, qu'attendait-il ? N'était-il pas son ami ?

— Ce qui est le cas, bien évidemment, avoua de Page, soudain pensif. Bref…

Il feignit de nouveau de boire à sa coupe, puis s'humecta les lèvres.

— Peu importe l'effort que vous mettrez à défendre ce en quoi vous croyez, Grenouille. Vous n'êtes qu'une petite pierre dans le lit d'une rivière. Et, à ce que je sache, cela ne détourne pas son cours. N'est-ce pas ?

Laerte jeta un bref coup d'œil vers Rogant. N'allait-il pas intervenir ? Un seul signe de lui, un seul regard autre que celui qu'il maintenait depuis le début de l'entrevue, une seule parole… pour que Laerte se sente en confiance, et non pas comme un gibier dos au mur.

— J'espère que vous ferez le bon choix quand la révolte gagnera Éméris, souhaita de Page, aussi sincère que possible. Car vous êtes – enfin, vous serez, devrais-je dire – un grand *chevalier*. Rogant m'a dit énormément de bien de vous. Et Kapernevic n'a fait que renforcer mon opinion. C'est à ce sujet précisément que je souhaitais vous entretenir.

La coupe… la coupe sur l'accoudoir était désormais vide. Il n'avait fallu que l'espace d'un regard lancé vers Rogant pour que son contenu disparaisse. Où donc ? De Page l'avait-il terminée cul sec ? Non… bien sûr que non. Depuis le début, il avait feint l'enivrement et s'était évertué à le mettre en évidence.

L'ivresse était une façon de masquer les choses, le reste n'était qu'illusion. Comme dans la salle voisine, de Page avait usé d'un artifice. Si Laerte n'avait pas bu une seule goutte, il n'en était pas de même pour les invités du duc. Les langues se déliaient, il écoutait.

Un nouveau coup d'œil vers le Nâaga, et Rogant acquiesça, un maigre sourire au coin des lèvres.

— Kapernevic…, murmura Laerte subitement intéressé.

— Cet Aladzio… il servait mon père, vous le saviez ?

Laerte n'eut pas le temps de répondre.

— Oui, bien évidemment, reconnut de Page en hochant la tête. Toujours est-il que mon père a cédé son contrat à une autre famille que la mienne. Pour que l'affaire soit faite, il était important qu'il revienne ici vivant. Je vous sais donc gré d'avoir protégé… un homme d'une grande valeur pour moi.

Dans ses yeux, il n'y avait aucune trace d'ironie ni même de mépris.

— … une grande valeur, répéta-t-il d'une voix sourde. Mais j'aime à le répéter haut et fort, un peu partout, de jour comme de nuit : c'est un idiot. Il est de notoriété publique désormais que je suis fort aise de m'en être séparé.

— Est-ce vrai ? demanda sèchement Laerte.

— Qu'en pensez-vous ? sourit de Page, sans attendre.

Dans la grande salle, le rythme s'accélérait, la musique et les cris, les rires et les applaudissements. Comme des battements de cœur, sans pause.

— Ce que je pense n'a aucune importance.

— Bien au contraire, rétorqua de Page en se penchant en avant.

Il posa les coudes sur ses genoux, mains jointes. Son sourire avait disparu.

— S'ils viennent à mes soirées, dit-il en jetant un regard oblique vers la porte, c'est parce qu'ils sont certains que personne ne verra rien d'autre d'eux que le simple masque qu'ils portent. C'est bien la seule chose, à l'heure actuelle, qu'ils se voient encore porter. Il n'y a rien de plus important que cela… Grenouille. Aladzio est, et restera pour moi, un idiot. Qui d'autre qu'un demeuré pourrait laisser ses travaux ici ?

Il leva les yeux vers Rogant et, sans mot dire, le Nâaga disparut derrière les rideaux rouges, avant de revenir, un large plan roulé dans la main.

— Je ne crois pas que ces plans soient d'une quelconque utilité, avoua de Page alors que Rogant posait le rouleau sur le canapé. Je n'y vois que des dessins hideux.

Du bout des doigts, Laerte commença à dérouler les parchemins, découvrant des croquis en vrac. Ils représentaient une étrange structure longiligne, accompagnée de notes griffonnées à la hâte.

— Et cette… poudre à propos de laquelle il déblatérait à longueur de journée avant que mon père ne l'envoie à Kapernevic, se souvint de Page, une grimace de mépris déformant sa bouche. Il était certain d'avoir découvert une poudre capable de propulser des projectiles dans ce… cette chose.

D'un mouvement de menton, il désigna les plans.

— Pour moi, ce ne sont rien que des dessins stupides, continua le duc en levant les yeux au ciel. Pour lui, il s'agissait là d'une arme capable de mettre fin à cette guerre, et…

Il s'arrêta un bref instant, pensif, puis fronçant les sourcils il posa l'index sur le bout de ses lèvres.

— Bref, vous comprenez à quel point cela me semble ridicule. Des canons qui relégueraient nos catapultes au rang d'antiquités, c'est… absurde. Car laisser les plans d'une réussite comme celle-là, au risque qu'ils ne tombent entre de mauvaises mains, est la preuve ultime de sa stupidité…

Il se releva et, d'un pas lent, marcha jusqu'à Rogant, le port altier. Le Nâaga ne bougea pas d'un pouce lorsqu'il arriva à sa hauteur.

— Rapportez ces gribouillis à Aladzio, que je n'en entende plus parler.

—Attendez…, appela Laerte.

D'un mouvement brusque, le duc se retourna vers lui.

—… Pourquoi ? demanda-t-il en contemplant les parfaites esquisses du « *canon* ». Pourquoi insister sur le fait que ces documents n'ont aucune valeur pour vous ?

—Ce n'est pas la question que vous souhaitez poser, Grenouille.

Laerte l'observa flatter l'épaule du Nâaga d'une main ferme avant de reprendre son masque et de se diriger lentement vers les rideaux du fond. Dans la salle voisine, la fête atteignait son apogée, mais le bruit n'était rien comparé au tumulte qui agitait les pensées du jeune homme. Il connaissait assez Rogant pour s'être ouvert à lui, en partie. La réciproque avait été vraie. Rogant était nourri d'un fol espoir et ne lui avait jamais caché qu'il voyait en la chute de l'Empire la seule possibilité que son peuple recouvre la liberté.

Si Laerte gardait une pleine confiance en son ami, il devait croire qu'il avait bien compris les sous-entendus. Et, comme pour le lui prouver, de Page ajouta sans se retourner.

—La véritable question est : Avez-vous vu l'homme derrière le masque… ou bien juste le masque ? Faites le choix qui vous semble le plus judicieux. À mon sujet, comme au sujet de ces plans et de leur destination.

Ce masque, il le remit sur son visage, consciencieusement, avant d'écarter les rideaux. Laerte se redressa, hésitant à l'assaillir de questions tant l'idée qu'il ait trouvé un puissant allié, ici, le dévorait. Des canons ? Plus puissants, plus destructeurs que des catapultes ? L'œuvre d'Aladzio pouvait terminer entre les mains des révoltés et, ainsi, leur permettre d'entrer dans Éméris.

—J'oubliais…, dit de Page d'une voix grave. Il me semble que vous aviez des accointances avec certains réfugiés des Salines. L'un d'eux a malheureusement été jugé pour trahison et pendu ce matin même. Mais vous servez l'Empire, vous ne deviez sûrement pas le connaître. C'était un forgeron du Guet d'Aëd. Ce traître aurait dû penser à la fille qu'il laisse désormais orpheline. Puisse-t-elle trouver une épaule réconfortante…

Il passa les rideaux.

Laerte crut sentir ses jambes se dérober. Il n'avait pu revoir Esyld depuis son retour la veille. Et c'est ainsi qu'il apprenait la mort de son père, de la bouche d'un parfait inconnu. Il ne se souvint pas d'avoir croisé une seule fois Maître Orbey dans les couloirs du palais lors de ses trop courtes haltes. Leur dernière rencontre, c'était aux Salines, juste avant qu'il ne soit obligé de fuir. Juste avant de rencontrer Dun-Cadal Daermon. Juste avant de changer de vie.

Esyld lui en avait si souvent parlé, lui expliquant quel rôle dangereux il jouait ici. Toutes ces années durant lesquelles Laerte s'était perdu sur les champs de bataille, lui les avait passées à œuvrer dans l'ombre, organisant la résistance parmi les réfugiés des Salines. Jusqu'à ce que les nobles hostiles à l'Empereur cherchent à l'approcher. Il avait tout fait pour s'assurer de leur bonne foi, tout en demeurant dans l'ombre. Parmi ces nobles-là, prompts à rallier la révolte, il y avait donc le duc...

—Cette guerre est proche de son terme, Grenouille, dit Rogant tout en lui adressant un regard insistant. Garde confiance en moi, mon ami. Il y a ce que dit de Page, ce qu'il est nécessaire que les autres entendent, et ce qu'il est. L'inventeur que tu as sauvé... il va former les soldats de l'académie à l'usage du canon, si tant est qu'il arrive à en construire un qui fonctionne... Parle-lui. C'est un conseil d'ami.

Il y eut un long silence que rien ne vint troubler. Rogant baissa légèrement la tête avant de se retourner.

—Je suis désolé pour elle, dit-il avant de sortir du petit salon à son tour. Elle a besoin de toi maintenant.

Seul désormais, Laerte retenait à grand-peine ses larmes. Les yeux embués, il fixait les plans étalés sur le canapé rouge. Il n'attendit pas plus longtemps et s'en empara.

Dans les couloirs du palais, il se fit le plus discret possible, longeant les murs, contournant les colonnes de marbre, fuyant les regards indiscrets. Il se dépêcha de rejoindre le quartier des serviteurs et, enfin, passa la petite porte si familière...

Quand il entra dans la chambre d'Esyld, elle était recroquevillée au pied du lit, ses cheveux bouclés tombant sur son visage comme les larmes de ses yeux. Elle laissa échapper un petit sanglot lorsqu'elle découvrit Laerte agenouillé devant elle et, aussitôt, elle se blottit dans ses bras.

Ils restèrent ainsi un long moment, sans rien se dire, sans même se regarder. Lorsqu'elle eut repris son souffle, elle lui raconta l'arrestation de son père et à quel point elle avait été proche elle aussi d'être pendue. Elle devait sa survie à un noble dont elle ne mentionna pas le nom, qui avait prétendu l'avoir à son service et s'était plaint d'en être ainsi dépourvu si on l'exécutait. Laerte ne chercha pas à en savoir plus. Il se doutait de son identité. Il était certain de l'avoir tout juste rencontré.

Après qu'elle lui eut longuement relaté comment son père avait perdu la vie, la voix tremblante de douleur, il hésita de longues minutes.

— Il ne sera pas mort pour rien, Esyld, murmura-t-il enfin, décidé.

Il déroula les plans à leurs pieds et s'accroupit de l'autre côté.

— Qu'est-ce?

— Ce qui mettra l'Empire à genoux, assura-t-il entre ses dents. Il faut faire parvenir ces plans à Meurnau au plus vite.

Grâce à l'œuvre d'Orbey, Esyld connaissait ceux qui, parmi les réfugiés des Salines, travaillaient en tant que coursiers auprès des marchands de la capitale. C'est ainsi que les parchemins quittèrent Éméris, passant de main en main, jusqu'à atteindre le camp révolté le plus proche.

Étrangement, et sans qu'il en comprenne les raisons, Esyld ne lui adressa guère la parole le mois suivant. Elle l'évitait le plus souvent. Il accepta, non sans difficulté, qu'il ait pu être coupable à ses yeux. Orbey était mort alors que lui avait combattu leur propre camp des années durant. Pire encore, il n'assumait pas sa véritable identité et avait toujours rejeté l'idée de rejoindre Meurnau et ses troupes. Qu'elle n'approuve pas ses choix le blessait. Et qu'il éprouve finalement de la culpabilité n'arrangeait rien à l'affaire.

Ce dernier mois à Éméris, il passa donc son temps entre les cours de l'académie, les crises autoritaires de Dun-Cadal, les entrevues avec Rogant et Aladzio qu'il apprenait à connaître. Comme à apprécier. L'attente ne dura pas davantage. Le grondement de la révolte se présentait aux portes de la cité impériale. Comme l'avait prévenu de Page... la guerre touchait à sa fin. Il était enfin prêt à affronter l'Empereur et sa Main sans trembler. N'avait-il pas maîtrisé un grand dragon rouge? Asham Ivani Reyes n'était qu'un homme, la tâche serait moins ardue, il en était certain, désormais.

—Demain…, annonça Esyld.

La lumière du soleil éclairait les pierres blanches de la passerelle. Une tresse glissait sur son épaule dénudée qu'un rayon lumineux caressait avec pudeur. Les mains jointes devant sa robe rouge carmin, elle conservait toute sa beauté malgré ses traits tirés. Grenouille cherchait désespérément à croiser son regard, mais c'était peine perdue. Absente, elle contemplait les jardins du palais qui descendaient telles les marches d'un escalier fleuri.

—Je croyais que ce n'étaient que des rumeurs, avoua-t-il à voix basse. Éméris semble si calme…

—Meurnau et ses troupes sont bel et bien proches de la cité, assura-t-elle d'un ton cinglant.

—Esyld…

—Ils ont construit les canons de ton ami, ils entreront sans problème, mais il reste l'Empereur et je sais que c'est le moment pour toi d'agir. Un noble de notre côté s'occupera de me faire quitter la ville. J'ai toute confiance, mais toi, je…

—Esyld, regarde-moi…

Elle jeta un bref coup d'œil vers lui puis détourna les yeux.

—Il me faut un peu de temps, Laerte, expliqua-t-elle sèchement. Il me faut du temps pour te pardonner malgré tout l'amour que j'éprouve pour toi.

—Je ne voulais pas ça…

—Tu sais très bien ce que je te reproche, l'interrompit-elle.

Oui, bien entendu… Quelle place avait-il pris dans cette révolte? Il l'avait combattue au lieu de la mener.

—Je suis une grenouille d'Érain, se défendit-il dans un murmure. C'est au bon moment que je frapperai. Et demain sera *le* bon moment, Esyld. Je ne faiblirai pas, je te le promets.

—Je te crois, dit-elle sans grande conviction. Mais, Dun-Cadal?

Elle affronta enfin son regard et ses traits se détendirent peu à peu. Il était prêt à l'enserrer, à l'embrasser passionnément au risque que son cœur n'éclate. Il la désirait tant qu'il était prêt à y perdre la vie.

—Quoi, Dun-Cadal?

—Le moment venu… tu le tueras?

Tuer son mentor?… Son ennemi… Dun-Cadal Daermon mourrait plutôt que de laisser l'Empire s'effondrer, c'était une certitude.

L'idée même qu'il se dresse entre lui et l'Empereur lui glaça le sang. Grenouille prendrait-il le pas sur Laerte ? Bien qu'il s'évertuât à le nier, il éprouvait de l'affection pour cet homme. À quel point était-il capable de l'oublier pour accomplir sa vengeance… ?

— Je ferai ce qui est nécessaire, souffla-t-il, le regard perdu sur les dalles blanches. Je suis prêt. Fais-moi confiance. J'y arriverai. J'abattrai l'Empire à moi tout seul… pour toi…

— Laerte…

— Grenouille ! tonna une voix.

Il fit volte-face, découvrant avec énervement la silhouette massive de son mentor venir dans sa direction, le pas rapide. La main douce d'Esyld, posée sur son épaule, eut l'effet d'une caresse et, lorsqu'elle se hissa sur la pointe des pieds pour lui chuchoter quelques mots à l'oreille, il aurait aimé fuir avec elle, loin d'ici, de cette guerre, de cette violence… et tout oublier.

— N'oublie jamais… que je t'aimerai toujours… Prends garde, demain.

Il la suivit du regard alors qu'elle s'éloignait sur la passerelle dans la lumière dorée du soleil. Des ombres glissaient sur les courbes parfaites de son corps jusqu'à ce qu'elle atteignît la porte de la tour. Quand elle disparut à l'intérieur du palais, il sentit dans son dos la présence oppressante de Dun-Cadal.

— Ça fait des heures que je te cherche, dit-il d'une voix autoritaire.

— Je t'ai connu plus efficace, répondit Laerte, masquant autant que faire se peut sa crispation.

Il fixait le bout de la passerelle, comme si Esyld s'y trouvait toujours.

— Si ce n'est pas Aladzio, c'est elle qui occupe ton temps, soupira Dun-Cadal. Tu sais ce que j'en pense.

— Je me suis entraîné avec les cadets, Échassier, assura le jeune homme, flegmatique.

— Et si l'on nous renvoie au front demain ? Ce n'est pas avec les cadets que tu dois travailler. Tu es un chevalier, bougre de tête de bois !

— Je serai prêt, s'énerva Laerte.

Il se tourna enfin pour lui faire face. Le visage buriné de Dun-Cadal n'inspirait guère la sympathie. Ses yeux clairs brillaient comme un feu, sévères. Laerte avança vers le bord de la passerelle, espérant couper court aux reproches. Ce n'était pas la première fois que Dun-Cadal le mettait en garde contre Esyld, prétextant qu'elle l'éloignait de ses études, le déconcentrait… Qu'elle ait une influence néfaste sur son apprenti, c'était ça qu'il craignait ? Cet homme n'était pas son père, il n'avait pas à lui dire qui voir ou quoi faire !

—Toi, tu passes bien ton temps auprès de Mildrel, pesta-t-il.

—Ce n'est pas pareil.

—Et l'Empereur ne te demande pas de t'entraîner tout le temps. Moi, tous les jours je le fais, chaque matin depuis que nous sommes revenus. J'ai le droit de la voir.

—Ce n'est pas pareil, répéta doucement Dun-Cadal.

Comme il lui était insupportable de l'entendre user d'un ton bienveillant, aussi doucereux. Chaque fois qu'une discussion risquait de s'envenimer, il adoptait cette attitude. À défaut de calmer Laerte, cela ne faisait qu'accroître sa colère. Pour quelle raison ?… Peut-être voyait-il là le comportement d'un père…

—Et pourquoi ? s'emporta-t-il en soutenant le regard de son mentor.

—Parce que Mildrel n'est pas une réfugiée ! répondit aussitôt Dun-Cadal en haussant la voix.

—Encore cette histoire, souffla Laerte en hochant la tête de dépit.

Il avait vu juste. La cour entière bruissait de ces rumeurs. Des gens complotaient contre l'Empire, et les réfugiés des Salines étaient les premiers soupçonnés. Que la fille du forgeron du Guet d'Aëd soit encore en vie tenait du miracle. Elle bénéficiait de la protection d'un noble, mais cela ne suffisait pas à étouffer les on-dit.

Dun-Cadal s'inquiétait réellement pour lui. Une douleur vive perça le cœur de Laerte. Il était littéralement déchiré par ses sentiments. Pour la première fois, il avait l'impression de trahir quelqu'un qu'il aimait…

Le moment venu… tu le tueras ?

—Je te l'ai dit quand nous sommes revenus de Kapernevic, reprit Dun-Cadal. Il ne faut plus que tu l'approches. N'as-tu pas vu à quel point tout le monde se méfie de tout le monde ? Négus m'a mis en garde. Je… t'ai mis en garde.

—Moi aussi je suis des Salines, l'as-tu oublié? demanda-t-il entre ses dents.

—Grenouille… c'est juste le temps que cette guerre se termine. Après, tu auras tout le loisir de la courtiser…

Comme il aurait voulu lui répondre que le lendemain tout serait fini, qu'il découvrirait alors qui il était, ce qu'il avait accompli, quel chevalier puissant il était devenu.

—Je ne veux pas qu'on te soupçonne de quoi que ce soit.

Laerte sentit Dun-Cadal hésiter alors qu'il dirigeait une main vers son épaule. Aussi sec, Laerte la repoussa avant de faire un écart.

… tu le tueras?

—Encore moins depuis que tu as été adoubé, ajouta Dun-Cadal.

Il avait prêté serment, oui. Il avait été adoubé par le grand général Daermon. Son mentor…

… tu le tueras?

Laerte se raccrochait à l'idée que l'homme n'avait fait que se servir de lui. Chacun avait usé de l'autre comme d'un vulgaire outil. Ressentir de l'affection pour lui était une faute, il devait se concentrer sur tout ce qu'il détestait. Il se répétait que jamais Dun-Cadal ne s'était vraiment bien comporté avec lui. Toujours à le sermonner, à lui dire qu'il fallait travailler encore et encore, à lui demander de se taire devant les puissants. Sans jamais le reconnaître comme un élève doué.

—Cela devrait me permettre de voir qui je veux alors, persifla-t-il.

—Oh, ne te crois pas arrivé, mon garçon. Il te reste beaucoup de chemin à faire avant d'être…

—Je ne comprends pas, l'interrompit Laerte aussitôt tout en lui adressant un regard noir. Je ne suis jamais assez bon à tes yeux, n'est-ce pas? Quoi que je fasse, ça n'est jamais suffisant. M'as-tu une seule fois complimenté? M'as-tu dit un seul jour: « C'est bien, *gamin* »? Même après le serment… m'as-tu félicité? J'aimerais te dire que tu as été comme un pè… Je…

Les mots se bloquaient dans sa gorge. Elle était obstruée par de si nombreux reproches qu'il n'arrivait pas à tous les formuler. Pire encore, une tristesse nouvelle oppressait sa poitrine et son souffle se faisait court, à mesure que les larmes lui montaient aux yeux. Il se concentra pour se reprendre, ne pas céder, ne pas lui montrer à quel point il était ému. Il ne fallait pas que Dun-Cadal se doute de quoi que ce soit.

Il baissa les yeux l'espace d'un instant puis se força à l'affronter de nouveau, l'air décidé.

Cet homme lui avait appris tant de choses, il ne pouvait le nier. Mais, depuis le début, il le savait, Dun-Cadal Daermon était du côté de ceux qui avaient tué son père.

Le moment venu... tu le tueras ?

—Parfois... je te hais, lâcha-t-il.

Madame a tout ce qu'il faut ?

Les dernières paroles échangées avec Dun-Cadal avaient été des paroles de colère.

Le moment venu...

Celles qu'Esyld lui avait susurrées à l'oreille n'étaient qu'amour.

Madame ?

—C'est très bien, Marissa. Vous pouvez disposer.

Sa voix, un peu plus grave, avait conservé la même douceur. Sur la corniche, adossé au mur bordant la fenêtre qui donnait sur des appartements luxueux du Palatio, Laerte se revoyait quitter la passerelle. Il repensait à cette dernière journée avant qu'il ne...

Une porte se ferma derrière la servante et seul se fit entendre le froissement de la robe d'Esyld, avançant jusqu'à son lit à baldaquin.

Il avait attendu que la nuit vienne pour grimper aux murs du palais, se glisser le long des gouttières en toute discrétion et atteindre enfin les balcons. Là, il s'était faufilé sur les toits bordant la haute coupole pour repérer la fenêtre de celle qu'il avait reconnue la veille sur la grande place.

Il n'avait prévenu personne de sa venue. Il était certain que Rogant, ou même Viola, aurait tout fait pour l'en empêcher... Comment auraient-ils pu comprendre que l'espoir de la revoir un jour avait été sa seule façon de tenir ? Le souvenir d'Esyld lui avait permis de ne pas sombrer.

Des années durant, il avait cherché à savoir ce qu'il était advenu d'elle, sans croire un seul instant qu'elle ait pu mourir lors de l'assaut d'Éméris. Ce soir-là, il en oublia tout ce qui l'avait mené à Masalia. Il lui fallait la revoir, la serrer dans ses bras, l'embrasser. Et ne plus jamais la quitter.

La chambre était luxueuse, pourvue de larges fauteuils sur lesquels reposaient des robes par dizaines, mais Laerte ne les remarqua pas. Son regard restait immanquablement attiré par Esyld qui, au bord du lit, se recoiffait devant une psyché. Elle portait une longue robe violette, deux fines bretelles sur les épaules. Des fils d'or glissaient sous les boucles de ses cheveux. Pas un instant il ne se posa de questions, pas un moment il ne se demanda ce qu'elle avait vécu pour expliquer sa présence, ici, dans des appartements si cossus.

Obnubilé, il perdait toute raison. Il passa une jambe par-dessus le rebord de la fenêtre et attendit un bref instant, contemplant son dos nu, sa robe ouverte en V laissant apparaître la cambrure de ses reins. Il entra dans la pièce.

Et son reflet apparut dans la psyché.

— N'aie crainte.

Elle sursauta, manquant de laisser échapper un cri, une main devant sa bouche. Il abaissa la capuche sur ses épaules d'un geste lent, découvrant son visage.

— Laerte..., souffla-t-elle.

Elle contemplait le reflet, le visage blême, sans un mot, sans un geste.

— J'ai rêvé de ce moment si longtemps..., avoua-t-il, tremblant.

— ... tu es vivant, dit-elle comme si elle n'en avait jamais douté.

Il voulut s'approcher d'elle pour l'enlacer mais elle se releva d'un bond pour lui faire face, les mains glissant sur son ventre d'un geste nerveux.

— Tu es là... vivant, répéta-t-elle. Comment... comment m'as-tu trouvée ? Comment as-tu... ?

— Tu es comme dans mon souvenir, l'interrompit-il.

Elle recula, manquant de faire tomber la psyché. Sans doute la surprise l'étourdissait-elle. Pour ne pas la troubler plus, il se contraignit à rester à sa place, la dévisageant avec envie. Tant de temps... sans elle.

— Laerte... que fais-tu ici ? demanda-t-elle dans un sanglot.

— Non, ne pleure pas, l'implora-t-il. Tu vois ? Je suis là, bien vivant. Je sais qu'il s'en est passé, des choses, depuis la chute de l'Empire, je sais bien que...

Il cherchait ses mots, conscient qu'un tel moment ne laissait guère de place à l'improvisation. Après toutes ces années, il craignait de ternir leurs retrouvailles. Il les avait si souvent rêvées.

—J'ai essayé, s'excusa-t-il. J'ai essayé de te chercher mais il était déjà trop tard. Il m'est arrivé certaines choses qui... Je n'ai pas pu, il était trop tard, crois-moi. Mais pas un jour, pas un seul, ne s'est passé sans que je pense à toi.

À mesure qu'il parlait, elle semblait se ressaisir, inspirant profondément. Non, elle n'avait pas changé, elle était comme il l'avait toujours rêvé. À ceci près que son visage exprimait plus l'anxiété que la joie des retrouvailles.

Lentement, il marcha vers elle, sans qu'elle ait un geste de recul cette fois et, quand ils furent face à face, il leva timidement une main gantée vers sa joue. Ses doigts effleurèrent sa peau, soulevant une mèche bouclée. Il plongea dans ses yeux, devinant les battements rapides de son cœur. L'odeur de sa peau l'enivrait, tout autant que l'éclat carmin de ses lèvres, pareil à cette robe qu'elle avait portée sur la passerelle la veille de la chute...

Leur dernière rencontre.

—Que fais-tu ici? souffla-t-elle, perdue.

—Je suis là où j'aurais dû être depuis bien longtemps...

Elle inclina la tête de côté, comme espérant un baiser. Laerte se pencha vers ses lèvres.

—Non, implora-t-elle. Écarte-toi.

Elle le repoussa des deux mains.

—Les conseillers assassinés, dit-elle, tremblante. C'est toi?

Sur l'instant, il ne sut quoi répondre. Devait-il tout lui avouer ici? Tout lui raconter alors qu'ils se retrouvaient à peine?

—Il s'est passé des choses... Esyld..., avoua-t-il.

—Ainsi, c'est bien toi..., soupira-t-elle.

—Ce n'est pas ce que tu crois, se défendit-il. Après la chute de l'Empire, j'ai découvert pourquoi on a tué mon père...

—C'était il y a dix-sept ans, Laerte!

Elle avait haussé le ton, des trémolos dans la voix. Non, vraiment, ce n'était pas ainsi qu'il avait imaginé leurs retrouvailles.

—Les choses se sont passées ainsi parce que les dieux l'ont voulu, ne peux-tu donc le comprendre? Tu reviens ici en croyant que...

—Esyld! Je sais qui a œuvré contre ma famille, et, désormais, ces mêmes personnes mettent en danger la République!

—C'est pour la République que tu crois agir? Ou pour assouvir ta vengeance? demanda-t-elle d'une voix terriblement basse.

Elle jeta un coup d'œil vers la porte de sa chambre, les larmes aux yeux.

—Je pensais que tu serais plus heureuse de me savoir en vie, tenta de sourire Laerte.

—Tu l'as dit toi-même, il s'en est passé, des choses, avoua-t-elle. Quand j'ai quitté Éméris, le jour de l'assaut, une famille noble m'a prise sous son aile. La même qui m'avait sauvée lors du jugement de mon père…

Elle leva les yeux au plafond, laissant échapper un soupir. Elle désirait lui dire quelque chose mais, visiblement, elle n'en trouvait pas le courage.

—Je t'aime comme au premier jour, dit-il.

Il la sentait lui échapper, il redoutait ce qu'elle allait lui annoncer. Enfin, il parcourut la chambre des yeux, découvrant les tapisseries accrochées au mur, les fauteuils aux accoudoirs brodés, les tentures qui pendaient près de la porte d'entrée… Le luxe… Esyld n'était plus une servante.

—Tout ce temps, murmura-t-il, grave. J'ai survécu en pensant à toi…

—Et moi, il m'a fallu t'oublier, Grenouille.

À l'évocation de son ancien nom, il eut l'impression de l'avoir perdue. Non, ce n'était pas possible. Elle lui avait dit qu'elle l'aimerait toujours. Elle en avait fait la promesse. Elle revint vers lui, prenant ses mains dans les siennes, tête baissée.

—J'ai prié pour toi, tu sais… J'ai espéré qu'après la proclamation de la République quelqu'un me parle de toi, que les cités entières évoquent ton nom et… et me disent qu'enfin on te reconnaissait comme un héros.

—Je n'ai pas pu pour la simple raison que…

—Des gens bien m'ont sauvé la vie, Laerte, continua-t-elle. Des gens qui m'ont accueillie dans leur famille et qui ont été élus par le peuple.

—Tout est terminé maintenant, nous sommes ensemble enfin, dit-il en posant le front contre le sien. Je dois juste accomplir une mission très importante. Promets-moi juste d'attendre le lendemain de la Nuit des Masques.

—Laerte, regarde-moi…

Il obéit, plongeant une nouvelle fois dans ses yeux.

—Le temps a passé. Plus rien n'est comme avant.

—Juste après la Nuit des Masques, implora-t-il dans un souffle.

—Laerte…

—Et nous pourrons partir ensemble, tout sera terminé… enfin.

—Laerte…

Elle tremblait. Il voulut la prendre dans ses bras, mais elle s'écarta de lui, les yeux embués de larmes.

—Je vais me marier…

Il crut suffoquer. Son cœur lui parut s'arrêter de battre. Pas un mot ne parvint à sortir de sa gorge sèche. Le mariage, avant la Nuit des Masques…

—Il s'appelle Balian, il est le fils du conseiller Étienne Azdeki.

Au creux du ventre de Laerte brûlait un feu terrible, dévorant, sans aucune pitié. Toute son âme semblait lui être arrachée, son cœur, déchiré. Il revivait cette même douleur qui l'avait envahi à la mort de sa famille, mais là, elle sonnait comme un coup de grâce. Celle qui l'avait maintenu debout le poignardait…

—C'est lui qui m'a accueillie, se défendit Esyld, au bord des larmes. Je n'avais pas d'autre choix. Et le temps a passé, j'ai appris, j'ai compris ce qu'ils avaient fait, pourquoi ils l'avaient fait… Ils ont été si bons avec moi, Laerte… J'ai dû t'oublier. Je n'avais pas d'autre choix. Mourir de chagrin. Ou vivre de nouveau !

—Tu m'aimes…

—J'aime Balian, assura-t-elle.

Je t'aime. Je t'aimerai toujours. À jamais.

—Tu me l'as dit…

—C'était il y a longtemps, se défendit-elle. À l'époque c'était vrai. Les choses changent. Les gens changent. Ce monde n'est plus en guerre, Laerte !

—Je suis en guerre ! hurla-t-il en balayant l'air d'un poing fermé.

Elle tressaillit, livide.

—Les Azdeki sont dangereux !

—Tu ne connais pas Balian. Ce n'est pas vrai, répondit-elle.

—Son père a tué ma famille ! Il a mis l'Empire à feu et à sang et… si ton père est mort c'est par leur faute !

—Non ! s'emporta-t-elle. C'est la tienne ! Tu n'étais pas là ! Comment oses-tu ?

Sa bouche se déformait en une grimace. Les larmes coulaient au bord de ses lèvres tremblantes. Elle détourna les yeux.

—Tu ne sais pas tout, Laerte, lâcha-t-elle dans un souffle. Tu ne sais pas ce qu'il s'est passé véritablement.

Tout le corps de Laerte bouillonnait, son cœur battait à tout rompre. Il ne pouvait accepter cela.

—Suis-je donc maudit pour que la femme que j'aime épouse le fils de mon ennemi ? gémit-il, avant de se ruer sur elle. Dis-moi que tu ne m'aimes pas, Esyld. Si c'est bien vrai, dis-le-moi ! Ose le dire !

—Nous ne sommes pas responsables, tenta-t-elle d'expliquer. Ce sont les dieux qui décident… Nous ne sommes que leurs murmures.

—Jamais ! Jamais ! Tu entends !

Il tournait en rond, une main sur le pommeau de son épée. Le souffle court, il avait l'impression de chuter, sans cesse, sans pouvoir se raccrocher à quoi que ce soit…

—Jamais je ne serai le jouet de l'infortune… Je ne serai jamais un murmure… jamais…

Il se dirigea soudain vers elle, mais avant même qu'il n'ait pu la rejoindre, elle lui tourna le dos, retenant un sanglot. Ses épaules frémissaient autant de peur que de tristesse.

—Laerte, pars. Tu ne peux rester ici. Je te le demande. Va-t'en.

—Pour toi…

—Pars, Laerte…

—… pour toi, je serai un cri.

—Garde ! appela-t-elle.

Il y eut un silence. Elle jeta un regard par-dessus son épaule.

—Ose me dire que tu ne m'aimes plus, implora Laerte.

Sa réponse lui broya le cœur.

—Je ne t'aime plus…

Le bruit saccadé des bottes claquant sur le marbre du couloir se mit à résonner.

—Fuis, Laerte… Je ne leur dirai pas qui tu es… mais ne reviens jamais. Ne cherche plus jamais à me revoir. Les choses

348

ont changé… sauf toi et ta vengeance. Et elle n'a plus aucun sens désormais.

Elle restait le dos tourné, la tête basse, en pleurs.

—Va… fier petit homme.

—Esyld…, sanglota-t-il.

Les pas se rapprochaient.

—GARDE! hurla-t-elle.

Quand la porte s'ouvrit à la volée, laissant apparaître des soldats inquiets, Esyld fit volte-face. Sur le bord d'une table, proche de la fenêtre, reposait une étrange forme que la lumière de la lune se disputait à l'obscurité.

Sur le bord de la table reposait un petit cheval de bois…

8

Douleurs

—Il l'aimait.
Il n'aurait pu que prendre son parti.
Un jeune homme est prêt à tout par amour.
Y compris à se perdre…

Jamais il n'aurait imaginé l'amour disparaître. Il lui avait semblé si éternel, si inaltérable qu'il ne comprenait pas comment Esyld avait pu oublier un tel sentiment. Son cœur était comme broyé alors qu'il bondissait de toit en toit, évitant les escouades lancées à sa poursuite. Il ne les fuyait pas, eux, mais bien le chagrin qui l'accablait. Et bien qu'il courût à en perdre le souffle, toujours plus loin du Palatio, d'Esyld et de leurs souvenirs communs, il était toujours là, à piler sa poitrine lorsqu'il atteignit la maison.

De fins nuages blancs glissaient lentement sur un lit d'étoiles. Dans la cour, il sortit son épée du fourreau. Puis il alluma deux torches. Sous leurs lueurs vacillantes, il répéta estocs et parades. Son être tout entier était une souffrance. Sous ses pas, le roulement des graviers n'était plus qu'un murmure. Et à sa rage répondait un hurlement qui lui déchirait le cœur.

J'aime Balian…

Son épée vrillait l'air pour abattre des ennemis imaginaires, ses poumons s'enflammèrent lorsqu'il usa du *Souffle* pour soulever les torches. Il imagina le bois se fendre, le brasier s'éteindre. Il ferma le poing.

J'aime Balian…

Et tout se brisa.

Il combattait mille hommes, mille armées, répétant les gestes appris des années auparavant. *Azdeki*, pensait-il. *Azdeki*. Cette famille lui avait donc tout volé. Quelqu'un l'avait maudit.

—Je me trompe, peut-être, intervint une voix fluette. Mais… quelque chose te tracasse, non?

Il s'arrêta, un genou au sol, l'épée brandie comme s'il transperçait un ennemi invisible. Sur le pas de la porte, les bras croisés, la silhouette fine de Viola s'auréolait de la lumière des lampes à huile du salon. Il aperçut un sourire soulever le coin de ses lèvres.

—Ou alors un trop-plein de virilité? supposa-t-elle. Je savais les hommes aimer la bagarre mais, généralement, ils sont au minimum deux pour s'amuser.

Dans l'ombre, elle perdit son sourire quand Laerte se dressa, plus intimidant que jamais.

—Je suis là si jamais… enfin, si tu veux parler de quoi que ce soit, proposa-t-elle d'une faible voix.

D'un mouvement de poignet, il fit tourner son épée. La lame fouetta l'air.

—Tu es parti toute la journée… et tu reviens à peine la nuit tombée… et…

Il la contemplait, les yeux brillants dans la pénombre. Sans aucun mot, aucun sourire. Rien qu'un visage fermé. Elle lia ses doigts nerveusement devant son ventre.

—… tu ne parles que rarement…, soupira-t-elle.

—Rentre, Viola, dit-il d'une voix rauque, sans aucune sympathie. Il est tard.

—Oui, alors, je suis jeune. Je ne dois pas pour autant être traitée comme une gamine, se plaignit-elle en levant les yeux au ciel.

—Rentre, répéta-t-il plus lentement.

—… Fichu caractère, pesta-t-elle aussitôt, les poings fermés le long des cuisses.

Elle obéit à contrecœur, filant d'un pas rapide dans le salon. Allongé sur le canapé, un broc de vin dans la main, Rogant leva à peine un œil quand elle passa près de lui en grommelant.

—Moi, je voulais aider, ronchonnait-elle.

Et, croisant Dun-Cadal dans l'escalier, elle lâcha :

— Vous avez vraiment le même caractère de cochon, vous deux !

Le vieux général fronça les sourcils, s'arrêtant net au milieu des marches pour la laisser monter sans qu'elle lui jette un seul regard. Découvrir la jeune fille avec le visage rouge de colère parmi ses mèches rousses était la dernière chose à laquelle il s'attendait.

Le bruit des pas sur le gravier de la cour l'avait sorti de sa torpeur et, curieux, il s'était décidé à descendre voir ce qui se tramait. Lorsqu'il eut rejoint le salon, ce ne fut pas Rogant qui attira le premier son attention, mais bien le pichet de vin dans sa main. Deux jours qu'il n'avait pas bu la moindre goutte, la tentation était trop forte. Il se rua sur le Nâaga somnolant et s'empara du broc sans que ce dernier ait le temps de réagir.

— Eh ! Vieux fantôme ! grogna le colosse en bondissant du canapé, le regard encore vitreux.

Dun-Cadal n'entendait plus rien, écoulant tout ce qu'il pouvait de vin dans son gosier sec. Manquant de s'étouffer, il s'essuya la bouche d'un revers de la main, et de l'autre stoppa son vis-à-vis irrité.

— Toi, dit-il d'une voix étranglée, je t'apprécie déjà un peu plus.

Le poing levé, prêt à écraser la mâchoire du vieil homme, Rogant s'immobilisa. Dun-Cadal ne cessait de hocher la tête, l'air contenté, un léger sourire aux lèvres. Le Nâaga ne put contenir son rire. Il le laissa éclater sans retenue.

— Vraiment, insista Dun-Cadal. Tu m'es plus sympathique…

— Allez…, dit-il entre deux rires. Garde-la.

D'une main ferme, il flatta l'épaule du vieil homme avant d'amener son visage souriant jusqu'au sien.

— Tu étais un grand guerrier, vieux fantôme, murmura-t-il, narquois. Mais le vin t'endort. Enivre-toi. Cependant… je ne suis pas certain que Laerte apprécie. Et ça… j'ai hâte de voir votre petit règlement de compte. Crois-moi.

Par la porte ouverte, donnant sur la cour, Dun-Cadal aperçut l'ombre de Laerte. Voilà donc d'où venait le bruit de la lame fendant l'air, un écho du passé. Non, pas un écho… un reflet déformé. Ce gamin n'était plus en rien le Grenouille qu'il avait connu. Sur le seuil, il but une gorgée, savourant le goût fruité du vin qui coulait dans sa gorge. D'un coup d'œil par-dessus son épaule, il aperçut

Rogant qui s'asseyait sur l'accoudoir du canapé, les bras croisés, sourire en coin. Il espérait sans doute que Laerte engage le combat. Il risquait d'être déçu. Dun-Cadal n'avait aucune envie de se défendre. Il était si las.

—Je ne sais toujours pas ce que tu as en tête, dit-il enfin, alors que le garçon continuait à fouetter l'air de sa lame. Mais ça m'a l'air mal parti.

Laerte s'arrêta, légèrement essoufflé. La lumière de la lune posait un éclat pâle sur les contours de sa silhouette. Il se tourna vers Dun-Cadal, tête baissée.

—La colère, soupira le vieil homme en s'asseyant sur la petite marche que formait le pas de la porte. Tu l'as toujours eue en toi. Je comprends maintenant pourquoi...

S'il attendait une réponse, il noya sa déception dans une nouvelle rasade. Laerte restait coi, immobile, jaugeant son ancien mentor d'un regard torve.

—Tant de haine à mon égard..., continua l'ancien général. Ironie du sort? Ou volonté des dieux d'offrir à un homme la possibilité de nourrir son propre ennemi? C'est si... humiliant que je n'ai pas de...

—Tu avais raison, l'interrompit Laerte.

Il remit son épée au fourreau d'un geste brusque. Sur le perron, Dun-Cadal haussa un sourcil.

—Esyld. Son père organisait la révolte à Éméris... pendant que moi...

La gorge nouée, il sentit les larmes affluer, tout comme la rage qui bouillonnait en lui. Les poings serrés, il avança d'un pas vers Daermon sans que ce dernier esquisse un seul geste.

—... pendant que moi, je combattais à tes côtés, que je la trahissais. Seul comptait Reyes et lui planter une épée dans le cœur.

Sa voix montait avec les larmes au bord des yeux.

—J'étais aveugle, je ne savais pas. Ignorant, jeune, stupide... Reyes n'était pas le responsable. Tout comme toi, tu n'étais jamais rien qu'un...

À la vue du visage blême de Dun-Cadal, de ses yeux fuyants, il ne put continuer. Le vieil homme était si marqué, la peau burinée par le soleil du Sud comme par l'alcool qu'il porta de nouveau à sa bouche avant de jeter le broc. Celui-ci se brisa sur les graviers.

—Je l'aimais… Je l'ai toujours aimée, avoua Laerte en lui tournant le dos pour chercher dans les lumières de Masalia un quelconque réconfort.

Non. En vérité, il masquait les larmes qu'il ne réussissait pas à contenir. Toute sa douleur, il avait tenté de l'évacuer en frappant, en taillant l'air, en brisant les torches, mais la seule vue de son ancien maître, aussi livide et meurtri, avait achevé toute combativité. Là, il craignait de s'être vu trop fort et, pour la première fois, il s'imagina échouer.

—Elle est ici, Échassier. Elle va se marier avec…

Il serra les poings.

—… avec le fils d'Azdeki, réussit-il à prononcer en réprimant un sanglot. Alors… où est la véritable ironie ?

Les pleurs s'asséchaient sous sa rage. Il inspira avant de faire volte-face et de supporter le regard éteint de Dun-Cadal.

—Dis-moi, ordonna-t-il d'une voix ferme.

Logrid ! Putréfaille, pourriture ! LOGRID !

Laerte grimaça. Une étrange douleur lui vrilla l'épaule l'espace d'un instant puis s'estompa. Un souvenir… Quelqu'un l'avait maudit.

—Tu n'es rien pour moi, lâcha Dun-Cadal d'un ton monocorde. Le garçon que j'ai aimé s'appelait Grenouille. Et tu l'as tué. Je pourrais te maudire pour ça.

Ils se défiaient du regard. Personne n'aurait pu imaginer un seul instant qu'ils aient pu éprouver, l'un envers l'autre, autre chose que de la pure haine. S'aidant d'une main posée contre le chambranle, Dun-Cadal se redressa, un air de dégoût déformant ses traits.

—… Tu l'as déjà fait, assura Laerte sans ciller.

Logrid !

Le visage de Dun-Cadal s'assombrit. Il se souvint. Il comprit. Tout prenait sens dans les derniers instants de l'Empire.

Mais s'imaginait-il à quel point Laerte avait souffert ce jour-là ? Avait-il la moindre idée de ce qu'il avait enduré les jours suivants ? La haine disparut dans les yeux du vieil homme, et Laerte crut y retrouver une lueur ancienne. Celle qu'il avait pu voir briller lorsqu'il s'inquiétait pour Grenouille.

—Oui, acquiesça Laerte. La veille de la chute de Reyes, tu m'as maudit…

Il venait à peine de quitter Dun-Cadal ce jour-là. Le lendemain allait être sonnée la charge contre la cité impériale. Les révoltés avaient acquis un sérieux avantage. Aladzio feignait de ne pas réussir à parachever l'œuvre qui offrirait à l'Empire une victoire indiscutable. Eux avaient judicieusement utilisé les plans de l'inventeur. Les canons s'amassaient aux abords d'Éméris et, bientôt, ils tonneraient sans retenue.

Laerte rejoignait ses quartiers, imaginant déjà la furie de la dernière bataille, et sa course dans les couloirs du palais pour atteindre l'Empereur en proie à la panique. Il lui ôterait son masque, plongerait dans le blanc de ses yeux, contemplerait la peur sur son visage lorsqu'il comprendrait qui il était.

Et après ?

Une étrange détresse s'empara de lui alors qu'il se voyait plonger l'épée dans le cœur du tyran. Que se passerait-il après ?

Il arriva à la porte de sa chambre. Plus aucun élève ne traînait dans les couloirs, tous s'étaient pressés au réfectoire. Parce qu'il venait d'être adoubé après avoir foulé de nombreux champs de bataille aux côtés du général Daermon, il était excusé de ne pas suivre les mêmes horaires.

Il tendit la main vers la poignée de la porte et l'abaissa quand, soudain, une violente poussée le propulsa dans sa chambre. Il se retrouva sur le bord de son lit, étourdi par le choc. La porte se referma silencieusement dans son dos. Instinctivement, il porta la main au pommeau de son épée mais n'eut pas le temps de la saisir. Une poigne terrible agrippa son avant-bras et, d'un geste parfait, le tordit sans aucune difficulté. Laerte hurla, sentant son épaule vriller lorsque l'avant-bras toucha son omoplate. Il se redressa d'un coup, oubliant la douleur et, s'appuyant contre son assaillant, il poussa pour le faire reculer. Il poussa, poussa, poussa, et le bruit sourd de leurs corps contre la porte fermée couvrit à peine son cri.

Sonné, l'homme lâcha prise un très court instant, suffisant pour que Laerte puisse se dégager, l'épaule en feu. Il fit volte-face et découvrit sans grande surprise le visage émacié de Logrid couvert de l'ombre de sa cape verte.

Si l'assassin personnel de l'Empereur avait été envoyé pour le tuer, était-ce parce qu'il avait été découvert ? Il n'eut pas le temps de se poser plus de questions. Logrid extirpait deux dagues de sa ceinture dans un silence total. Laerte évita de justesse le premier coup en se penchant en arrière, la lame traçant un sillon de sang sur sa joue. Les attaques suivantes furent rapides, précises, et auraient été mortelles si Laerte n'avait eu assez de souplesse pour les esquiver. Il saisit la poignée de son épée pour la tirer au clair au moment même où l'assassin se ruait sur lui. La lame bloqua net les dagues dans un claquement sec. D'un mouvement de bras soudain, il les fit sauter des mains de Logrid et lui assena un coup de genou au ventre. Réprimant un râle, l'assassin se courba, un bras replié contre sa veste de cuir.

— Splendide, siffla-t-il entre ses dents.

C'était le moment où jamais pour Laerte. Abattre son épée et terrasser son ennemi. Son cœur battait à tout rompre, sa joue le lançait, son épaule le brûlait. Lorsqu'il leva le bras pour frapper lourdement, il se voyait déjà gagner le duel.

Toujours courbé, Logrid brandit l'autre main vers lui et, avec une force incroyable, projeta le garçon contre le mur opposé. Il percuta le rebord de la petite fenêtre de sa chambre avant de retomber lourdement sur la table couverte de livres jouxtant son lit. Elle craqua sous son poids.

— Depuis le temps que je rêvais de me confronter à toi, murmura Logrid.

D'un mouvement gracile, il sortit son épée à son tour et avança vers lui. Un mal lancinant parcourait les tempes de Laerte. Au milieu des restes de la table, il se dressa sur ses coudes, plein de rage et de morgue. Il n'avait d'autre choix que de tenter de dominer le *Souffle*, d'en user sans se ménager. Il inspira profondément, sentant le sang perler au bord de ses narines. Soudain, le temps lui parut s'écouler plus lentement, le monde lui devint plus clair, comme si chaque mur, chaque objet, chaque son jusqu'aux battements même du cœur de Logrid, résonnait. Oubliant la douleur qui comprimait ses poumons, il bondit tel un loup sur sa victime.

Et le duel reprit dans un terrible choc. Estocs, parades… Les deux hommes se mouvaient avec grâce dans l'espace exigu. Des éclats de bois volèrent, les murs s'effritèrent sous l'impact de leurs corps, mais ils continuaient à frapper, à esquiver, à contrer sans qu'aucun prenne l'ascendant sur l'autre. Ils étaient comme deux reflets cherchant à se confondre.

Un coup plus puissant força Laerte à s'écarter. Il plaça aussitôt son épée de biais, espérant bloquer un nouvel estoc, mais, à sa grande surprise, Logrid se laissa tomber à terre, une jambe tendue pour, d'un coup sec, le balayer. Laerte s'affala sur le sol, se cognant brutalement la tête sur le bord de son lit. Le plafond devint flou, des carillons sonnaient… Le *Souffle* commençait à se libérer de son contrôle, meurtrissant son cœur, et le sang ne cessait de couler de son nez. Il avait l'impression que ses paupières s'étaient changées en plomb.

Il reprenait à peine ses esprits quand l'ombre de Logrid se précipita sur lui. Ses genoux bloquèrent les bras du garçon, le clouant au sol alors qu'une main gantée couvrait sa bouche. Et la lame d'une épée perfora son épaule sans que son cri étouffé par le cuir puisse résonner ailleurs que dans sa tête. C'était un déchirement qui parcourait son corps et le forçait à se cambrer. La détresse brilla dans ses yeux lorsqu'il aperçut le sourire sardonique de Logrid penché au-dessus de lui.

Il ne pouvait pas mourir, pas là, pas maintenant, pas comme ça. L'assassin continuait à couvrir son hurlement d'une main ferme, chuchotant quelque chose d'incompréhensible d'une voix sifflante… insupportable et presque hypnotique. Qu'il se taise! Et avec lui la souffrance! Que tout se termine…

Non, Laerte ne devait pas sombrer. Il lui fallait respirer l'air à pleins poumons, combattre cette lame dans son corps qui le mettait au supplice. Se battre, c'était cela qu'il avait appris ces dernières années, se battre pour venger sa famille. L'image fantomatique de son père pendu à la potence le hantait. La silhouette de son frère pendu au bout d'une corde… les cris de sa mère… de sa petite sœur qu'on avait…

Il ne put retenir ses larmes. La rage le maintenait à flot. Ni le désespoir, ni l'abandon, et encore moins cette fichue douleur n'allaient l'arrêter. Il ne devait pas abdiquer! Sa volonté prit le dessus sur le *Souffle*.

Ce qui semblait être une chaise s'écrasa violemment sur la tête de Logrid, éclatant en plusieurs morceaux. À peine sonné, l'assassin se retourna. Les pieds d'une chaise brisée entre les mains, Aladzio recula d'un pas, blême. Un bras libéré de la pression du genou de Logrid, Laerte saisit l'occasion, levant une main grande ouverte. Et le *Souffle* fit son œuvre.

Logrid fut soulevé dans les airs. Mais ne retomba pas. Il resta là, tournoyant lentement, une main portée sur sa poitrine, ses doigts pliés comme essayant de retirer quelque chose qui lui perforait le cœur. Laerte éprouvait sa douleur. Il la vivait, la supportait, la désirait. Il voyait le cœur de l'assassin tel un fruit parcouru de spasmes, une orange à presser dans sa main, une pauvre chose à écraser entre ses doigts. Et, à mesure qu'il le comprimait, il percevait la vie s'écouler lentement du corps en lévitation.

Quand il n'y eut plus rien qu'une sensation glaciale et que la tête de Logrid s'inclina de côté, Laerte abaissa le bras. Avant de s'évanouir.

Une voix lointaine le tira de l'obscurité alors qu'il ne désirait plus qu'une chose : s'y baigner totalement. Les mots se firent plus vifs, plus claquants. Le craquement du plancher lui sembla être une forêt entière qu'on abattait.

— Grenouille ? Grenouille ?

— Laerte, murmura-t-il d'une voix rauque.

Et ce seul nom prononcé était comme des aiguilles griffant sa gorge.

— Non, ne bouge pas, lui dit la voix.

Le temps qu'il comprenne, il était déjà trop tard. Il avait essayé de se relever, et la blessure de son épaule le rappela à l'ordre.

— J'ai ôté l'épée et j'ai essayé de faire un rapide bandage.

Tes deux élèves, Dun-Cadal... quelle ironie.

Agenouillé à côté de lui, Aladzio le regardait avec de grands yeux peinés. Laerte avisa son épaule. Un bout de drap maculé de sang l'entourait.

Tes deux élèves qui se battent... Sur qui aurais-tu parié, hein ? Dis-moi, Dun-Cadal ?

— Tu t'es évanoui quelques minutes, j'ai... j'ai fait ce que j'ai pu..., bredouilla l'inventeur.

— Merci...

Non loin de là, Logrid était retombé sur le sol, allongé sur sa cape verte, une jambe repliée sous lui, la main encore tordue sur sa poitrine. La cape... Aladzio aida Laerte à se relever.

— C'est la Main de l'Empereur, n'est-ce pas ?

— C'était, rectifia Laerte dans un soupir. Heureux que tu aies été là.

—De Page, dit Aladzio, l'air gêné. C'est lui qui m'a demandé de garder un œil sur toi... Il faut que tu fuies, Grenouille. Si l'Empereur t'a envoyé son assassin, tu n'es plus en sécurité ici. Ils ont dû découvrir quelque chose de...

—Non, grinça le garçon en marchant d'un pas décidé jusqu'au corps de Logrid.

C'était maintenant ou jamais, fuir ou se battre, abandonner ou réussir. Comme la grenouille d'Érain approchant au plus près de ses proies, il allait revêtir l'apparence de ses ennemis une dernière fois.

Et c'est comme ça...

Malgré son épaule blessée, malgré la fatigue et l'avis contraire d'Aladzio...

... comme ça...

... il revêtit la veste en cuir, les bottes et les gants. Et s'effaça derrière la cape verte de la Main de l'Empereur, rabattant la capuche sur sa tête, une ombre voilant son visage.

N'avait-il pas toujours prévu d'être l'assassin de l'Empereur?

—C'est comme ça que tu as eu l'idée..., répéta Dun-Cadal.

Assis sur le pas de la porte, il contemplait les restes du broc, éparpillés sur les graviers. Le jeune homme avait contenu son émotion, savourant le calme de la ville illuminée de mille feux en contrebas. La nuit, Masalia confrontait ses flambeaux aux étoiles.

Logrid!

—C'est toi que j'ai vu..., se souvint le général à voix basse.

Putréfaille, pourriture! LOGRID!

—Tu pensais maudire Logrid... mais c'est moi que tu as maudit... Dun-Cadal.

Il le revoyait, escorté de soldats jusqu'à la double porte, proférant mille insultes à son encontre. Il avait détourné les yeux, ne supportant pas les larmes de son mentor ni son visage déformé par la haine.

—J'étais... blessé, Échassier, expliqua-t-il, la voix grave. J'avais l'impression de chuter, de tomber, de rouler, de...

Il inspira profondément. Cela avait été si douloureux, si traumatisant qu'il ne faisait pas qu'y repenser. Il en revivait chaque instant.

— J'avais quatorze ans lorsque je t'ai sauvé. J'en avais à peine dix-sept, ce jour-là. Et l'Empereur était à seulement quelques pas. Seulement quelques... pas.

Il laissa passer un silence puis continua en pesant chacun de ses mots.

— Ils ont pendu mon père et mon frère aux Salines.

— Je sais... C'était la loi, grogna le général.

— Et votre loi était-elle de violer ma mère ?

Il darda un regard noir vers le vieux chevalier. Dun-Cadal masquait sa surprise sous un visage fermé. Mais Laerte savait qu'au fond de lui son mentor découvrait seulement quel terrible châtiment s'était abattu sur les d'Uster. Cela n'avait rien à voir avec une histoire d'idées, de volonté de changement, de prémices d'une république, non...

— Ma sœur, avoua Laerte la voix tremblante. Elle n'avait que quatre ans...

Des horreurs que justifiaient les puissants avec cynisme, expliquant à qui souhaitait l'entendre qu'aucune guerre n'était propre, que la violence engendrait la violence et que la cruauté était, si ce n'était excusable, simplement inévitable. La gorge nouée, il fit un pas vers Dun-Cadal, et dans ses yeux brillaient des larmes retenues.

« *BAM !* »

— Ils l'ont clouée à une porte comme un vulgaire animal.

« *BAM ! BAM !* »

Il se détourna de lui, reprenant son calme et, d'un revers de main, s'essuya le coin des yeux.

— J'ai attendu. J'ai attendu le lendemain...

— Grenouille, murmura le général. Je ne savais pas, je...

— ... j'ai attendu le lendemain que l'attaque commence, continua-t-il comme s'il n'avait rien entendu.

Logrid ! Reste près de moi ! Il me faut quitter la ville tout de suite.

Il se pencha vers Dun-Cadal.

Logrid ?

— Ce soir-là, j'ai appris à quel point la famille Reyes et la mienne étaient liées...

9

LA FIN D'UN MONDE

Un jour, vous comprendrez.
Soyez certain.
Je serai le meilleur chevalier
Que ce monde ait jamais connu.

— Logrid ?

La voix était chevrotante, aiguë… étonnamment aiguë pour celui qui régnait sur le monde. Laerte n'avait devant lui qu'une silhouette chétive vêtue d'une longue robe noire, le masque doré sur son visage. Au milieu d'une salle du trône vide, illuminée par les explosions qui projetaient sur le balcon gravats et poussières, l'Empereur Asham Ivani Reyes perdait de sa splendeur. L'un de ses bras se tordait devant son torse, son dos vrillait tant que l'une de ses épaules était surélevée. Dans l'écho des canons, il n'était plus qu'un monstre de laideur effrayé.

La veille, Laerte avait combattu le désir de le saisir à la gorge, de lui planter une épée dans le corps, mais, encore trop fébrile, il ne s'était pas senti la force de se mesurer à sa garde.

Il avait attendu. Il s'était reposé.

Lorsque les premières canonnades avaient résonné et que les généraux eurent quitté le palais pour défendre les fortifications d'Éméris, il saisit l'occasion. Même si la plaie de son épaule suintait sous son bandage et que la douleur persistait sourdement, il était décidé à ne pas reculer cette fois.

—Logrid ? Qu'est-ce que tu fais ?

Reyes était entré en trombe dans la salle du trône, paniqué. Il l'était encore plus maintenant que Laerte se dressait devant lui, épée au clair.

—Il nous faut fuir Éméris, les troupes de ce Laerte d'Uster sont à nos portes, je ne peux…

La capuche du garçon tomba sur ses épaules, découvrant un visage ruisselant de sueur, le regard torve.

—Q… qui es-tu ? bredouilla l'Empereur en reculant d'un pas.

—Ton masque ! ordonna Laerte. Ôte-le ! Je veux voir ton visage !

—Grenouille, reconnut l'Empereur. Tu es l'apprenti de… Par les dieux !

—Ton masque ! réitéra le garçon, brandissant l'épée devant lui.

L'éclat de la cité en feu dansait sur les colonnes de marbre. Par-delà le balcon, au-dessus de la cime des arbres, des volutes de fumée noire s'élevaient dans un ciel étoilé. Les murs tremblaient sous les coups de canon des révoltés. Non, ce n'était plus une révolte mais bien la révolution.

—Montre-moi ton visage maudit !

—Pourquoi ? Que me veux-tu ? Où est Logrid ? Tu n'as pas pu le tuer ! paniquait Reyes en reculant, la forme étrange de son bras glissant sous sa robe noire.

Craignant qu'il ne sorte Éraëd du fourreau, Laerte se rua vers lui, laissant éclater sa rage. Dans la précipitation, Reyes trébucha et s'écroula sur le sol, en sanglots. Son masque était tombé en claquant sur les dalles pour se parer d'une zébrure. Le visage découvert, il n'avait plus rien de massif, de digne, encore moins d'impérial. Ce n'était plus qu'un pauvre homme apeuré qui levait les bras devant lui dans un mouvement de défense. L'attaque redoutée ne vint pas. Laerte s'était arrêté, stupéfait.

Si une main gantée ouvrait grand ses doigts vers lui, la seconde se résumait à un simple lambeau de chair, difforme, parsemé de boursouflures blanches.

—Non, non…, suppliait Reyes. Je t'en prie, non…

—Monstre…, souffla Laerte en fixant celui qu'il avait tant haï.

Sa figure n'avait rien d'humain. Tout n'était que vallons et creux, grosseurs et cicatrices. Une terrible maladie rongeait sa face meurtrie.

Sur son œil droit glissait une paupière. Entre ses joues grêlées, son nez se réduisait à deux fentes noires surmontant un bec-de-lièvre.

—Ne me fais pas de mal…, pleurait-il.

—Mon père n'aurait jamais supplié, affirma Laerte avant de cracher par terre. Quand il a été pendu aux Salines, il n'a jamais supplié !

Les yeux de Reyes s'ouvrirent aussitôt, comme s'il commençait à comprendre.

—Ma mère a-t-elle demandé qu'on ne lui fasse pas de mal ? rugit Laerte en avançant sur lui. Ma sœur ?!

Reyes baissait la tête tel un chien craignant d'être battu, le corps parsemé de soubresauts.

—Je ne voulais pas…, avoua-t-il. Ce n'est pas moi, je…

—C'est toi qui as allumé le feu de cette guerre, Reyes ! Tu vas payer pour tout ce que tu as fait ! Tu vas payer !

—… je ne voulais pas ça, je ne voulais pas ça, répétait-il.

—Tu as tué ma famille ! tonna Laerte.

Et en réponse tonnèrent les canons et les cris, suivis par l'écho des épées qui s'entrechoquaient dans les rues d'Éméris. Les révoltés étaient entrés. La cité tout entière s'enflammait.

Aux pieds de Laerte, l'Empereur lui adressait un regard implorant.

—Regarde-moi, je ne suis pas tel qu'on le dit. Je suis un pauvre monstre qui se cache derrière un masque d'or pour se donner de la prestance…

De lourdes larmes coulaient sur ses joues creusées de cratères.

—Mais, au fond, je ne suis pas mauvais ! J'ai toujours agi pour le bien de mon peuple, jamais je n'ai ordonné que ta famille entière soit… C'était juste ton père qui était jugé ! Juste lui qui me menaçait.

Mais Laerte n'était pas apte à excuser quoi que ce soit ni même à comprendre ses motivations. Sa jeunesse préférait la fougue à la raison. Bien qu'il éprouvât de la pitié pour cette monstruosité, il se répétait qu'il était de son devoir d'en finir. Il fit tournoyer son épée d'un air menaçant, retenant une grimace de douleur. Son épaule se mit à saigner plus encore et le liquide chaud suinta de son bandage. Le sang formait peu à peu une tache sous sa veste de cuir.

Il hésitait, tremblant et fiévreux, pointant sa lame vers l'homme recroquevillé. Faire preuve de mansuétude ? De pitié ? Pour cette chose difforme à ses pieds ? Il avait attendu si longtemps ce moment…

Reyes pleurait tel un enfant perdu.

Il se l'était imaginé seulement capable de susciter la haine, rien d'autre. Un homme puissant, un tyran, qui l'aurait regardé en face au moment où il aurait planté son épée dans son cœur.

—Non, je t'en prie, Grenouille, je t'en prie… Ce sont eux qui m'ont poussé à le faire, ce sont eux qui ont dit qu'il fallait prendre les Salines ! Ne me tue pas, Grenouille… Ne me tue pas…

—Je suis Laerte d'Uster ! fulmina le garçon.

Une voix tout aussi forte résonna dans la salle du trône.

—Voilà donc un masque qui tombe !

Gardant la pointe de son épée dirigée vers l'Empereur prostré, Laerte tourna légèrement la tête pour découvrir une dizaine de soldats passer la double porte. Quatre hommes en armure, à peine souillée par la crasse des combats, fermaient la marche. Il reconnut sans peine Négus et son embonpoint, Bernevin et sa démarche fière, Rhunstag et sa peau d'ours sur les épaules ainsi que…

—Capitaine Azdeki ! Sauvez-moi ! ordonna l'Empereur, en tendant les bras vers lui. Ce fou veut me tuer ! Défendez-moi !

Azdeki s'avança, scrutant avec mépris le visage déformé de Reyes. Il lui répondit d'un crachat sur le sol.

—Quelle ironie, pensa-t-il à voix haute. Les Reyes et les d'Uster… ensemble, ici. Cela a commencé avec eux, cela finira avec eux…

Les soldats formèrent un cercle autour d'eux, Rhunstag passant les pouces dans sa ceinture en marchant vers la droite, Bernevin partant à gauche. Mais rien d'autre ne comptait plus pour Laerte que le visage sec d'Étienne Azdeki.

—Capitaine Azdeki ! Agissez ! ordonna Reyes en se traînant sur le sol.

Laerte piqua son épée vers lui d'un air de défi et l'Empereur s'immobilisa, lançant des regards éperdus vers les soldats. Aucun ne se décidait à lui porter secours. Les généraux eux-mêmes l'ignoraient.

—Laerte d'Uster, le cadet d'Oratio… J'ai bien cru que tu étais plus âgé que cela. Belle stratégie que de faire de toi… un mythe. Meurnau sait-il que tu étais parmi nous ? Que tu le combattais ?

La fièvre, il la sentait poindre alors que son épaule le lançait. La sueur perla sur son front.

—Azdeki ! s'emporta Reyes.

Sa raison, elle se mouvait telle une mer démontée. Il devait tenir.

—N'approchez pas! menaça Laerte, grimaçant de colère.

Il pointa son épée vers l'Empereur à ses pieds. Azdeki n'eut aucune réaction, le visage grave, la main posée sur le pommeau de son épée. Il restait calme, immobile. Au-dehors, les canons continuaient à gronder.

—Fais-le, proposa-t-il en désignant Reyes d'un mouvement de tête. Mets un terme à la vie de cette…

Il marqua un temps, plissant les lèvres de dégoût.

—… chose, termina-t-il en serrant les dents.

Le souffle court, Reyes manqua de s'étaler de tout son long. De son œil dévoré par une chair boursouflée, des larmes de sang coulèrent. Dans l'autre, la panique se lisait.

—Rhunstag? appela-t-il, chevrotant. Bernevin? Négus…? Aidez-moi…

Mais son regard affolé ne rencontrait qu'un mur. Les généraux le dévisageaient sans aucune émotion, ni pitié ni colère. Il n'avait plus rien à attendre d'eux, ils le désavouaient par leur silence et leur immobilité.

—Pitié…

—Pourquoi…? demanda Azdeki sans même baisser les yeux vers Reyes.

Et, pour cause, il soutenait le regard de Laerte et à sa colère opposait une sincère curiosité.

—… te joindre à Dun-Cadal Daermon? enchaîna-t-il. Pourquoi avoir menti tout ce temps?

—Il est temps d'en finir, Étienne, s'impatienta Négus.

Laerte lui jeta un bref coup d'œil. Le petit homme fuit son regard. L'ami de son mentor. Lui aussi trahissait. La gorge serrée, Laerte eut une pensée pour Dun-Cadal et s'inquiéta de son sort. Vers qui le général allait-il pouvoir se tourner désormais?

—Maintenant, insista Bernevin. Il faut nous occuper de Meurnau pendant qu'il y a encore des combats.

À terre, Reyes sanglotait sans plus pouvoir parler.

—C'est la vengeance, n'est-ce pas? s'enquit Azdeki en fronçant les sourcils. C'est elle qui a justifié cette attente?

—Meurnau et ses troupes approchent du palais, mon neveu! clama une voix lourde et éraillée. Si nous ne le tuons pas comme prévu, il s'arrogera la victoire et nous n'aurons plus aucune légitimité!

Dans son dos, Laerte perçut un mouvement. Apparaissant derrière les colonnes, une silhouette obèse claudiquait, suivie de près par un petit homme frêle s'aidant d'une canne pour avancer au rythme de son ricanement nerveux.

— Azinn, couina Reyes. Vous aussi…

Aussitôt Bernevin approcha, extirpant une dague brillante de sa ceinture. D'une main ferme, il agrippa la nuque de l'Empereur et apposa la lame tout contre son cou. Laerte fut comme tétanisé, jetant des regards fiévreux tout autour de lui. Tous semblaient étonnamment calmes alors qu'au-dehors Éméris tombait aux mains des révoltés.

— Le temps de Meurnau est révolu, nous devons nous hâter, ordonna Azinn en lançant un regard étrange vers Laerte. Et, puisque le fils d'Oratio était parmi nous depuis si longtemps, nous ne mentirons pas en faisant de lui un traître à la révolution, conclut-il en passant une main sur son crâne lisse, coiffé d'une seule mèche blanche.

Ils survivraient à cette guerre, ils s'approprieraient la victoire, deviendraient ceux qui avaient abattu l'Empire. Tous l'entouraient désormais, tous le jaugeaient et, à quelques pas de lui, la dague de Bernevin s'apprêtait à égorger Reyes. Sur les joues grêlées de l'Empereur coulaient des larmes. Sur son visage couraient les lueurs des lointaines flammes consumant son Empire. Il était perdu. Appuyé contre une colonne, une main fébrile sur sa canne, le marquis d'Enain-Cassart observait la scène avec délectation.

— Nous étions sûrs que tu avais survécu, mais nous te pensions à la tête de la révolte. Comment ? s'étonna-t-il.

— Les registres, sourit Azdeki, hochant la tête, satisfait. C'est cela. Meurnau a brûlé les registres du Guet d'Aëd pour cette raison. Nous cacher ton âge.

— Eh bien, voilà une épine à ôter facilement, se réconforta Azinn en faisant la moue. Le mythe Laerte d'Uster perd tout son mystère.

— Jusqu'à la fin, tu nous auras donc été utile, concéda Azdeki en fixant le jeune homme. Laerte, Grenouille… dans tous les cas, c'est toi qui, finalement, auras détruit un empire… toi tout seul.

Il semblait sincère, hochant légèrement la tête, une étrange lueur de regret dans ses yeux.

— Je suis votre Empereur, sanglota soudain Reyes.

—Les temps changent, Reyes, dit calmement Étienne. Les temps changent. Le peuple a besoin d'un autre destin. Un destin que seuls les dieux ont décidé. Le vôtre se termine ici. Que retiendrez-vous de votre existence en ce monde, Reyes? Car comme les moines fangolins le disent: «Vient un jour dans notre vie, le croisement de ce que nous étions, de ce que nous sommes et de ce que nous serons. C'est à ce moment, au terme de toute chose, que nous décidons quelle sera notre fin. Fier ou honteux du parcours accompli»… C'est maintenant, ce moment, pour vous, Reyes. Vous souvenez-vous de la chose immonde que vous avez toujours été et de tout ce que, finalement, vous n'avez jamais fait? Fier ou honteux de votre règne, Reyes? Alors que le peuple se presse aux portes de votre palais…

Laerte restait muet. Son visage conservait cette expression pleine de colère, jaugeant tour à tour l'Empereur et le capitaine. Que devait-il faire? Là encore, allait-il échouer? Il inspira profondément, grimaçant de douleur lorsque son épaule déchirée se souleva.

S'il y eut un seul héros dans les Salines, ne retenez qu'un seul nom: Dun-Cadal Daermon.

Dun-Cadal… lui avait réussi à se sortir d'une situation aussi mal engagée. Seul, au milieu de tous ces soldats, Laerte n'avait plus qu'un seul choix.

—Laerte…, appela l'Empereur d'une voix chevrotante. Ce sont eux… ce sont eux qui ont décidé… pour votre père. Ce sont eux qui m'ont forcé. Je sais désormais qu'il n'a jamais trahi!

Il leva les yeux comme s'il cherchait à défier Bernevin.

—Logrid… Logrid m'avait averti, mais je ne l'ai pas cru. Il vous voyait comme vous êtes, abjects. C'est le Livre, n'est-ce pas? Il se doutait que, tôt ou tard, quelqu'un le convoiterait en apprenant son existence. Vous m'avez menti au sujet de d'Uster. Qui vous a révélé pour le *Liaber Dest*? Qui?

—Oratio lui-même, murmura Bernevin, comme pour le provoquer.

—Bernevin, dit simplement Azdeki en plissant les yeux.

Il n'en fallut pas plus pour que le noble comprenne. La lame fendit la gorge. Au loin, une explosion retentit, accompagnée de cris. Le sang jaillit du cou. Sans un son, des larmes encore tièdes au coin des yeux, Asham Ivani Reyes partit en avant pour s'écrouler face contre terre.

Laerte eut un mouvement de recul. Les gardes brandirent aussitôt leurs lances. La main levée d'Étienne Azdeki les somma de s'immobiliser.

—Le *Li... Liaber...*, balbutia Laerte, confus.

—Ah! Tu ne savais pas! jubila Azdeki. Tu n'en avais donc aucune idée?

—Mon neveu, nous devons...

—Je décide! tonna-t-il, défiant Azinn d'un œil torve.

Il n'y eut aucune protestation. Et, pour la première fois, le visage d'Étienne s'était vu changé par la colère, découvrant une expression qui inspirait la crainte. Il conservait les traits tirés lorsqu'il dévisagea Laerte, une main tapotant le pommeau de son épée.

—Le premier Reyes, celui qui renversa Cagliere, avait confié le Livre Sacré à ta famille. Durant des siècles, les d'Uster l'ont gardé secret. Jusqu'à ton père...

—Vous les avez tués... Vous les avez tous tués...

« *BAM! BAM!* »

Il revoyait Naïs... sa Naïs... son visage doux, ses délicates mèches teintées de blond. Il se souvenait de la main ferme de son père, de la chevalière à son annulaire. Le regard bleu sombre de son frère apparut... Le parfum de sa mère effaça l'odeur de poudre qui montait jusqu'au palais.

—Sais-tu seulement qui était vraiment ton père? demanda Azdeki.

Un homme aimé, un homme bon, un lettré, un fabuleux bretteur. Oratio Montague, comte d'Uster et seigneur des Salines. Laerte oublia la fièvre, les élancements dans son épaule, le battement arythmique dans ses tempes. La rage le nourrissait plus encore que le calme cher à son mentor. Il ne lui fallut qu'un soupir pour percevoir le rythme cardiaque des soldats qui l'encerclaient. Son nez commença à saigner. La douleur pressa son crâne comme sa poitrine, mais il était convaincu de garder le contrôle avant que le *Souffle* ne l'anéantisse.

—Nous devions le faire, se défendit Étienne. Nous devions le récupérer. Le *Liaber Dest* est trop dangereux pour que...

Laerte se rua sur le soldat le plus proche, fendant l'air de son épée, taillant une plaie béante sur son cou. Surpris, les autres hésitèrent une seconde avant de se jeter sur lui. Il entendit le sifflement de l'épée qu'Azdeki sortait du fourreau, comme le subtil bruissement du manteau de son oncle qui reculait d'un pas.

La chaleur enflammant ses poumons ne l'arrêta pas. Il n'avait d'autre choix que de dominer le *Souffle*, pour sentir la vie autour de lui afin de mieux l'ôter. Il s'agenouilla, parant une lance d'une épée levée avant de la rabattre sur les jambes d'un deuxième soldat et de lui trancher les genoux.

Chaque geste lui paraissait si évident, si naturel, et ce malgré la souffrance que l'effort lui infligeait. Il donna du poing, démit des rotules en frappant du pied, pénétra les armures de sa lame sans fléchir. Ses muscles lui semblaient brûler à mesure que les cœurs cessaient de battre un à un. Le *Souffle*... il allait l'écraser.

—Azdeki! s'époumona Bernevin.

—Putréfaille! pesta Négus.

—Avec moi! ordonna Étienne alors que son oncle et le vieil homme quittaient la salle, stupéfaits.

Laerte chancelait au milieu de dix cadavres, la respiration sifflante, le regard vitreux mais toujours décidé. Les canonnades se faisaient plus proches. Les rideaux rouges se soulevaient au bord du balcon. Les arbres étaient en feu. Il manquait de s'évanouir à chaque minute qui s'écoulait. Son corps entier devenait une seule et même blessure. Seule la vue des quatre officiers l'aidait à tenir, alimentant sa colère. Il les observa lever une main vers lui, eux qui avaient tué son père.

Une terrible force courut sur le marbre, retournant au passage le cadavre de l'Empereur. Il eut juste le temps de placer ses bras devant son visage, jambes fléchies. Ce fut comme une tempête. Les dalles se brisèrent sous ses pieds à mesure qu'elle le poussait vers le balcon derrière lui.

—Il est tenace! brailla Rhunstag.

—Comment peut-il? s'étonna Négus.

L'image furtive de sa petite sœur sembla passer devant les yeux de Laerte.

Elle suffit à lui donner assez de force pour avancer d'un pas. Puis, d'un coup sec, il s'agenouilla et martela le sol d'un poing ferme.

Un arc de cercle fendit le marbre, projetant des éclats scintillants. Négus s'envola jusqu'aux portes, sa tête frappant le bois dans un bruit sec. Les trois autres churent en arrière, glissant sur quelques mètres en lâchant un cri rauque. Laerte relâcha l'effort, cherchant d'un œil vitreux une sortie. Chaque pas était une torture, chaque mouvement lui tirait un gémissement. Tout tournait autour de lui. Le balcon... Par-delà le parapet de pierre crépitaient les cimes des arbres.

— D'Uster! gronda Azdeki dans son dos.

Laerte se retourna, manquant de s'affaler sur le côté, son épée ripant sur le sol au bout de son bras ballant.

— Dun-Cadal..., lâcha-t-il dans un souffle comme s'il appelait à l'aide. Échassier...

Azdeki marchait vers lui d'un pas rapide, l'épée brandie.

Il essaya de soulever son arme, mais elle était trop lourde. Le sang coulait sur ses lèvres. Ses jambes le portaient à peine.

— Pourquoi...? balbutia-t-il avant de réussir à crier. Pourquoi?

Il y eut un sifflement. Azdeki allait frapper. Laerte voulut parer, mais c'était trop tard. La lame filait en brillant vers son visage. Et dans le métal luisant apparut l'image vive d'un boulet de canon.

Le souffle de l'explosion écarta les deux hommes. Laerte sombra dans l'inconscience lorsque son corps glissa par-dessus la balustrade. Il chut à une vitesse folle, frappant les pins, fouetté par les épines enflammées. Il n'entendit pas ses os craquer lorsqu'il percuta le sol.

Combien de temps resta-t-il là, au pied des conifères en flammes, il ne le sut jamais. Il n'y avait plus que la souffrance de son corps en miettes. Tout n'était plus que fantômes autour de lui.

Il se sentit soulevé. Ses cris couvrirent aussitôt le peu de mots qu'il put entendre.

On le porta dans une chambre secrète. On le soigna alors qu'il hurlait à la mort. Les larmes se mêlaient au sang. Plusieurs fois, l'obscurité l'enveloppa, froide et pressante, et il crut bien y rester à jamais.

— Il ne survivra pas...

Chaque fois qu'il sombrait vers la mort, des voix retenaient son attention et le ramenaient à sa souffrance.

— Fais tout ce qui est en ton possible, Aladzio!

— Mais je suis inventeur, pas médecin, moi!

— Tu es la seule chance qu'il lui reste.

Plus il lui semblait revenir à la vie, plus elle lui était insupportable. Faite de douleur, de blessure, de déchirement...

— Ainsi... il est donc le fils d'Oratio...

Au bout d'un moment, il put mettre un nom sur les voix, reconnaissant leur timbre même si, pour l'une d'elles, il ne l'avait entendue qu'une fois.

—Tiens bon, mon ami. Tu ne seras pas le jouet de l'infortune.

Il y eut Rogant. Et sa main chaude sur ce qui lui parut être la sienne.

—Je t'avais dit que ce n'était pas une bonne idée, mais non, tu ne m'as pas écouté. Direct dans la gueule du loup. Et pour quoi ? Pour te confronter à combien d'hommes ?

Celle d'Aladzio était pour une fois comme une douce mélodie.

—Tenez-le ! Tenez-le !

Il hurlait. Il braillait comme un cochon qu'on égorge. Il pleurait. Il ne souhaitait plus qu'une chose : que tout cela s'arrête, que son cœur cesse de battre et que chaque partie de lui s'éteigne.

—Tu es un grand chevalier, Laerte d'Uster. Tu ne dois pas nous abandonner...

Quand sa conscience sortait des brumes, il avait l'impression d'être martelé par du fer sorti de la forge. Ses nerfs le brûlaient. Pourtant... il continuait de revenir à la vie. Ses voyages dans la pénombre se ponctuaient désormais de souvenirs vibrants comme la corde d'un arc.

Madog ! MADOG !

Voyons... tu me surnommes Échassier, hein ? Rendons la pareille. Comme tu as l'air d'aimer ces bestioles... Ce sera... Grenouille... Je vais t'appeler Grenouille...

Je t'aime. Je t'aimerai toujours. À jamais. Ne m'oublie pas. Ne nous oublie pas. Grenouille ! N'oublie jamais qui tu es... Grenouille ! N'oublie jamais ! Je t'aime !

... Esyld...

Lorsqu'il ouvrit les yeux, sur son visage courait un rayon de soleil chaleureux.

10

LA RAGE AU CŒUR

Jeté dans le feu, il ne brûle pas.
Passé au fil d'une lame, il ne se déchire pas.
Il est fait du murmure des dieux
Et rien, jamais, ne le détruira.

L e livre était lourd, d'un cuir vieilli que bordait une reliure métallique rivetée. Aussi pesant que le diktat qu'il contenait. Dans les mains de l'enfant il paraissait démesurément grand, et sur la couverture se dessinait avec grâce ces deux simples mots : *Liaber Moralis*.

— Maintenant que tu sais lire, il te faut des mots pour nourrir ton don.

Agenouillé devant lui, un homme d'assez grande stature le couvait du regard. La barbe naissante, les cheveux fraîchement coupés, il portait une fine chemise blanche sous une courte veste noire. La coutume le voulait vêtu d'un ample manteau au col fourré, mais le comte Oratio d'Uster n'était pas en représentation. Dans le rayon de soleil que sculptait la large fenêtre de son bureau, il offrait à son dernier garçon un précieux cadeau d'anniversaire : le *Liaber Moralis*, socle de toute la société impériale.

— Moi-même, avoua Oratio, je l'ai reçu de mon père à ton âge. C'est tout le cœur des hommes qui s'y dévoile. Ce qu'il est d'usage de faire, de dire, de croire.

Il avait huit ans ce jour-là, et commençait tout juste à manier l'épée auprès du maître d'armes du Guet d'Aëd. Aussi habile bretteur que grand lettré, son père jugeait primordial qu'il bénéficie d'une éducation équilibrée, qu'en aucun cas la lame ne prenne le pas sur les mots ou que les écrits n'écartent l'art de la guerre. Les deux domaines étaient pour lui fondamentalement liés. Il en allait ainsi des élites selon les d'Uster, capables de défendre par l'épée et la parole, préférant l'une à l'autre selon la situation.

—Tu t'en souviens, nous t'en avons parlé, ta mère et moi.

—Oui, acquiesça Laerte d'une voix timide.

Il contemplait l'ouvrage dans ses petites mains, hésitant à le feuilleter de peur de le lâcher. La main tendre du comte sur son épaule le guida jusqu'au bureau où l'enfant put poser le livre dans un bruit sourd. Là, il en souleva la couverture et commença à tourner les pages, découvrant des lignes et des lignes d'écriture manuscrite qu'illustraient d'étranges enluminures.

—L'écriture des moines fangolins, précisa son père en se penchant au-dessus de lui, les mains posées sur le bureau.

D'un geste protecteur, il effleura la tête de l'enfant du bout du menton.

—Pourquoi eux seuls ont le droit d'écrire? demanda Laerte sans détacher son regard des pages.

Chaque début de paragraphe se voyait orné d'un dessin coloré représentant de mystérieuses scènes. Un homme de profil s'agenouillant devant une dame, un paysan portant un agneau dans ses bras, un chevalier s'interposant entre une famille apeurée et des Nâagas belliqueux…

—Oh, tu as le droit d'écrire, rectifia Oratio. Moi-même, j'écris des missives, des ordres pour la garde. Comme j'ai écrit des lettres pour ta mère à l'époque où elle se refusait à moi. Mais les livres, là où survit le savoir… ce sont les moines de Fangol qui se chargent de les recopier.

—Mais… des fois je te vois écrire des livres…

—C'est…

Oratio parut étrangement gêné, retenant un sourire.

—… différent, se défendit-il. La plupart des livres sont, pour le moment, l'œuvre des moines car, pour eux, ils sont… divins. Tu comprends?

— Ce sont les dieux qui ont inventé les livres ?

— Oui, acquiesça-t-il en retenant un rire. Parmi bien des choses, mon fils, parmi bien des choses.

Il faisait la moue, déçu de lire des phrases vides de sens pour lui. Les mots lui semblaient si compliqués, les tournures si lourdes, qu'il n'arrivait pas à saisir leur ensemble.

— Je ne comprends pas tout…

Çà et là, pourtant, il reconnaissait des termes familiers, des dogmes déjà inculqués par l'église du Guet d'Aëd lors de prêches.

— C'est normal, le rassura son père. C'est à force de le lire et de grandir que tu comprendras. La morale de ce monde, où est le bien, où est le mal… Les premiers moines l'ont rédigé en se fondant sur ce que disait le *Liaber Dest*…

Le Livre perdu… Le Livre du Destin. Une légende jamais aussi présente que dans la maison d'Uster. Son père lui en avait souvent parlé avec emphase, s'emportant parfois quand le fils aîné de la fratrie émettait un quelconque doute sur son existence. Personne n'avait jamais vu le *Liaber Dest* et qu'un seul ouvrage, venu d'on ne savait où, écrit par on ne savait qui, puisse porter sur ses pages le destin de chaque homme de la nuit jusqu'à la fin des temps, paraissait pure folie pour certains esprits sceptiques.

— Un jour, je te parlerai du Livre. Un jour, tu sauras, mon fils.

Oratio d'Uster était un homme éclairé, prêt à douter des vérités assenées. Le *Liaber Dest* n'avait rien d'une vérité, il avait tout du mythe et, pourtant, son père ne permettait à personne de nier son existence. Il s'agissait des seuls et rares moments où Laerte avait assisté à sa colère au point de le craindre. Le reste de ses souvenirs n'était qu'amour et bienveillance.

— « Chaque être…, murmura Oratio au-dessus de lui.

Sur la page que parcourait le garçon, les mêmes mots que son père récitait…

— … existe dans ce monde pour accomplir son œuvre », termina-t-il.

Il se redressa, passant une main dans les cheveux de l'enfant.

— Puisses-tu accomplir la tienne, Laerte. Une grande…

… une grande…

— … puissante…

Puissante…

—… et magnifique œuvre.

Et magnifique…

La douleur le réveilla, vive, brûlante, aussi chaude que les rayons du soleil de midi tombant dans le puits de lumière du salon.

Puissante…

Il n'était plus au Guet d'Aëd. Il était juste assis sur un large fauteuil, une jambe tendue, le talon posé sur un petit tabouret.

… et magnifique œuvre.

Sur ses genoux reposait un exemplaire du *Liaber Moralis*, ouvert sur la même page, les mêmes mots, les mêmes assertions répétés par son père des années auparavant. Ses blessures cicatrisaient avec lenteur, chaque jour passant lui semblait plus atroce que le précédent. Son corps avait été réduit en charpie, brisé. Chaque mouvement lui était insupportable, provoquant de fugaces décharges, puis des haut-le-cœur jusqu'aux nausées et à l'évanouissement. Laerte s'était vu mort. Il lui arriva même de l'espérer. Le néant valait mieux que cette souffrance qui ne cessait de se rappeler à lui.

Quatre mois après la chute de l'Empire, il parvenait à peine à rester assis plus de deux heures sans perdre connaissance. Cette fois-ci, il s'était simplement endormi, voguant parmi ses souvenirs après avoir remarqué dans la bibliothèque de la villa un *Liaber Moralis*.

Il perçut tout juste la main qui lui retirait doucement le livre des genoux. Là, dans le grand salon que baignait la lumière du soleil filtrée par de grands rideaux blancs, il découvrait son hôte. Depuis ces quatre mois, il n'avait eu pour visite que celle journalière des serviteurs de la villa de De Page. Proche des territoires du Sud, à quelques jours de cheval de la grande Masalia, la maison surmontait une grande vigne derrière laquelle se dessinait le bleu azur de la mer.

Vêtu d'un pourpoint noir, une longue et fine épée attachée à une ceinture de cuir, de hautes bottes cirées montant jusqu'aux genoux, Gregory de Page ne ressemblait en rien à un noble en fuite. Marchant d'un pas tranquille tout en feuilletant le *Liaber Moralis*, il gardait belle allure. Il était l'un des vainqueurs de cette guerre. Il avait œuvré en secret, permettant aux révoltés d'acquérir les canons et de mettre à terre la grande cité d'Éméris. Mais qu'était-il devenu depuis la chute de l'Empire ? Laerte n'avait pas même cherché à le savoir, préférant se murer dans le silence, perdu dans ses pensées, tout entier à sa colère qui le consumait. Lui… lui avait échoué.

—Le «Livre de la Morale»... les lois pour coexister, souffla de Page, songeur. Issu du *Liaber Dest,* à jamais perdu... écrit par les premiers moines de l'ordre de Fangol... des lois iniques si l'on considère la place réservée aux peuplades dites «sauvages»...

Il referma le livre dans un claquement sec avant de le jeter sur un fauteuil, dans un coin du salon. Il avisa la cheminée et vint s'y accouder sans mot dire. Dehors, le vent tiède de midi serpentait sur la terrasse jusqu'à soulever délicatement les voilages des portes-fenêtres.

—Peut-être datent-elles désormais, pensa-t-il à haute voix tout en se massant la mâchoire d'une main gantée de noir. Tant de préceptes écrits dans les *Liaber*, sans que personne ne doute jamais de leur provenance. Étonnant, n'est-ce pas? Les vœux des dieux copiés sur le papier sans que l'on sache qui fut le premier à les écrire. Et personne n'a jamais remis en cause leur bien-fondé, de peur, non d'un quelconque châtiment divin, mais bien de celui des hommes... Le *Liaber Moralis*. Le socle de feu de l'Empire...

Laerte cligna des paupières, cherchant à ne pas sombrer une nouvelle fois. Son visage tout entier le brûlait. Il l'avait contemplé, une fois, dans une psyché ornant sa chambre : une face tuméfiée, le nez brisé et des yeux mi-clos. Il distinguait la silhouette du duc mais ne réussissait guère qu'à l'associer à ses souvenirs. Sa vue restait encore floue et, si le temps n'avait pas passé, s'il n'avait pas vécu tant de fois ces mêmes réveils délicats, peut-être aurait-il cru encore vivre un songe.

—Lima m'a confirmé que vous parliez un peu désormais, dit de Page.

Lima. L'une des servantes de De Page, belle et douce, au teint mat et au visage tatoué de jolie façon. Une Nâaga...

—Vous êtes donc au courant que quatre mois ont passé... et que la révolution a eu lieu...

Laerte acquiesça d'un lent signe de tête.

—Et que vous êtes ici dans ma villa du Sud, continua de Page.

Il y eut un silence que laissa couler le duc, espérant sans doute que son invité le brise. Mais Laerte resta coi, dardant entre ses paupières lourdes un regard terriblement discourtois pour quelqu'un à qui l'on avait sauvé la vie. Gregory de Page baissa les yeux, perplexe, avant de tourner les talons pour rejoindre un fauteuil jouxtant une porte-fenêtre et le tirer jusqu'au blessé. Il s'y assit, croisa les jambes et les bras, avant de fixer son vis-à-vis avec autant de force.

—Vous n'êtes plus une bête traquée... Laerte d'Uster, annonça-t-il d'une voix extrêmement calme. Meurnau a été tué. Et le Laerte censé guider la révolte, également. Il est acquis pour le peuple que Meurnau comme Laerte d'Uster guidaient cette révolution dans le but de prendre le trône. Non pour instaurer une république. Fort heureusement, Étienne Azdeki les en a empêchés.

Laerte détourna le regard. Ainsi en était-il des nouvelles... Oui, il avait bien tout perdu. L'assassin de sa famille se trouvait désormais au pouvoir, lavé de tous ses crimes.

—La République a été proclamée, il y a une semaine. Vous avez devant vous l'un des conseillers chargés de ratifier les nouvelles lois.

Laerte inclina la tête, la rage au cœur. Tous y gagnaient quelque chose alors que lui, brisé, se retrouvait prisonnier, sans autre espoir que celle d'une mort prochaine.

—Allons donc, Laerte, se voulut rassurant de Page. Je ne suis pas votre ennemi. Je vous ai sauvé la vie.

—Pourquoi?

La voix était faible, rocailleuse, mais elle suffit à imposer le silence. De Page changea d'attitude, perdant de son léger sourire satisfait pour y gagner en gravité. Il décroisa les bras, les posant lentement sur les accoudoirs du fauteuil. Puis il leva les yeux vers le puits de lumière à quelques pas d'eux, savourant la tiédeur du soleil avant de se décider à répondre.

—Je ne le sais pas. Peut-être me dis-je qu'un être comme vous ne peut pas mourir ainsi... Et puis il y a Rogant et Aladzio. Ils tiennent à vous.

—Vos serviteurs...

—Mes serviteurs, certes, mais surtout des hommes qui méritent le respect, répondit-il sèchement. Si Aladzio reste à mon service, c'est un secret bien gardé, non? C'est grâce à lui que nous vous avons sauvé. Des serviteurs, oui. Non des esclaves.

Pour la première fois depuis sa chute, Laerte esquissa un maigre sourire. Perfide... De Page en fut blessé et détourna les yeux en hochant la tête.

—Pensez donc à ce qui vous chaut. Le fait est que vous avez la vie sauve et que vous ne risquez rien ici. Personne, jamais, ne vous cherchera. Azdeki et les siens vous croient mort. Et ils ont bien d'autres choses à faire pour le moment.

—Dun-Cadal ? s'enquit Laerte aussitôt.

L'image de son mentor lui était revenue si subitement. Et, avec elle, celle d'une belle jeune femme aux cheveux bouclés. À la souffrance physique s'ajouta une autre douleur, plus vicieuse, plus agressive, celle de l'âme et du cœur, celle de la culpabilité. Pas un instant, il n'avait pensé à eux, pas un instant… Quel monstre de suffisance était-il devenu ? Quel pitoyable jouet avait-il été dans les mains des Azdeki pour finalement n'être plus rien qu'un pantin démantibulé ?

Une larme glissa le long de sa paupière. Son cœur avait-il été si engourdi par sa colère et sa souffrance qu'il ne s'inquiète pas de leur sort ?

Il retint un sanglot.

—Esyld Orbey ? réussit-il à prononcer.

—Dun-Cadal s'est sûrement enfui. Mais je ne sais pas où, répondit simplement de Page. Quant à Esyld… je la chercherai.

—Trouvez-la, ordonna Laerte entre deux sanglots, la bouche tordue de colère. Trouvez-la et ramenez-la-moi.

Étrangement, de Page se contenta d'acquiescer. En d'autres cas, d'autres lieux, peut-être aurait-il fait preuve de sévérité. Il n'était pas homme à se laisser dicter ses actes, mais restait sensible, apte à l'empathie. Il se pencha en avant, plongeant son regard dans les yeux mi-clos du jeune homme, dont les paupières laissaient couler de fines larmes brillantes.

—Je ferai mon possible, promit-il, l'air grave. D'ici là, il faut vous reposer ici. Sachez que de grandes choses sont édifiées en ce moment même. De l'Empire est née une République, comme votre père l'avait souhaité.

—J'ai perdu…

Laerte s'abandonna au chagrin, le corps secoué de soubresauts. Les images de sa chute revenaient sans cesse lui marteler le crâne, écho sourd à ses blessures profondes. Il se plia en deux, les bras contre son ventre endolori. Des centaines de lames chauffées à blanc glissaient sur sa peau avant de la déchirer. Il retint un râle puissant, un filet de bave au bord des lèvres.

—… tout perdu, répétait-il inlassablement. Ils m'ont détruit, ils ont tout détruit. Tout… tout pris… Perdu… j'ai perdu…

C'est à peine s'il sentit les mains fermes de De Page retenir les mouvements saccadés de ses épaules.

—Non, non, murmurait-il. Vous avez détruit un Empire. Sans vous ils n'auraient rien pu faire. Votre seule existence, votre seule survie leur a permis de renverser le pouvoir. Votre seul nom leur a permis de justifier leurs actes.

—Vous vous…

Laerte souffla par à-coups, avant de relever la tête et d'affronter le regard du duc.

—… vous vous trompez. Vous aussi, vous avez déjà perdu. Ils l'ont… ils l'ont. Comme mon père l'avait.

—Je sais…

Le duc s'agenouilla alors devant lui, et, dans ses yeux, une froide colère.

—Le *Liaber Dest*, acquiesça-t-il.

—Vous saviez, grimaça Laerte.

—Depuis la mort de votre père, Laerte. Quand l'heure du mien est venue, alors qu'il agonisait, il m'a tout dit.

Il le fixait sans ciller. Et, d'un geste tendre, il reposa les mains sur les épaules de Laerte.

—Savez-vous ce que c'est que d'être haï par son père, Laerte? Ce que c'est que de le voir, sur son lit de mort, se gausser de vous, parce que vous n'avez jamais été comme il l'aurait rêvé. L'homme est bien étrange. Jusqu'à ouvertement souhaiter la mort de son seul fils et lui révéler, fièrement, ce qu'il avait commis. Lui et ses amis m'ont toujours vu comme un suffisant, un lâche, un jouisseur… un idiot. Alors, j'ai joué le jeu. J'ai mis un… *masque*. Celui qu'ils voulaient voir. Mon père n'avait pas idée qu'en m'avouant le complot des Azdeki, l'existence du *Liaber Dest* et tout ce qu'il me souhaitait comme souffrance future, il me donnait en vérité le moyen de survivre. Lui et ses semblables ne me croiront jamais capable d'agir contre eux. Et pourtant…

Laerte reprit son souffle, se redressant pour contenir ses larmes.

—Bernevin, dit-il.

—Rhunstag, Enain-Cassart… et bien d'autres…

—Les Azdeki, cracha Laerte.

—Les Azdeki, acquiesça de Page.

— Des conseillers eux aussi ? lâcha-t-il entre ses dents.

— Les pères de la République parmi d'autres, oui, annonça de Page en se redressant.

Puis il recula lentement, guettant du coin de l'œil la réaction de Laerte. Sûrement craignait-il que ce dernier chute de son fauteuil dans un geste de colère, mais Laerte était si épuisé qu'il dodelinait de la tête, les mains agrippant les accoudoirs de son fauteuil. Grimaçant, il traîna sa jambe gauche jusqu'au bord du tabouret et la laissa choir, manquant de tourner de l'œil au moment où son talon heurta le marbre.

— Ils sont la République. Le rêve de votre père.

— Je ne les laisserai pas faire…, jura Laerte en dardant un regard torve vers le duc.

De Page rejoignit la porte-fenêtre la plus proche, les mains derrière le dos.

— C'est une des seules choses dont j'ai, aujourd'hui, la certitude, avoua-t-il.

Il inclina la tête de façon à jeter un regard par-dessus son épaule.

— Mais, à l'heure actuelle, vous ne pouvez rien.

— Je peux plus que vous ne pourrez jamais l'imaginer, assura Laerte d'un air de défi.

— Pensez avant d'agir, conseilla de Page. Vous êtes encore convalescent, il se passera du temps avant que vous ne soyez en état de faire quoi que ce soit. Peut-être même des années.

— Vous ne… raaah…

Il avait tenté de se lever, mais, de ses bras à sa jambe blessée, la douleur fut trop vive pour qu'il réussisse à se redresser. Il retomba lourdement sur le fauteuil en gémissant.

— Ils n'agiront pas avant d'avoir déchiffré le *Liaber Dest*. Et tant qu'Aladzio hérite de cette tâche, j'ai tout loisir de les faire patienter. Ils seront encore là, quand vous, vous serez prêt à accomplir votre vengeance. Elle peut tout à fait s'accorder avec ma manière de faire. Car nous recherchons la même chose.

— Quelle chose ?

— Je ne peux pas vous en dire plus tant que je n'ai pas certaines certitudes. Et elles concernent les Azdeki. Les rumeurs, les on-dit peuvent être plus meurtriers qu'une lame effilée. Nous en reparlerons. Sachez juste que vous êtes ici mon invité. Et peut-être même, d'ici quelque temps, le serez-vous en tant…

Il marqua un temps, laissant son regard dériver sur le marbre brillant du sol.

—... qu'ami, conclut-il avant d'affronter le regard perplexe de Laerte.

D'un geste de la tête, il le salua, avant de passer une large porte jouxtant la cheminée sans plus rien ajouter. Ne restaient que les rideaux blancs soulevés par un vent léger dont la chaleur effleura le visage du jeune homme. Puis le silence et l'obscurité.

Le Liaber Dest, *Laerte... le* Liaber Dest...

—Messire ? Messire ?

Lorsqu'il rouvrit les yeux, il découvrit les traits doux, soulignés par de fins tatouages, d'une jeune femme au teint hâlé. Les cheveux noirs noués en une longue tresse, Lima s'était agenouillée à son côté, l'air inquiet.

—Vous vous êtes encore endormi, messire.

—De... de Page ? demanda-t-il d'une voix rauque.

—Parti à Éméris, messire. Mais il reviendra, il l'a dit. Et, d'ici un mois, un de vos amis devrait venir vous voir.

Elle posa une main douce sur son poignet, une main qu'il n'eut pas la force de repousser, frémissant à ce simple toucher comme à une agression.

—Messire, il est préférable que vous vous couchiez. Je vais appeler les gens pour qu'ils vous portent jusqu'à votre lit.

Le monde au-dehors de la villa n'avait rien d'accueillant, rempli de violence, de trahisons, de mensonges et de rancœur. Son univers n'avait rien d'enviable, pourtant. Son corps lui-même était devenu un ennemi, réduit à une douleur constante. Il perçut à peine les silhouettes de trois hommes en soubreveste bleue venir jusqu'à lui pour le porter.

Ses paupières s'étaient closes comme les portes sombres d'un bâtiment en ruine.

Les semaines qui suivirent furent ainsi ponctuées de réveils lents et d'endormissements pesants. Peu à peu, les évanouissements dus à la souffrance s'espacèrent et ses mouvements redevinrent naturels. Au soleil pourpre de l'automne succéda la pâleur de l'hiver et le givre. Laerte ne remarchait toujours pas, réussissant tout juste à se maintenir debout quelques secondes avant que la fatigue n'alourdisse chacun de ses mouvements. Comme l'avait prévenu Lima, un de ses seuls amis s'installa dans la villa pour le soutenir.

Ce fut Rogant, sobre dans ses mots, réfléchi et posé. Ni l'un ni l'autre n'était enclin à de grandes discussions le soir au coin du feu de cheminée. Ils se satisfaisaient du simple plaisir d'être assis côte à côte, comme deux amis. L'amitié de Rogant. C'était bien là l'une des seules choses que Laerte pouvait se réjouir d'avoir conservée. Voilà quelque chose que les Azdeki ne lui ôteraient jamais.

Rogant le tint au courant des nouvelles, des efforts de De Page pour retrouver Esyld, en vain, des nouvelles lois promulguées par un tout nouveau Conseil… et du comportement étrange de ceux que le jeune homme exécrait par-dessus tout. Ni Azdeki, ni Rhunstag, ni Bernevin pas plus qu'Enain-Cassart n'avaient tenté de s'accaparer le pouvoir. Conseillers ils étaient, conseillers ils restaient. Ils débattaient, représentaient au cœur de l'hémicycle républicain ceux qui les avaient désignés comme garants de leur bien-être.

Le rêve d'Oratio d'Uster se réalisait, porté par un peuple béat d'admiration, empli d'espoir et de rêve. Mais c'étaient eux qui le portaient. Eux qui avaient détruit sa vie.

Un soir, terminant un repas à la grande table de la salle à manger, Rogant eut des paroles malheureuses.

—Ce qu'ils font est bien…

Laerte repoussa son assiette d'un revers de la main, fébrile, le dos voûté. Ses yeux plissés se perdaient parmi les miettes de pain qui constellaient la grande nappe rouge brodée d'argent. Sur son visage, encore marqué de blessures, dansait la lueur des candélabres.

—Tu m'as entendu ?

Rogant restait calme. Laerte reposa les couverts le long de son assiette au milieu de laquelle survivait un pauvre petit os de poulet parmi un tas de légumes mélangés. Quand il quitta des yeux les reliefs de son repas, il ne put croiser le regard de son ami. Laerte contenait une colère naissante. Pour autant, Rogant continua.

—Quoi qu'ils aient commis comme crimes, le peuple les soutient, expliqua-t-il. Ils lui donnent le droit à la parole. Ils ont changé les choses, Laerte. Tu ne peux pas te battre contre ça. Personne ne le pourrait.

Pour seule réponse, il n'eut qu'un bref mouvement de tête de côté. Seules semblaient l'intéresser les miettes éparpillées.

— La vengeance n'est pas la voie à prendre... La colère te détruira, souffla Rogant.

Enfin, les yeux brillants du jeune homme glissèrent vers lui. Au cœur des larmes bordant ses paupières brillait une lumière animale, une hargne semblable à un feu dévorant. Aucune parole ne pouvait noyer cette rage.

— Mon peuple est libre, avoua Rogant dans une dernière tentative. Ils paieront pour leurs crimes mais selon la volonté de la République, pas la tienne... Laisse de Page s'occuper de cela. Ne ruine pas ta vie. Tu as bien assez souffert.

Laerte posa lentement les mains sur le bord de la table et, poussant sur ses paumes, s'en écarta de biais, en grimaçant. Rogant se leva aussitôt.

— Il est encore trop tôt pour te lever, tu ne marches pas.

Aucun mot ne fut prononcé pour le contredire. Seul perdurait ce regard torve. À la porte de la salle à manger, Lima apparut, hésitante. Devant elle se déroulait un bien étrange spectacle. Rogant se dressait devant le jeune homme, comme prêt à le repousser. Ce qu'il ne se priva pas de faire lorsque Laerte chercha à se relever en s'appuyant des deux mains sur les accoudoirs de son fauteuil.

— Tu es faible, dit sèchement le Nâaga.

Il y eut un silence. Laerte inclina la tête en avant, les dents serrées mais les yeux rivés sur son ami. Les accoudoirs grincèrent sous la pression de ses doigts.

— Tu es faible, répéta Rogant, le repoussant de nouveau alors qu'il se dressait.

Une fois encore, Laerte, gémissant, se redressa. Il crut ses jambes prêtes à se briser, à mesure qu'il prenait de la hauteur, les yeux accrochés à ceux du Nâaga. Une décharge intense parcourut tout son corps, à tel point que son front se couvrit de sueur. Pourtant... il ne se résigna pas.

— Tu es faible...

Aucun des deux ne se résolvait à détourner les yeux. Dans son coin, Lima assistait, incrédule, à un duel de volonté. Nerveusement, elle frotta ses mains sur son tablier. Que Laerte ait pu survivre autant de temps tenait du miracle. Mais qu'il puisse de nouveau marcher était inimaginable. Son corps était encore si fatigué, si marqué, qu'il risquait à tout moment de s'effondrer en morceaux. Pourtant, malgré quelques balbutiements, il ne pliait pas.

Face à lui, le colosse le toisa avant de faire un pas en avant. À ce moment-là seulement, Laerte retomba lourdement dans son fauteuil. Mais le message était passé. Avec Rogant, les mots n'étaient pas nécessaires. La volonté de Laerte était trop prononcée pour n'être qu'un simple coup de sang.

Il irait jusqu'au bout.

C'est ainsi qu'il commença à remarcher. Un pas, puis deux… trois enfin. Les jours se succédèrent, puis les semaines et les mois. La douleur s'estompa par la seule force de sa hargne. Elle seule suffisait à lui faire oublier la souffrance, repoussant chaque fois ses limites, jusqu'à ce qu'il tombe d'épuisement.

Le printemps, l'été… Il put enfin sortir à l'air libre par ses propres moyens, découvrant des terres sèches parsemées d'herbes jaunies, un paysage morcelé que berçait le chant des cigales.

Rogant resta à ses côtés.

Laerte se munit d'une épée, frappa l'air en lâchant un hurlement lorsque son épaule lui parut se déchirer sous un coup de marteau. Mais il réitéra son geste, puis encore. De si nombreuses fois. Lentement. Puis sûrement.

Les brins d'herbe, finalement, se courbèrent. L'automne sonnait. La chaleur s'évanouit. Rogant était toujours là, à l'observer reprendre ses marques. Lorsqu'il fut apte à ferrailler le Nâaga intervint enfin, se plaçant devant lui pour parer ses coups.

… une grande…

Il reprenait possession de son être. Il contrôlait de nouveau ses mouvements. Un an passa.

… puissante…

De Page revint. Sans nouvelles d'Esyld, malheureusement. La République se consolidait peu à peu. Mais elle restait fragile. Laerte était tellement aveuglé par son désir de vengeance qu'il balaya ses doutes sur les motivations du duc. Qu'ils aient un but commun lui suffisait.

… et magnifique œuvre.

Estoc. Parade… Les mouvements redevinrent fluides et maîtrisés. Jusqu'à ce qu'il puisse user du *Souffle*.

L'effort fut épuisant. La première fois, il sombra dans l'inconscience. Rogant le retint avant que sa tête ne heurte une rocaille jonchant le jardin de la villa.

Sens le Souffle, *sois le* Souffle.

Malgré le sang coulant de son nez de nouveau droit, malgré les brûlures de ses muscles atrophiés, il affronta le Nâaga comme d'invisibles ennemis, du midi jusqu'au soir. Du matin jusqu'à la nuit tombée… pour, enfin, se retrouver.

Rien ne l'avait écarté de son chemin. Ni les pensées vers Esyld ni les questions sur le sort de Dun-Cadal. Encore moins le comportement délicat de Rogant envers Lima ni leur idylle naissante. Rien ne troubla sa volonté. Deux ans après sa chute, et celle de l'Empire, il quitta la villa.

11

REVIVRE

Un jour, je te parlerai du Livre.
Un jour, tu sauras, mon fils.

I l avait ôté sa cape, ouvert sa veste pour la retirer lentement, dos
à la porte. Face à lui, la poussière couvrant la fenêtre brillait à
la lueur d'une lune pâle. La jeune femme l'observait en silence,
une main appuyée contre le chambranle de la porte entrouverte. Elle
contemplait la lumière de l'astre qui courait sur ses épaules nues,
soulignant chacune des cicatrices griffant son dos. Il passa une main
sur son omoplate, grimaçant.

Quels combats… quelles batailles avait-il vécus pour en être
aussi marqué? Son cœur en était-il sorti indemne ou, tout comme
sa peau, se couvrait-il de lézardes?

Elle aurait pu rester là, à le regarder se dévêtir. Elle l'aurait
même souhaité. Mais il était des questions qu'elle ne pouvait laisser
en suspens. D'une main timide, elle frappa contre la porte.

—Laerte? appela-t-elle, le rouge aux joues avant de timidement baisser les yeux lorsqu'il se retourna. Pardon, je…

Sur son torse saillait une balafre. Elle s'imaginait la suivre du
bout des doigts pendant qu'il lui raconterait son origine. La Nuit
des Masques se déroulerait le lendemain. Elle n'aurait peut-être
jamais le temps de lui avouer son inclination. Cette pensée lui tira
un maigre sourire.

—Si c'est au sujet de Dun-Cadal, tu perds ton temps. De Page est prévenu. Il ne sera pas un obstacle, assura Laerte d'un ton sec. Quant au Palatio, Azdeki a ordonné le doublement de la garde.

—Très bien, hocha-t-elle, sans oser affronter son regard.

—Tout se passe comme prévu, Viola.

—Vraiment? se surprit-elle à demander.

Il demeurait immobile, comme attendant que Viola daigne sortir de sa chambre. Mais la jeune femme était bien décidée à le faire parler cette fois. La plupart des choses qu'elle connaissait de lui, c'était par Aladzio, Rogant et, plus récemment, le vieux général, qu'elle les avait apprises. Le reste, elle l'avait deviné. Elle attendait le jour béni où, enfin, il s'ouvrirait à elle. Car cela prouverait un certain attachement... ou plus encore. Son cœur sautait dans sa poitrine, sans aucun contrôle. Elle joignit ses mains moites devant sa robe, nerveuse.

—Pardon, mais j'ai un peu entendu votre discussion et...

—Et quoi? murmura Laerte la voix soudain grave.

Il plissait les yeux, sinistre.

—Qui est Esyld?

—Cela ne te regarde pas, répondit-il.

Il prit la cape et commença à la plier.

—Elle va se marier avec Balian Azdeki? continua Viola malgré tout. Tu la connaissais des Salines, c'est ça?

Les mouvements de Laerte se firent brusques. Il se contenta finalement de lancer la cape sur le bord d'une chaise, passablement énervé.

—Tu l'aimes?

Il y eut un silence. Au creux de son ventre, Viola eut l'impression qu'un vide pesant l'envahissait. À cela s'ajoutait un chagrin indicible qu'elle calmait tant bien que mal.

—Le mariage a lieu avant la fête... en ouverture, annonça-t-elle d'une voix chevrotante. Si tu tentes quoi que ce soit à ce moment, tout ce pour quoi nous nous sommes préparés n'aura servi à rien.

Il lui lança un regard noir.

—Ne me dis pas ce que j'ai à faire, la somma-t-il.

—Non, bien sûr, acquiesça Viola. Tu es un homme. Et je ne suis qu'une jeune femme à peine sortie de l'enfance...

Pour la première fois, devant elle Laerte baissa les yeux.

—Laerte ? appela-t-elle doucement.

Il lui répondit d'un regard étrangement triste. Comme elle aurait voulu s'approcher de lui, se blottir contre lui, être avec lui… juste pour que sa peine s'évapore à la chaleur de son corps.

—Je suis à côté si jamais tu… enfin, si tu veux parler de… enfin de ce que tu veux.

Il n'eut pas un mouvement, pas un mot de plus. Il la regarda fermer la porte derrière elle sans éprouver le besoin de la retenir.

Je ne suis qu'une jeune femme à peine sortie de l'enfance.

Il s'assit sur le bord du lit en soupirant, se demandant comment il avait pu en arriver là. Lui qui s'était si souvent rebellé contre ceux qui l'avaient considéré comme un simple *gamin*, incapable de réussir. Il se comportait comme eux, finalement. Alors que Viola avait dépassé la vingtaine, il la voyait toujours comme une toute jeune fille.

Elle avait quinze ans lorsqu'il l'avait vue la première fois.

—Tu es un chevalier ? avait-elle demandé, assise à un secrétaire, une pile de livres ouverts devant elle.

De jolies taches de rousseur qui parsemaient ses joues encore rondes, une lueur malicieuse dans ses yeux d'un vert profond, une peau d'une blancheur aussi pure que la neige. Il n'avait pas répondu. Il était là pour rencontrer de Page après des années d'errance. Il n'avait eu que faire d'une *gamine* ce jour-là. Il était revenu à la villa, plus fort que jamais, prêt à assouvir sa vengeance. Pas loin de six ans plus tard, il se retrouvait, au bord d'un lit, dans la douce chaleur nocturne de Masalia.

Il se laissa tomber en arrière, le cœur à vif. Esyld, pensait-il, l'aimait encore. Azdeki la retenait prisonnière, c'était cela, il la menaçait et c'était par obligation qu'elle lui avait menti. Il ne cessait de se répéter ce qu'elle avait dit. Avec conviction… Il y cherchait le moindre doute, la moindre faiblesse, le moindre mot qui aurait prétendu le contraire. Juste un soupçon… qui voulait dire « je t'aime ».

Peu à peu, il s'endormit.

Le calme régnait dans la maison. Les lampes à huile du salon se consumaient lentement. Et, sur le canapé, Dun-Cadal couvait des yeux le pichet vide sur la table basse. Las, il posa un regard lourd sur ses mains. Des veines d'un vert sombre saillaient sous une peau tachetée. Il leva lentement sa main droite et la tendit devant lui. Quand elle fut secouée de tremblements, il serra les dents. Voilà ce qu'il était… un corps instable…

— Soyez certains qu'ici, murmura-t-il, vous trouverez votre compte.

Il était venu à Masalia pour mourir, il y avait retrouvé ce qu'il avait cherché à fuir. Pire encore, la vie dont il avait été si fier ne se résumait plus qu'à un immense mensonge.

Lorsque le soleil darda ses premiers rayons sur la ville portuaire, Dun-Cadal avait rejoint la cuisine, debout près de la table. Au milieu, une épée attendait, enroulée dans une vieille couverture. Jamais il n'avait osé y porter la main. Éraëd avait ceint les plus grands Empereurs et, bien qu'il ait mis en doute son pouvoir faute de l'avoir constaté, il ne s'était jamais résigné à la toucher. Par respect pour ceux qu'il s'était juré de servir…

D'un geste rapide et nerveux, il écarta les pans du tissu, découvrant la lame scintillante. Ses doigts restèrent à quelques centimètres de la poignée dorée. Qui était-il pour se permettre de la brandir ? L'homme qu'il avait juré de protéger l'avait détruit. Qui était-il pour se permettre de prendre son épée ?

Si ce n'était un vestige de l'Empire… et quel Empire… celui des trahisons, des haines, des tueries, de l'abandon.

Il se décida et, tremblant, rejoignit la cour, la main moite serrant la poignée de la rapière. Dès qu'il eut posé un pied sur les graviers, il la fit tournoyer, manquant à plusieurs reprises de la laisser échapper. Ses mouvements saccadés n'avaient rien de naturel. Ce n'était que la manifestation de son manque d'alcool. Perdu, il cherchait à parer des coups imaginaires, frappant dans le vide. Mais ses gestes restaient imprécis. Il tomba à genoux par trois fois, pestant entre ses dents. Son bras armé s'agitait de soubresauts. Les larmes lui montaient aux yeux. Avait-il donc tout perdu de sa dextérité ?

— Tu veux aller trop vite, constata une voix près de la porte.

Il jeta un bref coup d'œil par-dessus son épaule. Laerte s'appuyait contre le chambranle, les bras croisés. Peut-être était-il là depuis un long moment à juger son allure ridicule.

— Tes appuis ne sont pas bons et tu t'empresses d'effectuer les mouvements, continua Laerte d'une voix étonnamment douce.

Dun-Cadal l'observa s'approcher, immobile, et, quand il fut à sa hauteur, chercha à croiser son regard. Mais Laerte fixait la rapière au bout de son bras. Il lui agrippa le poignet et l'aida à maintenir l'épée, droit devant lui, bloquant ses tremblements.

— Toujours droit. Les jambes très légèrement pliées pour garder une bonne assise, dit-il à voix basse. Ta jambe était trop tendue. Si une lame ne te la coupe pas, un gourdin te la brise…

Enfin ils échangèrent un regard. Laerte ne put le soutenir. Comme le visage de Dun-Cadal lui paraissait marqué, la tristesse alourdissant chacun de ses traits, de larges poches gonflées sous ses yeux !

— Je tiens cela d'un grand chevalier, avoua Laerte en s'écartant. Je ne sais pas si j'ai jamais été un bon élève pour lui, ni même s'il a jamais été fier des efforts que je faisais, chaque jour…

Il marcha d'un pas lent vers la maison.

— Mais, si j'ai cru le haïr, c'était sans aucun doute pour ce qu'il représentait, non pour ce qu'il était. J'en suis sûr… aujourd'hui.

À peine approcha-t-il du pas de la porte que la voix rauque de Dun-Cadal murmura :

— Grenouille… ?

C'était la première fois depuis leurs retrouvailles qu'il prononçait ce surnom sans animosité. Laerte se retourna. Son mentor se redressait après avoir posé l'épée à terre. Sur le gravier, à la lumière du jour naissant, Éraëd scintillait.

— … c'est toi ? demanda Dun-Cadal, la gorge nouée.

Il avait l'air si las, le coin des yeux plissés, un éclat de larmes bordant ses paupières.

— Alors c'est bien toi, Grenouille…

Laerte ne répondit pas. Il comprenait le sens de ses paroles, il éprouvait leur poids sur son cœur. Le pas lourd et maladroit, Dun-Cadal approcha. Quand il fut face à lui, il empoigna la nuque du garçon.

— … je t'ai cru mort tant d'années…

— Je sais…

— … j'ai cru t'avoir perdu…

— Je sais…

Il sanglotait et le combat qu'il menait pour ne pas s'écrouler semblait perdu d'avance.

—C'est bien toi, Grenouille? demanda une nouvelle fois Dun-Cadal.

Laerte restait le plus digne possible. Mais, il lui était difficile de demeurer insensible.

—Oui.

Alors Dun-Cadal se laissa aller, pleurant à chaudes larmes, sur sa vie, sa déchéance… sur ses années perdues où il n'avait eu de cesse de penser au *gamin*. Il tomba dans ses bras, l'étreignit très fort de peur qu'il ne s'échappe de nouveau. Laerte eut un mouvement d'hésitation. Puis l'entoura de ses bras.

Cet homme lui avait tout appris, tout donné, sans se douter une seule seconde de ses intentions. Cet homme-là, il l'avait jugé avant même de le connaître mais, au fil du temps, il s'y était habitué jusqu'à finalement l'apprécier. Alors que le soleil éclairait les toits de Masalia en contrebas et qu'une teinte mordorée flottait sur la ville, il lui semblait enfin y voir clair. Cet homme, malgré toute l'insolence dont Laerte avait pu faire preuve à son égard, n'avait jamais eu de cesse de l'aimer comme un père aime son fils.

Dans les bras l'un de l'autre, ils se retrouvaient…

—Il est des moments qui ne doivent appartenir qu'à eux, dit Rogant.

À la fenêtre de sa chambre, au premier étage, Viola sursauta. Derrière elle, Rogant la toisait d'un regard accusateur. Elle ne l'avait pas entendu entrer, trop occupée à épier les deux hommes dans la cour.

—Je m'assure juste que tout se passe bien, s'expliqua-t-elle avec aplomb.

—De Page a tout prévu pour le départ de Dun-Cadal. Le soir de la Nuit des Masques. Il ne se mettra pas en travers de notre route. Ce n'est plus qu'un vieux fantôme.

—Ce n'est pas ça. Je m'inquiète pour Laerte, rétorqua-t-elle. Il n'aurait jamais dû se montrer. Cette histoire, ça le perturbe.

—Crois-moi, affirma Rogant en marchant jusqu'à elle. Ce n'est pas lui qui perturbera le plus Laerte…

Elle dirigea de nouveau son regard vers la cour. Non, bien sûr, il y avait plus dangereux encore que la présence de Dun-Cadal.

—Tu crois qu'il tentera d'empêcher le mariage? s'inquiéta Viola en observant les deux hommes s'écarter l'un de l'autre.

— Je connais Laerte depuis assez longtemps pour te dire qu'il n'est pas du genre à abandonner quoi que ce soit… ou qui que ce soit. Et, si elle se marie avec Balian Azdeki, de Page comme Aladzio étaient au courant. S'ils ne lui ont pas dit, c'est pour une bonne raison. Maintenant qu'il sait, c'est à lui de choisir à qui va sa loyauté.

Ni l'un ni l'autre n'était dupe. Quoi qu'ils puissent lui dire, Laerte n'en ferait qu'à sa tête. C'était lui qui commandait la mission, lui qui décidait ce qu'il était bon ou non de faire.

— Il va tout faire rater, pesta Viola en serrant les poings.

Rogant baissa les yeux vers elle, un étrange sourire au coin des lèvres. Dans la cour, Dun-Cadal était seul désormais, ramassant Éraël. Il soupesa la rapière avant de disparaître dans la maison.

Plus tard ce matin-là, Laerte se faufila hors de la maison et, dans une ruelle déserte, grimpa le long d'une gouttière jusqu'aux toits. Il connaissait les risques, il savait qu'à la moindre erreur tout pourrait se terminer avant qu'il n'ait le temps d'arriver à ses fins. Mais le Livre pouvait bien attendre quelques heures. Esyld était contrainte et forcée de se marier au fils Azdeki, cela primait sur tout.

Quel chevalier serait-il s'il ne se ruait pas à son secours ? L'idée même qu'il échoue et réduise à néant leurs chances d'entrer au Palatio le soir venu ne pouvait le faire renoncer. Il avait maîtrisé un dragon, combattu au côté de Dun-Cadal, fait face à quatre des plus grands officiers de l'Empire avant de battre la mort elle-même. Plus rien ne lui était impossible. De toit en toit, furtivement, il traversa la cité à l'abri des regards. Il se hissa au sommet d'un grand immeuble surplombant la place de la plus imposante des trois cathédrales et attendit que midi vienne. Loin derrière la grande tour de l'édifice se devinait le toit bombé du Palatio.

Il est facile de combattre avec une épée.

Aux portes du sanctuaire s'amassait une foule d'officiels, conseillers, capitaines de la garde, nobles, parés de leurs plus beaux habits. La plupart arboraient déjà les masques colorés que chaque habitant de Masalia prévoyait de porter le soir pour la fête.

Mais pour vaincre ses démons la lame n'est d'aucune utilité.

Au pied des marches de la cathédrale, un carrosse rouge paré de liserés d'or s'arrêta. Laerte avisa le sol quelques mètres plus bas. Et bondit…

Vous qui êtes à genoux, sans plus aucune fierté, relevez-vous, tremblant, mais retrouvez votre dignité.

Retrouvez votre dignité.

—«Car c'est bien la seule arme qui vous protège des puissants», récita de Page.

Le carrosse cahotait, si bien qu'assis sur une banquette pourpre il semblait danser au rythme des soubresauts. Une main agrippant la poignée près de la fenêtre, il jeta un rapide coup d'œil sur le paysage brumeux. Des silhouettes difformes d'arbres morts se distinguaient dans le brouillard et, parfois, sur une branche tordue, celles de corbeaux croassant.

—La seule arme, répéta-t-il, rêveur. La... dignité.

Il portait une tenue noire, simple, sans autre ornement que la boucle dorée de son ceinturon, des gants noirs s'évasant sur ses avant-bras et un pendentif tombant de son col fermé. Le reste était d'une sobriété dont Laerte n'avait pas mémoire. La première fois qu'il l'avait rencontré, c'était à Éméris, lors d'une de ses orgies. La deuxième, dans la villa, il s'était senti comme les plaines qu'ils traversaient alors en carrosse, brumeux et perdu.

Secoué par les cahots, il observait le duc avec une certaine prudence, détaillant chacun de ses gestes, chacune de ses phrases, dans l'espoir d'y trouver une seule certitude. De Page était un intrigant et, bien qu'il lui ait sauvé la vie, il privilégiait la défiance à une confiance aveugle. Son amitié, il n'y croyait pas un seul instant.

—Sais-tu qui a écrit cela? demanda de Page en contemplant les déchirures de brume.

Laerte secoua la tête. À croire que le duc s'attendait à une telle réponse, puisqu'il continua sans lui avoir adressé un seul regard.

—Ton père, dit-il.

Une odeur d'herbe brûlée empesta l'air, forçant de Page à se détourner de la fenêtre. Par l'ouverture, il entrevit un monceau enflammé que piquaient de leur fourche les silhouettes de paysans. Le duc se pinça le nez un bref instant, avant de soupirer et de s'adosser à la banquette. Il laissa passer un temps, dévisageant Laerte.

—J'ai lu ses écrits. J'ai eu cette chance, bien que les moines fangolins les aient interdits.

Laerte acquiesça, le cœur lourd. Lui n'avait jamais lu quoi que ce soit d'Oratio.

— Sais-tu ce qu'il entendait par là ? demanda de Page.

— Non.

— Que seule la dignité nous met sur un pied d'égalité avec ceux qui décident. J'ai vu des pauvres plus dignes que des barons grossiers et couards. J'ai vu des paysannes se tenir fièrement devant des collecteurs d'impôts pour défendre leur maigre récolte. J'ai vu des Nâagas en servage garder la tête haute, j'ai vu…

Il s'arrêta subitement.

— On ne combat pas qu'avec l'épée, Laerte.

De nouveau, il se tourna vers la fenêtre.

— Nous arrivons.

Le carrosse ralentit, les cahots se firent moins sensibles, jusqu'à ce qu'elle s'arrête par à-coups et que les chevaux s'ébrouent.

Ils avaient voyagé durant deux bonnes heures depuis le comté de Garm Sala où ils s'étaient donné rendez-vous. Laerte avait quitté la villa neuf ans auparavant. Il avait chevauché dans les restes d'un Empire brisé, dans une République naissante qui, jour après jour, avait su redonner espoir au peuple. Il avait suivi tout cela de loin et, pourtant, il avait toujours eu le sentiment d'être au cœur d'Éméris, au point de devenir l'ombre des Azdeki. En cela, de Page avait joué son rôle.

Car, même éloignés, ils étaient restés en contact, Aladzio ayant mis à leur disposition son plus fidèle ami, chargé de délivrer les messages. Neuf ans de voyages, d'allers et retours, d'au revoir et de retrouvailles. Du Vershan à l'ouest, du nord aux portes de Masalia, il avait cherché Esyld et, lorsque le désespoir l'envahissait, il s'invitait à la villa de De Page, goûtant à la compagnie de Rogant, parfois à celle d'Aladzio. L'inventeur allait et venait lui aussi, aux ordres des Azdeki, fouillant les monastères fangolins dans l'espoir d'y trouver la clé du Livre Sacré. Le temps passé aurait pu les éloigner, comme les décourager. Mais onze longues années après la chute de l'Empire n'avaient en rien altéré la volonté de Laerte. Quand le conseiller lui avait annoncé qu'il était temps de régler leurs affaires, il s'était empressé de répondre à l'invitation.

Le messager d'Aladzio les accueillit d'un cri perçant. Laerte descendit le marchepied du carrosse et atterrit dans une boue dense.

Levant la tête, il le devina, parmi la brume, tournoyer autour d'une tour en ruine en réitérant son cri. Les dieux seuls savaient comment cette chose avait su le trouver dans les restes de l'Empire, mais, toujours, il le voyait surgir dans le ciel et n'avait qu'à tendre le bras pour qu'il s'y pose et détache la capsule contenant une lettre.

—Ne te fie pas à l'aspect extérieur de ce bâtiment, conseilla le noble, un sourcil levé, sourire en coin. Sa beauté est intérieure.

D'un geste de la main, il l'invita à avancer jusqu'à la lourde porte de bois, délestée de quelques planches, et derrière laquelle se devinaient les flammes vacillantes de torches. La tour avait été construite en haut d'une butte, sur laquelle l'herbe peinait à pousser tant la terre se gorgeait d'eau. Une boue épaisse, visqueuse, lui collait aux bottes. Laerte fit un pas, puis s'arrêta, certain d'avoir déjà vu une tour semblable, malgré les pierres manquantes et son sommet laissant apparaître des poutres moisies.

—Fangol, dit de Page, devinant son trouble. Un monastère fangolin, l'un des premiers à avoir été construit, reprenant la forme de la Tour de Fangol, à plus petite échelle.

Bien entendu. Dans le *Liaber Moralis,* le haut lieu de l'ordre fangolin était décrit comme immense, dominant une montagne pour atteindre le ciel. Certains jours, d'après les légendes, son sommet traversait les nuages. Étrange que sa réplique fût baignée de brume.

De Page poussa la porte et entra le premier, ôtant ses gants avant de les claquer l'un contre l'autre. La poussière recouvrait les pierres, l'air y semblait vicié malgré les meurtrières, et, dans un coin, penchait une vieille table à laquelle était assis un homme dans un état encore plus piteux qu'elle. Il levait le menton, sourire béat aux lèvres, les cheveux blancs hirsutes sur une tête ronde et fripée. Au fond, au creux d'un mur bombé montait un escalier, et à côté s'ouvrait une petite trappe, à même le sol. Laerte referma la porte derrière lui et fut accueilli par un ricanement.

—Mais ils sont là, applaudit-il de ses mains tordues par l'arthrite. Oui, le parfum, le bon parfum du sieur noble. Et avec lui…

Il huma l'air. S'approchant, Laerte aperçut le blanc couvrant l'intégralité de ses yeux.

—Cataracte, lui expliqua de Page. Ne fais pas attention à lui, il est fou.

— … un homme à l'épée ? s'égaya le vieil homme. Judicieux, judicieux, oui, oui, mais pas suffisant.

— Tais-toi, stupide moine, ordonna de Page. Nous ne sommes pas là pour écouter tes idioties.

Laerte ne l'avait jamais entendu si autoritaire. Lorsque le conseiller se tourna vers lui, il conservait un air sévère.

— Frère Galapa avait en garde ce monastère. Un vieux fou qui ne s'est jamais rendu compte du trésor sur lequel il était assis.

— Oh mais si, contredit Galapa, toujours aussi souriant. Si, si, mais ce sont les autres qui ne m'écoutent jamais, héhé. Galapa ne voit pas ? Si, au contraire, il a tout vu. Et il a entendu des choses.

De Page parut s'énerver mais reprit aussitôt une attitude plus convenue, posant une main sur l'épaule de Laerte.

— Viens, c'est en bas que nous retrouverons Aladzio.

Il l'amena vers la trappe et agrippa la corde qui en sortait pour la relever. Une lueur vacillait dans le noir. De Page se baissa pour y entrer.

— Tout est en bas, oui, oui, toujours, riait Galapa en se frottant les mains. Le petit chevalier va découvrir des choses en bas. C'était écrit ? Oh, oui, sûrement. Oui, oui.

Le vieil homme continuait à dodeliner de la tête en pouffant. Laerte lui adressa un dernier regard avant de passer à son tour dans l'excavation. Il découvrit un escalier et, à sa grande satisfaction, un passage qui s'élargissait. Il descendit les marches, se redressant peu à peu, et rejoignit de Page qui l'attendait à l'entrée d'un tunnel. Des torches crépitaient sur les murs humides. Leur lumière ondoyait sur les lourdes pierres, les interstices emplis de poussière noire.

Ils l'empruntèrent, puis de Page avisa une alcôve de petite taille.

— C'est ici.

Il baissa la tête et s'y engouffra.

Le grincement d'une vieille porte de bois résonna dans l'étroit couloir. Laerte hésita un temps, avant de passer dans la niche, discernant une petite ouverture qui le mena dans une étrange et large pièce. Il y flottait une odeur de poivre et de jasmin. Ici et là, parmi de longues tables d'un bois épais, des candélabres diffusaient une lueur mordorée sur des piles de livres. Le plafond haut s'ornait de lourdes poutres enchevêtrées, desquelles pendaient de gigantesques toiles d'araignée. Posés sur des ouvrages poussiéreux fumaient quelques alambics remplis de liquides colorés en ébullition.

— Messires, salua une petite voix sur leur droite.

Surpris, Laerte porta instinctivement la main sur le pommeau de son épée. Mais il se détendit en reconnaissant le visage bien fait d'une demoiselle. Ses yeux verts rayonnaient dans la lumière tamisée.

— Tu ne reconnais pas Viola? rit le duc. Viola Aguirre?

Il tapota son épaule, amusé. Laerte la contemplait. Lorsqu'il l'avait croisée, lors d'une de ses étapes à la villa, quelques années plus tôt, elle n'était qu'une enfant venue de la campagne. Ce jour-là, c'était une jeune et jolie femme aux cheveux rouges attachés en arrière, de douces mèches tombant sur une nuque d'un blanc laiteux ainsi que devant ses oreilles. Sous ses yeux timides, des taches de rousseur saupoudraient ses joues. Vêtue d'une simple robe brune, elle gardait une certaine élégance.

Il n'était pas séduit, non, il s'étonnait juste de la voir ainsi changée. Mais lui était-il resté le même? Des années d'errance l'avaient sûrement endurci.

— Elle est de confiance. C'est une historienne désormais! lui apprit fièrement de Page en s'avançant entre les tables débordant de manuscrits.

Viola salua le jeune homme d'une courbette maladroite, le rouge aux joues. Au moment où elle sembla prête à lui adresser la parole, il se détourna d'elle, intrigué par les étranges ustensiles qui côtoyaient les ouvrages. À quoi donc pouvait bien servir ce bric-à-brac, ça, il n'en avait aucune idée. En revanche, découvrir à qui ce matériel était utile ne fut pas une grande surprise.

— Grenouille! Ahahah! Grenouille! s'esclaffa une voix joviale.

Dans un coin faiblement éclairé de quelques bougies, une silhouette familière descendait une échelle posée le long d'une haute bibliothèque. Lorsqu'elle marcha jusqu'à lui, les bras grands ouverts, il discerna peu à peu le manteau aux épaules bouffantes et le tricorne vissé sur une tête barrée d'un large sourire.

— Qu'il est bon de te voir ici! Haha! Gren… pardon, se reprit Aladzio. Laerte. Je ne m'y ferai jamais.

— Eh bien! Qui pourrait imaginer que le sous-sol d'une tour cache une telle bibliothèque? demanda Laerte.

— Personne, répondit de Page.

Il chercha le duc du regard et le retrouva assis dans un large fauteuil derrière l'une des tables couverte de livres. Le noble passait une main sur son menton glabre avec délicatesse.

—Viola, appela-t-il tout en fixant Laerte. Si tu veux bien nous laisser maintenant. Galapa sera heureux de te raconter ses folles histoires.

Près de la petite porte, la jeune femme acquiesça d'un bref signe de tête, masquant à peine sa déception. Elle savait que certaines choses lui seraient cachées jusqu'au bout et, malgré sa curiosité naturelle, devait s'en accommoder. De Page prenait soin de tout maîtriser, des informations au rôle de chacun.

—Comme d'habitude? demanda-t-elle, désabusée. Je fais comme si j'écoutais?

—Voilà, c'est ça, sourit de Page.

Quand la porte se fut fermée derrière elle, Aladzio flatta l'épaule du jeune homme d'une tape amicale.

—Ça me fait bien du plaisir si tu savais, bien du plaisir, répétait-il, enjoué. Combien d'années depuis notre dernière rencontre?

—Trois, répondit simplement Laerte.

La villa, il s'en souvenait. Une entrevue furtive avant qu'il ne reprenne la route à la recherche d'Esyld. De Page n'avait eu guère d'informations à lui donner à ce sujet durant tout ce temps, mais rien n'aurait pu le détourner de cette quête, hormis sa vengeance.

—Trois, répéta Aladzio, pensif. Oui, trois années, tu revenais de Polieste. As-tu suivi mon conseil? Es-tu retourné aux Salines?

Laerte laissa échapper un soupir. Les Salines. Il gardait cette région comme ultime destination. Retourner dans les marais, retrouver le Guet d'Aëd, marcher sur les pas de ce qu'il avait été… Pour bien des raisons, cela lui était encore difficile. De toutes les terres de la République, c'était bien dans les Salines qu'Esyld aurait pu trouver refuge après la chute de l'Empire. Qu'il ne l'y trouve pas lui aurait fait perdre tout espoir de la retrouver un jour. Paradoxalement, il repoussait les retrouvailles.

Conscient qu'il abordait un sujet délicat, Aladzio enchaîna aussitôt.

—Bèche m'a beaucoup parlé de toi, tu sais. Je crois que depuis tout ce temps elle t'aime bien.

Laerte se détendit.

—Aladzio, sourit-il en inclinant la tête vers lui. C'est un oiseau.

—Un faucon! s'offusqua l'inventeur en s'écartant de lui. Un faucon pèlerin qui, je te le rappelle, t'a toujours apporté nos missives! Ce n'est pas un…

Il plissa les lèvres de dégoût avant de prononcer avec mépris.

—… «oiseau», comme tu dis (Il pointa un index accusateur vers lui.) Elle sera déçue que tu aies dit ça. Vraiment, vraiment déçue.

Laerte ne put retenir un sourire. Qu'il était bon de l'avoir comme ami. Si Rogant le rassurait par son calme et sa maîtrise, la folie d'Aladzio apportait un peu de légèreté à son cœur lourd. Parfois, quand il se retrouvait seul auprès d'un feu de camp et qu'il sentait la colère le dévorer, il s'imaginait avoir l'inventeur à ses côtés.

Oui. Il l'aimait. Il le respectait d'autant plus qu'il le savait en danger constant, travaillant pour les Azdeki depuis que le père de De Page le leur avait cédé, mais œuvrant en secret pour le conseiller. Quand bien même, tous prenaient garde de n'éveiller aucun doute à son sujet, une seule erreur commise, un seul texte mentionnant l'inventeur qui tomberait aux mains d'Étienne, et c'était la mort assurée. Et pour cause… Si Théodus de Page, sentant la mort poindre, avait proposé les services de son inventeur, c'était parce qu'il avait fait preuve, dès sa prime jeunesse, d'une acuité intellectuelle impensable.

À quinze ans, il avait traduit un texte dérivé de l'ancien dialecte Gueyle. À seize, il récitait l'ascendance des Perthuis, décrivait la tactique victorieuse des Majorane lors de la grande bataille de Polieste, et proposait même une parade. Sa seule faiblesse résidait dans son instabilité, une folie douce qu'il ne contrôlait pas et l'éloignait, parfois, de la réalité. Il était proche, si proche, d'une naïveté enfantine. Et c'était ça qui calmait Laerte.

—Bèche a toujours été douce avec toi, et, crois-moi, elle t'aime beaucoup, ruminait Aladzio en hochant la tête, déçu. Beaucoup.

—Aladzio, appela calmement de Page.

—Il y a parfois des liens entre les hommes et les animaux qui doivent être respectés, des choses qui sont… au-delà du monde réel, et qu'il ne faudrait pas que tu méprises, Grenouille. Laerte.

—Aladzio!

De Page avait haussé la voix, simplement, avec ce qu'il fallait d'autorité pour que l'inventeur se taise immédiatement. Il ne se départit pas pour autant de sa mine agacée et pesta à mots couverts en posant son tricorne sur la table à sa gauche.

— Je pense que Laerte n'a pas fait tout ce chemin pour t'entendre parler de ton oi... de la sympathique Bèche. Et qu'il y a plus important à évoquer. Ai-je tort?

Il n'eut pas besoin d'insister, un sourire illuminant aussitôt le visage d'Aladzio. Sur la table, il s'empressa de pousser quelques ouvrages, époussetant la couverture de certains, avant de finalement trouver celui qui l'intéressait.

— Voilààà, dit-il.

Il leva les yeux vers Laerte, béat, et d'une main ferme tapota la couverture en peau de chèvre que le temps avait râpée.

— Le codex.

— Le codex? répéta Laerte, indécis.

— Du Gueyle, intervint de Page, pressé d'arriver au fait. L'un des plus anciens dialectes des anciens royaumes. Et l'une des premières écritures. Ce langage s'est perdu avec le temps sauf pour...

— ... moi, l'interrompit fièrement Aladzio. Haha! Nous sommes ici dans l'une des premières bibliothèques des moines copistes!

Tout en parlant, il recula entre les tables, les bras grands ouverts, le codex dans une main.

— Des livres par centaines, Laerte! Et, dans chacun d'eux, des siècles de savoir, de langues éteintes, de glyphes, de descriptions, et ce codex, ce fabuleux codex qui fait le lien entre les trois *Liaber* que nous connaissons et... et...

Il s'arrêta au beau milieu de la salle, plus sérieux et grave que jamais.

— ... j'ai réussi.

Le visage de Laerte s'assombrit. Il lança un regard noir vers de Page. Le noble le soutint sans frémir.

— Quoi donc? demanda Laerte, en sentant poindre une colère sourde.

Entre les tables, Aladzio secouait la tête, rêveur, puis parcourut la salle d'un coup d'œil circulaire.

— À comprendre, avoua-t-il.

Il pressa le pas vers l'échelle maintenue entre deux rails et, du plat de la main, la fit glisser le long de la bibliothèque.

—Le pouvoir du Livre, continua-t-il en effleurant le dos des livres alignés sur les étagères, le pouvoir des écrits, et ce que convoitent les Azdeki.

De nouveau, Laerte croisa le regard du duc et, à son hochement de tête contrit, il comprit que son impatience se lisait sur son visage. Le pouvoir ne suffisait-il donc pas à Étienne Azdeki et à son oncle pour qu'il soit question d'une autre ambition ? Ils avaient tout, la République, le *Liaber Dest*, que leur fallait-il de plus ? Il voulait des réponses claires.

—Aladzio, appela de Page. Les faits. Contente-toi des faits.

L'inventeur marqua un temps, surpris. Mais, alors qu'il ouvrait la bouche pour exprimer son mécontentement, c'est la voix de Laerte qui résonna.

—Qu'espèrent-ils du *Liaber Dest* ? Car c'est bien cela, n'est-ce pas ? Aladzio l'a enfin traduit…

De Page se contenta de le fixer d'un étrange regard, sans mot dire. Dans son dos, Laerte entendit les pas rapides d'Aladzio. Il se retourna d'un coup sec lorsqu'il fut à sa hauteur, découvrant l'inventeur quelque peu embarrassé, levant un index au bout de son nez.

—Pas… exactement, murmura-t-il comme s'il partageait un honteux secret. C'est plus…

—Le *Liaber Dest* ne peut être traduit comme un simple ouvrage, l'interrompit de Page d'un ton terriblement calme. Il est nécessaire de le décoder. Il est fait de poèmes, de pensées écrites en plusieurs langues et de gravures qui ont besoin, pour gagner un véritable sens, d'être associées dans un ordre précis.

—Il s'agit là du destin des hommes, Laerte, continua Aladzio, subitement enthousiaste. La légende du moine de la tour de Fangol entendant la voix des dieux murmurer le destin de l'humanité ! Durant trente jours et trente nuits, il a écrit. Trente jours et trente nuits, sans repos, sans nourriture, jusqu'à la mort… Il m'est impossible encore de tout comprendre, mais…

—Mais quoi ? s'énerva Laerte en se collant à lui. L'as-tu décodé ? Que veulent les Azdeki ? Dis-moi. Parle-moi de ça, et de ça uniquement, Aladzio.

—Je ne l'ai pas décodé, répondit-il aussitôt. Il est complexe. J'y ai vu des choses, oui, qui pourraient se rapporter à des événements passés ou m'alerter sur ceux à venir, mais comment en être sûr et…

— Ils veulent renverser la République, l'interrompit subitement de Page.

Le duc s'appuya sur les accoudoirs et se redressa lentement.

— Ils l'ont construite mais ne peuvent plus la contrôler. L'ordre de Fangol perd de sa légitimité, d'autres croyances prennent le pas sur lui, rien ne se passe comme ils le prévoyaient. Azdeki s'est toujours rêvé en sauveur, en élu du peuple. Il a toujours espéré voir dans le Livre Sacré un glorieux destin. Il veut révéler qu'il possède le *Liaber Dest*, et maintenant qu'Aladzio a commencé à le décoder ce n'est plus qu'une question de temps avant qu'il ne soit capable de le lire… de comprendre les dieux.

Sans même jeter un regard vers Laerte et Aladzio, il replaçait les manches de sa chemise avec minutie.

— Les Azdeki, Rhunstag, Enain-Cassart, tous ceux qui n'avaient plus foi en la dynastie Reyes… Quand ton père leur a révélé le pacte entre ta famille et la leur, quand ils comprirent que le *Liaber Dest* avait été tenu secret si longtemps, qu'un Reyes était chaque fois placé au sommet de l'ordre de Fangol, ils n'ont plus eu aucun doute sur ce qu'il convenait de faire. Ils ont toujours été persuadés que le *Liaber Dest* contient le destin de l'humanité, que l'ordre de Fangol est le seul garant d'un respect des traditions. Mais, après l'avoir bâtie, ils découvrent que la République penche dangereusement vers quelque chose qui ne leur correspond guère. Ce n'est pas le pouvoir de décider qu'ils cherchent à obtenir. C'est le pouvoir de façonner un monde à leur image. Vois-tu, Laerte ?

De Page lui adressa un sourire mesuré.

— Nous avons des intérêts communs. Avant d'agir, il me fallait être certain d'avoir toutes les cartes en main. En ce moment même, Azdeki prépare son avènement. J'ai besoin de savoir qui est prêt à le suivre et je sais où nous pourrons les retrouver… Comble d'orgueil, il veut associer ce moment au mariage de son fils. Une nouvelle grande lignée gouvernera, avec l'appui des dieux, d'un ordre de Fangol plus puissant que jamais, et le rêve de ton père sera balayé après qu'il s'en fut servi pour survivre à l'effondrement de leur monde.

— Non, dit Laerte, dans un murmure. Jamais.

— Nous allons agir pour l'en empêcher, effectivement.

— Quand ?

Sa voix avait claqué comme un fouet.

— Dans un an, annonça de Page. À Masalia, durant la Nuit des Masques. Après le mariage de son fils.

Durant la nuit des masques...

Après... le mariage...

Le mariage... Lorsqu'il l'avait évoqué, de Page savait sûrement qui était l'heureuse élue. S'il n'en avait rien dit, c'était pour éviter que Laerte ne tente de s'y inviter à sa façon. Peine perdue. Un an plus tard, les cloches de la cathédrale de Masalia tintaient. Et, parmi la foule, un homme s'avançait lentement, le visage masqué par l'ombre de sa capuche. Laerte se frayait un passage sans que personne le remarque. Sa discrétion était égale à sa rage : totale. Il se faufila parmi les invités costumés au nez et à la barbe des gardes, et entra dans la cathédrale.

Les cloches tintaient et son cœur déchiré s'agitait de soubresauts. Les cloches tintaient et au loin, dans la maison, Viola eut l'impression qu'elles sonnaient le glas. Si Laerte se dévoilait avant que la Nuit des Masques ne débute, tout serait perdu.

12

Le choix

—Je ne doutais pas, non !
Je ne doutais pas du Liaber Dest
Mais c'était ainsi depuis des siècles.
Aux d'Uster le Livre, à nous l'épée.

Bordant la nef, de grands vitraux colorés fendaient la lumière du soleil en une multitude de rayons disparates. Ils se posaient sur le sol carrelé, caressant le bord des bancs vernis, épousant les tissus nobles des invités.

Du velours pourpre au vert feuille des vestons, du bleu azur au blanc pur des robes d'apparat, c'était toute la haute société républicaine qui se réunissait dans la cathédrale de Masalia. Perchées sur les poutres qui se croisaient dix mètres plus haut, en bordure de corniches, des tourterelles battaient des ailes, insensibles à l'étrange spectacle se jouant sous leurs yeux. Elles furent sans nul doute les seules à percevoir la silhouette discordante, une capuche rabattue sur la tête légèrement inclinée en avant.

Laerte se glissait parmi la foule avec une telle discrétion que c'était à peine si l'on remarquait sa présence. Il s'insinuait entre les invités, effleurant leurs costumes, surveillant du coin de l'œil les soldats en faction près des imposantes colonnes.

Contre l'une des parois de la nef s'élevait la statue d'une femme, un simple drap couvrant ses seins, une main masquant son sexe, l'autre levée vers le ciel. Elle n'était que la première d'une longue série de sculptures, toutes aussi hautes, mais c'était la seule qu'il pouvait atteindre le plus furtivement possible. Dès qu'il se fut extirpé de la marée humaine qui continuait à entrer dans la cathédrale, il pressa le pas pour se glisser derrière le socle de la sculpture. Il gravit le dos de la statue sans un bruit et, une fois arrivé sur l'épaule de la femme, il s'assura que personne ne tournait la tête dans sa direction. Rassuré, il usa du *Souffle* pour se projeter d'une simple poussée jusqu'à la main levée. Il agrippa le bord d'une corniche d'un saut impeccable, les jambes dans le vide.

Le claquement d'ailes des tourterelles résonna. Certains invités levèrent les yeux.

Mais aucun ne distingua la silhouette qui se hissait sur la corniche avec aisance. Laerte s'accroupit, une main sur la poignée de son épée. D'ici, il avait un point de vue idéal. Quelques mètres plus loin, dans le chœur de la cathédrale, un autel de pierre était en partie couvert d'un tissu rouge et or. Au centre, deux calices recevaient une eau claire versée par un saint homme vêtu d'une longue robe mauve et coiffé d'un chapeau orné d'une feuille de chêne. À ses côtés, des hommes en armes attendaient.

Laerte reconnut Azdeki, son armure brillante arborant les insignes de sa famille : un aigle maintenant dans ses serres un serpent. Non loin de là, assis sur l'un des premiers bancs, la masse difforme de son oncle s'animait de soubresauts à chacun de ses ronflements. Un jeune homme vint lui chuchoter quelque chose à l'oreille, le réveillant aussi fait.

Vivez, pensait Laerte, *profitez et riez… Bientôt vous serez châtiés comme vous le méritez.*

Son regard cherchait à deviner, parmi les chevaliers présents, en qui coulait le sang des Azdeki. Il souhaitait découvrir un homme au visage maigre, au nez aquilin, laid et arrogant. Mais il ne trouva personne qui ressemblât à l'image qu'il se faisait de Balian Azdeki.

Après que tout le monde eut pris place à l'intérieur de la cathédrale et qu'un chemin se fut formé des portes ouvertes à l'autel, le saint homme leva les bras au plafond. Laerte recula dans l'ombre de la corniche, un genou posé sur celle-ci.

— Hauts conseillers, familles, amis, dignitaires de Masalia qui accueille aujourd'hui le cœur de notre très chère et jeune République…, clama-t-il. Nous sommes ici réunis sous le regard des dieux pour lier le destin de deux belles personnes.

Enfin, il le remarqua. Le saint homme adressa un sourire servile à l'un des jeunes chevaliers présents sur les marches menant à la pyrée. Le plastron de son armure ne présentait pas les armoiries familiales, mais se différenciait cependant des autres, plus brillant, plus clair, et sur son épaulette reposait une broderie argentée. Il avait les cheveux blonds, assez courts, le visage à peine marqué par la vie de combattant. Il n'avait sûrement pas vécu la guerre autrement que dans son château du Vershan. Il y avait dans son expression une sorte d'anxiété mêlée d'excitation, un bonheur qui irradiait toute son allure. Il se dressait, le port altier. Ici, il était le centre de tous les regards.

Il y avait quelque chose en lui de Iago, le fils du capitaine des Salines… celui dont n'avait eu de cesse de parler Esyld avant que la guerre n'éclate. Laerte se crispa sur le bord de la corniche, sa main enserrant la poignée de son épée.

Le roucoulement des tourterelles répondit aux quintes de toux de quelques invités. Et le saint homme continua son office. Ses paroles résonnèrent dans toute la cathédrale, mais Laerte ne les entendait plus. Son regard fixait intensément le chevalier blond. Il notait chaque détail de son entourage, comptait les gardes à son côté, imaginait déjà fondre sur sa victime en lui laissant tout loisir de voir son visage. Il tenait à ce que celui qui avait enlevé sa bien-aimée contemple, pour dernière chose, l'exacte incarnation de la colère. Ah ! Il voulait la forcer à partir ? Il la considérait comme son esclave ? Sa chose ? Quel avenir sordide lui préparait-il ?

À mesure qu'il imaginait l'horreur réservée à Esyld, il sentait monter en lui une colère indescriptible. Plus violente encore que ce qu'il avait jamais connu, un feu qui roulait dans ses entrailles, agitait tout son être pour lui donner une force implacable.

C'est alors qu'il l'aperçut, devancée par quatre demoiselles tout de jaune vêtues, de longues traînes glissant derrière elles. Elle portait une robe d'or, une large collerette montant derrière sa coiffure bouclée. À son cou, juste au-dessus d'une poitrine remontée par un corset, un diamant scintillait. Son visage restait comme glacé, ses yeux fuyant l'attention de la foule. Elle marchait d'un pas lent et, dans son dos, suivaient des hallebardiers, leur arme dressée contre l'épaule, un casque en cône sur la tête d'où tombait une plaque de cuir couvrant la nuque.

Ils la forçaient à avancer, Laerte en était certain. Il ne devait pas tarder, ne pas la laisser être soumise à cette cérémonie abjecte. Il se déplaça le long de la corniche, courbé, et s'arrêta, surplombant l'autel. À combien de mètres était-il? Une bonne vingtaine? Lorsqu'il avait été projeté de la salle du trône le soir de la révolution, c'étaient quarante mètres au moins qu'il avait parcourus et sans user du *Souffle* pour amortir sa chute.

Elle était enfin arrivée à l'autel, accueillie par l'imposteur. Il lui présentait sa main, l'aidant à gravir les marches jusqu'aux coussins posés aux pieds du saint homme. Ils s'y agenouillèrent tous deux et échangèrent un regard.

Un seul regard.

Tu l'aimes?

Bien sûr qu'il l'aimait. Bien sûr qu'il ne pouvait pas l'abandonner ainsi aux mains de ces monstres.

Le temps a passé. Plus rien n'est comme avant.

— Balian Azdeki, fils d'Anya Bernevin et du haut conseiller Étienne Azdeki, commandeur de l'ordre de la République, comte du Vershan, acceptez-vous de prendre pour épouse Esyld Orbey, fille d'Alena Angenet et de Guy Orbey, ici présente?

Le mariage a lieu avant la fête…

Cela ne changeait rien à son plan. Cela ne remettait rien en cause. Il était assez puissant pour s'occuper de Balian Azdeki sans ruiner leur chance d'entrer au Palatio. En aucune façon Étienne Azdeki ne remettrait le rituel à plus tard…

— Oui… oui je le veux, répondit Balian d'une voix tremblante d'émotion.

Il m'a fallu t'oublier, Grenouille.

Dis-moi que tu ne m'aimes plus!

— Esyld Orbey, fille d'Alena Angenet et de Guy Orbey, acceptez-vous de prendre pour époux Balian Azdeki, fils d'Anya Bernevin et du haut conseiller Étienne Azdeki…

Elle gardait sa main posée sur celle du chevalier. Elle la serrait. Laerte devait agir maintenant ou jamais. Elle l'aimait, elle le lui avait dit, un tel sentiment ne pouvait pas mourir, il était éternel.

— … commandeur de l'ordre de la République…

Son cœur le lançait, un vide vorace enflait en lui tel un monstre affamé se repaissant de sa peine. Il avait l'impression de n'être plus rien.

Si tu tentes quoi que ce soit à ce moment, tout ce pour quoi nous nous sommes préparés n'aura servi à rien.

Stupide gamine que cette Viola, elle n'y connaissait rien à l'amour, à la passion, au renoncement de soi pour le bien de l'autre. Que savait-elle de ce qu'il était prêt à faire pour Esyld ? Il ne lui restait plus qu'à surgir épée au clair, à plonger sa lame dans la gorge de Balian, à se défaire des gardes et à se fondre dans la foule comme une ombre... de la même manière qu'il s'était occupé du marquis Enain-Cassart sur le port. Aussi furtif que la Main de l'Empereur elle-même. Et la peur comme l'affliction rongeraient encore plus Étienne Azdeki.

Dis-moi que tu ne m'aimes plus !

Il n'y croyait pas un seul instant. Elle avait dit non pour le protéger.

— ... comte du Vershan ici présent ?

Son cœur s'arrêta de battre. Il y eut un long silence parmi l'assemblée. Pas même les tourterelles n'émirent un seul son. Dans la lumière du soleil que coloraient les vitraux du chœur de la cathédrale, le visage d'Esyld parut se durcir. Ses yeux s'embuaient de larmes.

— Non... dis non, murmura Laerte. Dis non, je t'en prie.

Il se baissa sur la corniche, tirant légèrement son épée du fourreau. En bas, le saint homme fut pris d'un terrible embarras, jetant quelques regards éperdus vers Étienne et son oncle. Sans attendre plus longtemps, il reprit.

— Esyld Orbey, fille d'Alena Angenet et de Guy Orbey, acceptez-vous de prendre pour époux Balian Azdeki ici présent ?

— Non..., répétait Laerte.

Des quintes de toux résonnèrent dans le chœur. Des quintes dues à la fatigue de gorges âgées, comme à la gêne occasionnée par le silence.

— ... dis non... non...

Elle leva les yeux vers le saint homme, au bord des larmes. Et pourtant...

Elle souriait, resplendissante.

Non ! Elle était contrainte et forcée de se marier, cela n'était en aucun cas sa volonté. Les Azdeki manipulaient leur monde. Pourquoi Balian serait-il différent ? Comment était-il possible qu'elle l'aime ? Laerte fulminait.

— Oui, répondit-elle enfin dans un souffle. Oui, je le veux.

Et la salle fut parcourue d'un immense soulagement, précédant une salve d'applaudissements.

— Je vous déclare donc unis par les liens du mariage au regard des dieux et de la République qu'ils protègent, annonça fièrement le saint homme. Buvez le calice et scellez votre union.

Les choses changent. Les gens changent. Ce monde n'est plus en guerre, Laerte!

Comment pouvait-elle l'embrasser aussi tendrement? Comment pouvait-elle laisser sa main sur sa joue comme si elle voulait le garder tout contre elle? L'image de leurs deux corps nus surgit dans sa tête. Il recula tout au fond de la corniche, la rage au cœur. Il ne cessait de les voir se nouer, blottis l'un contre l'autre, avec passion… sa peau contre sa peau, ses lèvres contre ses lèvres et tout son cœur lui appartenant…

JE SUIS EN GUERRE!

Il s'assit, repliant les jambes contre lui et, tel un enfant, enroula ses bras autour d'elles. Il respirait difficilement, il n'avait qu'une envie, bondir sur Balian, l'écorcher vif, le frapper, le détruire, déchirer ses lèvres qui avaient embrassé le corps d'Esyld, trancher les mains qui avaient souligné ses courbures, plonger son poing dans sa poitrine et lui arracher le cœur pour en faire de la charpie.

Il l'avait vue si belle, si heureuse. Elle ne lui avait pas menti. Les choses changeaient. Après tant d'années… elle s'était éloignée de lui sans qu'il ne le crût possible. Alors qu'il aurait pu rester près d'elle, il avait bataillé aux côtés de Dun-Cadal, obnubilé par sa vengeance. Il se tint là, prostré, durant toute la cérémonie. Les chants religieux se succédèrent, les cloches sonnèrent lorsque les époux fermèrent la marche pour se présenter sur le parvis de la cathédrale, acclamés par la foule. Lorsqu'il fut enfin seul dans la nef, il se laissa tomber le long de la statue et sortit par une petite porte sur le côté. Longeant le peuple en liesse sous une pluie de cotillons aux mille couleurs, il chercha du regard les jeunes époux. Dans l'éclat du soleil, ils saluaient Masalia tout entière jointe à leur bonheur. Ils souriaient, émus.

Laerte s'éloigna, laissant derrière lui une partie de sa vie. Ici, leurs chemins s'étaient définitivement écartés. Les choses avaient effectivement changé.

— Il faut en finir, dit-il, debout sur le seuil de la porte d'entrée.

Dans le salon, tous le découvraient, l'air grave, Rogant assis sur le canapé, Viola en bas des marches de l'escalier et Dun-Cadal tout proche de la cuisine, une chope de vin à la main.

— Et… le mariage ? interrogea timidement la jeune femme lorsque Laerte fila devant elle.

Laerte ne répondit pas, traversant le salon d'un pas décidé. Il ne souhaitait aucunement évoquer la cérémonie, cela ne comptait plus. Il se focalisait sur ce qui avait été planifié. D'ici quelques heures, ils partiraient pour le Palatio, et Dun-Cadal quitterait la maison à son tour, libre, apaisé peut-être, après tant d'années à pleurer la perte de Grenouille. Non, la paix, c'était bien Laerte qui l'avait désirée en se révélant. Peut-être même espérait-il un pardon ?

Le vieil homme l'avait suivi sans mot dire jusqu'à la cour. Côte à côte, ils contemplaient la cité, échangeant quelques regards tendus. Devant eux, les toits de Masalia se paraient d'une teinte orange. Au loin se dessinait le port où mouillaient des trois-mâts et, sur la ligne d'horizon, le reflet du soleil se découpait sur une mer calme.

Laerte baissa les yeux vers la chope que le vieil homme porta à sa bouche. Résigné, il hocha la tête. Il n'avait pas l'air enivré, mais combien de temps lui restait-il avant que l'alcool ne lui monte à la tête ? Le bruit du vin s'écoulant sur les graviers lui fit baisser les yeux de nouveau. Dun-Cadal penchait la chope pour laisser s'échapper le liquide, l'air absent.

— Je pourrais fêter nos adieux, mais je n'en ai guère envie, gamin…

Laerte se contenta d'acquiescer. Dun-Cadal contemplait le vin qui pleuvait du bec de sa chope, à grosses gouttes, un sourire triste aux lèvres. C'était comme s'il observait ses remords disparaître parmi les graviers… jusqu'à la dernière goutte.

— Si j'ai bien compris, ce soir, je suis libre.

— Un carrosse viendra te chercher peu après notre départ, dit enfin Laerte d'une voix enrouée. Il te mènera où tu le souhaites. De Page a consenti à te laisser de quoi vivre encore quelques années.

— Alors, il m'achète… C'est ainsi qu'il fait, ce bougre-là ? lâcha Dun-Cadal dans un rire de dépit. Il a bien caché son jeu.

Laerte aurait voulu avouer à son mentor ce qui l'attendait, le rassurer, le savoir serein avant de définitivement le quitter. La haine récente qu'il avait pu ressentir à son égard n'avait eu pour seule raison que de le découvrir alcoolique et perdu. Car il avait appris à l'aimer, toutes ces années. C'est en gardant en mémoire l'image d'un fier général qu'il l'avait perdu de vue. Maintenant, ce n'était plus que l'ombre sale d'un chevalier aux portes de la mort qu'il contemplait.

Il clarifiait ses sentiments. S'il n'était pas encore capable de le dire, il le savait. Il l'aimait.

Il hésita un instant à porter sa main sur l'épaule du vieil homme.

Il ne bougea pas. Son regard dériva de nouveau sur la ville en contrebas.

— Dis-moi, demanda Dun-Cadal avant de se racler la gorge. Dis-moi donc, c'est au Palatio que tout va se jouer, n'est-ce pas ?

Laerte ne répondit pas.

— Il a le *Liaber Dest*, gamin, continua le général en laissant tomber la chope.

Elle se brisa sur le sol dans un bruit sec. Parmi les morceaux de grès, il contempla le vin rouge sinuant entre les graviers, comme autant de minuscules rivières ayant décidé de leur cours.

— C'est le destin des hommes qu'il tient dans ses mains.

— C'est une possibilité, convint Laerte sans détacher son regard du lointain.

— Il ne mérite pas un tel pouvoir…

— C'est une certitude.

— Alors, arrête-le, fils.

Le temps sembla durer avant que Laerte ne se décide enfin à poser la main sur l'épaule de son ancien mentor. Un bref instant. Puis il s'écarta de lui pour se diriger vers la maison.

— Grenouille, appela Dun-Cadal d'une voix sourde.

Lorsqu'il se retourna, l'éclat du soleil couchant nimbait la silhouette courbée du vieux guerrier. Lentement, l'homme recouvrait sa stature et, au son de sa voix, sans discerner son visage dans le contre-jour, Laerte crut l'admirer du temps de sa splendeur.

— Es-tu devenu celui que tu voulais, mon garçon ? Es-tu un chevalier ? Ou un assassin… ?

Sa voix avait plus d'assurance, mais il y demeurait une pointe de tristesse.

— Quelle différence ? demanda Laerte, l'air affecté.

Dun-Cadal fit un pas en avant et la lumière éclaira son visage ridé. Il y avait, dans son expression, un calme étranger à ce qu'il avait été, un voile de sagesse qui l'enveloppait.

—Il y en a une pour toi et moi. Le serment, tu t'en souviens? Nous avons prêté serment.

—Nous devions servir l'Empire, rétorqua Laerte sans aucune animosité.

—Cela va bien plus loin que ça, assura Dun-Cadal. Il s'agit de la voie que tu choisis d'emprunter. Et si tu croises Esyld ce soir? Te laisseras-tu aller à la colère?

Laerte se crispa. Il ne souhaitait pas y penser, il ne voulait pas l'imaginer, il devait se concentrer sur son but. Mais l'évocation de la jeune femme provoquait en lui une tempête qu'il craignait de ne pouvoir maîtriser.

—C'est de cela qu'il s'agit, c'est cela la promesse que tu as faite. Souviens-t'en. La voie de la colère ne mène qu'à l'abîme, car pour continuer à l'arpenter tu devras sans cesse la nourrir, toujours regarder derrière toi, toujours. La vengeance appelle la vengeance.

Dun-Cadal avança jusqu'à lui d'un pas lent.

—Le choix t'appartient... Laerte d'Uster. Mon fils...

Il ne fit aucun geste, se contentant de le fixer dans le blanc des yeux.

—J'ai toujours été si fier de toi...

Il n'attendit aucune réaction de sa part, passant devant Laerte sans rien ajouter. Finalement, ce n'était pas de savoir quel choix allait faire le garçon qui était important pour lui mais bien de lui rappeler qu'une décision serait inévitable. Une fois que le général fut rentré dans la maison, Laerte s'avança jusqu'au bord de la cour, admirant le soleil glisser derrière l'horizon.

Jeté dans le feu, il ne brûle pas...

Tout se jouerait ce soir, tout ce pourquoi il s'était battu, tous les sacrifices qu'il avait faits consciemment ou non... comme celui de perdre Esyld dans les bras de Balian Azdeki.

Passé au fil d'une lame, il ne se déchire pas.

Il est fait du murmure des dieux et rien, jamais, ne le détruira.

Le Livre Sacré avait cela d'unique, il était indestructible. Aladzio avait pu le vérifier, c'était une des premières choses que lui avait démontrée son nouveau maître en le jetant dans l'âtre d'une

415

cheminée. Les flammes avaient léché la couverture sans que le cuir en soit noirci et lorsque Azdeki l'en avait sorti, encore brûlant, il lui avait proposé d'y planter une dague.

La lame s'était brisée.

C'était une vérité absolue, indiscutable, le *Liaber Dest* était bien plus qu'un simple livre. Pour autant, contenait-il, comme la légende le prétendait, le destin de l'humanité ? De Page, hostile à l'ordre de Fangol, en doutait. Les Azdeki en avaient la certitude. Quant à Aladzio...

L'inventeur était tiraillé entre son regard critique de scientifique et l'espoir qu'il existe quelque chose de plus grand que la simple raison humaine. S'il essayait de comprendre le monde, il se plaisait à espérer l'existence de quelque chose de supérieur, de... *divin*... Peut-être pour y trouver quelques limites à son intelligence.

Dans le labyrinthe des légendes, il sut reconnaître certaines vérités, telle l'existence d'une ancienne tour, sous laquelle sommeillerait le savoir. Des phrases sibyllines aux premières cartes des anciens royaumes, il réussit à établir une position approximative de l'édifice. Quand, enfin, il put s'y rendre, le cœur serré, il redoutait de n'y trouver que des ruines. Mais sous les vestiges, que gardait un moine en disgrâce, attendaient les premiers grands livres écrits par les moines fangolins.

Jadis, Galapa avait vécu dans la tour de Fangol, le phare de l'ordre, le premier monastère. Il en avait été banni peu avant que les Salines ne se révoltent, et avait hérité de cette tâche ingrate d'entretenir des vestiges dont le monde entier se moquait. Et pourtant, sous les pierres branlantes sommeillait un savoir immense, oublié des fangolins avec la perte des plus éminents de leurs représentants. Car il était une chose chez les moines fangolins, qui avait survécu aux royaumes comme aux empereurs : le secret.

Dans cette tour, Aladzio déchiffra, traduisit, et comprit à quel point l'ordre avait raconté l'Histoire à sa manière, recopiant des légendes nébuleuses jusqu'à les rendre indiscutables. Il fallut des siècles pour que ne s'élève plus aucune voix dissidente. Les tout premiers ouvrages conservaient en leurs pages des liturgies quelque peu différentes de celles pratiquées du temps des Reyes.

Dans les nombreux textes anciens traitant du *Liaber Dest*, il constata une étrange corrélation avec l'évocation d'une lame divine. Au fil des siècles, une phrase avait subsisté et son sens avait été de

416

nombreuses fois discuté : « Dans ma main gauche le Livre, dans ma main droite l'épée, et à mes pieds le monde. » Les moines fangolins comme les nobles les plus cultivés s'étaient tous accordés sur le côté symbolique de cette phrase. Les siècles passant, l'hypothèse qu'elle ait pu être prise au pied de la lettre avait disparu.

À mes pieds le monde.

Quelle autre épée qu'Éraëd ? Quelle autre lame aussi ancienne que celle des Empereurs ?

Pour Aladzio, c'était devenu une certitude, l'un n'allait pas sans l'autre. La répétition d'un symbole inconnu, un rectangle barré d'un trait, s'imposa comme un repère dans les multiples documents qu'il consultait. Jusqu'à la découverte d'un codex rédigé dans l'ancienne écriture Gueyle où le sens de ce dessin lui devint clair.

Entre les lignes se cachaient les origines du Livre et de l'Épée. La lame n'avait pour seul but que la destruction de l'ouvrage.

Emportés par leur obsession de lire leur destin dans les pages du *Liaber Dest*, les Azdeki avaient oublié l'Épée des Empereurs. Seule leur importait la certitude d'être indispensables à la bonne marche du monde. S'ils avaient fondé la République, s'ils œuvraient pour l'avenir du peuple, quelque chose de plus sombre, de plus mystérieux, avait nourri leurs ambitions depuis la chute de l'Empire. Quelque chose de mystique. La foi.

Le Livre conférerait aux Azdeki, si ce n'était la connaissance du destin des hommes, la crainte de ceux qui doutaient comme le respect des croyants. N'avaient-ils pas en leur possession le mythique *Liaber Dest* qu'on disait perdu à jamais ? Ils avaient gagné le respect en mettant à bas un tyran pour une République plus juste. Désormais, ils auraient avec eux l'appui des dieux. Mais il existait une faille. Un pacte dont ils n'avaient pas jugé la valeur, un secret traversant les âges chez les initiés, un partage de pouvoir : aux d'Uster le Livre, aux Reyes l'Épée.

Le Livre et l'Épée étaient liés.

— C'est ironique, tu ne trouves pas ?

Les torches du sous-sol de la tour donnaient naissance à un curieux jeu d'ombre et de lumière qui couraient sur le visage glabre du conseiller. De Page s'appuya des deux mains sur la longue table de bois, balayant du regard les livres ouverts.

— Qu'il soit à Masalia…

—L'Épée est avec lui, assura Laerte, adossé près de l'alcôve.

De Page releva le menton.

—Je le crois aussi, avoua de Page en acquiesçant. Ce… Dun…

Il ne put s'empêcher de sourire, haussant un sourcil, mais ne rencontra que le visage fermé de Laerte.

—Il ne l'aurait pas cachée ailleurs que près de lui. Il s'amuse en les envoyant dans le froid du Vershan alors que lui, il reste sous le soleil de Masalia…

Il marqua un temps.

—La « cité des possibles »… Elle n'usurpe pas son surnom. Qu'éprouves-tu pour lui ?

—Il n'est plus rien pour moi, de Page. Il ne sera pas un obstacle. Il parlera, je le connais.

Puis il se redressa en soupirant, perdant de sa bonhomie.

—Nous n'aurons pas le droit à l'erreur. Pas une seule fois. Aladzio est en route pour Masalia pour préparer la Nuit des Masques à la demande des Azdeki. Il a obtenu la poudre pour le feu d'artifice… plus qu'il n'en faut. Certains conseillers s'apprêtent à prendre la mer. Sur le port, tu…

—Je me contenterai d'Enain-Cassart, l'interrompit froidement Laerte.

—Étienne Azdeki, en dernier, c'est important.

—J'ai élaboré ce plan avec toi, de Page. Douterais-tu de moi maintenant ?

Pour la première fois, le duc ne fut pas à même de masquer son anxiété. Disparue la sérénité, envolée la maîtrise qui le caractérisait. Face à Laerte, il ne contrôlait plus les choses. Car ils avançaient désormais côte à côte, d'égal à égal.

—Je ne doute pas de toi.

—Pourquoi ? demanda subitement Laerte.

—Qu… pourquoi quoi ? balbutia de Page.

—Avant de partir pour Masalia, je veux connaître tes motivations. Tu sais ce qui m'anime. Est-ce vraiment pour la République comme tu le prétends ? Est-ce pour elle que tu te bats ?

—Je te l'ai déjà dit, ils menacent la…

—Pourquoi ? réitéra calmement Laerte.

Depuis la chute de l'Empire, le duc avait couvé Laerte, distillant à son bon vouloir les informations, les déductions, les prémisses de leur plan. À quelques mois de la Nuit des Masques, alors que la tiédeur du printemps redonnait vie aux champs cerclant la tour en ruine, Laerte voulait être certain de ne pas être qu'une arme dans ses mains. À la méfiance de De Page envers les Azdeki s'ajoutait sa colère, c'était certain, mais qu'adviendrait-il après ?

—Il est nécessaire que ni toi ni moi ne soyons reconnus dans les affaires qui vont suivre.

—Tu ne réponds pas, trancha aussitôt Laerte.

—Si je ne suis pas en mesure de connaître les noms de ceux qu'Azdeki a ralliés, je ne pourrai pas distinguer nos ennemis des simples conseillers. Ceux qui sont prêts à détruire le rêve de ton père par piété, à donner à l'ordre de Fangol une part de pouvoir qu'il ne mérite pas. Pour eux, les dieux ont décidé de tout. C'est contraire à l'idée d'une République où les hommes décident eux-mêmes de la voie à prendre. Ils se désigneront comme des élus, non du peuple, mais des dieux. Et le peuple est craintif, le peuple qui doute, il les écoutera et en fera de nouveaux...

—Pourquoi ? répéta Laerte dans un murmure.

—Parce que le destin n'est pas écrit ! tonna de Page. Les gens qui ne seront pas comme eux finiront pendus ou au bûcher. Aux noms des dieux. En dépit de toute humanité.

Il frappa du poing sur la table puis, désorienté par sa propre colère, se passa les mains dans les cheveux, les mâchoires serrées. Laerte restait immobile, à l'épier d'un regard suspicieux. De Page contourna la table pour lui faire face.

—Que veux-tu entendre ? Que mon père me frappait parce qu'il voyait en moi la dégénérescence de sa lignée ? Je peux te raconter de quelle manière il s'est moqué de moi après m'avoir appelé à son lit de mort. Il riait, Laerte.

Il parlait froidement, sans le quitter des yeux.

—Oh, sinon, je n'ai que cette chemise à enlever pour te montrer les traces de fouet sur mon dos lorsqu'il cherchait à faire sortir le démon de mon corps, proposa-t-il d'un ton badin. Nous avons tous souffert, Laerte, tous. Nous avons chacun nos cicatrices et elles nous rappellent à quel point il est nécessaire d'agir. L'ordre de Fangol pendait des gens comme moi et, si Azdeki atteint son objectif, les moines entreront dans la République, crois-moi. Il n'y aura plus de choix, ils affirmeront que tout est écrit, que tout est immuable, que rien, de ce qu'ils n'acceptent, ne doit survivre. Je ne me bats pas que pour la République ou pour ta vengeance, non…

Il fit un pas et, nez à nez, agrippa sa nuque d'une main ferme. Laerte sentait son souffle sur lui mais n'esquissa pas un seul geste.

— Tout est question de foi, Laerte. Tout est question du sens que l'on donne à nos actes, de leur portée symbolique. Je ne crois pas que le destin des hommes soit dans le Livre. Un jour, nous saurons comment et par qui il a été écrit, pourquoi l'épée a été forgée avec lui et ce qui leur confère cette… indestructibilité. Seulement, nous avons cette chance, Laerte, cette magnifique chance qu'Aladzio nous a offerte, à nous seuls, de découvrir le pouvoir de l'épée. Je la prends, cette chance. Et occupons-nous du Livre pour que plus personne, jamais, n'ait dans l'idée qu'il est divin. Nous ne sommes que sur la première marche, mon ami. Ma foi est dans la démocratie. Ma foi est en l'Homme, non en de quelconques dieux qui se seraient éloignés de nous après avoir tout décidé.

Laerte baissa les yeux.

— Est-ce cela que tu voulais entendre ?

— Où qu'il soit, ton père doit s'en mordre les doigts, chuchota Laerte.

De Page eut un temps d'hésitation avant qu'un gloussement ne s'échappe de ses lèvres pincées. Il s'écarta alors en riant.

— Effectivement, admit-il. Jamais il n'aurait imaginé que je puisse être un de ses plus dangereux opposants. Comme jamais Azdeki…

Il atteignit une malle entrouverte et releva le couvercle d'un coup sec.

— … ne se doute qu'un fantôme va le hanter, conclut-il dans un souffle.

Laerte le rejoignit d'un pas lent, une main sur le pommeau de son épée. De Page n'avait pas oublié sa demande, il l'avait retrouvé, il l'avait rapporté. Il était passé de main en main, comme un vestige de l'Empire conservé par des serviteurs nostalgiques, jusqu'à ce que le duc le paie à prix d'or au fond d'une boutique d'antiquités. Au cœur de la malle reposait une cape verte et, sur elle, le masque brisé du dernier Empereur.

Laerte le contempla, le ventre noué, les mâchoires serrées. Il le porterait. Il le devait, quoi que cela puisse lui en coûter. Sa vengeance était à ce prix et ne pouvait se contenter de simples assassinats. Il désirait que chacun des traîtres qui avaient détruit sa famille sente la peur l'envahir jusqu'à l'étreindre et l'étouffer. Tous feraient face à leur passé, leur vilenie, et pas un ne connaîtrait la paix avant que Laerte ne mette un terme à leur vie. Ils les traqueraient, comme lui avait été traqué dans les Salines. Il userait leurs nerfs, il torturerait leur conscience.

— Ne te laisse pas emporter. Contente-toi d'Enain-Cassart et de Négus, rappela de Page en se penchant pour attraper le masque. Azdeki ne reportera pas l'événement, effraie-le assez pour qu'il agisse en conséquence. Fais-les douter…

Sur le masque que lui tendait de Page, la lueur des torches jetait des reflets dorés.

— Nous y sommes, Laerte.

Il humilierait Étienne Azdeki devant ses partisans. Et il le tuerait. Car le Livre n'était pas indestructible, une rapière avait été forgée dans un métal inconnu.

— Et, l'heure venue, plante l'Épée dans le *Liaber Dest* pour qu'ils ne voient plus en lui qu'un simple livre. Seulement… un livre. Nous y sommes.

Il y était, oui, à quelques pas de la grande place du Palatio, dans l'ombre d'une ruelle.

Il y avait foule en ce début de soirée, hommes et femmes en tenue de carnaval, portant des masques variés, visages souriants ou bien atones, unis ou bigarrés, ornés de plumes de paons ou de liserés… Tout ici n'était que brillant, apparence et fatuité. Des cracheurs de feu projetaient de hautes flammes, des jongleurs amusaient des groupes de badauds, des musiciens tapaient du pied, leurs doigts pinçant les cordes de mandolines. Fanions et rubans voletaient au-dessus d'enfants rieurs. Quelques couples échangeaient un baiser et les étoiles s'allumaient dans le bleu sombre du crépuscule. Et derrière le toit bombé du Palatio naissait une lune pâle.

Laerte rabattit la capuche sur sa tête, couvrant d'une ombre le haut de son masque doré puis quitta sa position. Il savait les portes du Palatio fortement gardées, de tous côtés. Il y en avait une seule qui l'intéressait, celle au pied des jardins, où il était certain de ne trouver aucun badaud. Tous préféraient arpenter les grandes avenues, en tenue bariolée, tapant du tambour, buvant, riant. Et l'écho de leur marche résonnait tout autour du palais.

Ils étaient cinq soldats dont deux encadraient la petite porte menant à l'escalier éclairé de torches. Derrière eux s'élevait le haut mur du jardin. La pénombre enveloppait la rue. Ils entendirent son pas avant de découvrir l'éclat du masque et la zébrure qui le parcourait. Quand l'un d'eux lui ordonna de s'arrêter, Laerte obéit, posant une main sur le pommeau de son épée. Serrant sa hallebarde, le soldat alla à sa rencontre, rapidement suivi par l'un de ses équipiers. Et dans leur dos, descendant les marches, d'autres soldats arrivèrent. Ils furent bientôt au nombre de dix.

— Ne bouge pas !
— Le masque… c'est lui !
— C'est l'assassin.

Laerte empoigna son épée mais ne la sortit pas. Il ne fit pas un geste quand il entendit les lames transpercer les cottes de mailles, le râle des soldats étouffés par la main de leurs équipiers.

Nous y sommes, Laerte.

Un à un, ils tombaient. Ne restèrent bientôt plus que quatre soldats qui accompagnèrent Laerte au cœur du Palatio.

13

Le murmure des dieux

Pour toi, je serai plus qu'un murmure.
Je serai un cri.

Rabattant les rênes de cuir vers lui, Rogant fit ralentir les chevaux tirant la charrette chargée de tonneaux. Il avança au pas sur le pont faiblement éclairé. Devant lui, le dôme imposant du Palatio s'élevait et, au pied de l'édifice, quelques hallebardiers supervisaient le déchargement de charrettes de primeurs à grand renfort de cris. Lorsqu'il arriva à leur hauteur, quelques regards le jaugèrent mais aucun n'exprima de la méfiance, tout juste quelques interrogations. D'autres Nâagas portaient des caisses de boissons à l'intérieur du bâtiment.

—C'est quoi ça ? brailla un soldat en s'approchant de la charrette.

—Du vin, répondit Rogant entre ses dents.

S'il se montrait aussi peu engageant, c'était bien pour ne pas attirer l'attention. Les Nâagas n'étaient pas connus pour être d'une sociabilité exemplaire. À son air menaçant, le soldat répondit par un hochement de tête désabusé. Et, d'un pouce levé, il lui indiqua deux grandes portes ouvertes sur un hangar rempli de victuailles. À l'intérieur, des serviteurs s'affairaient à trier les denrées pour les emporter derrière une porte battante. D'un mouvement de poignet, Rogant fit claquer les rênes sur la croupe des chevaux. Bien qu'il y eût quelques hommes d'autre origine parmi les domestiques,

Rogant constata avec une certaine tristesse que la plupart étaient de son peuple et assuraient les tâches les plus dures. Et ce, malgré l'évidente fragilité de certains. Tous les Nâagas ne jouissaient pas de sa carrure.

Une fois qu'il fut entré dans le hangar, on commença à décharger les tonneaux sans attendre qu'il descende de la charrette. Mais, très vite, deux gardes interrompirent les opérations.

—Qu'est-ce que c'est que cette cargaison-là ? demanda le premier, une croix rouge sur le plastron.

Mettant pied à terre, Rogant le dévisagea en silence. Le Nâaga le dépassait d'une bonne tête, mais le soldat, un gradé de toute évidence, ne s'en émouvait guère. Au contraire de son second qui évitait le regard de Rogant, mal à l'aise, une main toute proche de l'épée pendue à sa ceinture.

—J'ai dit : qu'est-ce que c'est que cette cargaison ? insista le soldat en appuyant chacun de ses mots.

—Tout est censé avoir été livré, nota son compère.

—Les primeurs installent déjà les buffets et on n'a pas prévu d'autres vins ! s'emporta l'autre. Qui t'envoie ?

Tout autour, les Nâagas posaient les tonneaux à terre, ne sachant s'ils devaient continuer leur travail ou s'atteler à une autre tâche.

—Qui t'envoie ? répéta le soldat, de plus en plus hargneux. Tu es sur la liste ?

—Un oubli de ma part, intervint une voix essoufflée.

Derrière les deux soldats apparut le tricorne d'Aladzio.

Il n'eut pas à les convaincre, sa position était connue ici, d'autant plus qu'il avait, avec lui, une escorte bien fournie. Rogant l'accompagna donc sans se justifier davantage et la charrette fut déchargée. Derrière eux suivaient les Nâagas, silencieux, les tonneaux sur l'épaule maintenus par leurs bras nus et tatoués de formes étranges.

—Tu n'allais pas lui répondre par... par la force au moins ? s'enquit Aladzio à voix basse, l'air inquiet.

Rogant se contenta d'un sourire mauvais pour seule réponse. Les clichés concernant son peuple avaient la vie dure, même pour un homme éclairé tel que l'inventeur. Lassé de s'en offusquer, il préférait s'en amuser.

—À quel endroit ? demanda-t-il lorsqu'ils arrivèrent au bord d'une grande cour intérieure qu'entouraient des balcons fleuris.

Ici et là, des guirlandes colorées ornaient les haies dressées au centre de parterres d'herbe, joignaient les balcons, entouraient les colonnes de marbre sur lesquelles s'étiraient des auvents. De chaque côté de la cour, des portes à double battant s'ouvraient sur l'intérieur du Palatio où allaient et venaient des gens en livrée bleu et noir. On installait tréteaux et tables, plats et couverts, et des tonneaux de vin d'où saillaient des robinets de bois.

Aladzio désigna d'un bref signe de tête une estrade où, déjà, des serviteurs plaçaient quelques fûts de réserve.

—Empilez-les derrière.

Rogant tapa des mains et les siens se hâtèrent vers l'estrade pour y décharger les tonneaux. Aladzio s'avança dans la cour puis, tournant sur lui-même, avisa les balcons en relevant le bout de son chapeau.

—Je les ai remplis comme il faut, assura Aladzio quand Rogant l'eut rejoint.

Il esquissa un sourire embarrassé, se frottant les mains nerveusement.

—Je n'en doute pas un seul instant, répondit calmement le Nâaga.

—Ah ? Parce que moi, en définitive, un peu, lâcha subitement Aladzio.

Il leva les yeux vers le balcon le plus proche, imaginant la silhouette de Laerte cachée derrière l'une des colonnes.

—Nous serons vite fixés, se résigna-t-il. Soit c'est juste assez pour une diversion, soit nous partons tous en fumée. Soyons rassurés !

Badin, il flatta l'épaule du Nâaga avant de s'éloigner.

—Merveilleux…, soupira Rogant.

Les bottes des gardes claquaient sur le sol du couloir. Les quatre soldats avançaient machinalement, si habitués à effectuer le même parcours qu'ils ne s'émerveillaient même plus des magnifiques tentures rouges que les lampes à huile éclairaient d'une lumière vive. En ce soir de fête, ils restaient muets de frustration, allant et venant en maudissant leur chef de patrouille de les avoir affectés à cette partie du Palatio, sans aucune possibilité d'assister au spectacle des convives costumés. Ils gardaient une main sur le pommeau de leur épée mais n'imaginaient pas la sortir. Bien que deux meurtres aient été commis les jours précédents, il était improbable qu'un crime soit perpétré en ce lieu. Et leur nombre avait été doublé à la dernière minute.

Les trois hommes qui venaient à leur rencontre étaient de ces renforts, vêtus de plastrons de cuir, armés de simples épées, un arc en bandoulière. Ils paraissaient bien fades en comparaison des armures clinquantes des soldats du Palatio, mais ils rassuraient les dignitaires. Il ne leur avait été assigné que la surveillance des endroits interdits à la foule, où personne, hormis la garde, ne s'offusquerait de leur apparence.

Ils se saluèrent sans un mot, d'un simple signe de tête, quand au bout du couloir apparut une silhouette dissimulée sous une cape. Sous sa capuche brillait un masque d'or et sa main gauche enserrait le pommeau de son épée.

Les gardes n'eurent pas le temps d'agir, des lames perçant leur dos pour jaillir de leur plastron. La main ferme, les mercenaires leur tranchèrent la gorge avant d'accompagner leur chute pour les déposer doucement sur le sol carrelé. Laerte enjamba les cadavres silencieusement. Il adressa un signe de main aux soldats de fortune pour qu'ils le suivent.

—Avez-vous fait bon voyage ? demanda Viola.

Acceptant sa main tendue, il descendit le marchepied avec prestance, quittant le calme du carrosse pour le brouhaha de la grande place du Palatio. Le dégoût qui le prit en apercevant un filet d'urine couler entre les dalles resta caché derrière le masque de sanglier couvrant son visage. Non loin de là, une escouade tançait un homme qui s'évertuait, titubant, à remonter son pantalon devant un parterre de fleurs.

—La fête a déjà commencé, il me semble, remarqua de Page.

Sur la place, la foule se pressait, joyeuse et colorée, tous vêtus de costumes étranges, du plus raffiné au plus rapiécé, arborant des masques élaborés ou faits de vulgaire papier. Seuls les regards pouvaient se deviner, seuls les mots comptaient, l'apparence n'était plus rien. Ainsi avait toujours été la Nuit des Masques, une ancienne fête venue de la lointaine Eole, que la République avait érigée en événement national. Feindre l'égalité le temps d'un soir, oublier ses origines, que le plus noble côtoie l'artisan, que l'argenté trinque avec le plus pauvre, que soient masquées les différences. Cette année, à l'invitation du conseiller Azdeki, la plupart des dignitaires d'Éméris avaient fait le déplacement et Masalia s'offrait donc une Nuit des Masques particulière.

Flûtes et mandolines accompagnaient les chanteurs d'un soir. Les rires à gorge déployée se répondaient parmi la foule. Certains corps se nouaient sans aucune pudeur, échangeant baisers et caresses sous les regards amusés des badauds.

—Nous avons laissé la maison comme vous nous l'avez demandé, informa Viola en passant son bras au creux du sien.

De Page lui adressa un sourire qu'elle devina à la plissure de ses yeux. Il semblait la dévorer du regard, et elle ne put cacher sa gêne tant le rouge lui montait aux joues. Un masque dissimulait le haut de son visage, des plumes s'élevant le long de son front pour se courber sur ses cheveux tressés. Sa robe échancrée, d'un bleu comparable à celui du ciel à l'orée de la nuit, dévoilait des cuisses diaphanes à chaque pas.

—Bien que cela m'ait coûté, dit de Page, entre ses dents, Dun ne sera pas un souci. Je m'en suis occupé. Cet incident est clos.

—Le principal était ce qu'il conservait près de lui, je ne crois pas que…

—Ne le défends pas, répondit-il sèchement. Qu'il ait révélé son identité au vieux général, sans m'en avertir, c'est une chose que nous réglerons. Pour l'heure, faisons bonne figure, Viola Aguirre.

Ils traversèrent la foule, présentèrent leurs invitations aux gardes puis furent escortés jusqu'aux marches du Palatio dont le toit voûté s'illuminait de mille feux. Au-dessus, la lune ne cessait de croître et, à son côté, les étoiles commençaient à scintiller timidement. Ils entrèrent dans le palais, découvrant un décor somptueux de marbre et de tapisseries anciennes dont flambeaux et lampes à huile soulignaient la beauté d'une chaude lumière. Ils furent menés à l'immense salle de bal décorée de tentures et de lustres de cristal, d'imposantes statues et de tableaux de maîtres. Deux larges escaliers descendaient de l'étage en formant chacun une courbe parfaite. Et tout au-dessus, à une dizaine de mètres, le dôme du Palatio couvrait la salle d'une peinture guerrière, représentant une femme à demi nue plantant une lance scintillante dans le cœur d'un Empereur difforme.

Ils étaient tous là, vêtus de leurs plus beaux atours, des masques subtilement travaillés sur le visage, et ils riaient, bavardaient, braillaient, buvaient du vin rouge sang dans des coupes d'argent. Ils se goinfraient au buffet gargantuesque installé en bordure d'une grande fontaine intérieure d'où s'élevait la statue d'un colosse barbu. De Page reconnut sans peine les conseillers qu'il avait l'habitude de défier à l'Assemblée, mais qui d'entre eux était prêt à épouser la cause d'Étienne Azdeki? Il y avait Rhunstag accompagné de son épouse, tous deux vêtus d'un masque d'ours, lui gardant fièrement sur son épaule ses éternelles peaux de bêtes. Non loin, discutant avec quatre conseillers, Bernevin avait choisi un simple loup, conservant sa toge d'homme d'État. Mais celui qui attira l'attention de De Page arborait une tête d'aigle, le bec aiguisé jetant une ombre légère sur ses lèvres fines et son menton rasé. Un long manteau noir ceint d'argent lui tombait jusqu'à mi-cuisses et de sa taille pendait une longue épée effilée dans un fourreau serti de pierres précieuses.

De Page sentit Viola se presser contre lui lorsque Azdeki les aperçut et se fraya un passage pour les saluer.

—Quelle surprise de vous voir ici, grinça Azdeki.

—Vous me reconnaissez? Aurais-je mal choisi mon camouflage? badina le duc.

—Au contraire, ce masque est votre reflet à peine déformé… mais j'aurais cru que vous préféreriez l'ambiance de la capitale à l'étouffante chaleur du Sud.

—C'est qu'il m'a paru que c'était faire preuve de politesse que d'accepter votre invitation, cher conseiller Azdeki. Le mariage de votre fils, en voilà un événement dans notre bonne République.

Azdeki hocha la tête, les yeux plissés derrière la tête d'aigle. Enfin, il tourna son regard vers Viola.

—C'est bien la première fois que l'on vous voit avec une femme.

—Oooh, méfions-nous des apparences, murmura de Page avec un plaisir non dissimulé. À la Nuit des Masques, chacun se donne l'image qu'il souhaite. Même un faible peut se prétendre puissant, vous ne croyez pas? Ce n'est que le lendemain que nous constatons à quel point tout cela n'a été qu'une illusion. Mais, peut-être suis-je impoli, vous n'êtes pas du genre à vous bercer d'illusions.

— Non, répondit sèchement Azdeki. Vous, peut-être ?

— Moi ? s'étonna de Page, plaquant une main sur sa poitrine. Non, faisons fi de nos différends à l'Assemblée, nous servons la République, voilà au moins un autre point commun. Respectons-nous ce soir, il pourrait bien être notre dernier sur cette terre. J'ai appris qu'un tueur avait sévi à Masalia, cela m'a peiné… Pauvre Enain-Cassart, pauvre Négus.

— Un fou qui ne nuira plus, certifia Azdeki d'un ton ferme.

— Vous avez fait doubler la garde, on me l'a dit, je ne m'inquiète pas pour cela mais… n'a-t-il pas été difficile de trouver des hommes honnêtes pour assurer la sécurité ?

— Mettriez-vous mes compétences en doute, respectable conseiller ? demanda Azdeki, un sourire menaçant aux lèvres.

— Pas le moins du monde, simplement je n'ose imaginer les difficultés rencontrées pour ne pas ôter à la ville toute sa garde et la réquisitionner au Palatio. J'en conclus donc que vous avez dû… recruter.

— J'ai fait ce qu'il fallait, de Page. Ne craignez pas pour notre sécurité. Quoi que vous ayez pu entendre au sujet de cet assassin… ou… de tout autre sujet, dit lentement Azdeki en inclinant la tête vers lui, menaçant.

— Oh, beaucoup de rumeurs courent et vous me connaissez. Parfois, je m'inquiète d'un rien.

— Vous êtes plus habile que vous ne voulez bien le montrer, admit Azdeki. Auriez-vous quelque chose à me dire, de Page ? Des questions sur ce que vous avez pu entendre dans les couloirs d'Éméris ? Des craintes à votre sujet, peut-être ?

— Non, non, non. Rien de tout cela. Car je n'imagine pas un seul instant que vous puissiez nous cacher des choses. Et pour l'assassin, nul doute que vous saurez nous protéger de lui. Acceptez mes excuses, loin de moi l'idée de vous froisser. Surtout ce soir.

— Maintenant, si vous voulez bien m'excuser, j'ai du monde à saluer.

— Bien, bien, acquiesça-t-il. Je m'en vais donc faire ce que je sais le mieux, en compagnie de ma dame. M'enivrer et jouir.

— Pour la première, je n'en doute pas un seul instant, s'amusa Azdeki en se tournant vers Viola. Pour la seconde, madame, je crains que vous ne soyez déçue par votre cavalier.

— Hoho, quelle finesse d'esprit! salua de Page alors qu'Azdeki se fendait d'une courbette.

Le conseiller disparut dans la foule, d'un pas pressé. La pression sur le bras de De Page se relâcha aussitôt et, tournant la tête vers Viola, il devina sous son loup un visage pâle comme la neige.

— Il vous fallait le défier, vous ne pouviez pas vous en empêcher, déplora-t-elle.

— Et quoi? se défendit-il, amusé. Azdeki n'est pas un idiot. S'il a mis le temps, il a bien compris que je porte un masque autrement que cette nuit. Entre gens de l'ombre, nous nous reconnaissons. Il ne reculera pas pour quelques menaces voilées. Détends-toi.

— Mais je le suis, se défendit-elle, vexée. Si vous jouiez moins aux passes d'armes, je n'en serais que plus à l'aise.

Le bourdonnement de la foule couvrit le rire contenu du conseiller. La fête battait son plein désormais. Aux portes du Palatio, une ligne de hallebardiers repoussait les plus curieux quand, sur la place, le peuple riait et dansait au rythme des joueurs de flûte.

Tout semblait sombre et silencieux près de l'escalier. Seul le plancher craquant sous ses pas lui rappela qu'il était bel et bien vivant. La lueur de la lune traversait les vitres sales donnant sur la ruelle pour former de longs rectangles sur le bois poussiéreux. Il était seul, il était las, et s'assit sur une marche de l'escalier. Puis il joignit les mains sur ses genoux, tremblant. Il attendait la mort, certain que ni Laerte ni de Page n'étaient décidés à le laisser partir.

Il aurait pu fuir. Il aurait pu quitter cette maison.

Mais il s'était fait une raison. Peu importait la destination, il y emporterait sa douleur. Ainsi, lorsqu'il entendit le roulement du carrosse et les sabots sur le pavé, il en fut comme apaisé. Bientôt, tout serait terminé. Au claquement sec des rênes suivirent l'ébrouement des chevaux et les pas sur les pavés. Il serra les poings quand la poignée de la porte tourna.

L'huis fut lentement poussé, laissant entrer la lumière des lampes à huile. Il ferma les yeux et se redressa sur la marche de l'escalier. Et dans l'encadrement de la porte patientait la silhouette d'une femme habillée d'une longue robe violette, une ample capuche sur la tête.

— Dun-Cadal, dit-elle.

Il l'avait déjà reconnue à son parfum de lavande. La main posée sur la rampe, il descendit de la marche, aussi surpris que désappointé. Il avait attendu la mort, et c'était Mildrel qui venait le chercher.

Elle abaissa sa capuche avant d'entrer, dévoilant son visage calme. Ses yeux soulignés de noir le jaugèrent sans qu'elle dise un mot et, imaginant ce qu'elle pouvait penser de son état, il resta lui aussi silencieux. Comme il s'était trompé… Laerte avait tenu parole, c'était donc qu'il comptait encore pour lui.

—Comment me trouves-tu ? demanda-t-il faiblement.

Elle hésita… puis esquissa un sourire triste.

—Toujours aussi vieux malgré les nouvelles ?

Il laissa échapper un râle, acquiesçant nerveusement. Du regard, il devina les taches sombres constellant sa main sur la rampe. Il la laissa tomber le long de sa cuisse.

—Tu sais, comprit-il.

—Je sais. Grenouille…

—Quoi d'autre ?

—Qu'il a survécu, qu'il est là. Et qu'il me demande de m'occuper de toi. C'est tout. C'est bien suffisant pour moi. Ils m'ont donné de l'argent, assez pour que nous quittions Masalia tous les deux…

—Qui ?

—De Page.

Il opina du chef, le regard sombre.

—Cela ne nous concerne en rien, Dun-Cadal, argua-t-elle en s'approchant de lui. Les affaires de la République ne nous regardent pas. Nous sommes d'un autre temps.

Ses mains gantées de noir glissèrent jusqu'aux siennes et, instinctivement, il baissa le regard. Que ses doigts étaient fins, qu'ils semblaient perdus sur ses larges mains marquées par l'âge. Qu'était lointaine l'époque où il la retrouvait dans une chambre cossue du palais impérial, de retour de bataille, le corps encore sale d'une longue chevauchée. Cette ancienne vie lui paraissait n'avoir jamais existé qu'en rêve.

—J'ai erré si longtemps avant de venir à Masalia, avoua-t-il, la gorge terriblement sèche, les yeux rivés sur leurs mains qui se nouaient. Je ne savais pas où aller, je cherchais. Je cherchais des réponses. Et puis ici, j'ai abandonné…

—Des réponses à quoi?

—Sur ce que je suis, pourquoi j'ai échoué, répondit-il dans un souffle. Un sens à tout ça. Pourquoi les dieux nous ont-ils écrit un tel destin? Ne suis-je qu'un simple murmure? Et maintenant que...

Il s'apprêtait à évoquer le *Liaber Dest*, à lui dire combien il craignait que sa vie ne s'y résume qu'à une seule phrase, mais de Page lui avait sûrement caché cette information. Dun-Cadal retint un rire nerveux.

—Tu t'es installée ici, dit-il, tu m'as accueilli, tu as essayé de me protéger de moi-même, sans grande réussite, mais au moins as-tu toujours été là pour moi.

Enfin, il osa la regarder dans le blanc des yeux, et y vit ce qu'il n'aurait jamais voulu revoir: l'éclat de l'amour quand elle le contemplait, un amour sans faille, sans fin, capable de plier sans jamais rompre. Et quoi? Elle méritait qu'il s'occupe d'elle pour une fois, ils pouvaient bien fuir, abandonner tout cela. Comme elle le disait, ces affaires de la République ne les concernaient pas.

—Il a grandi, tu sais? C'est un homme...

Son maigre sourire s'effaça.

—Il a des comptes à régler avec Azdeki...

—Moins nous en saurons, mieux nous nous porterons, Dun-Cadal, dit-elle.

Elle le suppliait de ne pas continuer.

—Mildrel...

Il soutint son regard, levant leurs mains à hauteur d'épaule, puis se rapprocha d'elle. Il sentait son parfum de lavande, mais, cette fois, celui-ci ne le calmait pas. Il se blottit contre elle, espérant chasser la tristesse qui alourdissait son cœur.

—Nous devons partir, viens, le pria Mildrel. Oublions tout cela. Oublions cette République et ses affaires, oublions l'Empire et vivons juste nous deux. Tu le souhaites, n'est-ce pas?

—Oui..., murmura-t-il.

Mildrel s'écarta de lui, reculant d'un pas lent, tendant ses bras avant de lui lâcher les mains. Elle souriait elle aussi, mais d'un sourire lourd de sens, grave et amer. C'était comme si elle se résignait.

—Tu me suivras?

—Oui, répéta-t-il, décontenancé.

Il se déroba à ses yeux insistants, cherchant dans l'obscurité de la maison quelque chose qui puisse happer ses pensées. Mais rien ne lui permit de refouler ce sentiment atroce d'abandon.

—Non, se reprit-il.

Il marqua un temps, espérant que Mildrel s'emporte et le pousse à quitter cette maison, à monter dans le carrosse et à quitter Masalia. Elle restait muette.

—Il va au Palatio, avoua-t-il d'un ton extrêmement calme, il veut assassiner Azdeki.

—Et tu crains qu'il n'y arrive pas, dit-elle simplement.

—Je crains que quelqu'un ne l'en empêche, ne lui fasse perdre tout moyen, ne le…

Il n'osait pas s'approcher de Mildrel mais au moins eut-il assez de cran pour affronter son regard.

—Il a besoin de moi.

Pas un reproche dans ses yeux, pas une once de colère sur son visage, à peine de la tristesse. Mildrel acquiesça d'un bref signe de tête.

—Je ne sais pas si je l'ai toujours craint… ou si je l'ai toujours su, reconnut-elle avant d'incliner la tête sur son épaule. Cocher ! La malle !

Dans la rue se devina la silhouette voûtée d'un homme. Il y eut un bruit de cordes relâchées, puis un ahanement accompagné d'un son sourd. Enfin, l'homme apparut sur le pas de la porte, traînant derrière lui une malle usée que maintenait fermée un loquet en laiton. Il portait une veste à queue-de-pie, salie par la poussière, une chevelure hirsute et cendrée surplombant un visage fermé. Il fit glisser la malle entre Mildrel et le général.

—Merci, dit-elle sans lui adresser un regard.

D'un geste de la main, le cocher adressa un salut timide à Dun-Cadal, puis retourna au carrosse.

—Tes affaires ? demanda Dun-Cadal.

—Je ne les ai pas préparées, avoua-t-elle.

Hésitant, il s'approcha de la malle. Elle n'avait donc jamais eu l'intention de quitter Masalia, mais alors qu'avait-elle apporté ? D'une main tremblante, il souleva le loquet.

—Je l'ai toujours gardée, dit Mildrel dans son dos. Je savais que tôt ou tard tu la remettrais. Tu es un homme de l'Ouest, un général de la grande armée. Tu es Dun-Cadal Daermon.

Il ouvrit la malle et l'éclat d'une vieille armure polie lui fit plisser les yeux. Ou bien étaient-ce les larmes qui montaient à ses paupières ? Du bout des doigts, il effleura la lame reposant sur le plastron. Cette épée avait vécu les Salines, le Vershan, Kapernevic…

— Un cheval t'attend…

Il se redressa lentement, sentant Mildrel s'appuyer contre son épaule. Il leva la main pour lui caresser la joue, glisser le long de sa nuque, savourer la douceur de sa peau. Et, sans un mot, ils s'enlacèrent, une dernière étreinte, une dernière fois.

Ils le savaient, jamais plus ils ne se reverraient.

Dans la cour intérieure, Azdeki ferait appeler les conseillers tenus au secret. Il les emmènerait dans la salle des dieux, de l'autre côté de la cour intérieure, les portes se refermeraient derrière eux, et les gardes les plus fidèles se posteraient devant l'entrée, et, là, il atteindrait son but.

Non, pensait Laerte.

Il prononcerait un long discours sur l'histoire du Livre Sacré, sur le choix d'Aogustus Reyes de le placer sous la garde des d'Uster, sur le déclin voulu de l'ordre de Fangol et sur les risques d'une République corrompue. Azdeki jugerait les conseillers trop libres, trop enclins aux changements, évoquerait la perte des valeurs, de la morale de l'ordre, de l'oubli des écrits saints. Et il montrerait le *Liaber Dest*, le brandirait comme un étendard pour que tous le suivent. Il laisserait aux moines de Fangol le choix du sort de l'ancien évêque d'Éméris, pour preuve de sa foi et de sa dévotion. Et un nouvel ordre, plus juste, plus respectueux, moins permissif, naîtrait de sa parole. Il s'appuierait sur le *Liaber Dest* pour légitimer sa prise de pouvoir, traduisant à sa façon les énigmatiques vers, les étranges gravures. Il leur donnerait le sens qu'il voudrait, grâce aux travaux d'Aladzio. Voilà ce qu'espérait Azdeki, voilà ce qu'il avait préparé durant des années.

Mille fois non, se jurait Laerte. L'avenir de la République n'était pas sa première préoccupation. Mais que l'assassin de son père pervertisse son rêve lui était insupportable. Tout en avançant en direction des balcons entourant la cour intérieure, il se remémorait ses années de souffrance, à se cacher derrière Grenouille, à renier ce qu'il avait été. Il était enfin prêt.

La main sur le pommeau d'Éraëd, il marchait d'un pas décidé. Les hommes à ses côtés lui ouvraient la route, supprimant les gardes avec discrétion. Pas une fois, il ne sortit l'Épée impériale. Bientôt, toute une partie du palais serait sous la coupe des hommes de De Page. Ceux-là mêmes qu'Azdeki avait été contraint et forcé de recruter, pensant fortifier la place. Quelle ironie...

— Vos positions, ordonna Laerte à voix basse.

Sur le pas d'une porte, il désigna chaque coin des balcons et s'engagea sur l'un d'eux, laissant son regard dériver sur la foule qui discutait en contrebas. Des hommes en livrée essayaient tant bien que mal d'assurer le service, remplissant les verres de vin au tonneau, apportant des plateaux de viandes grillées, se frayant le plus habilement possible un passage parmi les invités les plus prestigieux. Tous, ici, étaient conseillers, dignitaires, fortunés, bien loin de l'esprit de la Nuit des Masques. Le peuple restait cantonné à la grande salle de bal sous bonne garde.

Les mercenaires se dissimulèrent derrière les colonnes et, armés de leurs arcs, s'agenouillèrent au plus près des balustrades. Laerte contemplait les fûts, empilés pour former un étrange escalier. D'une main ferme, il empoigna l'épaule de l'homme à genoux devant lui.

— La distance ?

— Parfaite, sourit le mercenaire tout en posant à terre une lampe à huile.

— Uniquement à mon signal, rappela Laerte en cherchant à deviner parmi la foule des silhouettes familières.

Des masques, par dizaines, des costumes de soie et de lin, tous différents, tous uniques. Les couleurs dansaient, les rires montaient, les bouches s'ouvraient sur des morceaux de viande, accueillaient le vin versé avec joie. L'orgie ressemblait à une foire aux monstres.

Et, dans la foule, il aperçut une tête d'aigle.

— Là, Bernevin, ici Daguaret, chuchota de Page à l'oreille de Viola.

Le duc observait les moindres mouvements, les gestes les plus subtils, qui indiquaient quelque attache entre les conseillers qui devisaient. C'était une seconde nature, de la cour impériale à l'Assemblée républicaine, il avait toujours su prêter attention au plus infime détail. Et grâce aux gestes comme aux regards et hochements de tête qu'il apercevait, il devinait les accointances. Les opinions de chacun, les manœuvres politiques et les amitiés que les conseillers privilégiaient, tout cela lui servait à se représenter la toile tissée par Azdeki.

À son bras, Viola l'aidait à analyser les va-et-vient des dignitaires alors qu'ils remontaient un grand couloir garni de miroirs, vers une cour intérieure d'où émanait une odeur de cochon grillé.

—Daguaret a défendu votre loi sur l'éducation, nota Viola.

—Oui. Mais je l'avais acheté, sourit de Page en scrutant la foule qui avançait devant eux. Cet homme-là a toujours donné un prix aux idées.

—El Chaval? proposa la jeune femme en détournant les yeux.

Ils passèrent devant trois hommes masqués de jaune qui discutaient tranquillement, un verre de vin à la main. Les cheveux noués en catogan, l'air affable et le corps bien fait, El Chaval hochait la tête, nerveusement.

—Un fat, grossier mais animé d'une flamme indiscutable, objecta de Page. S'il est croyant, il n'est pas pour une République soumise à l'ordre de Fangol. Il a une véritable position, bien que je n'adhère pas à ses idées. Ils ne l'ont pas approché.

Son père le lui avait dit. Il le lui avait même hurlé, dressé sur ses coudes, avant que son cœur ne lâche.

«Tu n'auras plus ta place dans ce monde, Gregory! Toi et tes vices serez enfin jugés sous le regard des dieux, car nul ne s'affranchit de ce qui a été écrit. Le *Liaber Dest* a été retrouvé!»

L'image de ce visage tordu de haine, les lèvres frémissantes de rage, et la bave à leur coin, ne le quittait pas. Ce n'était pas une simple question de *pouvoir* qui avait mené son père et les Azdeki sur les pas d'Oratio et de sa République tant désirée. C'était leur credo. La parole au peuple, peut-être certains y avaient vu là une évolution, mais ce n'était pas elle qui importait. Seule comptait la parole des dieux et elle survivait dans le Livre Sacré que les Reyes avaient pris soin de cacher.

—Sur votre droite, souffla Viola.

De Page inclina légèrement la tête, au moment même où passa à son côté un groupe de moines fangolins. La capuche rabattue sur la tête, les mains jointes devant eux, ils se dirigeaient vers la porte opposée qu'encadraient quatre hallebardiers.

Et, sur le seuil, des conseillers se réunissaient sans échanger un seul mot. Comme de Page s'y attendait, Daguaret accompagnait Rhunstag et Bernevin. Couverts par l'agitation, personne ne les remarquait se regrouper devant Étienne Azdeki qui, sur le perron, parcourait la cour intérieure d'un regard acéré, les mains derrière le dos, calme et digne. Les moines se joignirent à eux.

Pas un homme d'État n'avait échappé à son regard, pas un seul. De Page connaissait désormais les ennemis de la République et ceux qui survivraient à ce soir n'en sortiraient pas grandis. Il veillerait à s'occuper de leur sort pour que pas une seule de leurs voix ne s'élève de nouveau au nom de la République.

— C'est le moment, n'est-ce pas? chuchota Viola, serrant plus fortement son bras.

De Page acquiesça d'un bref signe de tête. La cour grouillait d'invités, déjà enivrés. Si un drame arrivait, la panique serait totale et, plus important encore, incontrôlable. De Page leva la tête vers les balcons pour y discerner, en retrait d'une colonne, une silhouette familière. Laerte se tenait prêt, le masque doré scintillant à la lueur des torches. Du coin de l'œil, le conseiller aperçut Rogant entre un buffet et les portes menant à la salle de bal. Quant à Aladzio… l'inventeur se frayait nerveusement un passage parmi les convives, caché derrière un masque de renard, le tricorne vissé sur la tête. Tout se mettait en place si parfaitement.

— Ce soir, mes amis, ce soir! appela une voix.

De Page se raidit.

Dans la foule, le tricorne semblait glisser au milieu des hautes coiffes et des masques baroques. Laerte le suivit du regard jusqu'à ce qu'Aladzio s'extirpe de la masse et, après avoir échangé quelques mots avec Azdeki, entre dans le Palatio, non sans jeter un rapide coup d'œil par-dessus son épaule. Aux pieds de Laerte, le mercenaire plongeait le bout d'une flèche au creux de la lampe.

— Ce soir, mes amis, ce soir!

Il encocha la flèche et, levant les yeux vers l'homme au masque d'or, attendit qu'il abaisse sa main.

— C'est un grand soir !

Mais Laerte restait immobile, comme tétanisé. Son cœur lui sembla s'arrêter de battre alors que l'homme dans la cour aidait une jeune femme à gravir les tonneaux.

— Car à la joie d'une nuit républicaine s'ajoute le sublime de mon union. Mon épouse...

Sa robe pourpre soulignait des formes pleines, sur sa poitrine pendait un médaillon pareil à une étoile, sur ses lèvres, un rouge carmin que renforçait la blancheur de son sourire. Derrière son masque perlé d'or et d'argent, ses yeux en amande accueillant de timides larmes qui, s'écoulant, emportaient avec elles le noir soulignant ses yeux. Elle riait en prenant place sur les tonnaux comme sur une estrade, une main dans celle de son jeune époux.

— Esyld Azdeki, montrez-vous au monde ! s'exclama Balian Azdeki.

— Monsieur ? murmura une voix aux pieds de Laerte.

Balian ôta son masque de loup pour contempler la foule devant lui, écartant les bras. Grisé par l'alcool, il savourait le moment.

— Merci à vous tous d'être ici en ce jour ! Louée soit la République !

Les applaudissements tonnèrent comme autant de tambours de guerre. Laerte sentit sa main trembler.

— Monsieur, je suis prêt, insista le mercenaire à voix basse.

Sous sa tête d'aigle, Azdeki contemplait la scène du perron avec satisfaction. Son fils, heureux, se courbait devant Esyld sous les acclamations des invités. Personne ne se préoccupait des conseillers passant la porte, pas plus que des moines qui suivaient pour disparaître dans le Palatio.

Sur les fûts, Esyld saluait la foule, courbettes à gauche, courbettes à droite, un rire contenu au bord des lèvres, les joues rougies par la gêne... ou l'allégresse. Laerte sentait son masque lui peser, la respiration lourde, les muscles raides, le ventre noué. Si elle marchait sur les fûts de vin, ceux qui s'amoncelaient derrière elle étaient remplis de poudre. Une seule étincelle et elle...

De Page lançait des regards inquiets tant vers Rogant aux portes du couloir que vers les balcons où il devinait la silhouette immobile. *L'attaque, Laerte*, pensait-il, *lance-la ! Allez.*

À son bras, Viola hésitait, tirant légèrement en avant comme si elle s'apprêtait à intervenir. Mais que faire? Des soldats avaient repoussé les Nâagas gardant les tonneaux de vins et encadraient Balian et son épouse, ce n'était pas Viola qui pouvait les en éloigner. L'idée que tout puisse s'arrêter là s'insinua dans son esprit, pesante. Il leva de nouveau les yeux vers le balcon où attendait Laerte, espérant y deviner un mouvement.

—Nous n'avons plus de temps, monsieur, s'inquiéta le mercenaire.

La voix lui paraissait lointaine. Sa main restait levée. Son cœur.

Les conseillers avaient tous passé les battants.

—Bravo! Bravo! criait la foule. Gloire aux mariés! Bravo!

Les hallebardiers se plaçaient devant les portes. Azdeki recula. L'un des gardes monta la marche et ferma un des huis. Azdeki disparut. Puis le soldat s'approcha de la seconde porte.

Sur les tonneaux, Esyld adressait à son époux un regard plein de tendresse, les mains rabattues sur sa poitrine.

La main de Laerte restait levée.

Le soldat tira la dernière porte.

—Monsieur!

Cela va bien plus loin que ça.

De sa main droite, Laerte empoigna le pommeau d'Éraëd. Tout lui paraissait confus. Et, dans le chaos des battements de mains, il perçut un martèlement, comparable à des tambours. Sourd d'abord... puis de plus en plus clair, jusqu'à ce qu'il devine les sabots claquant sur le marbre. Dans le tonnerre d'applaudissements, certains masques se tournèrent vers le couloir aux miroirs, intrigués par le claquement des fers. Le rythme saccadé ne cessait de monter, et les ordres aboyés à sa suite. À l'opposé de la cour, la porte était close. Les conjurés, alertés par les combats, auraient tout le temps de fuir avant qu'il ne puisse les retrouver dans le dédale du Palatio.

Il s'agit de la voie que tu choisis d'emprunter.

La foule acclamait les époux. Esyld rayonnait. Balian Azdeki s'approcha des tonneaux, attrapant la main de sa dulcinée pour l'amener à ses lèvres. Le bruit des sabots se rapprochait, un roulement continu, plus fort, plus menaçant. Et avec lui des ordres aboyés.

Et si tu croises Esyld ce soir ? Te laisseras-tu aller à la colère ?

Les sabots contre le marbre, les hurlements… Et une voix, grave et rauque, s'éleva dans la cour intérieure comme un coup de tonnerre.

—AZDEKI !

14

La voie de la colère

Dun-Cadal l'avait violemment forcé à s'agenouiller devant lui, une main ferme sur l'épaule. La douleur du choc pointa sur ses genoux mais, serrant les dents, il ne dit mot. Il se savait observé, jugé, toutefois, pour rien au monde, il n'aurait souhaité leur offrir une seule preuve de fragilité. Rien ne devait se lire sur son visage. Son cœur battait à tout rompre, la sueur perlait sur ses tempes. Il tiendrait. Les chevaliers s'étaient rassemblés en demi-cercle autour de lui, vêtus d'armures polies sur lesquelles se posait en éclat la lumière du soleil matinal. Derrière eux s'élevaient les statues de divinités, hautes et d'un blanc pur, leur regard atone incliné vers l'autel.

Sur les vitraux, les représentations de chevaliers, tout de couleurs vives, combattaient monstres et démons, Rouargs et dragons, protégeant des familles effrayées de leur épée brandie.

— Pour les fautes commises, dit Dun-Cadal.

Il le gifla si violemment qu'il sentit son cou craquer.

— Et pour que tu n'en commettes plus aucune, Grenouille.

Son autre joue s'enflamma sous la claque puissante, sa tête lui sembla se détacher de son corps, il goûta le sang de ses lèvres que ses dents mordaient. Une larme perla au coin de ses yeux. Il inspira profondément, mâchoires serrées.

— Répète après moi, ordonna Dun-Cadal. Je suis l'épée, je suis le bouclier.

— Je suis l'épée…, marmonna Laerte.

— Plus fort !

—Je suis l'épée! se reprit-il en levant les yeux vers son mentor. Je suis le bouclier.

—Je suis celui qui ne faiblit pas, continua Dun-Cadal sous les regards sévères de ses frères d'armes.

—Je suis celui qui ne faiblit pas.

—Je suis l'épée contre les forts. Le bouclier pour les faibles. Ma parole est d'or. Je ne la renierai pas. Je suis celui qui marche au combat. Mon chemin est celui des justes. Je ne faiblirai pas. Je suis celui qui marche au combat.

Laerte répétait à voix haute lorsque Dun-Cadal tira l'épée au clair dans un bruit sec et l'apposa sur l'épaule de son apprenti.

—Je suis l'épée et le bouclier, telle est ma seule voie. Rien ne retiendra jamais mon bras.

—… rien ne retiendra jamais mon bras, termina Laerte dans un souffle.

Il ne put s'empêcher de clore les paupières lorsque Dun-Cadal leva la lame avant d'en abattre le plat violemment sur son épaule droite. Il serra les dents.

—Je te détache de celui que tu fus. Il n'a plus d'importance.

Il sentit l'épée passer au-dessus de sa tête. Puis la douleur provoquée par le plat de la lame sur son épaule gauche lui fit ouvrir les yeux.

—Répète après moi, demanda de nouveau son mentor d'un ton ferme. Je prête ici serment…

—Je prête ici serment…

—… de ne jamais céder à la voie de la colère, de toujours servir la justice avec honneur et morale. D'être un chevalier, parmi les chevaliers, et que cela fasse sens.

—… et que cela fasse sens, conclut Laerte, la gorge nouée.

Dans le clair-obscur de la chapelle, le visage de Dun-Cadal s'abaissa vers lui, grave et fier.

—Te voilà, chevalier Grenouille.

Te voilà, chevalier…

—Azdeki! Putréfaille!

Le cheval se cabra en surgissant dans la cour, le cuir hérissé de lances d'où coulaient des rivières de sang. Hommes et femmes, paniqués, s'écartèrent en hurlant lorsque le corps du cavalier fut projeté dans les airs pour retomber lourdement sur le sol, avec un râle puissant. La monture s'effondra sur ses pattes avant, s'ébrouant frénétiquement, puis, convulsant, se laissa aller sur le flanc, la langue pendant de sa gueule ouverte. Derrière elle accouraient les soldats pris au dépourvu par la charge soudaine. Ils avaient vu le cavalier déchirer la foule sur la place, passer les marches en battant l'air de son épée. Certains avaient tenté de s'interposer, mais le cheval paniqué s'était cabré à maintes reprises, donnant du sabot. Les lances n'avaient fait que l'affoler. Et le cavalier l'avait mené à sa mort, ici, au cœur de la cour.

À terre, Dun-Cadal tentait de se relever, encore sonné et, beuglant, chercha d'une main tremblante le pommeau de son épée sur le sol.

—Azdeki! Par les dieux! Montre-toi!

Épée au clair, Balian Azdeki fit descendre Esyld des tonneaux pour que des soldats l'encerclent aussitôt. Les gardes se hâtaient dans la cour, prêts à fondre sur l'impudent, alors que la foule, encore sous le coup de la surprise, hésitait entre la peur et la curiosité. Un vieillard exhortant un conseiller à lui faire face, seul, dans une armure usée, à peine maintenue par de vieilles lanières de cuir, tenait plus d'un étonnant spectacle que d'une réelle menace.

Dans un coin de la cour, de Page, lui, ne goûtait pas la situation. Dans la cohue engendrée par l'arrivée impromptue du général, Rogant l'avait rejoint. Le Nâaga le pria de quitter les lieux sans attendre, empoignant son bras pour les pousser, lui et Viola, vers le couloir aux miroirs.

Au milieu de la cour, Dun-Cadal faisait front, reprenant ses esprits, un étrange sourire ourlant ses lèvres. Il se sentait revivre et, bien que ses os endoloris par la chute lui rappellent son âge, il espérait bien montrer au monde quel combattant il était. Une dernière fois. Une ultime fois. Les gardes l'encerclaient, le pointant de leur lance d'un air menaçant. Il eut comme une impression de déjà-vu, et perdit son sourire.

Votre Majesté impériale, ce n'est encore qu'un enfant! Vous n'avez pas le droit!

Les torches crépitaient. Plus un rire, plus une musique, rien qu'un lourd silence. Balian franchit le cercle des gardes, arme au poing.

—Arrêtez cet homme! ordonna-t-il.

—Toi, le blondinet, tu ferais mieux d'attendre d'avoir une voix plus grave pour donner des ordres comme ça, maugréa Dun-Cadal avant de hausser la voix. C'est Étienne Azdeki! Le capitaine Azdeki que je suis venu chercher! Azdeki! Montre-toi!

Les gardes hésitèrent alors qu'entre les deux portes l'ombre d'un homme avançait. Au seuil du couloir, de l'autre côté de la cour, de Page hésita. À côté de lui, Viola semblait perdue, jetant de brefs coups d'œil vers les fûts empilés sur l'estrade, avant de croiser le regard décidé de Rogant.

—Quittez les lieux, murmura-t-il entre ses dents.

—N'interviens pas, ordonna de Page, le regard noir.

—Je n'en aurai pas besoin, assura le Nâaga le visage crispé.

De Page ne devait pas être associé à ce qui allait suivre. Dans la réussite comme dans l'échec, nul ne devait apprendre le rôle que le conseiller avait joué dans cette entreprise. Non pas pour sa simple protection mais bien pour tout ce qui découlerait de cette nuit. Le Nâaga les suivit du regard et, quand ils disparurent au bout du couloir aux miroirs, il se glissa derrière l'un des battants de la double porte.

—Azdeki! gueula Dun-Cadal.

Il fit tournoyer son épée, manquant de la lâcher. Ça ne serait pas une partie de plaisir. Le geste ne lui était plus naturel. Cela faisait longtemps qu'il n'avait pas combattu.

—Vous m'entendez? s'emporta Balian. Je vous ordonne d'arrêter cet homme! Il...

—Daermon...

La voix avait traîné, comme pour bien savourer le nom qu'il prononçait. Sur le pas de la double porte, le regard perçant derrière son masque d'aigle, Étienne Azdeki inclinait la tête de côté, intrigué. Dans son dos se devinait la masse molle de son oncle, perdue dans une large toge blanche.

—Arrêtez-le! répéta Balian.

Les soldats s'apprêtèrent à obéir cette fois, mais à peine eurent-ils bougé d'un pas qu'Azdeki haussa le ton.

—Attendez!

Il quitta le perron, une main sur le pommeau de son épée, ne manifestant aucune autre émotion que la curiosité. Prenant de l'assurance, Dun-Cadal lui adressa le sourire mauvais de l'homme qui veut en découdre.

—Tu ne m'attendais pas, n'est-ce pas ? railla-t-il. Inquiet ?

—Contrarié qu'un débris ait pu passer les portes aussi facilement, répondit Azdeki sans se départir d'un calme souverain.

Les murmures de stupeur et d'émoi parcouraient l'assemblée, et peu étaient ceux qui préféraient quitter la cour et manquer le spectacle qui se jouait. Mais, si le chevalier en armure affichait toute sa vindicte, le conseiller y restait indifférent. Tout en fixant Dun-Cadal, il éleva la voix.

—N'est-ce pas là un peu de fantaisie pour cette Nuit des Masques ? Un chevalier de l'Empire qui force l'entrée du Palatio et échoue ici ? Il n'y a pourtant rien à craindre de lui. Voyez, il est aussi rouillé que son armure.

—Viens tâter, Azdeki, proposa Dun-Cadal. Viens expier tes fautes. Tu as trahi l'Empire, et tu comptes trahir la République.

Il fit de nouveau tourner son épée mais, cette fois, le geste fut lent et précis, et la main ferme autour de la poignée.

—C'est que le chien mordrait encore, murmura Azdeki, les lèvres tordues par le dégoût, avant de s'adresser à l'assistance : Acceptez mes excuses pour cet incident plus spectaculaire que dangereux ! Et amusez-vous sans inquiétude !

—Que la fête continue ! héla Rhunstag derrière lui.

Les gardes s'approchaient du général avec prudence, sous la surveillance de Balian, debout près de l'estrade. À seulement quelques pas de lui, perdue entre deux hallebardiers massifs, Esyld observait la scène, terriblement blême. Le conseiller fit volte-face et s'apprêtait tout juste à passer les portes lorsque Dun-Cadal tonna :

—Le *Liaber Dest* ! Azdeki ! Tu leur as dit ? Anvelin Evgueni Reyes est-il toujours ton prisonnier ? Explique-leur donc ce qui les attend tous !

Dun-Cadal désigna l'assemblée du bout de l'épée, constatant avec satisfaction le trouble semé par ses paroles. Les murmures s'amplifiaient et avec eux un étrange malaise, lourd et pesant. Azdeki s'était arrêté sur le perron, les épaules basses, le corps raide. Un nom, un seul, se faisait entendre parmi les chuchotements : le *Liaber*...

—Qu'ils essaient de m'arrêter, rien ne m'empêchera d'arriver jusqu'à toi, promit Dun-Cadal.

Azdeki fit brusquement demi-tour, perdant de sa superbe. Furieux, il pointa un doigt vers Dun-Cadal alors que les soldats n'étaient plus qu'à quelques pas de lui.

— Virez-moi cette ordure de la cour ! Enchaînez-le !

— Viens, Azdeki, montre-moi ce dont tu es capable, grimaçait Dun-Cadal en fouettant l'air de son épée, jetant de brefs coups d'œil à droite comme à gauche pour anticiper l'attaque des soldats.

La foule s'agita. Les hallebardiers intimèrent à Esyld de s'éloigner vers le couloir. Balian contournait le cercle de soldats.

— Jetez-le au cachot !

— Sors ton épée ! Sois un chevalier !

Les invectives couvrirent le sifflement de la flèche au-dessus de leur tête. Certains entraperçurent la flamme vacillante, enfantant à sa suite des braises volantes.

— Tu n'es rien, Daermon, tu es mor…

L'acier fendit le bois d'un tonneau. Et tout explosa.

Le feu dévorait l'estrade en crépitant, une épaisse fumée noire s'élevant au-dessus des débris. La puissance de l'explosion avait provoqué le chaos, projetant Dun-Cadal à terre, soufflant les convives les plus proches, forçant les autres à se ruer à chaque extrémité de la cour.

Laerte avait sauté de la balustrade au moment même où la flèche s'était fichée dans le tonneau. Usant du *Souffle*, il s'était réceptionné sur le sol sans un bruit, sentant chaque partie de son corps vibrer sous l'impact. Il perçut les battements de cœur du général à ses pieds et, rassuré, il balaya la cour d'un regard circulaire. Dun-Cadal reprenait peu à peu ses esprits, ses doigts creusant des sillons parmi les graviers. La déflagration avait été tout juste suffisante pour semer la confusion. Devant les portes, Azdeki brassait l'air des bras pour dissiper l'épais voile âcre qui masquait sa vision. Il n'eut aucune réaction lorsque les flèches tranchèrent le nuage de fumée pour se planter dans la gorge des hallebardiers à ses côtés.

Et une pluie d'acier s'abattit dans la cour, fauchant les hommes en armes. Les invités paniqués se ruèrent vers le couloir, jouant des coudes, piétinant les malheureux encore sonnés, renversant les tables. Sur le perron, Azdeki semblait comme tétanisé. Les cris, l'odeur de la poudre, les filets de sang, la fumée qui tournait en volutes, tout n'était plus que chaos au milieu duquel se dressait un homme vêtu d'une cape verte.

Laerte attendait, la main serrée sur le pommeau d'Éraëd, la pointe de la rapière effleurant les graviers. Et, quand il accrocha son regard derrière son masque d'aigle, il jubila. Pour la première fois de toute sa vie, il y lisait l'effroi.

— Toi…, le vit-il articuler. C'est toi…

— Bougre de…, grommelait Dun-Cadal en se redressant.

La cour fut rapidement désertée. Parmi les volutes de fumée et les escarbilles des auvents apparaissait un ciel étoilé. À la lumière des flambeaux et de l'estrade qui brûlait, scintillait l'Épée des Empereurs. Des corps inertes, hérissés de flèches, jonchaient le sol. Tous portaient armure ou veste de cuir clouté, tous serraient encore leur épée comme leur hallebarde. Aucun n'avait eu le temps de déceler les mercenaires aux balcons, qui, désormais, se levaient en silence sous le regard stupéfait d'Étienne Azdeki.

Près du couloir aux miroirs, à quelques mètres de l'estrade qui se consumait, Esyld restait agenouillée, hébétée, passant une main dans les cheveux salis de terre et de poussière de Balian Azdeki. Une flèche saillait de son épaule, à la jonction de son épaulière et du plastron que soulevait lentement sa lente respiration. Il paraissait dormir, en proie à un cauchemar, la bouche tordue de douleur. Le crépitement des flammes couvrait les quelques mots que son épouse lui murmurait. Elle leva les yeux pour croiser ceux derrière le masque d'or, et son air désemparé s'effaça aussitôt. La colère tira ses traits. Laerte se déroba à son regard, le cœur vrillé.

— Alors, c'est ainsi, annonça Azdeki en observant les mercenaires quitter leur position.

— Le *Liaber Dest*, Azdeki, clama Dun-Cadal. Où est-il ?

Lentement, le conseiller leva la main vers son visage pour ôter son masque. La peur avait quitté son regard et sur ses lèvres se dessinait un triste sourire, à la limite de la moquerie.

— Il y a encore des soldats dans les jardins ? Ou vos mercenaires leur ont-ils réglé leur compte ? demanda-t-il en fixant les balcons déserts.

Dun-Cadal voulut avancer d'un pas mais manqua de trébucher sur le cadavre d'un hallebardier. Le bras de Laerte le retint.

— Je peux encore tenir debout, grogna le vieil homme.

Dans ses yeux rougis, Laerte vit une étrange étincelle et, presque inconsciemment, acquiesça. Lentement, Dun-Cadal se redressa, balançant la tête de droite à gauche pour faire craquer sa nuque. Il n'y avait besoin d'aucun mot, ils ressentaient tous deux ce qui n'avait jamais cessé de les lier depuis leur rencontre. Ils se revoyaient, des Salines à Kapernevic, bataillant côte à côte, veillant l'un sur l'autre, comme un fils et son père. Sans qu'ils se concertent, ils brandirent ensemble leur épée vers Azdeki d'un geste de défi.

Venant de la lointaine salle de bal, roulant dans le couloir aux miroirs, les voix rageuses de soldats approchaient. Peut-être se crut-il sauvé ? Azdeki tira l'épée au clair. Mais son visage se durcit à la vue du Nâaga à la porte opposée. Rogant était apparu au bord d'un battant et, après avoir jeté un bref coup d'œil vers les gardes qui accouraient, entreprit de fermer la double porte. Azdeki recula sur le perron, la respiration lourde. Le piège se refermait sur lui. Dans son dos, aucun soldat pour le défendre, cette partie-ci du Palatio ayant été confiée majoritairement aux mercenaires. Seuls restaient ceux qu'il avait assignés à la garde du Livre. Quand la porte fut barrée et que Rogant se fut retourné, Azdeki devina parmi l'épaisse fumée la silhouette agenouillée de sa belle-fille. Allongé devant elle, Balian levait une main tremblante vers la flèche fichée dans son épaule.

— Cela ne concerne que nous, n'est-ce pas ? demanda Azdeki entre deux étranges soupirs. Laissez-les vivre.

— Je suis un chevalier, Étienne, répondit Dun-Cadal avant d'ajouter d'une voix sourde, presque méprisante : Je l'ai toujours été.

Le vieux général abaissa son épée et fit un pas de côté sans quitter le conseiller des yeux. Laerte tourna la tête vers le fils blessé qu'Esyld aidait à se redresser alors qu'il serrait le poing autour de la flèche, prêt à l'arracher. Il se voyait se jeter sur lui et l'en empêcher, le frapper de toutes ses forces jusqu'à ce qu'il crie grâce et, insensible à ses supplices, plonger Éraëd dans son cœur. Sur les joues d'Esyld, des larmes traçaient des lignes brisées sur la poussière qui couvrait son visage. L'éclat des flammes dansait dans ses pupilles. Même sale et décoiffée, elle conservait sa beauté, celle qu'il avait tant admirée dans les marais des Salines.

— J'ai ta parole, Daermon, déclara Azdeki.

Sa respiration. Elle était lourde, saccadée, et se parait d'un sifflement à mesure qu'il battait en retraite. Il avait déjà passé la double porte et reculait dans le couloir, son bras armé légèrement en retrait. Mais sa main libre se relevait ostensiblement.

— Laerte, murmura Dun-Cadal.

Laerte crispait sa main sur la poignée d'Éraëd, le ventre noué, la gorge terriblement sèche derrière son masque d'or. Esyld accaparait ses pensées, seulement elle, rien d'autre n'aurait pu le libérer de son malaise, pas même l'annihilation d'Azdeki. Elle avait croisé son regard, s'était relevée, digne malgré les larmes, une main encore prise dans celle de son époux. Livide, Balian restait à genoux.

— Le…

Dun-Cadal ne finit pas sa phrase. Azdeki avait brandi sa main libre et les battants se fermèrent aussitôt dans un claquement sec. Le *Souffle*.

— Ah! Le fils de chien! brailla le général en s'élançant vers la double porte.

— Non! hurla Balian de toutes ses forces, manquant de s'effondrer en arrachant la flèche de son épaule d'un geste soudain.

Le père pouvait attendre, il ne quitterait pas le Palatio. Laerte avança, décidé, vers le jeune homme qui tirait l'épée au clair en se redressant, le visage tordu de douleur.

D'un coup de pied, Dun-Cadal sépara les battants, réprima un juron lorsque son genou le lança et pénétra dans le couloir avant de s'arrêter. Laerte ne suivait pas. Les épées claquèrent. Lorsqu'il se retourna, il vit Balian et son apprenti se faire face, Rogant tenter de maintenir Esyld entre ses bras, et les braises voleter tout autour d'eux.

— Laerte! appela-t-il.

Mais, pour seule réponse, il n'eut que le choc des lames.

— Je t'en prie, non, suppliait Esyld.

La sueur perlait sur le front de Balian, seule la volonté le maintenait debout. Il cherchait le bon angle d'attaque, mais son vis-à-vis parait avec bien trop d'aisance. Si Laerte savait le temps compté, il profitait de ce moment comme d'une preuve de sa supériorité. Il fit tourner la rapière d'un brusque mouvement du poignet qui désarma Balian, avant de lui assener un coup de poing au visage.

— Non! continuait Esyld en larmes.

Éraëd fila jusqu'à la gorge de l'époux blessé.

— Laerte…, sanglotait-elle en abandonnant tout espoir dans les bras du Nâaga.

449

— Grenouille !

La voix avait tonné, si forte, si autoritaire, apportant avec elle tant de souvenirs. La pointe de la rapière laissa une goutte de sang sur le cou de Balian. Harassé, un filet rouge et poisseux coulant sur son armure par le trou de sa blessure, ce dernier se laissa tomber à genoux.

— Tu n'as pas attendu toute ta vie pour cela ! protesta le général derrière lui. Tu es un chevalier ! Un chevalier !

Rogant repoussa Esyld derrière lui et se jeta entre Balian et Laerte, avant que son ami n'ait enfin un mouvement de recul. Ils se défièrent du regard sans que l'un semble vouloir plier.

— Ce n'est pas nécessaire, dit le Nâaga. Pas lui.

Et, comme pour échapper au jugement de son plus fidèle compagnon, Laerte fit volte-face, raidi par sa colère contenue. Son mentor attendait sur le seuil. Derrière lui, un large couloir s'étendait, éclairé de dizaines de torches dont les flammes dansaient sous la caresse d'une brise nocturne. Laerte se sentait écartelé entre deux mondes, deux époques, deux désirs aussi brûlants et dérangeants l'un que l'autre. Son cœur battait à tout rompre, le masque l'oppressait. Qui était-il ? Laerte… Grenouille… ?

Les sanglots d'Esyld se jetant sur Balian pour l'entourer de ses bras, le crépitement des flammes tout autour d'eux, l'odeur du bois brûlé, l'âcreté de la fumée qui stagnait, tout lui devenait insupportable, jusqu'à sa propre respiration.

— Grenouille, répéta Dun-Cadal, l'air peiné. Es-tu un chevalier ou un assassin ?

Laerte inspira profondément avant de faire un pas en direction du général.

— Un chevalier, Échassier, le meilleur, assura-t-il. Le plus grand. Je te l'ai promis.

— Alors tiens ta promesse.

Il y avait une chapelle en réfection au cœur du Palatio. Au fond s'élevaient un autel et, le long des murs, d'imposantes statues d'hommes et de femmes en longue robe que le temps n'avait pas épargnées. Des fêlures couraient sur la pierre, du socle à la tête. Assis contre l'autel, un vieil homme décharné gémissait, le corps meurtri, les bras écartés par de lourdes chaînes. Sur son crâne couvert de marques brunes tombaient quelques cheveux blancs, filandreux. Ses yeux mi-clos allaient lentement de droite à gauche comme s'il découvrait les lieux. Entre les statues divines pendaient de longues tentures jaune vif. Aux pieds des dieux, des flammes dansaient au creux de larges vasques. D'imposantes poutres de soutènement se croisaient au plafond, masquant une voûte peinte d'une fresque abîmée.

Anvelin Evgueni Reyes, dernier évêque d'Éméris et maître de l'ordre de Fangol du temps de l'Empire, se savait condamné depuis des années mais, bien loin de s'être habitué à cette idée, il espérait qu'en ces derniers instants quelqu'un viendrait le sauver. Il l'avait vu, il lui avait parlé de nombreuses fois ces derniers mois. L'homme au masque d'or. Il lui avait raconté le pacte du Livre et de l'Épée, l'importance de leur séparation, ce qui constituait le lien entre d'Uster et Reyes. Personne, sur cette terre, ne méritait de posséder les piliers de la civilisation.

Dans ma main gauche le Livre, dans ma main droite l'Épée, et à mes pieds le monde…

Reyes restait sourd à l'affolement des conseillers. Il se contentait d'attendre. L'explosion lointaine lui avait arraché un sourire. La tempête approchait pour le sauver. Et les murmures des dieux prendraient alors tout leur sens. Sa destinée n'était certainement pas de mourir ici, de cette façon, tel un pauvre hère, lui qui avait gouverné l'ordre de Fangol de si nombreuses années. De tous ces hommes ici présents, celui au tricorne qui se collait à une statue, mal à l'aise, était le seul à sembler lui accorder de la compassion. Et de tous il était le seul à ne pas montrer une quelconque inquiétude.

— Est-ce une attaque ?

— Qui oserait ?

— C'est l'assassin, j'en suis certain ! Il a tué Enain-Cassart et Négus, et il vient pour nous !

— Où est donc Azdeki ?

— Messieurs ! Du calme ! Du calme ! exigeait Azinn, tout près de l'autel.

Drapé de sa large robe blanche, il avait relevé le masque de faucon sur le haut de son crâne et, dans un geste d'apaisement, abaissait ses mains devant lui par à-coups. La vingtaine de conseillers autour de lui jetait des regards paniqués vers l'entrée de la salle, malgré la présence de la garde rapprochée des Azdeki encadrant l'autel. Dans un coin de la pièce, silencieux, les moines fangolins semblaient hors de la confusion, presque sereins. Seul leur importait le prisonnier à demi nu.

— Qu'est-ce donc là, monsieur? interpella Daguaret en désignant Azinn de l'index. Un piège?

Il fut aussitôt poussé par la silhouette massive de Rhunstag.

— Nul piège, monsieur. Nulle fourberie de la part des Azdeki, jura-t-il, sévère. Alors gardez vos distances.

Les voix grondaient, inquiètes. Les uns et les autres hésitaient à quitter les lieux, craignant de s'y trouver prisonniers. Ce qu'on leur avait promis ne semblait pas y être. L'idée qu'on ait pu les tromper devenait une certitude. Quand enfin celui qui pouvait calmer leur panique, celui qui les avait séduits, passa la porte et tonna :

— Gardes! Sur les côtés!

Il marchait d'un pas déterminé, l'épée en main, le visage tendu. Sa seule présence avait fait régner le silence. Et les gardes obéirent, quittant les bords de l'autel pour se placer de chaque côté de l'entrée.

— Écartez-vous! ordonnait Azdeki en balayant l'air de sa main libre. Messieurs! Écartez-vous! Formez une haie d'honneur à nos précieux invités!

Il fendit le groupe de conseillers sans leur jeter un regard, fixant de ses yeux perçants le corps attaché à l'autel. Quand il arriva à son côté, il s'agenouilla.

— C'est l'heure, Anvelin, murmura-t-il.

Le vieil homme releva à peine la tête, l'air las. Du coin de l'œil, Azdeki aperçut les moines fangolins et leur adressa un signe de la main, les invitant à approcher.

— Neveu, chuchota Azinn dans son dos, et l'assassin?

Azdeki l'ignora, se redressant fièrement, sa main gantée serrant la poignée de son épée. Avait-il perdu de sa dextérité ou prouverait-il enfin au vieux général qu'il avait toujours été bon bretteur? Dans une minute, peut-être moins, ils seraient là. Alors, il fit face à l'assemblée qui, encore confuse, hésitait à exécuter son ordre. Parmi eux, Bernevin ôtait son masque, le visage grave. Croisant le regard d'Azdeki, il acquiesça d'un bref signe de tête et entreprit de séparer le groupe en deux pour qu'ils se placent tout près des vasques.

— Aladzio, apporte-le, commanda le conseiller.

L'homme au tricorne le rejoignit, encadré de deux halle-bardiers, portant religieusement dans ses mains une boîte en bois verni et bordé d'or. Azdeki l'ouvrit avec délicatesse, mesurant l'importance du moment.

—Messieurs, clama-t-il tout en retirant de la boîte un vieux livre de cuir dont la couverture paraissait scintiller à la lumière des vasques. Voilà ce pour quoi vous êtes là, élus par les dieux pour que revienne l'ordre après des siècles de chaos et de tyrannie. Voilà ce qu'Aogustus Reyes a caché aux hommes. Voilà ce que Fangol a perdu.

Sa main tremblait, l'ouvrage était lourd. Mais c'était ce qu'il renfermait qui causait son trouble. Aladzio l'observa le lever au-dessus de sa tête, tel un étendard auquel se rallier, haussant la voix.

—Le *Liaber Dest* est revenu aux mains des hommes comme cela était prévu et, avec lui, notre devoir, notre responsabilité, si grande soit-elle, de rendre au monde sa splendeur.

Ils en avaient eu connaissance, ils auraient pu réagir le plus calmement possible, mais en vérité, bien que tous éprouvassent une foi inébranlable, c'était comme s'ils découvraient l'impossible. Le Livre Sacré n'était plus une légende. Azdeki posa son épée sur l'autel et de sa main libre empoigna la dague à sa ceinture.

—Le murmure des dieux a été retranscrit dans cet ouvrage, la destinée de l'Homme, les grands de ce monde à qui échoit la lourde tâche de mener le troupeau ! Voyez le Livre qui ne peut être détruit. Ne doutez pas de ses écrits !

D'un geste brusque, il chercha à planter la dague dans le cuir du Livre. Un souffle de stupeur parcourut l'assemblée des conseillers quand la lame se brisa en deux sur la couverture. Pas une trace, pas une entaille. La dague tomba au pied d'Azdeki dans un bruit clair.

—Le *Liaber Dest*, c'est pour lui que vous êtes là, et pour ce qu'il nous a révélé, ce pourquoi les dieux nous ont choisis.

Il s'adressa alors aux hallebardiers encadrant Aladzio.

—Détachez l'évêque. Qu'il soit rendu aux moines et jugé par eux.

Alors que les soldats exécutaient son ordre sans délicatesse pour le vieil homme blessé, il posa le Livre sur l'autel, reprenant son épée, le regard tourné vers les moines fangolins qui restaient désespérément immobiles et silencieux. Aladzio en profita pour reculer jusqu'à la colonne la plus proche.

—Acceptez ce geste comme une preuve de ma bonne volonté. Les Reyes ont affaibli Fangol pour mieux vous tenir en laisse.

Soyez libres mais reconnaissez-nous. Reconnaissez notre destin tel qu'il est écrit dans le Livre.

Soutenu par les hallebardiers, Anvelin gémit, les pieds nus traînant sur le sol, du sang séché le long de ses jambes recouvertes de crasse.

—Non, marmonnait-il, le souffle court. Vous ne voyez… que ce que… vous voulez y voir… Vous ne comprenez… Je suis l'ordre de Fangol. Pas eux… pas eux… Ce sont des hérétiques, des…

Sa phrase mourut dans un râle lorsqu'il fut jeté à terre, devant les moines impassibles. Azdeki avait besoin de leur soutien. Une fois reconnu par les derniers tenants de la religion, il serait légitime. Pour prendre le pouvoir ? Renverser la République ? Il ne cachait pas son appréhension, les mâchoires serrées. Des pas approchaient, rapides, décidés.

—Nous avons libéré le peuple du joug des Reyes, insista Azdeki.

Aux pieds des moines, Anvelin cherchait à se relever, s'appuyant sur ses paumes avec difficulté, les muscles saillants de ses bras maigres.

—Ce fou parlait en votre nom mais savait le *Liaber* aux mains des d'Uster. Il nous a caché le danger, il a nié la parole des dieux. Reconnaissez-moi. Ce qui arrive ce soir n'est pas le fruit du hasard.

Deux ombres apparurent à l'entrée, glissant aux pieds des soldats postés près de la première statue. Elles se réduisirent sous les pas de Laerte et de Dun-Cadal qui passaient le seuil, épée en main. Un mouvement de panique agita les conseillers, rapidement estompé par celui des soldats se plaçant dans le dos des nouveaux venus pour couper toute retraite. Certains se prirent à croire qu'Azdeki avait tout prévu, un plus grand nombre encore convint qu'un tel événement avait été écrit. Et, comme pour les conforter dans leur idée, Azdeki conclut d'un ton calme et terrifiant :

—Les dieux ne jouent pas aux dés.

Si Dun-Cadal s'était retourné au cliquetis des épaulières contre les plastrons, Laerte n'avait eu d'yeux que pour le conseiller devant l'autel. Le crépitement des flammes parut durer une éternité, à peine couvert par les pas de Rhunstag et de Bernevin rejoignant Azdeki qui posait le Livre sur l'autel. À quelques mètres de lui, Azinn recula parmi les moines fangolins, comme s'il espérait y trouver une protection. La plupart reconnaissaient la cape verte qui avait tant fait parler depuis le meurtre d'Enain-Cassart sur le port. Peu en revanche mettaient un nom sur le vieux chevalier en armure qui l'accompagnait.

—Oh, joie..., grommela Dun-Cadal avant de rejoindre son apprenti qui freinait le pas jusqu'à s'arrêter au milieu de la haie d'honneur.

La surprise ne l'épargna pas quand il prit conscience, avec dégoût, de la maigreur d'Anvelin Evgueni Reyes aux pieds des moines. Son visage se durcit, sa main serra plus fortement la poignée de son épée. Que l'évêque ait pu le trahir des années auparavant n'était pas excusable, mais méritait-il un sort si cruel ? Anvelin l'avait épaulé de si nombreuses fois lorsqu'il n'était qu'un jeune aspirant chevalier. Quoi qu'il ait pu commettre, il demeurait un saint homme, l'évêque d'Éméris.

De chaque côté, les hommes d'État les observaient avec une crainte à peine dissimulée. Seul l'un d'eux, assez jeune, une cicatrice sous son œil droit, paraissait plus piqué par la curiosité qu'en proie à la peur. Il inclina légèrement la tête de côté comme pour essayer de deviner le visage caché sous le masque.

—Arrêtez-les ! s'emporta son voisin.

Le jeune conseiller lui adressa un étrange regard amusé.

—Ce n'était pas ce qui était prévu, Azdeki ! renchérit un autre, près de la colonne opposée.

Ils commencèrent à élever la voix, pressant les soldats de se jeter sur l'assassin et son acolyte. Aux pieds du premier moine, Anvelin s'était retourné sur les coudes, un sourire béat étirant ses rides.

—Tu es là... Tu es venu, chuchotait-il, heureux.

—Conseiller ? demanda Rhunstag en sortant l'épée au clair.

Azdeki n'eut aucune réaction. Rien n'existait plus pour lui que le masque d'or et l'air harassé de Dun-Cadal. Ils se défiaient sans nécessité d'aucune parole, ils se mesuraient, se jaugeaient, certains que leurs lames se croiseraient, inéluctablement. Tout devait finir ici, c'était écrit. La tension était à ce point palpable que le silence revint tout naturellement, les conseillers perdant espoir d'obtenir une quelconque réponse de leur meneur. Il n'eut aucun besoin de hausser la voix pour être entendu.

— Je sais qui tu es, assura Azdeki. Je sais quelle colère t'anime. Je la comprends. Pire encore pour toi, je la respecte. Mais je ne peux te laisser t'opposer aux responsabilités qui doivent être les miennes. La vérité est dans le Livre, Laerte d'Uster.

La stupeur gagna les conseillers. Rhunstag et Bernevin échangèrent un regard déconcerté. Le nom avait été cité. C'était un mythe qui revenait à la vie, une légende terrible pour tous ceux qui avaient bâti la République. Laerte d'Uster n'avait-il pas, d'après les Azdeki, cherché à prendre le pouvoir une fois l'Empereur déchu ?

— La vérité, c'est que tu as peur, Azdeki. Et tu as raison d'avoir peur, s'écria Dun-Cadal.

Azdeki ne put retenir un rire nerveux.

— De qui ? De toi, Daermon ? De ton entrée spectaculaire, digne du rustre que tu as toujours été ? Tu mourras ici, tu le sais, comme le fils d'Uster. Je connais mon destin. J'en déduis le vôtre. Vous ne pourrez rien empêcher.

Bien qu'il essayât d'afficher de l'assurance, la peur crispait ses traits. Bernevin et Rhunstag hésitèrent un court instant avant de descendre de l'autel. Le maître et l'élève étaient de nouveau ensemble, et, si le temps avait passé, ils ne pouvaient ignorer ce qu'ils avaient représenté durant la révolution. Azdeki fit un pas en avant, jetant un bref coup d'œil aux fangolins.

— Frères ? J'ai besoin de votre bénédiction.

Ils restèrent muets sous leur capuche. Devant eux, Anvelin peinait à se tenir sur ses coudes, les larmes aux yeux. Laerte portait la main à son masque. Il le retira avant de le laisser glisser au bout de ses doigts.

Près de l'autel, Aladzio recula lentement, cherchant du regard celui de Laerte. Mais le fils d'Oratio gardait les yeux rivés sur les trois conseillers qui, malgré leur âge, semblaient prêts à croiser le fer.

— Nulle bénédiction, promit-il. Nulle confiance de la part de tes conseillers. Ce livre que tu as n'est pas aussi éternel que tu le prétends, Azdeki. Pas plus que le destin des hommes ne s'y trouve. La République ne tombera pas sous ton joug.

— Je ne veux pas faire tomber la République, rétorqua Azdeki avec le calme de celui qui ne doute pas. Je veux la défendre.

Il inspira profondément.

— Votre bénédiction ? répéta-t-il à l'intention des moines.

L'un d'eux pencha légèrement la tête de côté, puis d'une voix sourde lui annonça froidement :

— Vous l'avez.

— Arrêtez-les, ordonna-t-il d'un ton désabusé.

Il savait que ce ne serait pas facile, qu'il prendrait part à la bataille, que Dun-Cadal, comme Laerte, savait user du Souffle et ne fléchirait pas devant les soldats. Mais il gagnerait du temps.

Quand les soldats s'élancèrent, Aladzio s'était blotti contre la dernière statue au fond de la salle. Cela n'aurait pas dû se passer ainsi, Laerte aurait dû s'attaquer au *Liaber Dest* avant, il aurait dû le transpercer de son épée et tous auraient fui, perdant espoir dans les dires d'Azdeki. La peur serrait son cœur.

La douleur empoigna celui de Dun-Cadal lorsqu'il se baissa, les genoux craquants, pour éviter un coup de lance. Il se jeta en avant, roulant sur le sol et, encore à terre, leva son épée pour parer celle qu'Azdeki abattait sur lui. Les lames claquèrent. Sa poitrine s'enflamma. Puis il brandit la paume de sa main libre vers les trois conseillers qui le chargeaient. Le *Souffle* ne les repoussa que de quelques pas, suffisamment cependant pour laisser au vieux général le temps de se redresser.

Dans son dos, Laerte laissait son intuition le guider, aux prises avec la dizaine de soldats, sous les yeux ébahis des conseillers qui commençaient à paniquer. Pour chaque coup paré, il répondait par une attaque à la taille ; chaque lance esquivée, il l'agrippait pour entraîner le soldat vers lui et le transpercer de sa lame. Jamais il n'avait senti d'épée aussi légère qu'Éraëd, aussi simple à manier, comme l'extension de son bras. Elle ne bloquait pas les estocs, elle brisait l'acier, elle tranchait les armures et les os, elle scintillait dans une danse mortelle. Pas un moment, il ne fut en difficulté ; pas un instant, il n'eut l'impression d'être submergé, mais le temps comptait. Il prit une inspiration.

Son corps entier lui sembla être plongé dans les flammes.

Encerclé par les cinq soldats encore debout, il se baissa, frappant du poing le marbre du sol.

Le *Souffle* projeta les soldats comme des fétus de paille. L'un d'eux s'envola si haut qu'il se fracassa sur le torse d'une statue. Les conseillers se ruèrent vers les portes sans demander leur reste. Quand Laerte se redressa et qu'il se retourna vers l'autel au loin, il découvrit

Dun-Cadal résistant autant qu'il le pouvait aux assauts de ses anciens compagnons d'armes. La rage au ventre, il courut jusqu'à son mentor le souffle court, rétablissant ainsi l'équilibre des forces. Dun-Cadal prit la peine de s'écarter pour ne plus faire face qu'à Bernevin.

— Non ! Non ! hurla Anvelin à quelques pas.

Oubliant sa lassitude, surpassant ses douleurs, il cherchait à agripper l'un des moines. Quand le fangolin avait posé la main sur le *Liaber Dest* posé sur l'autel, l'évêque avait enroulé ses bras autour de son cou essayant de le faire reculer. Sous le regard d'Azinn Azdeki resté en retrait, le moine partit en arrière, manquant de s'écrouler sur l'évêque, puis, s'arrachant à son étreinte, lui assena un coup de coude dans les côtes. Les os craquèrent. Le visage empourpré, les yeux vitreux, le vieillard retomba au centre d'une vasque, et les flammes l'enveloppèrent, voraces. Libéré, le moine repartit vers l'autel et s'empara du Livre sans un regard pour l'évêque qui prenait feu.

Les épées se croisaient, les coups s'enchaînaient. Parade, estoc, taille. Azdeki et Rhunstag peinaient face à la fureur de Laerte. Il gagnait sur eux, il gagnait. Il plongea Éraëd dans la poitrine de Rhunstag, attrapant sa nuque pour le forcer à s'y empaler complètement.

Tout entier dévoré par les flammes, Anvelin poussa un cri déchirant. La douleur l'agita tel un pantin désarticulé et c'est elle qui lui donna assez de force pour se redresser violemment. Les jambes pliant sous son poids, il manqua de choir de nouveau et roula contre une tenture. Les flammes se propagèrent sur le tissu pour atteindre les poutres de bois barrant la voûte.

La lame de Bernevin fila sur le genou de Dun-Cadal, dans la brisure de son armure entre la cuisse et la jambe, déchirant pantalon et chair. Dans un gémissement, le général fléchit. Le cœur douloureux, il fit l'effort de lever son épée devant lui dans une torsion de bras délicate, et repoussa celle de son ennemi.

Dans l'ombre d'une statue, Aladzio vit le corps enflammé de l'évêque se jeter dans un dernier râle au milieu des moines fangolins qui cherchaient à fuir la salle. Le feu gagna les bures. Apeuré, Azinn s'était réfugié derrière l'autel. Tout autour, le feu courait sur les poutres pour se propager aux tentures et, avec lui, une fumée âcre et épaisse à laquelle s'ajoutait l'odeur fétide de la chair calcinée. Deux moines fangolins se roulaient sur le sol en essayant d'ôter leur tunique. Celui qui tenait le Livre en ses mains pressa le pas vers la sortie.

Une poutre céda dans un terrible fracas.

Le moine gisait sous elle, le *Liaber Dest* ouvert près de sa main. Et le feu commença à lécher les pages offertes.

Dans le chaos, Dun-Cadal résistait à Bernevin, Laerte tenait tête à Azdeki. Des râles accompagnaient chacune de leurs passes d'armes. Mais c'était la voix de Laerte qui portait le plus, c'était la silhouette d'Azdeki qui reculait dans la fumée. Laerte discernait ses yeux rougis par l'incendie et son corps maigre et élancé. Par moments, il devinait l'éclat de la lame du conseiller croiser Éraëd avant de plier. L'image de son père au bout d'une corde surgit.

Laerte frappa si puissamment qu'il entendit l'acier se briser. Azdeki lâcha un cri de surprise. Aussitôt, Laerte se fendit et balaya l'air de son épée. Il sentit la résistance des genoux d'Azdeki puis leur rupture. Se redressant, il déchira la fumée de son bras pour agripper les cheveux blancs de son ennemi tombé.

Il croisa son regard et y vit la peur et l'incrédulité. Il y avait de l'effroi dans les yeux du conseiller quand Laerte leva Éraëd.

Il abattit l'Épée sur son cou et, son poing retenant la chevelure blanche, il sentit le poids du corps d'Azdeki disparaître. Au bout de sa main pendait la tête du conseiller, les yeux éternellement ouverts.

Il la lâcha. Il ne l'entendit même pas rouler sur le sol. Son ventre le brûlait. Laerte n'avait qu'une envie : vomir, mourir, disparaître. Sa colère le torturait encore, l'air lui manquait. Et il le vit à quelques pas de lui, au bout d'une main ouverte. Le *Liaber Dest*. Et sur ses pages dansaient les flammes sans qu'elles les rongent. Rien. Il demeurait intact, comme protégé par une magie inconnue. Mais ce fut autre chose qui le fit s'agenouiller, le cœur battant à tout rompre. Bien autre chose que l'étonnante particularité du Livre.

Entourée de glyphes étranges, une gravure ancienne se devinait sous les flammes. Elle représentait un chevalier, dans la plus simple armure, assis contre un arbre. À ses pieds, un enfant en haillons, semblables à ceux qu'il portait aux Salines, l'observait dormir, une épée dans la main droite. Et dans sa main gauche…

—Grenouille…

Dun-Cadal avait rampé jusqu'à une statue et s'était retourné sur le dos, la tête posée sur le socle. Il souriait, mais dans son regard brillait une étrange tristesse alors qu'il tendait le bras vers Laerte. Traversant l'âcre fumée, le jeune homme le rejoignit et s'agenouilla à son côté en prenant sa main. Une plaie béait à un genou, un filet de sang coulait de ses lèvres mais aucune autre blessure n'était apparente. Laerte le comprenait, ce n'était pas l'épée qui l'avait mis à terre. Ils échangèrent un regard en silence. Non loin d'eux, Bernevin gisait, la gorge tranchée.

—Laerte…, prononça Dun-Cadal avec difficulté.

Sa poitrine s'élevait par à-coups. Son cœur le trahissait. Laerte sentait la main du vieil homme dans la sienne, mais au cœur du brasier elle était glaciale. Ils se regardaient. Simplement. Main dans la main. Ils étaient ensemble.

Une dernière fois.

Un ultime souffle passa entre les lèvres gercées de Dun-Cadal Daermon.

—Laerte… le Livre, entendit-il.

Dans l'épaisse fumée, la silhouette d'Aladzio se distingua, le tricorne vissé sur la tête. Il semblait perdu, désemparé.

—Il n'est plus là. Il ne peut pas avoir brûlé, il…

Aladzio se tut aussitôt en découvrant le corps inerte de Dun-Cadal. Laerte lâcha lentement la main du général après l'avoir posée sur son plastron. Des pas et des cris résonnaient au loin. Il se releva sans mot dire. Sa colère, elle, ne l'avait pas quitté. Ses doigts se contractaient autour de la poignée de son épée. Ils les entendaient approcher. Les soldats. Ils avaient défoncé la porte, investi la cour intérieure, sûrement avaient-ils été retardés par l'affolement des conseillers. Aussi ne fut-il pas surpris en entendant la voix grave de Rogant dans son dos.

—Il faut partir.

Le Nâaga lui tendait le masque d'or. Laerte ne détacha pas son regard du visage calme et paisible de son mentor.

—Je ne peux le laisser là. Porte-le, demanda Laerte d'un ton terriblement froid.

Les flammes dévoraient tout autour d'eux. Et dans quelques minutes, les couloirs de cette partie du Palatio seraient parcourus par les soldats à leur recherche. Ils devaient quitter les lieux et retrouver le passage que Laerte avait emprunté pour pénétrer dans le palais.

—Porte-le, insista Laerte.

Il arracha le masque de la main de son ami.

Elle n'avait pas disparu.

Sa colère…

Épilogue

La destinée des hommes
N'a jamais été
Que le murmure des dieux.

On enterra Dun-Cadal Daermon sans grande cérémonie, en bord de mer. Face au saint homme chargé de l'office, il n'y eut que Mildrel, vêtue d'une longue robe noire, un voile couvrant son visage. Nul ne sut ce qui s'était réellement passé au Palatio. Mais les rumeurs se propagèrent comme la poudre, de mensonges en demi-vérités, de découvertes en négations. Un nom revenait sur toutes les lèvres, un seul nom pourtant honni depuis la chute d'Asham Ivani Reyes.

Laerte d'Uster.

Le corps d'Étienne Azdeki fut tiré du feu à temps. Mais pas sa tête. Une enquête fut rapidement diligentée par le Haut Conseil d'Éméris, des questions troubles soulevées, des réponses bancales données pour seule explication. La tension gagna la capitale, les conseillers se regardèrent en chiens de faïence, on supposa qu'un coup d'État avait peut-être été évité. Mais certaines voix chuchotèrent dans les couloirs de l'ancien palais impérial que le comploteur n'était peut-être pas celui que l'on pensait. Azinn Azdeki n'avait plus donné signe de vie depuis la Nuit des Masques.

Le *Liaber Dest* avait été cité. Le *Liaber Dest* avait prétendument été retrouvé.

Balian Azdeki prit soin de témoigner avec toute sa hargne devant le Haut Conseil d'Éméris, jurant sur son honneur être certain de ce qu'il avançait. Son père était au-dessus de tout soupçon, il avait bâti la République et combattu le tyran Reyes. Après l'avoir servi, objectèrent certains.

Esyld, accablée, fut même appelée pour appuyer les propos de son époux. Timidement, les larmes aux yeux, elle fit face aux conseillers et assura avoir bien reconnu le fils d'Oratio lors de la Nuit des Masques. Elle avoua l'avoir connu, et concéda à demi-mot qu'il avait bien eu pour but d'assassiner les pères de la République présents ce soir-là. Il fut dès lors admis, en accord avec ce qu'Étienne Azdeki avait toujours rapporté, que Laerte d'Uster avait souhaité renverser la République et prendre le pouvoir, à l'instar d'un Reyes.

La vérité s'en retrouvait ainsi déformée, triturée, sculptée par les rumeurs, les convictions et les besoins politiques. Les conseillers se disputaient sur de nombreux points, sur la nature même des événements et sur leurs conséquences. La seule chose sur laquelle ils s'entendirent fut le cas Laerte d'Uster. Il était de retour et représentait un danger pour la République. Sa tête devait être mise à prix.

Et tous, du paysan au tavernier, du soldat au conseiller, donnèrent leur propre version de l'histoire, imaginant les motivations du fils d'Uster, sa félonie, sa cruauté… sa vendetta. Sans qu'aucun, jamais, ne connût la vérité et le retour héroïque d'une gloire brisée. Sans qu'aucun ne prononce de nouveau le nom de Dun-Cadal Daermon, mis en terre sous une pluie battante dans un cimetière de Masalia en bordure d'océan.

Loin derrière les grilles du cimetière, Laerte observa Mildrel pleurer celui qui les avait quittés avec dignité.

La vengeance appelle la vengeance…

Les poings serrés, il la contempla, belle et calme. Il hésita un instant à la rejoindre pour saluer celui qui lui avait tout appris… mais se résigna à reculer dans les ruelles de la cité.

—Ils s'écharpent tous, pestait Aladzio. Ils te désignent comme coupable, mais en vérité ils s'écharpent tous. Ce qui s'est passé à Masalia a mis en exergue les dissensions des conseillers du peuple.

Il empilait nerveusement les livres sur la longue table, allant et venant entre elle et les étagères. L'hiver approchait et, bien que la bibliothèque de la tour se trouvât sous terre, un air froid venait caresser les flammes des bougies.

—Tous ne parlent que du *Liaber Dest*. L'ordre fangolin demande des comptes aux conseillers présents à Masalia sur la disparition de leurs envoyés. Et pire encore, notamment pour de Page, ils estiment nécessaire d'avoir dorénavant une place dans l'Assemblée.

Il triait les ouvrages sans grande précaution, jetant par-dessus son épaule ceux qu'il ne jugeait pas dignes d'intérêt, puis rangeait les autres dans de grandes sacoches en cuir usé.

—Ils vont venir ici, Laerte. Les soldats de la République.

Il s'était arrêté, l'air grave.

—L'ordre de Fangol veut reprendre la place qu'il considère comme sienne. Ils vont venir ici, alors je sauve ce que je peux.

Adossé à un mur, les bras croisés, Laerte soutenait son regard.

—Tu n'imagines pas la colère de De Page, soupira Aladzio en se résignant à abandonner trois gros codex. Cela dit, il s'en sort plutôt bien comparé à toi. Aucune mention de son nom, il est blanc comme neige et les mercenaires ont eu tout le temps de quitter le Palatio par les jardins. Il parle de toi, tu sais. Il m'a demandé si je savais où tu étais parti.

—Tu n'as qu'une parole, dit Laerte.

—Je n'ai qu'une parole, acquiesça Aladzio. Mais tu devrais reprendre contact. Peut-être pourra-t-il te protéger.

—Il sait où est parti Azinn, n'est-ce pas ? C'est lui qui a pris le *Liaber Dest*…

Aladzio lui adressa un regard sombre, se mordant les lèvres, puis entreprit de fermer ses sacoches remplies à ras bord.

—C'est ce qu'il suppose, oui. Mais ce n'est pas pour le Livre que tu chercheras Azinn, n'est-ce pas ?

Péniblement, il mit les sacoches sur son épaule.

—Rogant est sur ses traces. Il s'attend à te revoir dans peu de temps.

Le sourire qu'il venait d'esquisser disparaissait à mesure qu'il parcourait la bibliothèque d'un œil éteint.

—Ils gardent le savoir secret, dit-il tristement. Les fangolins. Tout cela laissé à… Ça me fend le cœur.

D'une main molle, il tapota le cuir d'une des sacoches pendues sur sa poitrine.

—Je prends mon dû, sourit-il péniblement.

Galapa les accueillit d'un léger ricanement, assis sur sa chaise près de la porte de la tour en ruine. Aladzio posa les sacoches sur la croupe de son cheval, levant les yeux vers Laerte qui se hissait sur le sien.

—Je crains pour ce vieux frère, avoua Aladzio, contrit. Un fou, certes, mais il va me manquer.

À son tour, il se mit en selle. Au loin, sur la ligne d'horizon, un nuage de poussière s'élevait. Des cavaliers arrivaient. Aladzio souleva son tricorne d'une main avant de le caler sur sa tête.

—Nous y sommes, dit-il.

—Aladzio… le Livre… tu l'as lu… Tu as vu toutes ses pages.

Pas un moment, il ne tourna les yeux vers Laerte, comme embarrassé. Il savait ce que souhaitait son ami et cela ne lui plaisait guère de répondre.

—Chacun y voit ce qu'il veut, tu sais, essaya-t-il d'esquiver.

—Vraiment? Je ne crois pas au destin écrit par les dieux, mais j'ai vu… au Palatio, j'ai vu Dun-Cadal dans le Livre.

—Ah? sourit timidement Aladzio. Je ne me rappelle pas l'avoir vu.

Il fuyait encore son regard. Galapa continuait à ricaner.

—Aladzio, regarde-moi.

Il scrutait l'horizon, cherchant à distinguer dans la poussière soulevée la silhouette des cavaliers.

—Regarde-moi, répéta Laerte.

Enfin, il daigna tourner les yeux vers lui. Mais son visage avait perdu tout embarras. Une gravité qu'il n'avait jamais, de toute sa vie, affichée, avait pris le dessus.

—Tu y crois? demanda Laerte.

—Je doute toujours, Laerte. Les certitudes, ce sont elles qui tuent la République. Je doute. Et pourtant j'aimerais être certain que ce livre n'est rien d'autre qu'une fable écrite il y a des milliers d'années. Sur ma vie, je te jure que je préférerais te dire cela.

Il se passa la langue sur les lèvres, tirant légèrement sur les rênes pour diriger son cheval vers le chemin boueux.

—Parce que j'ai vu la fin du Livre. Une gravure, une simple image qui garde encore ses secrets mais… j'en suis certain. Nous approchons de cette fin, mon ami.

—Et?

—Et pour rien au monde, je ne voudrais vivre cette fin-là.

La peur, elle avait éclairé ses yeux l'espace d'un instant, comme jamais.

—Tu devrais la retrouver, conseilla-t-il, l'air grave.

—Qui?

—Viola. Viola Aguirre. Elle parle de toi, tu sais? Il faudrait être aveugle pour ne pas reconnaître qu'elle tient à son mystérieux Laerte d'Uster. Tu devrais la retrouver. Elle est partie il y a deux jours d'Éméris pour le comté de Daermon, dans l'Ouest. Elle prétend y faire des recherches historiques, mais nous savons que ce n'est pas l'unique raison, n'est-ce pas? C'est une façon de l'honorer. Je crois…

Il marqua un temps, humant l'air.

—Oui, tu devrais la retrouver. Et profiter d'une vie paisible, mon ami.

Il fit avancer sa monture sur le chemin de pierre puis la talonna pour qu'elle aille au trot.

—Bèche te suivra! Sers-toi d'elle pour me contacter! Prends soin de toi, Laerte!

Le petit rire de Galapa s'était tu. Laerte resta quelques minutes, silencieux, contemplant le paysage, pensif. Où aller désormais? Quelle voie suivre? Il avait le sentiment d'avoir tout perdu, de n'être plus rien.

—Il est venu, tu sais, fils d'Uster, il est venu me voir, annonça Galapa, tout sourires.

Sa voix était presque sifflante alors qu'il levait ses yeux d'un blanc laiteux vers Laerte comme s'il arrivait à le voir clairement. Peu enclin à entamer une discussion avec un fou, et voyant les cavaliers approcher, celui-ci engagea son cheval sur le chemin qui descendait de la tour. Mais Galapa l'interpella de nouveau.

—Il m'a dit que tu avais coupé la tête d'Azdeki! Qu'il était resté sur le seuil pour te regarder te battre!

Laerte tira les rênes si vivement que son cheval hennit. Il le fit volter sur le chemin.

— De qui parles-tu ? s'enquit-il sèchement. Qui ?

Il n'eut pour réponse qu'un seul ricanement, long et horripilant. Le vieux moine déboutonna lentement sa tunique. Il en écarta les pans, puis découvrit fièrement son torse en dodelinant de la tête.

— Mais de celui qui m'a fait ce joli cadeau, voyons. Celui qui sait que le Livre et l'Épée doivent être réunis.

Sur sa peau blême, une ancienne cicatrice boursouflée dessinait un rectangle que barrait une ligne droite. Non, pas une ligne. Cela ressemblait à une lame, fine, surmontée d'une poignée torsadée.

— Le plus gros des Azdeki, il le connaît. Il l'a entendu murmurer à son oreille, continua Galapa, amusé. Quelle nouvelle de l'Ouest ? Quelle nouvelle par-delà la grande mer ?

Le temps pressait, les cavaliers se faisaient plus distincts, et l'un d'eux arborait l'étendard des soldats de la République. Laerte aurait voulu interroger le moine plus longuement, mais il n'avait guère envie de se battre.

— Qui est là ? demanda subitement Galapa.

Il se passa une main tachée de brun sur les lèvres, l'air perdu. Puis ricana de nouveau.

Au loin, sur un chemin de terre, de la poussière s'élevait derrière un cortège de voyageurs. À l'arrière d'une carriole bringuebalante, un homme obèse se cachait sous une couverture sale et trouée, serrant contre lui un livre, le regard absent. Par moments, il jetait de petits coups d'œil de côté, s'assurant que personne ne le reconnaissait. Plus que quelques heures avant leur arrivée à Eole. Tout au bout du chemin, après une large et sombre forêt, se dressait en haut d'une falaise une cité de pierre qu'entouraient d'importantes fortifications. Ici, Azinn Azdeki serait en sécurité. Du moins l'espérait-il… Peut-être aurait-il eu un tout autre avis s'il avait remarqué sur la colline les surplombant un homme flattant le flanc de son cheval.

La vengeance appelle la vengeance… Il s'agit de la voie que tu choisis d'emprunter.

Laerte observait le cortège chanceler sur la route. Puis il remonta en selle, décidé.

La voie de la colère ne mène qu'à l'abîme, car pour continuer à l'arpenter tu devras sans cesse la nourrir, toujours regarder derrière toi, toujours. Le choix t'appartient… Laerte d'Uster. Mon fils…

Il claqua des talons et s'élança au galop…

Remerciements

À Barbara Bessat-Lelarge et à Quentin Daniel qui, les premiers, crurent en ce livre.

À toute l'équipe de Bragelonne qui a été d'une grande gentillesse et d'un professionnalisme exemplaire à mon égard.

À Claire Deslandes pour le travail, si précieux, de relecture et de conseils. À Tom Clegg pour les dernières suggestions.

Un merci très spécial à Gillian Redfearn de Gollancz et à Stéphane Marsan de Bragelonne pour leur confiance.

Table des matières

AUBIN IMPRIMEUR